D1192984

Douglas Frantz

Mr. Diamond

Der Insider-Skandal von Wall Street

Aus dem Amerikanischen
von Manfred J. Holler

List Verlag

Titel der Originalausgabe:
Levine & Co. Wall Street's Insider Trading Scandal.
Henry Holt and Company, New York 1987

Umschlagentwurf: Rolf J. Negele, München

ISBN 3-471-77541-2

Fotosatz: Uhl + Massopust, Aalen
Druck und Bindung: May & Co., Darmstadt

Inhalt

1. Kapitel

Mr. Diamond

Dennis Levine stieg aus dem Flugzeug und blinzelte in die tropische Sonne. Er war 27 Jahre alt, 1,82 groß, übergewichtig, mit einem runden Milchgesicht und Brille. Ein Strohhut bedeckte sein schwarzes Haar, er trug blaue Jeans und ein Sporthemd mit offenem Kragen, genau so wie die Touristen, hinter denen er die Gangway hinunterging und das Rollfeld des Internationalen Flughafens Nassau betrat.

Es war Montag, der 26. Mai 1980. In den 45 Flugminuten entfernten USA feierte man den Memorial Day.

Das einstöckige Flughafengebäude hatte keine Klimaanlage und bot daher wenig Schutz vor der Hitze. Doch die amerikanischen Touristen, die in die Bahamas einreisen wollen, fluchen ohnehin, daß sie durch den Zoll müssen. Jedenfalls wurde Levine, der nur eine kleine Reisetasche bei sich hatte, schnell abgefertigt.

Wenige Minuten später stand er bereits vor dem Eingang des Flughafengebäudes. Sofort winkte ihm ein livrierter Angestellter ein Taxi von dem rund 150 Meter entfernten Stand. Levine kletterte auf den Rücksitz und bat den Fahrer, ihn in das Geschäftsviertel von Nassau zu fahren.

Die Fahrt in die Innenstadt dauert rund zwanzig Minuten, die Straße führt an Palmen und hochgewachsenen australischen Kiefern, am Cunningham See und dem Ambassador Beach Golf Club vorbei, durch Wohnviertel und schließlich entlang der Küste, wo der Besucher einen ersten Eindruck vom weißen Sandstrand und dem glitzernden azurblauen Atlantik erhält, welche die Bahamas so berühmt machten.

Nassau, Hauptstadt der Bahamas, die auf 700 Atlantikinseln in einem Gebiet von mehr als 100 000 Quadratmeilen verstreut liegen, war einst Heimathafen sagenumwobener Piraten. Das moderne Nassau ist eine quirlige Stadt mit 125 000 Einwohnern, in der neben Überresten der britischen Kolonialherrschaft die typischen Erzeugnisse für den Fremdenverkehr zu finden sind, dem wichtigsten Devisenbringer des Landes.

Levine allerdings war wegen des zweitwichtigsten Wirtschaftszweiges nach Nassau gekommen. Eine vorteilhafte Steuergesetzgebung und das strenge Bankgeheimnis hatten die Stadt im Laufe des vergangenen Jahrzehnts zu einem der bedeutendsten Offshore-Finanzzentren werden lassen. Im Sommer 1980 waren Einkünfte und Beschäftigtenzahl nur noch im Fremdenverkehr höher als im Bankbereich. Mehr als 200 ausländische Finanzinstitute unterhielten auf den Bahamas ein Büro; die meisten befanden sich in den Gebäuden direkt bei der Bay Street, der Haupteinkaufsstraße der Stadt.

Mitten zwischen heruntergekommenen Souvernirläden, farbenfrohen Boutiquen und Amtsstuben von Behörden befinden sich die Filialen einiger der namhaftesten internationalen Banken – Barclays, Chase Manhattan, Schweizerische Kreditanstalt – und rund ein Dutzend weniger bekannter Institute. In diesem Viertel wollte Levine die nächsten zwei Tage nach einer Bank Ausschau halten, die seinen speziellen Anforderungen gerecht würde.

An seinem zweiten Tag in Nassau betrat Levine die bescheidenen Räumlichkeiten der Bank Leu International Ltd., einer Tochtergesellschaft der ältesten Schweizer Privatbank. Am Empfang sagte er, er sei daran interessiert, ein Konto zu eröffnen, und wolle den Geschäftsführer sprechen.

Jean-Pierre Fraysse, der Geschäftsführer der Bank Leu, begrüßte den unerwarteten Besucher und ging mit ihm in sein Büro. Fraysse entschuldigte sich für die Enge, wies aber zugleich darauf hin, daß die Bank im folgenden Monat in schönere Büros umziehen würde.

Levine erklärte Fraysse, daß er alle Schweizer Banken in Nassau besuchen wolle, um sich dann für diejenige zu entscheiden, von der er annehmen könnte, sie würde seine Konten am besten verwalten. Er stellte sich als Investmentbanker aus den USA vor. Sein Wunsch sei, intensiv in amerikanischen Aktien zu handeln; die Orders müßten schnell und mit absoluter Diskretion abgewickelt werden.

Als erfahrener internationaler Banker spürte Fraysse sofort, daß Levine genau der Kundengruppe entsprach, die er für die Bank Leu International gewinnen wollte. Er erzählte seinem amerikanischen Gast, daß er vor kurzem in die Bank Leu eingetreten sei und den Auftrag erhalten habe, das Geschäft auf den Bahamas zu vergrößern. Er sei vor allem an solchen Kunden interessiert, die die Dienstleistungen der Bank im Bereich des Aktienhandels in Anspruch nehmen wollen. Levine ging, ohne sich in irgendeiner Weise zu binden. Er sagte, er wolle noch andere Banken besuchen. Fraysse aber war überzeugt, daß er zurückkommen würde.

Nach jahrelanger Tätigkeit im internantionalen Bankgeschäft war Jean-Pierre Fraysse am 4. Januar als General Manager in die Bank Leu eingetreten. Davor hatte er eine leitende Stellung bei Guinness Mahon & Co., einer der führenden englischen Merchant Banks, bekleidet, vor dieser Tätigkeit war er Manager im internationalen Geschäft der Lloyds Bank in England gewesen und hatte in seinem Heimatland Frankreich bei Investmenthäusern gearbeitet. Nun war er fünfzig, stattlich, liebenswürdig, ein Weinkenner und Unterhalter, in dessen hervorragendes Englisch sich mitunter ein starker Akzent einschlich, der ihm beachtliche Ähnlichkeit mit Peter Sellers als Inspektor Clouseau verlieh.

Im Laufe des Tages kam Levine zurück und erklärte Fraysse, er habe sich für Bank Leu entschieden. Er würde sein Konto bei Pictet & Cie in Genf, einer anderen Schweizer Bank, schließen und das Geld an Bank Leu überweisen. Zunächst seien es lediglich 125 000 bis 130 000 Dollar, doch würde sich das Guthaben im Laufe der Zeit erhöhen.

Fraysse ließ seinen Stellvertreter und Treasurer Bruno Pletscher kommen. Er sollte den neuen Kunden begrüßen und mit ihm die Formalitäten der Kontoeröffnung besprechen. Der hochgewachsene Pletscher, dessen typisch schweizerische Zurückhaltung oft als Griesgrämigkeit ausgelegt wurde, war ebenfalls neu bei Bank Leu International. Doch hatte sein Lebenslauf wenig gemein mit dem seines Vorgesetzten.

Pletscher war einige Monate früher, nämlich im November 1979, in die Tochtergesellschaft auf den Bahamas gekommen. Zuvor hatte er in der Zürcher Zentrale der Bank Leu im Rechnungswesen gearbeitet, wo er als unermüdlicher Arbeiter galt. Mit seinen 33 Jahren verfügte Pletscher bereits über 15 Jahre Bankerfahrung. Mit 16 hatte er bei einer anderen Zürcher Bank als Lehrling begonnen, 1967 im Alter von 19 als Buchhaltergehilfe zur Bank Leu gewechselt und die Qualifikation zum Wirtschaftsprüfer in Abendkursen erworben. Beim schweizerischen Wirtschaftsprüfer-Examen belegte er den dritten Platz.

Seitdem war Pletscher im Rechnungswesen der Bank stetig aufgestiegen und erhielt schließlich in der Zentrale eine eigene Abteilung. Er leitete zahlreiche Sonderprojekte; eines war die Ausgestaltung und Einrichtung des Rechnungswesensystems der Bank Leu International, als die Tochtergesellschaft 1973 in Nassau eröffnet wurde. Die Errichtung einer Tochtergesellschaft auf den Bahamas bedeutete für Bank Leu den ersten »Ausflug« in das internationale Bankgeschäft. Bisher hatte sie ihren Ruf darauf gegründet, in der Schweiz mehr als zwei Jahrhunderte lang Kredite an sparsame Schweizer Hausbesitzer und kleine Unternehmen ausgereicht zu haben. Das internationale Feld hatte sie den Konkurrenten überlassen.

Im Laufe der Jahre verlor der Rechnungswesenbereich für Pletscher an Anziehungskraft. Er wollte sich weiterentwickeln und sich auch in Akquisition, Umgang mit Kunden und Vermögensverwaltung weiterbilden. Daher nahm er die zweitklassige Stelle auf den Bahamas Ende 1979 hocherfreut an und zog mit Frau und drei Kindern um den halben Erdball nach Nassau.

Fraysse kam kurz nach Pletscher zur Bank Leu, und der zurückhaltende Schweizer fand in ihm einen aufgeschlossenen und erfahrenen Lehrer. Als Pletscher am 27. Mai zu Fraysse gerufen wurde, um den neuen amerikanischen Kunden zu begrüßen, war ihm klar, daß es hier nicht nur um die organisatorische Abwicklung einer Kontoeröffnung ging. Vielmehr bedeutete es eine weitere Lektion im Umgang mit Kunden.

»Ich werde Ihnen gutes Geschäft bringen, aber ich verlange erstklassigen Service«, sagte Levine.

Levine war den Umgang mit älteren, einflußreichen Männern – Industrie- und Bankbossen – gewöhnt. Als junger Investmentbanker war er in untergeordneter Position an einigen wichtigen Transaktionen beteiligt gewesen und hatte intensiv daran gearbeitet, sich das Flair eines erfolgreichen, wohlerzogenen, charmanten jungen Mannes zuzulegen, hinter dem sich sein wirklicher Charakter verbarg: ehrgeizig, vulgär und nur dann rücksichtsvoll, wenn es sich lohnte. Sein Übergewicht tat seiner Selbstsicherheit keinen Abbruch, in seinem Blick lag etwas Wissendes. Levine hatte in den wenigen Jahren seiner Berufstätigkeit die Attitüde eines umgänglichen, liebenswürdigen und unterhaltsamen Mannes entwickelt, hinter der er geschickt seinen brennenden Ehrgeiz verbarg.

Seine Anweisungen an Pletscher und Fraysse klangen höflich, aber bestimmt, sein Ton war unmißverständlich. Er sagte, möglicherweise würde er das gesamte Guthaben auf seinem Konto in einer einzigen Aktie anlegen wollen. Die übliche Diversifizierung der Aktienbestände interessiere ihn nicht, und er wünsche auch keine Anlageberatung, da er den amerikanischen Aktienmarkt bestens kenne. Er lege einzig und allein Wert darauf, daß seine Kauf- und Verkaufsorders zügig ausgeführt werden und die Abwicklung klappt.

Levine wies nochmals darauf hin, daß alles mit absoluter Diskretion ablaufen müsse. Er würde seine Aufträge telefonisch durch R-Gespräch an Bank Leu geben. Umgekehrt solle die Bank weder schriftlich noch telefonisch mit ihm in Kontakt treten, es sei denn auf seinen ausdrücklichen Wunsch. Daher hinterließ er weder Telefonnummer noch Adresse. Die Kontoauszüge und andere Post würde er bei seinen – wie er sich ausdrückte – regelmäßigen Besuchen selbst abholen.

Dann erkundigte sich Levine nach den Namen der Börsenmaklerfirmen, über die die Bank in New York ihre Wertpapieraufträge ausführen läßt. Als Fraysse antwortete, daß alle Orders an EuroPartners Securities Corp. gingen, eine kleine Firma, mit der auch die Zentrale in Zürich zusammenarbeitet, entgegnete Levine, es wäre ihm lieber, wenn »sensitive« Aktienaufträge über mehrere Brokerhäuser verteilt würden. Doch wurde dieses Thema nicht weiter diskutiert.

Fraysse fragte, ob Levine ein persönliches Konto eröffnen oder eine bahamanische Firma gründen wolle, um einen größeren Grad an Anonymität zu erzielen. Da sich Levine auf diesem Gebiet nicht besonders gut auszukennen schien, ließ Fraysse einen der Rechtsberater der Bank kommen, der Levine die Vor- und Nachteile erklärte, die mit der Gründung eines Unternehmens nach bahamanischem Recht verbunden sind: Die Identität des Eigentümers braucht nicht offenbart zu werden, statt dessen werden Anwälte aus Nassau als Mandatsträger benannt, die gegenüber der Zentralbank der Bahamas erklären, daß das Unternehmen Eigentum eines Gebietsfremden ist, dessen Name den Behörden nicht genannt werde. Das Eigentum wird durch Namensaktien verbrieft, die von den Direktoren gehalten werden und nicht auf den Namen des wirklichen Eigentümers lauten.

Levine sagte wenig zu diesen Ausführungen. Fraysse hatte den Eindruck, er sei enttäuscht darüber, daß die Bank ihm nicht anbiete, für ihn sofort die bahamanische Firma zu gründen. Levine teilte mit, daß er zumindest am Anfang ein persönliches Konto bevorzuge.

Obwohl sich Levine bei Fraysse und Pletscher mit seinem wirklichen Namen vorgestellt hatte, bestand er auf einem Konto mit Kennwort, um seine Anonymität gegenüber Dritten zu wahren. Er wollte das Konto auf dem Namen »Diamond« eröffnen. Wenn er der Bank durch R-Gespräch Orders übermittle, werde er sich als »Mr. Diamond« melden. Schließlich wies Levine noch einmal darauf hin, daß er größten Wert auf erstklassigen Service lege, insbesondere, nachdem er mit seiner vorherigen Bankverbindung in dieser Hinsicht, wie er sich ausdrückte, Schwierigkeiten gehabt und die Verbindung gekündigt habe, weil er mit dem Service unzufrieden gewesen sei.

In Wirklichkeit hatte Levine im Juli 1979 insgeheim ein Wertpapierkonto bei Pictet & Cie in Genf eröffnet und darüber Aktienaufträge auf Grund von Insider-Informationen abwickeln lassen, die er während seiner Tätigkeit bei Smith Barney, Harris, Upham & Co. erhalten hatte. Einem Angestellten von Pictet & Cie fiel dies nach einiger Zeit auf; Levines Aufträge wurden nicht mehr ausgeführt. Mit der Diskretion und der Höflichkeit, die nur Schweizer Bankiers eigen ist, legte Pictet & Cie Monsieur Levine nahe, sein Konto zu kündigen und seine Geschäfte anderswo zu tätigen.

Fraysse und Pletscher wußten nichts von diesem Vorfall. Sie versicherten Levine, daß Bank Leu genau den Service bieten könne, den er wünsche.

Im Grunde bedeuteten Levines Wünsche für Fraysse und Pletscher nichts Besonderes. Diskretion und Wahrung des Bankgeheimnisses sind für Banken in der Schweiz und auf den Bahamas völlig normal. Banker in beiden Ländern sind darauf geeicht, ihren Kunden nicht zu viele Fragen zu stellen. Und auch das codierte Konto stellte eine Routineangelegenheit dar. Buchstäblich jede Schweizer Bank bietet ihren Kunden die Möglichkeit, Konten auf einen Decknamen zu eröffnen.

Pletscher half Levine beim Ausfüllen der Formulare für das »Diamond«-Konto. Er machte eine Fotokopie von Levines Paßfoto und heftete sie an die Kontounterlagen, so daß Levine von den Bankangestellten identifiziert werden konnte, wenn er in die Bank kam, um Geld von seinem Konto abzuheben oder eine andere

Transaktion durchzuführen. In der Akte befand sich auch die Unterschriftskarte, auf der Levine seinen Namen und seine Privatanschrift in East Side Manhattan angegeben hatte. Er versprach, daß das Geld innerhalb weniger Tage von seinem Schweizer Konto überwiesen werden würde. Als er ging, schien er mit seinem Codekonto rundum zufrieden.

Ein Konto mit Kennwort mag für den Kunden eine gewisse Beruhigung darstellen, vielleicht auch etwas Verschwörerisches und Aufregendes haben. Doch sollte man ein solches Konto nicht mit einem Nummernkonto verwechseln, das wesentlich schwieriger zu eröffnen ist. Viele Konten bei Schweizer Banken laufen auf ein Kennwort; die Identität des Kontoinhabers ist der Bank bekannt und kann von jedem Bankangestellten eingesehen werden, der Zugang zu den Kontounterlagen hat. Echte Nummernkonten, bei denen die Identität des Kontoinhabers auch innerhalb der Bank streng geheim gehalten wird, sind selten. Die Eröffnung eines Nummernkontos muß von der Geschäftsleitung der Bank genehmigt werden. Nur ausgewählte Kunden mit großen Einlagebeträgen kommen in Betracht. In der Regel wird eine Mindesteinlage von einer Million Schweizer Franken verlangt. Der Name des Kontoinhabers taucht in den Unterlagen nicht auf; er ist nur zwei bis drei leitenden Bankangestellten bekannt.

Für Ausländer, die ihr Geld oder ihre Finanztransaktionen auf den Bahamas verbergen wollen, liegt der Schutz weniger in einem Kennwort als in der strengen Gesetzgebung zur Wahrung des Bankgeheimnisses. Es ist eine Straftat, wenn ein Bankangestellter ohne ausdrückliche Weisung eines bahamanischen Gerichts oder eines Regierungsbeamten die Identität eines Kunden preisgibt.

Als Levine gegangen war, schrieb Fraysse eine Aktennotiz, in der er den neuen Kunden als Mr. Diamond bezeichnete. Niemals wieder sollte Levine innerhalb der Bank mit seinem richtigen Namen bezeichnet werden. In seiner Beurteilung über Mr. Diamond schrieb Fraysse: »Grundsätzlich interessiert er sich nur für den amerikanischen Markt, den er ausgezeichnet kennt. Er wird uns seine Aufträge telefonisch durch R-Gespräch übermitteln. Diskretion scheint ihm über alles zu gehen; er will von uns keinerlei schriftliche oder mündliche Mitteilungen bekommen.« Fraysse schloß seine Aktennotiz mit dem Hinweis, daß Mr. Diamond und seine Handelsaktivitäten aufmerksam verfolgt werden sollten. »Er scheint ein ausgesprochen anspruchsvoller Kunde zu sein.«

Im Laufe des Nachmittags äußerte sich Fraysse gegenüber Pletscher: »Unser neuer Kunde wird der Bank gute Geschäfte bringen. Sie sind jetzt am Ball und sollten alles tun, um seine Aufträge reibungslos abzuwickeln, denn das könnte für uns sehr vorteilhaft sein.«

Pletscher verstand vom amerikanischen Wertpapiermarkt wenig. Er wußte nicht einmal, was Levine meinte, als er sich als Investmentbanker vorstellte. Pletscher glaubte, Levine arbeitete in einer Bank als Anlageberater, und fand es spannend, durch die Abwicklung von Levines Wertpapiergeschäften mit den amerikanischen Wertpapiermärkten in Berührung zu kommen. Er hielt den Amerikaner für einen »cleveren Burschen«, der am Aktienmarkt Gewinne machen, damit beträchtliche Provisionseinnahmen für die Bank generieren und schließlich ihm, Pletscher, unschätzbare Einblicke in das Wertpapiergeschäft bieten würde.

Zu Beginn der folgenden Woche wurden Mr. Diamonds Konto bei Bank Leu zwei Telexüberweisungen von Pictet & Cie in Genf über insgesamt 128 900 Dollar gutgeschrieben. Kurz darauf, am 5. Juni, gab der Kunde mit R-Gespräch seinen ersten Kaufauftrag durch – 1500 Aktien von Dart Industries. Am 6. Juni wurden die Aktien nach einem zweiten Telefonanruf verkauft. Der Kurs war nach der öffentlichen Ankündigung, daß Kraft Inc. der Dart ein Fusionsangebot machen wolle, um fast drei Punkte pro Aktie gestiegen. Mr. Diamonds Gewinn aus seinem ersten Aktiengeschäft mit Bank Leu betrug 4 093 Dollar.

Am 22. August besuchte Levine zum zweiten Mal seine Bank. Mittlerweile war er ein geschätzter Kunde. Fraysse führte ihn in das große Konferenzzimmer in den neuen Büros der Bank im Norfolk House, einem pastellgrünen Bürogebäude im Kolonialstil mitten in der Stadt. Levine überprüfte seine Kontoauszüge und monierte, daß eine Gebühr von 10 Dollar pro R-Gespräch zu hoch sei. Dann schüttelte er aus einer Plastikeinkaufstüte 40 000 Dollar in bar auf den Tisch. Dies war seine zweite Einzahlung auf das »Diamond« Konto.

Im Verlauf der folgenden sechs Jahre kam Levine viele Male zur Bank Leu. Immer war er wie ein Tourist gekleidet und trug gewöhn-

14

lich einen Strohhut. Häufig kam er mit einer Plastiktüte. Doch brauchte er niemals wieder Geld einzuzahlen.

Statt dessen verließ Levine häufig die Bank mit einer prallgefüllten Tüte voller Geldscheine. Manchmal waren es 200 000 Dollar, immer in 100-Dollar-Scheinen, und immer in einer Einkaufstüte. Schließlich hatte er insgesamt 1,9 Millionen Dollar abgehoben.

Im Verhältnis zum Vermögen, das sich auf Levines Konto angesammelt hatte, und zur Größenordnung seiner Aktiengeschäfte waren die Entnahmen gering. Im Laufe von annähernd sechs Jahren Handel über Bank Leu kaufte Levine bis zu 150 000 Aktien einer einzigen Gesellschaft. Er investierte in ein einziges Geschäft den Spitzenbetrag von 9 Millionen Dollar. Er kaufte von 114 verschiedenen Unternehmen Aktien im Wert von 99,3 Millionen Dollar. Er wählte 71 Gewinner aus und erzielte daraus Kursgewinne von 13,6 Millionen Dollar. Sein größter Treffer bei einer Transaktion waren 2,7 Millionen Dollar Gewinn. Er verlor 2 Millionen Dollar bei 43 Verlierern. Der höchste Verlust bei einem Geschäft betrug 274 000 Dollar. Sein Nettogewinn aus dem Aktienhandel machte insgesamt 11,6 Millionen Dollar aus. Dazu kamen annähernd eine Million Dollar Bankzinsen.

Diese Zahlen legen beredtes Zeugnis für Dennis Levines Habsucht und Gier ab, für die skrupellose Manipulation von Freunden und den schändlichen Betrug an Kollegen. Doch diese Zahlen sind nur die nackten Tatsachen einer Geschichte, die zeigt, wie die manische Geld- und Ruhmsucht eines Mannes die Karriere einiger von Wall Streets hoffnungsvollsten Nachwuchskräften zerstört hat. Die Vorgänge lösten einen gewaltigen Finanzskandal aus und machten deutlich, daß Korruption in einer Ära der Globalisierung der Aktienmärkte globale Auswirkungen haben kann.

2. Kapitel

Als Mr. Diamond noch Dennis Levine hieß

Dennis Levine kam aus einem bescheidenen Zuhause und brachte es zum Eigentümer einer Luxuswohnung in der Park Avenue. Als Kind trieb er sich gerne mit anderen Jungen auf der Straße herum. Die Tricks, die er dabei lernte, wandte er auch später in seiner Laufbahn als Investmentbanker erfolgreich an.

Die ersten 25 Jahre seines Lebens verbrachte Levine mit seinen Eltern in einem kleinen roten Backsteinbungalow in der 208ten Straße in der Bayside, einem Teil von Queens. Er wuchs als jüngster der drei Söhne von Philip und Selma Levine auf. Eine Tochter, die zwei Jahre nach Dennis geboren wurde, starb mit fünf an einem Gehirntumor.

Bayside, eingeklemmt zwischen den vornehmen Gegenden Manhattans und den Mittelklasse-Vororten Long Islands, sah wie eine Kleinstadt aus. Einwanderer aus der Arbeiterklasse, die nicht mehr in den verkommenen Vierteln Manhattans leben wollten, ließen sich dort in den vierziger Jahren nieder. Als Dennis Levine in den fünfziger und sechziger Jahren hier aufwuchs, war Bayside nicht viel anders als heute: ein gepflegtes, familienfreundliches Viertel mit dem Ruf guter öffentlicher Schulen. Die Häuser der Straße, in dem die Levines wohnten, sahen alle gleich aus: Sie waren einstöckig und rechteckig, rundherum gepflegte Gärten und Rasenflächen. Man kannte einander, unterhielt sich, wenn man sich auf der Straße traf, und sah zu, wie die Kinder zusammen groß wurden.

Als Dennis am 1. August 1952 geboren wurde, leitete sein Vater das Verkaufsbüro einer örtlichen Baufirma; seine Mutter war Hausfrau. Philip Levine, ein echtes Verkäufertalent und cleverer Geschäftsmann, eröffnete schließlich sein eigenes kleines Geschäft, wo er Aluminium- und Kunststoffverkleidungen an Hausbesitzer in Queens und Long Island verkaufte. Sein extrovertiertes Wesen und seine gewinnende Art im Umgang mit Kunden brachten ihm in einer Branche mit extrem hohem Konkurrenzdruck bescheidenen Erfolg.

Selbst in dieser Gegend, in der eine starke Fixierung auf die Familie üblich war, erschien der Familienzusammenhalt der Levines besonders eng. Die Jungen kamen mit ihrem Vater gut aus und halfen im Familienbetrieb mit, als sie größer wurden. Dafür wies er sie in die Finessen des Verkaufens ein. Alle drei hatten sein Verkaufstalent geerbt und schlugen später diese Richtung ein. Larry wurde Grundstücksmakler in Mission Viejo, Kalifornien; Robert übernahm den Familienbetrieb; und Dennis war das ganz große Geschäft vorherbestimmt.

Selma Levine, eine kleine, mollige Frau, lebte nur für die Familie, die klassische »Jüdische Mamma«. Sie liebte besonders den Kleinsten der Familie, Dennis, und diese Zuneigung wurde erwidert. Als Dennis sein geheimes Bankkonto auf den Bahamas eröffnete, benützte er ihren Mädchennamen, Diamond, als Code.

Das Haus war bescheiden, doch immer in einem makellosen Zustand; wenn Gäste kamen, wurden die guten Gläser und das Porzellan aus dem Schrank geholt. Den Keller hatte Philip Levine selbst ausgebaut und dort eine Hausbar und einen Hobbyraum eingerichtet, in dem er viele Stunden mit seinen Söhnen verbrachte.

Über Dennis Levines Kindheit gibt es nichts Besonderes zu berichten. Er interessierte sich für Sport und war ein guter Schwimmer. Obwohl die Nachbarn ihn als freundlich und höflich in Erinnerung haben, erhielt er in seinem Viertel den Spitznamen Dennis the Menace, nicht weil er etwas Schlimmes angestellt hatte, sondern wegen seiner vielen Streiche und seiner Neigung, mit rüderen Burschen herumzuziehen, als normalerweise in den ruhigen Straßen Baysides anzutreffen waren.

Dennis besuchte P. S. 74, eine öffentliche Junior High School in Bayside. Nach Aussagen einer früheren Klassenkameradin war er ein Schüler, der mit einer Gruppe ziemlich wilder Jugendlicher herumhing; er war mehr Mitläufer als Anführer, der die Freundschaft smarter Typen suchte und mit seinen Erfolgen bei Mädchen angab. Er erzählte gern schlüpfrige Witze und wurde von seinen eher puritanischen Mitschülern als »Typ mit einer schmutzigen Phantasie« betrachtet. Im Anschluß an die Junior High School ging er zur Cardoza High School, wechselte jedoch im darauffolgenden Jahr zur Bayside High School. Manche behaupteten, er mußte Cardoza wegen Schule-Schwänzens und anderer Verstöße gegen die Schulordnung verlassen, doch deckte die Schule niemals den offiziellen Grund für Levines Weggang auf.

Die Bayside High School ist ein großes weiß getünchtes Backstein-Gebäude in einer ruhigen Straße nicht weit vom Haus der Levines. Dennis war einer von 4000 Schülern und tat sich in keinem Fach besonders hervor. Im 1970er Jahrbuch ist er nirgendwo als Mitglied eines Schulclubs oder einer Schulmannschaft abgebildet. Das Abschlußfoto zeigt ihn als Milchgesicht mit ordentlich gekämmtem Haar, das seine Ohren bedeckt. Seine vollen Lippen kräuseln sich zu einem feinen Lächeln und seine dunklen Augen blicken direkt in die Kamera. Für den Fototermin verzichtete er auf seine Brille. Die neben dem Foto aufgelisteten Aktivitäten beschränken sich auf »Gangaufsicht, Hausdienst, Schülerbetreuung«.

1970 gingen vier von fünf Absolventen der Bayside High School auf ein College. Dennis Levine gehörte nicht dazu. Die Ziellosigkeit seiner High School-Jahre setzte sich fort. Zwei Jahre lebte er in Queens ziemlich in den Tag hinein, besuchte unregelmäßig Kurse an einer Volkshochschule, fuhr auf einem Motorrad spazieren, das er sich zusammen mit seinem Bruder gekauft hatte, und half im Geschäft seines Vaters aus, in dem Robert ganztägig arbeitete. Schließlich war es Geschäftstüchtigkeit, welche die Familie Levine ernährte, und nicht höhere Bildung.

Doch im Herbst 1972 schrieb sich Dennis zur Überraschung seiner Familie am Bernard Baruch College ein, das zur City University of New York gehört. Er war der erste Levine, der eine Universität besuchte, dies machte ihn zu einem typischen Studenten der studiengebührenfreien Einrichtung. Das College wurde im Jahre 1919 als »School of Business and Civic Administration of the City University« gegründet. Seitdem diente es den Kindern der New Yorker Arbeiterklasse, die sich kein privates College leisten konnten, als Sprungbrett. Viele dieser Studenten stammten aus Einwandererfamilien. In der Anfangszeit waren es vorwiegend jüdische Familien. Die Studenten lernten Buchführung und Betriebswirtschaft. So mancher Absolvent schaffte mit den hier erworbenen Fähigkeiten und der den Amerikanern der ersten Generation eigenen Aggressivität den beruflichen Aufstieg. 1968 änderte man den Namen in Bernard Baruch College um; zu Ehren des jüdischen Finanziers, der an diesem College studiert und sich bis zu seinem Tode um seine Belange gekümmert

18

hatte. Als sich Dennis Levine einschrieb, waren viele der Studenten Spanier und Orientalen – das Ergebnis der letzten Einwandererwelle.

Zu Beginn wollte sich Levine lediglich für eine kaufmännische Laufbahn vorbereiten, aber nachdem er einmal mit dem Studium angefangen hatte, fand er darin eine Befriedigung, wie er sie nie zuvor erlebt hatte. Er belegte Buchhaltung, Finanzen und Betriebswirtschaft. Um Geld zu sparen, lebte er weiterhin zu Hause, fuhr mit seinem Motorrad zu dem Campus nach Manhattan oder nahm die Long Island-Eisenbahn.

Levine beeindruckte seine Lehrer im Baruch College. In einer Zeit der Blue Jeans und langen Haare war er einer der wenigen Studenten, die zu den Vorlesungen mit Anzug und Krawatte und ordentlich gekämmt erschienen. Im Verhältnis zu vielen seiner Kommilitonen, die mit der englischen Sprache Probleme hatten, sprach er flüssig und konnte sich relativ gut ausdrücken. Für einen jungen Mann, der niemals außerhalb von Queens gelebt hatte, besaß er eine starke Persönlichkeit, die ihm Aufmerksamkeit in den Diskussionen einbrachte. Häufig ging er nach Vorlesungen zum Professor, um mit ihm Fragen über den gerade behandelten Stoff zu erörtern. Dies hätte verdächtig nach Schleimerei ausgesehen, wäre Levines Interesse an Finanzen nicht so aufrichtig erschienen. Er war intelligent und gut vorbereitet, nahm sein Studium ernst und war fest entschlossen, in der Wirtschaft Karriere zu machen.

Gegen Ende von Levines Studium sollten er und seine Kommilitonen in einem Fortgeschrittenenkurs für Wirtschaftsrecht einen Aufsatz analysieren, den ihr Professor über gesetzliche Maßnahmen zur Absicherung von Bankkrediten geschrieben hatte. Levine war das ganze Semester hindurch immer bestens vorbereitet gewesen und hatte die Diskussionen mit seinem Professor häufig nach der Übung fortgesetzt. So nahm es nicht wunder, daß der Professor, Leonard Lakin, Levine bat, außer der schriftlichen Erörterung für die nächste Übung einen Vortrag vorzubereiten.

In der nächsten Vorlesung präsentierte Levine ein sorgfältig vorbereitetes, und sehr informatives 30-Minuten-Referat. Er schaute selten auf seine Notizen und wirkte so klar und überzeugend, daß Lakin, ein Jurist mit nahezu zwanzig Jahren Lehrerfahrung, sprachlos war.

»Es war eine Meisterleistung, die enormes Selbstbewußtsein, überzeugendes Auftreten und vollkommene Vertrautheit mit dem Thema offenbarte«, sagte Lakin später rückblickend.

Mit demselben Selbstbewußtsein eröffnete Levine seinem Professor ein paar Monate später, als er um eine Referenz für eine Bewerbung bat, wie fixiert er auf eine Wirtschaftskarriere war.

»Mit dreißig bin ich ein Millionär«, erklärte Levine seinem Professor, der den Ehrgeiz seines Studenten nicht bezweifelte, aber keinen blassen Schimmer hatte, welchen Weg Levine wählen würde, um reich zu werden.

Levines Studentenzeit wurde überschattet durch den plötzlichen Tod seiner Mutter, die an einer Gehirnblutung starb. In der Nachbarschaft, wo jeder jeden kannte, erzählte man sich, daß der arme Dennis eines Abends, als er von den Vorlesungen nach Hause kam, seine Mutter reglos auf dem Küchenfußboden fand. Andere behaupteten, Philip Levine hätte die Leiche seiner Frau gefunden. Wie auch immer, der Tod seiner Mutter traf Levine tief. Monatelang war er völlig niedergeschlagen. Nachdem einige Zeit seit dem Tod seiner Mutter verflossen war, ermunterten er und sein Bruder den Vater, doch ab und zu auszugehen. Aber als Dennis erfuhr, daß sein Vater wieder heiraten wollte, bemerkte er gegenüber einem Freund der Familie, daß er darüber verärgert und verletzt sei, weil er es als Betrug an seiner Mutter empfand. »Es war in Ordnung, daß sein Vater ausging und sich amüsierte, aber Dennis konnte den Gedanken nicht ertragen, daß eine andere Frau im Bett seiner Mutter schlafen sollte«, erinnerte sich der Freund.

Immerhin sah er die Dinge positiver, je mehr er sich mit einer jungen Pädagogikstudentin am C. W. Post, einem kleinen College in der Nähe von New York City, anfreundete. Ihr Name war Laurie Skolnick. Sie hatte langes dunkelblondes Haar und war hübsch, aber sie war ein ruhiger Typ, im Gegensatz zu ihrem extravertierten Freund. Trotz seiner Prahlereien als Schuljunge war Laurie Levines erste richtige Freundin. Sie stammte aus ähnlichen Verhältnissen wie er. Ihrem Vater, einem jüdischen Emigranten aus Europa, gehörte eine gutgehende Tankstellenkette in der Nähe von Manhattan. Laurie war von Levines Ehrgeiz beeindruckt. Beide glaubten an die Bedeutung einer Ehe im traditionellen Sinne, in welcher der Ehemann für den Lebensunterhalt sorgt und die Frau sich um Heim und

Kinder kümmert. Sie beschlossen zu heiraten, sobald Levine mit seinem Studium fertig sei.

Levine kam an der Universität sehr gut voran. Als Student schaffte er es mehrmals, zur Vorstandswahl des Studentenbeirates aufgestellt zu werden. Er war Präsident der Student Finance Society. Er studierte im Hauptfach Finanzwissenschaften; als er etwa die Hälfte des Grundstudiums absolviert hatte, entdeckte er sein Interesse für Investment Banking, auf das er sich immer stärker konzentrierte. Dieser äußerst reizvolle Beruf stand normalerweise nur den begabtesten Absolventen der Elite-Universitäten offen. Außerdem war es ein lukrativer Beruf, und Levine nahm sich vor, in diese Sparte einzusteigen.

Traditionell waren die Investmentbanker die Aristokraten der Wall Street, wohlhabend, altehrwürdig, gesetzt und in der Regel abgeschottet gegen alle, die nicht durch eine Ausbildung an einer Elite-Universität den richtigen Stammbaum nachweisen konnten. Jedes große Unternehmen hatte seinen Investmentbanker, ähnlich, wie jede Familie ihren Hausarzt hat. Auch wenn man darüber in den letzten Jahren mehr und mehr schmunzelte, war das Wichtigste im Tagesablauf eines Investmentbankers tatsächlich das Mittagessen. Denn dabei traf man sich zum Gedankenaustausch und machte Geschäfte per Handschlag. In der Mitte der siebziger Jahre beschränkten die Personalchefs der Investmentbanken ihre Bewerbungsgespräche noch immer auf die Absolventen der traditionellen Elite-Universitäten: Harvard, Yale, Columbia, Wharton, Stanford, die Universität von Chicago und ein paar andere.

Ganz einfach ausgedrückt, bringen Investmentbanker die Leute, die Geld brauchen, mit denen zusammen, die welches haben. Investmentbanken bieten eine umfassende Palette von Leistungen an, um diese Zusammenführung zu realisieren. Sie beraten Gesellschaften bei Fusionen, arrangieren die Finanzierung und bewerten die Bonität der Transaktion. Sie helfen Gesellschaften, die ein anderes Unternehmen übernehmen wollen, bei der Kapitalbeschaffung. Ebenso entwickeln sie Strategien für Unternehmen, die eine Übernahme verhindern wollen.

In den siebziger Jahren aber, also vor der Welle von Fusionen und Übernahmen, die Wall Street im nächsten Jahrzehnt überrollte, verdienten Investmentbanken den Großteil ihrer hohen Provisionseinnahmen durch die Übernahme und Plazierung von Staatsanleihen und Industrieobligationen; sie fungierten bei staatlichen Stellen und in der Industrie als Berater in Finanzangelegenheiten und verwalteten öffentliche und private Pensionsfonds. Zusätzlich betrieben sie Eigenhandel in Aktien oder Übernahmen anderer Finanzrisiken. Obwohl es sich oft um Routinearbeiten handelte, flossen die Honorare und Provisionen reichlich, und dies garantierte einen beachtlichen Wohlstand. Investmentbanker konnten mit einem müden Lächeln auf ihre ständig gehetzten Kollegen in den Maklerfirmen herabblicken, die für die Masse der Kleinanleger arbeiteten. Während ein Makler bei E. F. Hutton & Company schon hochzufrieden ist, wenn er für einen Lehrer in Indiana IBM-Aktien für 1000 Dollar kauft, verhandelt der Investmentbanker mit dem Vorstandssprecher und den wichtigsten Finanzdirektoren von IBM über Multimillionen-Dollar-Transaktionen.

Jack Francis, dem Professor für Ökonomie und Finanzwissenschaften an der Baruch-Universität, war Levine auf Anhieb sympathisch. Nicht daß er von Levines geistigen Fähigkeiten beeindruckt war, die er für nur wenig über dem Durchschnitt liegend hielt; was ihn an Levine faszinierte, war dessen großes Interesse an Finanzwissenschaften und seine Fixiertheit auf das Ziel, viel Geld zu verdienen. Zwischen dem Professor und dem nur zwölf Jahre jüngeren Studenten entwickelte sich eine Freundschaft.

Für Dennis Levine bedeutete es eine Freundschaft, die ihn stärker beeinflussen sollte als jede andere Beziehung während dieser entscheidenden Studienjahre, in denen er alles wie ein Schwamm förmlich aufsog, was er über Finanzwesen und Wall Street lernen konnte.

Francis trug graue Nadelstreifenanzüge wie die Leute an der Wall Street. Seit seiner Ankunft in N. Y. als »Hoosier«* mit einem Doktor in Ökonomie von der Indiana University hatte er gegenüber der Stadt und der Geschäftswelt einen gewissen Zynismus entwickelt.

Für Levine – den jungen Studenten, der immer noch daheim in Queens wohnte – verkörperte Francis den ersten Einstieg in die Welt der Hochfinanz und des Geschäftemachens. Man konnte ihn bewundern und viel von ihm lernen; seine Überzeugungen halfen den Studenten, sich selber eine Meinung zu bilden.

* Amerikanischer Spitzname für Leute aus Indiana. (Anm. d. Übers.)

Professor und Student unterhielten sich oft über die Finanzwelt und Wall Street. In den intensiven Gesprächen in Francis' kleinem Büro und während der Heimfahrt mit der Long Island-Eisenbahn lernte Francis in Levine einen Menschen kennen, der von dem Verlangen getrieben war, Geld zu machen, so viel wie möglich und so bald wie möglich. Dies war eine Philosophie, die Francis durchaus verstand. Bei einem ihrer Gespräche in seinem Büro faßte er sie einmal in eine griffige Formel.

»Geldgier ist eine gute Religion«, sagte Francis zu Levine. »Wenn du wirklich geldgierig bist, wirst du deine Sachen immer in Ordnung halten, wirst nicht auf deiner Frau herumhacken oder dich betrinken. Du wirst alles tun, um dein Einkommen zu maximieren, und da bleibt keine Zeit für Unsinn.«

Levine stimmte zu und wiederholte, was er Francis schon oft gesagt hatte: »Ich möchte einzig und allein Geld machen.«

Was Levine an Francis am meisten fesselte, war dessen nebenberufliche Beratertätigkeit. Levine genoß es, Francis zuzuhören, wenn dieser über die Geschäfte sprach, die er arrangiert hatte, und über die Fusionen kleinerer Unternehmen, bei denen er als Berater tätig war – und stattliche Provisionen verdiente.

In Levines letztem Studienjahr fragte ihn Francis, ob er ihm bei der Suche nach einem Partner oder Käufer für eine kleine Möbelfirma, deren Eigentümer kurz vor der Pension stand, behilflich sein wolle. Levine könnte Finanzierungsvorschläge für die Transaktion erarbeiten.

Obwohl Francis ihm nur einen kleinen Betrag versprach, machte sich Levine sofort an die Arbeit, stellte seinem Professor unendlich viele Fragen und kam mit den Kalkulationen gut zurecht. Schließlich durfte der Student sogar an Gesprächen zwischen dem alten Möbelfabrikbesitzer und den Geschäftsführern eines voraussichtlichen Käufers teilnehmen. Levine erzählte Francis, daß er überrascht gewesen sei, wie gut er mit Spitzenmanagern umgehen könne. Dies war ein flüchtiger Einblick in die reale Welt – und in die möglichen Honorare, die man sogar für die Vorbereitung kleiner Geschäfte bekommen konnte. Levines Vorsatz, in die Investmentbanking-Branche zu gehen, stand fest.

Kurz vor Abschluß seines College-Studiums beschloß Levine, seine Pläne, ins Investmentbanking einzusteigen und Laurie Skolnick zu heiraten, auf Eis zu legen. Als er nämlich seine Berufsaussichten mit seinen Karrierevorstellungen verglich, erkannte er, daß wenig Aussicht bestand, mit einem einfachen Collegeabschluß in einer Investmentbank Karriere zu machen. Daher entschloß er sich, die Heirat aufzuschieben und zuerst einmal ein MBA*-Programm zu absolvieren. Ohne MBA-Diplom, so erklärte er Francis, könnte er unmöglich den Job im Investmentbanking bekommen, den er sich wünschte.

Levine wollte das MBA-Programm an der Baruch-Universität belegen, aber Francis riet seinem Schützling, sich an einer anderen Universität zu bewerben, um seinen Ausbildungshorizont zu erweitern.

»Schau, Dennis, du solltest versuchen, in eine Eliteuniversität zu kommen«, sagte Francis und erklärte, daß Baruch-Abgänger oft nicht nach ihrem Können beurteilt würden, daß der Abschluß einen Arbeiterklassenstempel trüge, den er vor allem im Investmentbanking nur schwer loswürde. »Eine Ivy League-Universität ist ein Türöffner, verschafft dir einen Einstieg.«

Levine lehnte es strikt ab, einen Universitätswechsel auch nur in Betracht zu ziehen, und erklärte Francis: »Nein, ich fühle mich hier wohl. Ich mag Baruch.«

Levine wurde in Baruchs MBA-Programm aufgenommen und erhielt sein Diplom am 18. Juni 1976 anläßlich einer Feier in der Carnegie Hall. Seine Diplomarbeit behandelte die Faktoren, die die Vergütung für die Übernahme von Anleihe-Emissionen durch Investmentbanken bestimmen. Die Arbeit, die seiner verstorbenen Mutter gewidmet war, enthielt folgende Passage: »Der Ruf des Investmentbankers ist bei den von ihm betriebenen Geschäften ein entscheidender Bestandteil. Die Branchenführer wurden lange Zeit als eine ›Geschlossene Gesellschaft‹ angesehen, die auf traditionellen Familienbanden beruhte. Was als Snobismus der führenden Investmentbanker gelten könnte, ist im Grunde nichts anderes als der Versuch, einen hohen Qualitätsstandard zu erhalten.«

Jack Francis saß im Somer 1976 in seinem Büro in der Baruch-Universität, als Dennis Levine ihn besuchte. Wie von Francis vorher-

---

* Masters of Business Administration. (Anm. d. Übers.)

gesagt, hatte Levine mit dem Baruch-MBA keinen Job finden können. Bei den meisten Investmentbanken war es sogar schwierig, auch nur einen Termin für ein Vorstellungsgespräch zu bekommen. An jenem besonderen Tag hatte Levine trotz allem ein Bewerbungsgespräch, und zu diesem Anlaß trug er einen neuen Anzug, den er vor dem Gespräch Francis zeigen wollte.

»Was hältst du davon?« fragte Levine, als er vor seinem ehemaligen Professor stand und seinen italienischen Maßanzug mit tailliertem Jackett vorführte, der ihn 300 Dollar gekostet hatte.

Francis begutachtete seinen jungen Freund und schüttelte den Kopf. »Dennis, das schaut aus wie ein Anzug, den ein Zuhälter tragen würde«, sagte er offen.

»Aber er hat 300 Dollar gekostet«, protestierte Levine.

»Du siehst aus wie ein Zuhälter«, beharrte Francis. »Das ist nicht, was die Leute der Wall Street tragen. Und es wird dir auch keinen Job dort bringen.«

Levine war fassungslos, doch Francis erklärte ihm unbeirrt, wie wichtig korrekte Kleidung ist. »Du bist sicher auch deshalb als Student aufgefallen, weil du Anzug und Krawatte in den Kursen getragen hast. Aber es reicht jetzt nicht mehr, irgendeinen Anzug zu tragen. Du mußt den richtigen anhaben. Ein Vorstellungsgespräch hängt vom ersten Eindruck ab, gerade wenn du von Queens kommst und ins Baruch gegangen bist. Du mußt richtig aussehen. Geh zu Brooks Brothers und schau dir an, was sie da verkaufen. Du brauchst deine Kleidung nicht dort zu kaufen. Der Laden ist zu teuer. Aber dort siehst du, was die Leute der Wall Street tragen und du solltest dir dann schleunigst so einen Anzug anschaffen.«

Kurze Zeit später kehrte Levine in der gedeckt-grauen Nadelstreifen-Uniform der Wall Street und Bankwelt zurück. Francis nickte zustimmend.

Aber auch der neue Anzug half nichts. Levine wohnte weiterhin daheim und verschickte Dutzende von Bewerbungsschreiben im Sommer, Herbst und Winter des Jahres 1976. Trotzdem gab er nicht auf. Er hatte seinen Traum und diesen verfolgte er unnachgiebig. Er erzählte Francis und seiner Familie, daß er eine Stelle finden würde, daß es für ihn nur deshalb härter sei, weil er kein tolles Ivy League-Diplom habe, aber daß er genauso clever sei und dies auch jemand bemerken würde.

Neun Monate, nachdem er sein MBA-Diplom erhalten hatte, nach Hunderten von Briefen und Bewerbungsschreiben, Dutzenden von Vorstellungsgesprächen und zwei neuen Anzügen, bekam Levine eine Stelle bei der Citibank Corp. in Manhattan. Aber das war nicht der heißbegehrte Posten im Investmentbanking. Statt dessen fing Levine im März 1977 bei Citibank in der Park Avenue in Midtown Manhattan an. Sein Gehalt betrug als Management Trainee im Devisenhandel für Firmenkunden 365 Dollar pro Woche.

Er war enttäuscht, daß es ihm nicht gelungen war, eine Stelle bei einer Investmentbank zu bekommen. Gegenüber Freunden beschwerte er sich, er hätte keine faire Chance gehabt, weil er vom Baruch College und nicht von Harvard käme. Aber immerhin hatte Levine, mit seinen fast 25 Jahren, jetzt einen Fuß in der Tür und er versprach seinem Mentor Francis: »Sobald ich einen Titel habe, lasse ich mir meinen Lebenslauf schreiben und schicke ihn noch mal an alle Firmen. Dann wird das anders ausgehen!«

Levine profitierte in vielerlei Hinsicht von seiner Anstellung bei Citibank. Seit sein Vater wieder geheiratet hatte, wohnte er ungern zu Hause; jetzt konnte er endlich Geld beiseite legen, um von daheim auszuziehen und Laurie Skolnick zu heiraten, die geduldig gewartet hatte. Im Dezember 1977 verließ Levine sein Elternhaus, wo er seine Kindheit verbracht hatte. Für 379 Dollar pro Monat mietete er ein Apartment auf dem Yellowstone Boulevard in Queens' Stadtteil Forest Hills. Am 17. Dezember 1977 heirateten Dennis und Laurie im Haus der jüdischen Gemeinde Beth Sholom in Lawrence, Long Island. Lauries Vater, der Tankstellenbesitzer, gab einen verschwenderischen Empfang, bei dem die Gäste Yarmulkes als Andenken erhielten.

Ungefähr zur gleichen Zeit entwickelte sich eine andere, für Levine wichtige Beziehung.

Robert Wilkis war ein paar Monate früher als Levine zur Citibank gekommen und arbeitete als Kundenbetreuer in der Kreditabteilung, die multinationale Unternehmen betreute. Damit war er in der Hierarchie um einiges höher angesiedelt als Levine. Doch sie hatten einige Gemeinsamkeiten in ihrer Herkunft: Auch Wilkis stammte aus bescheidenen Verhältnissen und hatte sehr unter dem Tod eines Elternteils gelitten; auch er war so etwas wie ein Außenseiter in der Finanzwelt.

Aber es existierten auch scharfe Gegensätze zwischen ihm und

Levine. Wilkis, vier Jahre älter als Levine, war ein hochintelligenter, aber dennoch sehr emotionaler Mensch. Wo Levine sich heiter und offen gab, brütete Wilkis nachdenklich vor sich hin. Levine war dick und unsportlich, Wilkis hager, ein Langstreckenläufer.

In seiner High School-Zeit in Baltimore hatte sich Wilkis mit seinen schulischen Leistungen hervorgetan und aktiv am Schulleben teilgenommen. Nach dem Abitur im Jahre 1967 ging er mit einem Stipendium nach Harvard. Es war damals eine Zeit der sozialen Unruhe; über die amerikanischen Universitäten rollten Protestwellen hinweg. Von Boston bis Berkeley verließen die Studenten die Hörsäle und gingen auf die Straße. An der Harvard Universität, der Schmiede der geistigen Elite der Nation, wurde Verteidigungsminister Robert McNamara bei einer Studentendemonstration gezwungen, vom Dach eines Autos aus die Hintergründe des Vietnamkriegs zu erklären. Die Mitglieder der Vereinigung »Students for a Democratic Society« hielten fast täglich Protestveranstaltungen auf dem Harvard-Gelände ab.

Aber Robert Wilkis erlitt eine weitere Desillusionierung. Kurz bevor er in Harvard eintrat, starb sein Vater an Krebs. Der Verlust wirkte vernichtend auf Wilkis; er litt unter entsetzlichen Depressionen, weswegen er sich schließlich von Harvard beurlauben ließ und nach Baltimore zurückkehrte, wo er eine Anstellung als Lastwagenfahrer annahm. Seine psychischen Probleme verschlimmerten sich, so daß er schließlich einen Psychiater aufsuchen mußte, um mit seiner Depression fertig zu werden. Er hatte immer ein besonders enges Verhältnis zu seinem Vater gehabt; dessen Tod nahm ihm jeden Halt. Dieser Umstand machte ihn auch später im Umgang mit Levine verletzlich.

Nachdem er ein Jahr in Israel in einem Kibbuz gelebt und sich an archäologischen Ausgrabungen beteiligt hatte, kehrte Wilkis nach Harvard zurück und schloß 1973 mit magna cum laude ab. Als Hauptstudienfach hatte er Untersuchungen über Westeuropa und den Nahen Osten belegt; er sprach fünf Sprachen, und seine Abschlußarbeit schrieb er nach einem Stipendiat in Paris.

Im Anschluß an die Universität unterrichtete er ein Jahr behinderte Kinder in den öffentlichen Schulen Bostons. Es war für Wilkis eine glückliche Zeit. Er lernte eine junge Lehrerin kennen, die gerade erst ihr Masters-Diplom an der Harvard Universität gemacht hatte.

Sie heirateten. Wilkis fand Gefallen an der Vorstellung, im Staatsdienst tätig zu sein. Im Herbst des Jahres 1974 schrieb er sich für das MBA-Programm der Stanford University in Palo Alto, Kalifornien, ein. Er belegte Kurse mit dem Schwerpunkt öffentliche Verwaltung, denn er hatte die Absicht, nach Beendigung des Zwei-Jahres-Programms eine Politikerlaufbahn einzuschlagen. Im Sommer 1975 arbeitete Wilkis als Praktikant im US-Finanzministerium in Washington D. C. Als er 1976 sein MBA erhielt, bewarb er sich für eine Stelle bei der World Bank in Washington, aber dort riet man ihm, er solle zuerst ein oder zwei Jahre lang Erfahrungen im internationalen Geschäft einer Großbank sammeln. Wilkis nahm sich den Ratschlag zu Herzen und bekam eine Stelle im Bereich Internationale Kredite der Citibank. So zogen er und seine Frau schließlich in eine Wohnung in der Upper West Side von Manhattan.

Sein grüblerisches Wesen machte Wilkis eher zu einem Einzelgänger. Gerade deshalb bewunderte er Levines Charme und scharf fixierten Ehrgeiz und schloß gerne nähere Bekanntschaft mit ihm. Sie gingen miteinander mittagessen, schlenderten mit einem Stück Pizza in der Hand die Straßen von Midtown Manhattan entlang und sprachen über ihre Träume und Ziele. Wilkis machte sich nicht viel aus Geld; am liebsten würde er in den Staatsdienst gehen. Sein Ziel war es, so sagte er, Staatssekretär im Außen- oder Finanzministerium zu werden. Levine dagegen erklärte Wilkis ganz offen, daß er viel Geld verdienen und deshalb ins Investmentbanking gehen und zur Spitze der Wall Street aufsteigen wolle. Wilkis war erstaunt, wie gut sich Levine im Investmentbanking auskannte, er wußte sogar Bescheid über die Schwarzen Schafe und Schurken in der Branche.

Bald nachdem sie Freunde geworden waren, erhielt Wilkis die Beförderung zum Junior Officer und zugleich einen Aufkleber zu seinem Citibank Ausweis, der ihn berechtigte, in der Kantine für leitende Angestellte zu essen. Dieses Privileg war Levine bisher verwehrt geblieben, deshalb bekniete er Wilkis, er solle doch erzählen, daß er seinen Hausausweis verloren habe und daß er jetzt einen neuen beantragen müsse; dann würde er vom alten den Essensaufkleber abziehen und Levine geben.

»Ich bin dein Freund«, betonte Levine, »du willst doch nicht alleine essen.«

Keiner der beiden Männer blieb lange bei der Citibank, doch ihre 1977 geschlossene Freundschaft sollte in den folgenden Jahren für beide wichtig werden.

Bei der Citibank lernte Levine die Finessen des Devisenhandels kennen. Er sammelte wertvolle Erfahrungen im Umgang mit großen Firmenkunden bei komplexen Devisengeschäften. Er entwickelte einen speziellen Draht zu den Devisenhändlern, die den ganzen Tag am Telefon hingen und in Sekundenschnelle Devisengeschäfte an allen Finanzplätzen der Welt abschlossen. Auch wenn Levine nach Höherem strebte, war er ein geborener Verkäufer; die Hektik im Händlerraum war ganz nach seinem Geschmack.

In der Citibank erreichte Levine durch den regelmäßigen Umgang mit Spitzenmanagern aus der Industrie auch einen gewissen Grad geistiger Reife und etwas Schliff, der einige Ecken und Kanten des jungen Mannes aus Queens beseitigte. Passé waren das Motorrad und die Angewohnheit, »Herrenwitze« in unpassenden Augenblicken zu erzählen. Anstelle von italienischen Anzügen trug er konservative Nadelstreifen. Einen kleinen modischen Spleen leistete er sich dennoch: in der Brusttasche seines Jacketts trug er stets ein seidenes Einstecktuch mit Monogramm.

Anfang 1978, kurz vor Ablauf seines ersten Jahres bei der Citibank, wurde er zum Senior Corporate Adviser befördert. Dies klang zwar eindrucksvoll, aber es steckte nicht viel dahinter. Sein Gehalt von 19 000 Dollar jährlich erhöhte sich nicht, doch besaß er nun den langersehnten Titel. Wie er es Francis prophezeit hatte, schickte er erneut einen ganzen Stapel von Anschreiben und Lebensläufen an Investmentbanken. Dieses Mal hob Levine seine Erfahrung bei der Citibank hervor und stellte seine Ausbildung in den Hintergrund. Das Anschreiben zu seinem aktualisierten Lebenslauf zeugte von Sorgfalt und Bildung.

Anfang Februar 1978 landete Levines Lebenslauf auf dem Schreibtisch von Bruce Wesson, dem First Vice President von Smith Barney, Harris, Upham & Co., einer Makler- und Investmentfirma, die als Enklave für Männer von aufrechter protestantischer Gesinnung und Herkunft galt. (Nur wenige an Wall Street wußten, daß Nelson Schaenen, der Präsident von Smith Barney in den sechziger Jahren, Jude war.) Seit seiner Gründung im neunzehnten Jahrhundert in Philadelphia hatte das Unternehmen unerschütterlich an den Traditionen eines WASP-Instituts (White Anglo Saxon Protestants) der alten Schule festgehalten. Es war das Brokerhaus, das mit der Stentorstimme des Schauspielers John Houseman verkünden ließ, es sei ein Institut, das Geld ».. . auf altmodischem Wege (macht) – wir verdienen es.«

Die traditionellen amerikanischen Investmentbanken entstanden mit der großen Industrialisierungswelle im Anschluß an den amerikanischen Bürgerkrieg. Ihr Begründer war J. P. Morgan, primus inter pares unter den sogenannten Raubrittern, den skrupellosen Industriemagnaten, die die Industrie- und Bankenimperien der Nation aufbauten. Jene Yankees christlicher Abstammung – Morgan, die Brown Brüder, die Harrimans – schauten verächtlich auf die kreativen deutsch-jüdischen Kaufleute herab, die versuchten, ihnen mit ihren mehr spekulativ eingestellten Finanzierungsinstituten Konkurrenz zu machen. Im Laufe der Zeit gewannen die jüdischen Bankiers einen immer besseren Ruf; einige der von ihnen gegründeten Investmenthäuser – wie Lehman Brothers, Goldman-Sachs und Kuhn-Loeb – gehörten schließlich zu den mächtigsten Instituten an Wall Street.

Gegen Ende der siebziger Jahre waren viele der ehernen sozialen und ethnischen Schranken an Wall Street ganz oder teilweise niedergerissen. Einige Frauen und Mitglieder von Minderheiten tauchten unter den Investmentbankern und leitenden Angestellten auf. In jedem großen Institut gab es Juden und Christen. Aber Überreste der alten Ordnung existierten noch immer; 1978 hatte Smith Barney nach wie vor den Ruf eines konservativen, christlich-puritanischen Hauses.

In jener Zeit kam bei Smith Barney der typische neue Bankangestellte wie seit jeher von einer der führenden Eliteuniversitäten. Erfolgreiche Bewerber mußten mindestens zwei Vorgespräche auf dem Universitätsgelände und einen ganzen Tag in der New Yorker Zentrale hinter sich bringen. Weil ein so großer Teil der Arbeit aus der Kooperation mit Vertretern von führenden Gesellschaften bestand, mußte ein Bewerber Schliff haben und äußerlich ansehnlich sein. Da ein Mitarbeiter der Bank mit den Spitzenmanagern der bedeutendsten Unternehmen konferieren mußte, waren Auftreten und äußere Erscheinung des Bewerbers äußerst wichtig. Der Ruf eines Instituts spielte im Wertpapiergeschäft eine bedeutende Rolle, und selbst die jüngste Nachwuchskraft galt als Repräsentant dieses immateriellen Wertes.

All dies bedeutete für einen Juden vom Bernard Baruch-College, der eine Stelle bei Smith Barney bekommen wollte, daß er seine Gesprächspartner beim Vorstellungsgespräch von seiner Persönlichkeit überzeugen mußte. Es gab allerdings sowohl an Wall Street im allgemeinen als auch bei Smith Barney im besonderen Entwicklungen, die zu Levines Vorteil wirkten.

Gegen Ende der siebziger Jahre glätteten sich an Wall Street wieder die Wogen, die im Mai 1975 durch die Aufhebung vorgeschriebener Maklergebühren ausgelöst wurden, wodurch die Provisionseinnahmen fast über Nacht um 40 Prozent sanken. Viele Firmen, die diese Verluste nicht ausgleichen konnten, meldeten Konkurs an oder wurden von potenteren Instituten aufgekauft. Smith Barney, eine der führenden Investmentbanken in den dreißiger und vierziger Jahren, hatte in den vorangegangenen zwei Jahrzehnten stetig Marktanteile eingebüßt und gehörte nicht mehr zur allerersten Garnitur der Investmenthäuser. Die Firma verwaltete zwar noch ein großes Wertpapierportefeuille für institutionelle Anleger, aber sie hatte nicht genügend Kapital, und dies wurde durch den Ertragseinbruch von 1975 weiter ausgezehrt. Aus diesem Grunde war Smith Barney gezwungen, nach einem Fusionspartner Ausschau zu halten. Eine geplante Fusion mit Hornblower & Weeks im Jahre 1975 war in letzter Minute gescheitert. Aber 1976 fusionierte Smith Barney mit Harris, Upham & Co., einem weniger prestigeträchtigen Institut, das aber etwas anbot, was Smith Barney fehlte – ein großes, das ganze Land umspannendes Niederlassungsnetz für Aktienverkäufe an Privatanleger.

Doch auch diese Fusion stabilisierte die Ertragslage nicht ausreichend, so daß die Firma nach neuen Einnahmequellen suchte und beschloß, die Fusions- und Übernahmeabteilung auszubauen. M&A, wie dieser Bereich genannt wurde, war ein kleines Spezialgebiet im Finanzierungsgeschäft für Firmenkunden. Hier wurden Kunden bei der Durchführung oder Abwendung von Fusionen und Übernahmen beraten. Der gesamte Bereich Unternehmensfinanzierung bot ein wesentlich breiteres Spektrum von Finanzdienstleistungen an, aber viele Investmenthäuser und Brokerfirmen empfanden M&A als einen profitablen Bereich, um Einnahmen, die durch die Aufhebung

der Maklerprovisionsbestimmungen verloren gingen, wieder herein-
zubekommen.

Smith Barney hatte gerade J. Tomilson Hill III als Leiter der noch
jungen M&A-Abteilung eingestellt. Man hatte ihn mit dem Versprechen von der wesentlich bekannteren First Boston Corporation
weggelockt, er könne hier eine eigene, erweiterte Abteilung leiten.
Parallel dazu machten sich Smith Barneys Partner ernsthaft Gedanken, ob die Firma nicht vielleicht ein neues, aggressives Immage
benötige, neue Kräfte mit einer anderen Sicht der Dinge, um ihren
angestammten Platz zurückzugewinnen.

Dennis Levines Brief und sein Lebenslauf ließen erkennen, daß er
die für die neue Ausrichtung erforderlichen Eigenschaften zu besitzen
schien, und zwar sowohl im Hinblick auf die Aufstockung der M&A-
Abteilung, als auch was die Offensivstrategie anbetraf.

Am Morgen des 7. März 1978 erschien Levine in Smith Barneys
Büros in der Sixth Avenue zu den ersten Einstellungsgesprächen. In
der darauffolgenden Woche kam er zu weiteren Interviews. In beiden
Sitzungen wurde er von Gesellschaftern und Sachbearbeitern ausge-
fragt. Einer der Beteiligten war Robert Hodakowski, ein nachdenkli-
cher junger Sachbearbeiter ungefähr in Levines Alter, der mit dem
Kandidaten am zweiten Tag zum Essen ging. Beim Essen in einem
Steak House in der Nähe von Smith Barneys Büro erzählte Levine von
seinem Job bei der Citibank und seiner Zusammenarbeit mit Topmana-
gern von Industrieunternehmen und Händlern in Devisengeschäften.
Er sprach auch darüber, daß er unbedingt Investmentbanker werden
und sich auf Fusionen und Übernahmen spezialisieren wolle.

Levine erschien Hodakowski clever und gut informiert über die
Finanzwelt. Er hatte etwas an sich, was Hodakowski für sich als
Schlitzohrigkeit klassifizierte, in jedem Fall schien er selbstbewußter
und offensiver zu sein als die Kandidaten, die der junge Banker bei
Interviews auf dem Campus verschiedener Universitäten kennenge-
lernt hatte. Aber Hodakowski hatte Vorbehalte, was die Tiefe von
Levines finanzwissenschaftlichem Wissen betraf, er fragte sich, ob
Levine mit den technischen Aspekten der Arbeit fertig werden würde.
Er schien der Kategorie von Menschen anzugehören, die sich nur um
die »großen Fische« kümmern, während sie die weniger aufregende
und mühevollere Routinearbeit anderen überlassen.

Hodakowski kehrte mit gemischten Gefühlen über Dennis Levine vom Mittagessen zurück. Seine Vorbehalte hielten sich trotz allem in Grenzen, und sie wurden nicht von denjenigen geteilt, die länger bei Smith Barney arbeiteten als Bob Hodakowski und mehr Einfluß hatten als er. Jegliche Zweifel an abwicklungstechnischen Fähigkeiten Levines, die diese Männer vielleicht hatten, wurden durch Levines persönlichen Charme und seine Fähigkeit, sich bestens zu verkaufen, beiseitegewischt. Die Personalbeauftragten von Smith Barney strichen in ihren schriftlichen Beurteilungen besonders die Fähigkeiten heraus, aufgrund deren Levine später ein erfolgreicher Investmentbanker wurde.

»Ein für uns interessanter und hochmotivierter Bewerber. Dennis ist offensiv im Gespräch und trotzdem höflich – er zeigt gute kaufmännische Veranlagung und Fähigkeiten. Er strahlt das Flair der erfolgreichen jungen Akquisiteure aus, die ich kenne«, schrieb ein Prüfer, der eine Anstellung empfahl.

Dieselben Qualitäten fielen einem Smith Barney-Partner auf; er schrieb: »Er ist sehr selbstsicher, trotzdem umgänglich. Er scheint über ein solides Grundwissen der Finanzwissenschaften zu verfügen und hat schon hervorragende Erfahrungen gesammelt. Er verkörpert eine neue Dimension unseres Personals.« Eine weitere Einstellungsempfehlung.

Die Ansicht, daß Levine eine Änderung der Personalstruktur bei Smith Barney verkörpere, wurde auch von einem anderen Teilnehmer der Einstellungsgespräche vertreten: »Dennis ist sehr offensiv und selbstbewußt. Er scheint seine Sache bei der Citibank gut gemacht zu haben. Er macht den Eindruck eines harten Arbeiters und aufgeweckten jungen Mannes. Er hat einen etwas anderen Stil als die meisten SBHU-Mitarbeiter, aber ich fand ihn sympathisch.«

So kam Levine also mit persönlichem Charme und günstiger Wahl des Zeitpunktes seinem Ziel, Investmentbanker zu werden, einen Schritt näher. Er wurde bei Smith Barney als Sachbearbeiter in der Abteilung Unternehmensfinanzierung eingestellt. Am 3. April 1978 fing er für 23 000 Dollar pro Jahr an.

Unter den verschiedenen Formularen, die Levine an diesem ersten Arbeitstag in die Hand gedrückt bekam, befand sich eine kurze, vier Absätze lange allgemeine Mitteilung an alle Arbeitnehmer über das Reglement beim Aktienhandel. Levine mußte mit seiner Unterschrift bestätigen, daß er die interne Revision der Firma zu unterrichten habe, falls er auf seinen Namen oder für ein Familienmitglied ein Wertpapierkonto unterhalte oder zu eröffnen gedenke. Es war ein standardisiertes Formblatt, das Levine genauso unterschrieb, wie er ähnliche Verpflichtungen später auf seinem Weg nach oben bei anderen Wall Street Firmen unterzeichnete.

Die wirtschaftliche Stabilität der Wall Street hängt von ihrer Vertrauenswürdigkeit in den Augen der Öffentlichkeit ab. Jeder noch so kleine Hinweis darauf, daß die Chancen in dem Spiel nicht gleich sind, daß die Profis in den Maklerbüros und Investmentbanken Informationen benützen, die der Öffentlichkeit nicht zugänglich sind, schadet dieser Vertrauenswürdigkeit und bedroht die wirtschaftliche Stabilität der ganzen Branche. Obwohl Wall Streets Versuche, sauber zu bleiben, nicht erfolgreicher gewesen waren als die anderer Geschäftszweige, hatten die meisten großen Institute gegen Ende der siebziger Jahre interne Revisionsabteilungen eingerichtet. Es gab horrende Unterschiede in der Effektivität dieser Abteilungen, aber sie wurden in den meisten Firmen beibehalten, wenn auch mitunter nur als Fassade.

Levine mußte sich nicht nur verpflichten, die Revision zu benachrichtigen, falls er ein Wertpapierkonto eröffnen sollte, sondern er wurde in dem Formular auch aufgefordert, sich mit den Vorschriften der Firma gegen eine mißbräuchliche Verwendung der Informationen vertraut zu machen, die die Mitarbeiter am Arbeitsplatz erhielten. Diese Vorschriften bestimmten unter anderem, daß es Mitarbeitern untersagt war, ein Wertpapierhandelskonto woanders als bei Smith Barney zu führen, wo man es immerhin überwachen konnte, um sicherzugehen, daß Geschäft und individuelle Geschäftemacherei nicht in Konflikt gerieten.

Das Pariser Büro von Smith Barney stellte traditionell einen Posten für eine Nachwuchskraft im Firmenkundenbereich zur Verfügung. Kurz nachdem Levine bei Smith Barney angefangen hatte, wurde diese Stelle frei. Die Arbeit lag außerhalb des gängigen Firmenkundengeschäfts und war eher mit Papierkram und Verwaltungsarbeit verbunden als die der Sachbearbeiter in New York. Deshalb war der Posten nicht allzu beliebt, besonders nicht bei ehrgeizigen jungen Bankern. Aufgrund seiner Erfahrung im Auslandsgeschäft und seiner kurzen Firmenzugehörigkeit war Levine bestens geeignet, die Stelle zu übernehmen.

Als Tomilson Hill Levine mitteilte, daß er den Posten übernehmen solle, lehnte Levine zunächst ab. Er beklagte sich bei Hill und anderen Mitarbeitern, daß er bei der Citibank lange genug auf Eis gelegen hätte. Er wollte sich jetzt endlich in New York bewähren. Im Endeffekt blieb ihm jedoch nichts anderes übrig, als nach Paris zu gehen. Aber immerhin konnte er seinen Vorgesetzten das Versprechen abringen, daß er in die M&A-Abteilung gehen dürfe, wenn er sich während seines Auslandsaufenthalt gut bewähre.

Levine und seine Frau machten also einen Intensivkurs in Französisch, und im Juni 1978 packten sie ihre Siebensachen und überquerten den Atlantik. Das junge Ehepaar zog in eine firmeneigene Wohnung auf der vornehmen Avenue Foch. Dies bedeutete eine gewaltige Änderung gegenüber ihrem kleinen Apartment in Forest Hills. Levine, der ja bis vor sieben Monaten ausschließlich im Haus seiner Eltern gewohnt hatte, kam in Paris aus dem Staunen nicht heraus. Er und seine Frau besuchten Museen und unternahmen häufig Wochenendtrips. Ein Kollege erinnerte sich, Levine habe sich benommen »wie ein Kind in einem Süßigkeitenladen«. Tatsächlich entdeckte Levine seine Vorliebe für die französische Küche, was nicht ohne Auswirkungen auf sein Gewicht blieb; in den dreizehn Monaten in Paris stieg es von 82 auf 90 Kilo. Ein anderer Kollege erzählte, daß Levine trotz allem nur darauf gewartet habe, nach New York zurückzukehren, und daß seine Frau im Ausland recht unglücklich und häufig krank gewesen sei.

Am Anfang bedeutete die Arbeit keine große Herausforderung. Er hatte im Pariser Büro eine sehr untergeordnete Stellung und verbrachte viel Zeit mit dem Routinekleinkram von Anleihenfinanzierungen und der Beratung von Firmenkunden. Erst gegen Ende seines Aufenthaltes in Paris stiegen seine Kompetenzen; er wurde zu einigen Fusionen und Übernahmen hinzugezogen, bei denen amerikanische und ausländische Unternehmen beteiligt waren.

Bis zum Sommer 1979 hatte er genug Erfahrung gesammelt und seine Aufgaben zufriedenstellend erledigt. Smith Barney beschloß, ihn nach New York zurück zu beordern und ihm eine Chance in der M&A-Abteilung zu geben. Der schlitzohrige Junge aus Queens hatte mit dem Europaaufenthalt sein Flair der Weltläufigkeit weiter verstärkt. Doch hinter dieser Fassade war er so auf Geld fixiert wie eh und je. Er würde es allen beweisen, daß er mehr Geld machen könnte als jeder Absolvent der Harvard Business School.

Auf vielerlei Art und Weise war in den Investmentbanken die Zeit reif für Leute vom Schlage Levines. M&A-Spezialisten, die einst Routinegeschäfte abwickeln mußten, gerieten in den Blickpunkt der Öffentlichkeit. Ganz bewußt wurden feindliche Übernahmeaktionen initiiert. Ehrgeiz und offensives Vorgehen wurden über Nacht die wichtigsten Voraussetzungen für Erfolg. Wer sich am schnellsten vorwärtsbewegte, machte das meiste Geld.

3. Kapitel

Risse und Fehlentwicklungen

Kurz nachdem Thomas Jefferson 1801 die Präsidentschaft der Vereinigten Staaten angetreten hatte, begann er, mit der französischen Regierung Verhandlungen über den Kauf des Hafens von New Orleans aufzunehmen. Jefferson wollte auf diese Weise Frankreich aus dem strategisch wichtigen Hafen hinausmanövrieren und außerdem sicherstellen, daß er im Fall eines französisch-englischen Krieges nicht England in die Hände fiele. Also wies der neue Präsident seinen Botschafter in Frankreich, Robert Livingston, an, den Kauf von New Orleans vorzubereiten, und ließ sich vom Kongreß dafür zwei Millionen Dollar bewilligen. Die Verhandlungen zogen sich über Monate hin, weil der Franzose, der allein die Entscheidung treffen konnte, Napoleon Bonaparte, nicht willens war, sich von seinem Brückenkopf in der Neuen Welt zu trennen.

Doch im April 1803 änderte Napoleon seine Meinung und beschloß, der jungen Republik nicht nur New Orleans, sondern ganz Louisiana zu verkaufen. Am 8. April wurde Livingston eröffnet, daß er den gesamten französischen Kolonialbesitz für 100 Millionen Francs oder rund 15 Millionen Dollar kaufen könne. Dieses Angebot bedeutete eines der günstigsten Immobiliengeschäfte, die jemals getätigt wurden. Die Vereinigten Staaten konnten für rund 10 Cent pro Hektar ihre Fläche verdoppeln und erhielten zugleich den wichtigsten Zugang zum Golf von Mexiko.

Doch der Kongreß hatte für den Kauf nur zwei Millionen Dollar bewilligt, und in der Kasse des jungen Staates herrschte absolute Ebbe. Jefferson entschloß sich zu einem Schritt, der – wie er später einräumte – seine verfassungsrechtliche Kompetenz überschritt: Im Namen der Regierung nahm er für die fehlenden 13 Millionen Dollar einen Kredit auf. Zur Aufbringung dieser Summe bediente er sich des englischen Finanziers Alexander Baring. Barings Familie war in einem relativ neuen Bereich tätig; sie brachten für verschiedene Staaten riesige Geldbeträge auf, indem sie auf die Einlagen von

Personengesellschaften und Privatbanken zurückgriffen. Baring reiste in die Vereinigten Staaten und organisierte mit Geldern aus England und Frankreich das Finanzierungspaket für den Kauf von Louisiana.

Berufsmäßige Finanzintermediäre wie beispielsweise Baring waren die Vorläufer der heutigen Investmentbanker. Die Wurzeln dieses Berufszweiges in Amerika liegen im Europa des beginnenden 19. Jahrhunderts. Bis dahin hatten sich die jeweiligen Regierungen bei der Finanzierung öffentlicher Projekte weitgehend auf die Hilfe, d. h. Kreditvergabe reicher Privatpersonen verlassen. Als Verbriefung solcher Kredite gaben die entsprechenden Staaten verzinsliche Wertpapiere aus, die später zum Nominalwert zurückgenommen wurden.

Zu Beginn des 19. Jahrhunderts war der Kapitalbedarf der Regierungen so gestiegen, daß selbst das Vermögen der reichsten Privatpersonen nicht mehr ausreichte. Finanzintermediäre traten auf den Plan, die durch die Bildung von Konsortien große Kapitalquellen ganz verschiedener Herkunft anzapfen konnten. Häufig kooperierten diese Finanziers; beispielsweise fertigten sie vertrauliche Aufstellungen über die Zuteilung von staatlich garantierten Wertpapieren an, die damals wie heute als sichere Kapitalanlage gelten, sofern sie von bestimmten Industrieländern emittiert sind. Sie verhandelten über die Kreditkonditionen, gaben ihre Garantie, daß das Geld pünktlich an den Kreditnehmer geliefert würde und beteiligten sich beim Verkauf der Wertpapiere am Sekundärmarkt, ganz ähnlich, wie es heute Investmentbanken tun. Daraus resultierte eine enorme Finanzkraft, einige Familien – die Rothschilds, Warburgs, Barings – nahmen auf Grund ihrer Mittlerfunktion bei der Finanzierung des Staates durch den Verkauf von Wertpapieren bald eine dominierende Rolle am englischen Kapitalmarkt ein. Dies wiederum hatte zur Folge, daß die Familien private Investmentbanken gründeten, um ihre Vorherrschaft langfristig abzusichern, indem sie Angebot und Absatz der Wertpapiere sorgfältig steuerten.

Da die Entwicklung in den Vereinigten Staaten einige Jahrzehnte hinter der in Europa herhinkte, hatte Jefferson den Engländer Alexander Baring um Hilfe beim Kauf von Louisiana gebeten. Erst mit dem Bürgerkrieg und dem Bau von Eisenbahnen in der Mitte des 19. Jahrhunderts entstand in Amerika wachsender Kapitalbedarf und damit die Notwendigkeit, Investmentbanken im eigenen Land zu gründen.

Eine Reihe von Firmen, die später in der Investmentbank-Branche zu Ruhm gelangten, haben ihren Ursprung in den großen Eisenbahnfinanzierungen während der zweiten Hälfte des 19. Jahrhunderts. Sie fungierten als Mittler zwischen dem Kapital, das von etablierten europäischen Instituten aufgebracht worden war, und den privaten Eisenbahngesellschaften, die in den Vereinigten Staaten wie Pilze aus dem Boden schossen. Auf die Eisenbahnfinanzierung folgte zwischen 1900 und 1902 eine Welle von Unternehmensfusionen und -umstrukturierungen, bei denen die Investmentbanken zugleich die Rolle von Katalysatoren und Gründern übernahmen.

In dieser Zeit vergrößerten die Investmentbanker ihren Einfluß, indem sie Verwaltungsratsmandate in anderen Industrieunternehmen übernahmen. Solch intensive Verbindungen führten naturgemäß zur Herausbildung einer dauerhaften Loyalität zwischen Bankier und Kunde. So hatten beispielsweise 1913 die Vorstände von fünf New Yorker Banken, allen voran die mächtige J. P. Morgan, 118 Verwaltungsratsmandate in 34 Banken und Trust Companies inne, 30 Verwaltungsratsmandate in zehn Versicherungen, 105 Mandate in 32 Transportunternehmen, 63 Mandate in 24 Herstellungs- und Handelsunternehmen, und schließlich 25 Mandate in 12 öffentlichen Versorgungsunternehmen. Als Folge dieser engen Beziehungen wurden die Investmenthäuser die wichtigsten Banken der amerikanischen Wirtschaft, und es dauerte nicht lange, daß sie ihre Dienstleistungspalette um Beratung in allen Finanzfragen ausdehnten.

Die dauerhaften Beziehungen zur Wirtschaft garantieren den Banken beträchtliche Provisionseinkünfte, was dazu führte, daß gute Leute eingestellt werden konnten, die die Banken dringend brauchten, um ihren Kunden immer neue Dienstleistungen anbieten zu können. Dies eröffnete den Banken neue Ertragsquellen. Es gab die herkömmlichen Konsortialprovisionen für die Übernahme von Staatsanleihen und Wertpapieren von Unternehmen; Provisionen für Finanzberatung und Anlage der Kundengelder; Beratungsgebühren bei Umstrukturierung, Konsolidierung oder Verkauf eines Unternehmens.

Dieses so traute Verhältnis zwischen Banken und Unternehmen hatte auch etwas Beängstigendes, denn die Bankiers, die in den

Aufsichtsräten von Unternehmen saßen, waren plötzlich aufgerufen, ihr Votum über Expansion oder Umstrukturierung der betreffenden Firma abzugeben, also über Aktivitäten, die ihrerseits wieder Ertragsquellen für die Bank darstellten. Doch in einer Zeit wachsender Prosperität wurden mögliche Interessenkonflikte einfach ignoriert und die Geschäftsbeziehungen weiter ausgedehnt.

Einige Investmenthäuser verkauften auch Wertpapiere an kleine Privatanleger, doch die meisten konzentrierten sich auf das Geschäft mit bestimmten Firmenkunden, für die sie Wertpapieremissionen und andere Dienstleistungen durchführten. Die Übernahme einer Industrieemission war in den zwanziger Jahren zu einer ebenso wichtigen Ertragsquelle geworden wie die Übernahme von Staatsanleihen. Bis heute hat sich an der Emissionstechnik kaum etwas geändert.

Auf einen ganz einfachen Nenner gebracht, passiert folgendes: Das Unternehmen X braucht 10 Millionen Dollar zur Finanzierung einer Fabrikerweiterung. Es könnte entweder seinen begrenzten Liquiditätsüberschuß anzapfen oder einen Betriebsmittelkredit bei einer Bank aufnehmen. Aber im allgemeinen kommt es das Unternehmen billiger, Wertpapiere auszugeben, weil es darauf weniger Zinsen zahlen muß als für den Betriebsmittelkredit.

Diese Wertpapiere sind im Grunde Versprechen an die Käufer bzw. Gläubiger, die durch das Vermögen bzw. den Cash Flow des Unternehmens abgesichert sind. Das Versprechen besteht darin, daß X einen festgelegten Zinssatz zahlt und die Papiere zu einem bestimmten Datum einlöst. Wegen der Emission wendet sich das Unternehmen X an seine Investmentbank. Diese kümmert sich in Absprache mit dem Unternehmen um die gesamte Vorbereitung der Emission einschließlich Ausarbeitung der Emissionsbedingungen und -gebühren. Dann werden von der Investmentbank eine Reihe Wertpapierhäuser zu einem Konsortium eingeladen, das diese 10 Millionen Dollar Schuldverschreibungen des Unternehmens X anbieten und plazieren soll. Die Mitglieder des Konsortiums heißen Konsorten (engl.: underwriters). Mit Unterzeichnung des Übernahmevertrages verpflichten sie sich, eine bestimmte Tranche der Emission bei Anlegern zu plazieren oder, falls dies nicht gelingt, die Papiere in die eigenen Bücher zu nehmen. Die Konsortialgebühren basieren weitgehend auf der Menge der plazierten Wertpapiere; je größer die

Tranche, desto höher die Gebühren. Darüber hinaus verdient das als Konsortialführerin tätige Institut, der sogenannte Lead Manager, Provisionen für die Federführung bei der Transaktion und dafür, daß es als Konsortialführerin für die Bonität der Wertpapiere bürgt.

Wie im vergangenen Jahrhundert in Europa konnten auch in Amerika mit diesem Mechanismus, bei dem sich mehrere Wertpapierfirmen an der Plazierung beteiligten, enorme Kapitalbeträge aufgebracht und das Risiko breit gestreut werden.

Die Wertpapierplazierung war die Hauptertragsquelle der Investmentbanken. Die Geschäftsbanken beteiligten sich ebenfalls an Konsortien und unterhielten für diesen Geschäftszweig große Konsortialabteilungen. Allerdings kümmerten sich die Geschäftsbanken zumeist um die – risikoreichere – Finanzierung neuer Gesellschaften, eine Sparte, die die großen Investmentbanken als weniger attraktiv empfanden. Letzteren gelang es, den Wettbewerb unter Kontrolle zu halten und eine allgemein akzeptierte hierarchische Struktur aufzubauen, in der genau festgelegt war, welche Häuser bei Emissionen als Konsortialführer agierten und den Löwenanteil der Gebühren kassierten. Das hierarchische Gebäude hatte die Form einer Pyramide, an deren Spitze einige wenige Firmen standen, die über ungeheure Macht verfügten. Auch wenn es nirgendwo geschrieben stand, herrschte allgemeines Einverständnis, daß diese wenigen Firmen bestimmten, welche der restlichen Banken bei den großen Wertpapieremissionen teilnehmen durften.

Zu Beginn des 20. Jahrhunderts standen an der Spitze der Pyramide einige bedeutende Privatbanken wie J. P. Morgan und ein ihr eng verbundenes Unternehmen in Philadelphia, Drexel & Co., sowie Kuhn, Loeb & Company. Eine Stufe tiefer befanden sich die weniger mächtigen Investmentbanken und die Geschäftsbanken.

Als die Vereinigten Staaten nach dem Ersten Weltkrieg die Rolle eines Kapitalexporteurs übernahmen, nachdem sie zuvor Kapital importiert hatten, vergrößerte sich die Vorherrschaft und der Reichtum dieser Institutionen gewaltig. Europäische Regierungen bemühten sich in New York um Finanzierungsmittel, und zugleich stieg die Kapitalnachfrage der amerikanischen Regierung und der US-Wirtschaft um ein Vielfaches. Die Nachkriegsprosperität schuf in den Vereinigten Staaten eine fast unersättliche Nachfrage nach Investitionsmitteln, und die Effektenbanken und Geschäftsbanken waren mehr als bereit, diese Nachfrage zu befriedigen. Ihr Hauptmotiv schien nicht mehr zu sein, durch die Ausgabe bonitätsmäßig einwandfreier, sicherer Wertpapiere angemessene Provisionen zu verdienen, sondern einem habgierigen Anlegerpublikum immer neue Instrumente anzubieten, ohne Rücksicht auf deren inneren Wert.

Während die Anleger wahre Spekulationsorgien feierten, erfanden die Banken immer ausgefallenere Anlageinstrumente. Eine der einfallsreichsten Kreationen war der Investment Trust, dessen einziger Geschäftszweck darin bestand, Wertpapiere anderer Unternehmen im Portefeuille zu halten.

Das vielleicht dramatischste Beispiel solcher Trusts, die in den Jahren 1928 und 1929 wie Pilze aus dem Boden schossen, war die Goldman Sachs Trading Corporation. Sie wurde im Dezember 1928 von Goldman, Sachs & Co. gegründet. Die neue Gesellschaft emittierte eine Million Aktien, die von Goldman, Sachs & Co. zu 100 Dollar pro Aktie übernommen und dann zu 104 Dollar weiterplaziert wurden. Der Börsenkrach vom 29. Oktober 1929 vernichtete die Vermögenswerte der Gesellschaft, ihr Kurs fiel auf 1,75 Dollar pro Aktie.

Die Privatbanken und die Geschäftsbanken an der Spitze der Investmentbanken-Pyramide überlebten die Wirtschaftskrise, doch viele andere Banken brachen zusammen. Die Öffentlichkeit verlangte eine Untersuchung. Daraus entwickelte sich die New-Deal-Gesetzgebung, die Banken und Wertpapierhäuser zum ersten Mal in der Geschichte Amerikas gesetzlichen Regelungen unterwarf. Das Wertpapiergesetz (Securities Act) von 1933 enthielt Vorschriften über Angebot und Verkauf von Wertpapieren an die Öffentlichkeit; mit dem Börsengesetz (Securities Exchange Act) von 1934 wurde eine Bundesaufsichtsbehörde geschaffen. Der Glass-Steagall Act von 1933 schrieb die strikte Trennung von Aktivitäten einer Investmentbank und einer Geschäftsbank vor. Damit sollte die Spekulation beseitigt, die Zahl der Interessenkonflikte verringert und dem Bankgeschäft insgesamt mehr Seriösität verliehen werden.

Der Reformgedanke des Glass-Steagall-Gesetzes wirkte sich positiv auf die Geschäftsbanken aus. Doch führte das Gesetz bei den Investmentbanken zu einem unerwünschten Nebeneffekt: Es verstärkte nämlich deren hierarchische Struktur. Das Gesetz schrieb vor, daß Privatbanken hinfort entweder im Konsortialgeschäft oder im

Spareinlagengeschäft tätig sein, nicht aber weiterhin beide Geschäftsarten betreiben durften. Umgekehrt waren die Geschäftsbanken nun gezwungen, ihre Wertpapiereinheiten zu schließen und ihre Anleihenaktivitäten hinfort auf amerikanische Staatsanleihen zu beschränken. Die Emissions- und Wertpapierbanken wurden aus dem Geschäftsbankenbereich herausgedrängt, und den Geschäftsbanken waren nun Wertpapier- und Emissionsgeschäfte untersagt. Im Zuge der notwendigen Umstrukturierung innerhalb einzelner Institute fusionierten einige Gesellschaften und führten die Geschäfte unter neuem Namen fort, andere verschwanden ganz von der Bildfläche. Morgan beschloß, im kommerziellen Bankgeschäft zu bleiben; daraufhin kündigten einige Gesellschafter und gründeten die Investmentbank Morgan Stanley & Co. Die First Boston Corporation entstand aus den freigesetzten Wertpapierabteilungen einiger Geschäftsbanken.

Als unbeabsichtigte Begleiterscheinung verschwand aus dem Emissionsbankensektor ein wichtiges Konkurrenzelement, das bis dato durch die Geschäftsbanken gegeben war. Zwar änderte sich an den Dienstleistungen einer Emissionsbank im Grunde nichts, doch wurde das Emissions- und Wertpapiergeschäft sorgfältig gegen das Eindringen Dritter geschützt. Die verbleibenden Institute konnten nun unbehelligt ihre Vorherrschaft ausbauen.

1949 unternahm die amerikanische Regierung den Versuch, die Monopolisierung in der Investmentbankbranche zu bekämpfen, indem sie gegen 17 führende Emissionshäuser ein Antitrust-Verfahren anstrengte. Doch schlug die Klage fehl, und der zuständige Bundesrichter, Harold P. Medina, begründete das Urteil damit, daß er keinerlei Anzeichen von Monopolisierung gefunden habe.

Erst ein junger Professor der Betriebswirtschaft an der Columbia Universität legte die im Investmentbankbereich herrschenden Machtstrukturen und Geschäftspraktiken offen.

Samuel Hayes III, der später Professor für Investmentbanking an der Harvard Business School wurde, gab 1971 in einem vielzitierten Artikel in der Zeitschrift *Harvard Business Review* einen detaillierten Überblick über die hierarchische Struktur des Investmentbanken-Sektors. Hayes unterteilte die Emissionshäuser in verschiedene Kategorien je nach Marktanteil und Tradition. Diese Kategorien waren so festgefügt, daß sie nicht nur bestimmten, wieviel Geschäft eine Firma bekam, sondern auch welchen Platz sie im »Tombstone« einnahm, d. h. jener Anzeige, die bei allen öffentlichen Wertpapierangeboten publiziert wird.

Die alleroberste Gruppe, die sogenannte special-bracket-Kategorie, bestand aus den vier Häusern Morgan Stanley & Co.; First Boston Corporation; Dillon, Read & Co. und Kuhn, Loeb & Company. Ihre Kunden stellten die ersten Adressen im Emissionsgeschäft dar. Dillon-Read und Kuhn-Loeb waren Ableger der alteingesessenen Gesellschaften, die das Geschäft annähernd ein Jahrhundert lang beherrscht hatten. Morgan Stanley und First Boston waren nach dem Glass-Steagall-Gesetz gegründet worden.

Unmittelbar hinter der special-bracket-Kategorie kamen Merrill Lynch & Company und Salomon Brothers, Inc., die beide in jüngster Zeit wegen ihrer speziellen Stärken an Bedeutung gewonnen hatten.

Als größtes Börsenmaklerunternehmen Amerikas unterhielt Merrill Lynch für seine vielen Privatanleger ein ausgedehntes Niederlassungsnetz. Wie viele große Maklerhäuser verfügte Merrill Lynch jedoch auch über eine kleine Konsortialabteilung. Da Wertpapiere, insbesondere Industrieaktien, über das eigene ausgedehnte Verkaufsnetz schnell plaziert werden konnten, war Merrill Lynch auf dem Weg, in die höchste Kategorie der Investmentbanken aufzusteigen.

Salomon Brothers galt ebenfalls als Börsenmaklerunternehmen, das sich auf große institutionelle Anleger mit umfangreichen Aktien- und Rentenkäufen spezialisiert hatte. Sein guter Ruf im Emissionsgeschäft rührte von diesem Stamm institutioneller Anleger, die auch bereitwillig Erstemissionen übernahmen.

Die zweite Gruppe, die sogenannte major-bracket-Kategorie, enthielt 17 Unternehmen, die an Wall Street zwar einflußreich waren, jedoch nicht zur Crème der Investmentbanken gehörten. In diese Kategorie fielen Goldman, Sachs & Co.; Kidder, Peabody & Co.; Lehman Brothers; Smith Barney & Co. und Lazard Frères & Co.

Danach kam die submajors-Kategorie. Diese dritte Gruppe bestand aus 23 Firmen; an ihrer Spitze rangierten Börsenmaklerunternehmen, deren Kundschaft vor allem aus Privatanlegern bestand. Diese Unternehmen waren zwar nicht so groß wie Merrill Lynch, doch gehörten dazu im Privatkundengeschäft bekannte Namen wie E. F. Hutton & Company; Bear, Stearns & Co. und Harris, Upham & Co., die später mit Smith Barney fusionierten.

Hayes stellte fest, daß die Stellung, die ein Unternehmen im Emissionskonsortium einnahm, unmittelbare und nachhaltige Auswirkungen auf seine Ertragskraft und Konkurrenzfähigkeit hatte. Um in eine höhere, ertragreichere Kategorie aufzurücken, bedurfte es der Zustimmung der Mitglieder dieser höheren Kategorie, wobei die crème de la crème, Morgan Stanley und First Boston, als höchste Entscheidungsinstanz fungierten. Ob ein Unternehmen in die nächsthöhere Kategorie aufrücken durfte, hing nicht nur von seiner Plazierungskraft ab, sondern auch von Persönlichkeit und sozialem Status seiner Hauptgesellschafter. Dabei ging es auch um Fragen des anständigen Geschäftsgebarens, wozu unter anderem gehörte, daß man der Konkurrenz keine Kunden abwarb. Unlauteres Verhalten wurde an Wall Street umgehend bestraft, indem das betreffende Unternehmen bei zukünftigen Emissionen unberücksichtigt blieb.

Hayes stellte in seinem Aufsatz fest, daß sich in der starren Investmentbank-Struktur erste Anzeichen der Veränderung bemerkbar machten. Der Wettbewerb nahm zu. Merrill Lynchs Aufstieg, der nicht auf der Tradition des Hauses, sondern auf seinem umfangreichen Absatznetz beruhte, bewies, daß den alteingesessenen special-bracket-Instituten erfolgreich Konkurrenz gemacht werden konnte.

Aufgrund von gesetzlichen und wirtschaftlichen Faktoren waren diese Anzeichen bis zur Mitte der siebziger Jahre immer deutlicher geworden; im Investmentbank-Bereich vollzog sich ein grundlegender Wandel. Zwei Eckdaten markieren diese Veränderung: 1974 machte die International Nickel Company ein feindseliges Übernahmeangebot für Aktien der Electric Storage Battery Company; beide Unternehmen bedienten sich der Dienste von Investmentbanken. International Nickel siegte schließlich in dem langanhaltenden Kampf von Angeboten und Gegenangeboten. Was die Auseinandersetzung so bemerkenswert machte, war die Tatsache, daß hier allererste Investmentbanken an einer feindseligen Übernahme beteiligt waren. Bis zu diesem Zeitpunkt hatten die Banken und auch die meisten Industrieunternehmen solche Übernahmen als unsittlich abgelehnt.

Das zweite bedeutsame Ereignis ist unter dem Namen »May Day« bekannt. Am 1. Mai 1975 verfügte die Wertpapier- und Börsenaufsichtsbehörde, daß Wertpapierprovisionen nicht länger nach festen Sätzen abgerechnet, sondern fallweise ausgehandelt werden. Damit fiel der Provisionsertrag bei Wertpapierumsätzen praktisch von einem Tag auf den anderen um 40 Prozent.

Als Folge sanken die Erträge an Wall Street um 600 Millionen Dollar. Die größten Verluste erlitten diejenigen Institute, die sich auf Wertpapiertransaktionen mit institutionellen Anlegern spezialisiert hatten. Über hundert Unternehmen schieden aus dem Markt aus oder mußten mit anderen Firmen fusionieren. Auch die Investmentbanken der obersten Kategorie kamen nicht ungeschoren davon, denn sie verdienten an den Wertpapierorders ihrer institutionellen Kunden, bei denen es jeweils um hohe Stückzahlen desselben Wertpapieres ging, nun weniger Provision.

May Day, also die Änderung der Provisionsstruktur bei Wertpapiertransaktionen, fiel zusammen mit einer starken Zunahme der Inflationsrate und einem weltweiten Anstieg des Ölpreises. Aufgrund dieser beiden Trends gaben die Aktienkurse deutlich nach, so daß für viele Anleger Dividendenpapiere unattraktiv wurden. Zugleich stiegen die Zinsen auf zweistellige Werte. Die Glaubwürdigkeit des von Wertpapierbanken angebotenen Produktes, nämlich Aktien und Renten, war auf ihren Nullpunkt gefallen. Doch damit nicht genug: Hohe Zinssätze, Investitionsaufwendungen (einschließlich EDV-Investitionen, die notwendig waren, um an dem beginnenden globalen Informationssystem teilzuhaben) sowie gestiegener Personalaufwand erhöhten die Fixkosten der Wertpapierinstitute.

Die Investmentbanken reagierten auf diese Entwicklung mit der Suche nach neuen Ertragsquellen. Sie fanden die Lösung in einem Produkt, das denselben Kräften entsprang, welche sie bedroht hatten: Inflation und hohe Zinssätze.

Von nun an blühte in der amerikanischen Industrie das Fusions- und Übernahmegeschäft. Durch Inflation und hohe Zinssätze waren die Kosten für die Gründung eines neuen Unternehmens oder aber für die Ausdehnung in neue Produktbereiche und Geschäftssparten nachhaltig gestiegen. Zugleich hatten die zweistelligen Inflationsraten die Unternehmensaktiva schneller steigen lassen als die Kurse der Aktien. Daher waren viele Unternehmen an der Börse unterbewertet. Für ein expansionswilliges Unternehmen konnte es folglich kostengünstiger sein, eine bestehende Gesellschaft zu kaufen, als eine neue zu gründen oder aber Kapital in internes Wachstum zu investieren.

Seit jeher standen Investmentbanker den Unternehmen bei Fusionen und Käufen mit Rat und Tat zur Seite. Anzeichen solcher Aktivitäten können bis zur Jahrhundertwende zurückverfolgt werden. Angesichts der nachlassenden Erträge in anderen Geschäftssparten hielten es die Investmentbanken nun für durchaus angebracht, diese bisher nie dagewesene Welle von Übernahmen und Fusionen kräftig zu unterstützen. Dadurch konnten sie ihre hohen Fixkosten decken, ohne daß sich ihre Gewinnspanne verringerte.

Als Folge der Provisonsänderungen im Wertpapiergeschäft deckten jetzt manche der feinsten Emissionshäuser, wie z. B. Morgan Stanley und First Boston ihre Kosten durch die Erträge, die in den M&A-Abteilungen erzielt wurden. Investmentbanken aller Kategorien bauten nun diesen Bereich aus. Mit der verstärkten Suche nach guten Mitarbeitern verschärfte sich der Kampf um die besten Absolventen der Business Schools. Die Brokerhäuser mit ihrem ausgedehnten Niederlassungsnetz für das Privatkundengeschäft vergrößerten ihre Investmentbankabteilungen und bauten vor allem Geschäftsbereiche für Fusionen und Übernahmen auf, um dadurch gegenüber den Investmentbanken konkurrenzfähig zu werden. Die neue Wettbewerbssituation führte zu grundlegenden Veränderungen. Die Tatsache, daß die Zahl der Institute zunahm und die Provisionen individuell ausgehandelt wurden, stellte die traditionellen Beziehungen zwischen Banken und Kunden in Frage. In einigen Fällen hielten die Beziehungen dieser Herausforderung nicht stand.

Samuel Hayes verdeutlichte dies in einer aktualisierten Fassung seines Artikels über die Entwicklung im Investmentbanksektor bis zum Jahre 1979, die er für *Harvard Business Review* schrieb. Auch die Unternehmer, so stellte er fest, seien nicht mehr in dem Maß von ihren Investmentbanken abhängig, wie dies in der Vergangenheit der Fall gewesen war; die persönlichen Bindungen zwischen den Investmentbanken und ihren Industriekunden seien schwächer geworden. Früher hätten die Finanzchefs der Unternehmen voller Ehrfurcht auf Wall Street geblickt und sich in Ermangelung des erforderlichen Sachverstands auf ihre Bankiers verlassen. Doch gegen Ende der siebziger Jahre waren eben diese Finanzchefs besser ausgebildet und daher auch besser gerüstet, selbst größere Finanztransaktionen ohne fremde Hilfe durchzuführen.

Alle diese Faktoren spielten 1979 in einer Transaktion eine Rolle, mit der sich die Spielregeln, die im Emissionsgeschäft galten, grundlegend änderten. Die Bedeutung dieses Ereignisses war überall an Wall Street spürbar, da es sich bei den Beteiligten um zwei prominente Namen handelte, nämlich IBM und sein langjähriges Emissionshaus Morgan Stanley.

Das wichtigste Investmentinstitut Amerikas, Morgan Stanley, konnte sich stets den Luxus leisten, allein die Führung in einem Emissionskonsortium zu übernehmen, ohne diesen Platz mit einem anderen Institut zu teilen. Zwar wurden andere Institute in das Konsortium aufgenommen, um die Wertpapiere zu plazieren, doch Morgan Stanley behielt sich die Konsortialführung vor und bekam dafür auch die gesamte Führungsprovision. Dies war ein sehr vorteilhaftes Geschäft.

Im Jahre 1979 schlugen die Finanzchefs von IBM Morgan Stanley vor, statt ihres traditionellen Alleingangs nun gemeinsam mit Salomon Brothers die Führung bei einer neuen IBM-Anleihe zu übernehmen. IBM glaubte, daß Salomon Brothers einen Großteil der Wertpapiere im eigenen Kundenstamm institutioneller Anleger plazieren könne. Als Morgan Stanley den Vorschlag ablehnte, wandte sich IBM an die Brokerfirma Merrill Lynch. Sie stimmte zu, die Anleihe gemeinsam mit Salomon Brothers zu führen. Morgan Stanley war ausgeschlossen. Obwohl es sich hier nur um eine einzige Transaktion handelte, markierte dieses Ereignis durch die Bedeutung von IBM und die Niederlage von Morgan Stanley eine Wende in den Geschäftsbeziehungen der gesamten Branche.

Plötzlich galt es als akzeptabel, daß Unternehmen nach den günstigsten Konditionen für Führung und Plazierung einer Emission Ausschau hielten. Und warum sollte es dann Investmentbanken weiterhin verwehrt sein, sich gegenseitig Kunden abzuwerben?

Aufgrund der verschärften Konkurrenz sanken die Provisionen für Industrieemissionen. Die alteingesessenen Emissionsinstitute erkannten, daß sich die starre Struktur der Konsortien nicht mehr länger gegen die Herausforderung der Aufsteiger behaupten konnte. Als Reaktion auf diese neue Situation übernahmen manche Institute eine Emission allein, ohne ein Konsortium einzuschalten. Damit sicherten sie sich zwar die gesamte Provision, doch übernahmen sie zugleich das volle Plazierungsrisiko. Außerdem wurden damit die ungeschriebenen Gesetze weiter unterminiert, die jahrzehntelang die Hierarchie in dieser Branche gestützt hatten.

Ähnliche Erscheinungen zeigten sich in der Personalentwicklung. Für den Ausbau der M&A-Sparte wurden hunderte von qualifizierten Nachwuchskräften eingestellt.

Früher arbeitete ein junger Bankkaufmann viele Jahre lang für ein niedriges Gehalt als Angestellter, denn er hatte die Aussicht, eines Tages Partner zu werden. Der Partnerstatus war gleichbedeutend mit echtem Reichtum. Die Investmentbanken waren relativ klein. Deshalb konnten sie problemlos fast alle als Gesellschafter aufnehmen, die lang genug bei ihnen arbeiteten, um sich diese Beförderung zu verdienen. Diese Regelung schuf ein starkes Loyalitätsgefühl zum jeweiligen Arbeitgeber, mit dem Resultat, daß bis zum Beginn der siebziger Jahre praktisch niemand von einer Investmentbank zur anderen wechselte. Man tat dies einfach nicht.

Doch mit der Expansion in den siebziger Jahren wuchs auch die Zahl der neu eingestellten jungen Männer und später auch Frauen, die die Emissionsinstitute für ihre erweiterten Geschäfte benötigten. Damit verringerte sich für den einzelnen die Chance, zum Partner befördert zu werden. Die Zahl der Angestellten überstieg bei weitem die Zahl der Gesellschafterpositionen, auf die diese Angestellten befördert werden konnten.

Die aufgeweckten Business School-Absolventen, die in diese Branche drängten, merkten schnell, was hier geschah. Sie waren nicht länger bereit, viele Jahre für ein niedriges Gehalt zu arbeiten, um vielleicht später Reichtümer zu verdienen. Denn die Aussicht, Partner zu werden, war mittlerweile gering und in weite Ferne gerückt. Die Investmentbanken mußten also ihren qualifizierten Nachwuchskräften höhere Gehälter zahlen, um sie bei der Stange zu halten. Damit erhöhten sich die Fixkosten, wodurch der Druck zunahm, mehr Geschäfte abzuschließen, um diese Fixkosten zu decken.

So wie für die jungen Bankkaufleute die Aussicht, zum Gesellschafter aufzusteigen, geringer wurde, nahm auch ihre Loyalität ab. Sie hatten nicht mehr das langfristige Ziel vor Augen, für das ihre Vorgänger jahrelang bei ein und derselben Firma blieben. Viele erkannten, daß sie mehr Geld verdienen konnten, wenn sie Arbeitsplatz und Unternehmen alle zwei bis drei Jahre wechselten. Der Investmentbankangestellte neuen Typs ähnelte, wie es Hayes ausdrückte, einem Baseballspieler, der nicht an einen Verein gebunden war, sondern seine Dienste dem Meistbietenden zur Verfügung stellte.

Auch das Anforderungsprofil für die Wunschkandidaten änderte sich in dieser überhitzten Phase, in der die großen Emissionshäuser und Börsenmaklerinstitute offensiv um die besten Business School-Absolventen der führenden Universitäten konkurrierten. Dieses Phänomen beschrieb Hayes in seiner Untersuchung von 1979 folgendermaßen: »Statt wie früher auf sozialen Status und Herkunft zu achten, rekrutierten die Unternehmen nun die Kandidaten mit der höchsten Intelligenz, der größten Ausdrucksfähigkeit und der attraktivsten Ausstrahlung, unabhängig von ihrem sozialen oder familiären Hintergrund.«

1965 stand annähernd die Hälfte von Morgan Stanleys Gesellschaftern im Social Register; im Laufe der nächsten elf Jahre besaßen nur noch sechs der 32 neu ernannten Partner dieses Zeichen vornehmer Herkunft. Auch Frauen und Mitglieder von Minderheiten begannen, wenn auch in bescheidener Zahl, in die Chefetage vorzudringen, die bis dato eine Domäne von Weißen männlichen Geschlechts gewesen war.

So wie die Neuanfänger hatte sich auch das Geschäft gewandelt, in das sie einstiegen. Vorbei waren die Zeiten üppiger Provisionen und dauerhafter Kundenbeziehungen. Ende der siebziger Jahre kämpfte man erbittert um jedes einzelne Geschäft. Der Konkurrenzdruck wurde immer stärker, das Tempo immer atemberaubender. Der alte Verhaltenskodex galt nicht länger; damit verschwanden ungeschriebene Gesetze, denen sich die amerikanischen Investmentbanken jahrzehntelang verpflichtet gefühlt hatten. An die Stelle der dauerhaften Beziehungen zwischen Bank und Kunde trat nun die kurzfristige Transaktion.

Es besteht keinerlei Veranlassung, die Ereignisse an Wall Street vor und während der zwanziger Jahre zu verherrlichen. Nicht umsonst wurden die Männer, die aus New York das führende Finanzzentrum der Nation formten, Raubritter genannt. Und die Schuld an dem folgenschweren Bank- und Börsenkrach lag eindeutig bei den Mächtigen der Wall Street, die unablässig verkündeten, daß die Prosperität niemals enden würde.

Auch wenn die alte Oligarchie Fehler begangen hatte, so vermochte sie es dennoch, einen Verhaltenskodex zu entwickeln, dessen ungeschriebene Gesetze die elementaren Kräfte Macht und Geld, die Wall Street beherrschten, im Gleichgewicht hielten. Eine Bank warb keine Kunden ab. Wer sich nicht an die Spielregeln hielt, riskierte berufliche Sanktionen. Loyalität wurde belohnt. Die Banken legten Wert auf dauerhafte Beziehungen zu ihren Angestellten und Kunden. Die gesellschaftliche Herkunft der Bankiers vom alten Schlage bedingte in der Regel auch Verantwortungsgefühl und Anerkennung moralischer Gesetze.

Aber ebenso unterdrückte das alte System den Wettbewerb und verhinderte den Eintritt von Konkurrenten. Einige wenige Institute beherrschten die gesamte Branche. Als dieses System unter dem Druck des Wettbewerbs und der veränderten Marktbedingungen, die an Wall Street herrschten, zusammenbrach, entstand ein Vakuum. Die alten Kräfte, die Faszination von Geld und Macht, existierten nach wie vor, doch kam jetzt ein neues Phänomen hinzu: der Wunsch nach Anerkennung und Ruhm, das Bestreben, an der Neugestaltung der Wirtschaft Amerikas teilzuhaben und auf diese Weise viel schneller zu Reichtum und Macht zu gelangen. An der Grundstruktur der Investmentinstitute hatte sich in den letzten 50 Jahren wenig geändert, doch wie auch in vielen anderen Bereichen war Ende der siebziger Jahre das Material verschlissen.

Die angesprochenen Faktoren existierten bereits gegen Ende der sechziger Jahre, aber sie verstärkten sich um ein Vielfaches in den siebziger Jahren, als eine Welle von Fusionen und Unternehmensaufkäufen über Wall Street hinwegrollte. Die Beträge, um die es dabei ging, stiegen in schwindelerregende Höhe, was für die zersplitterte Branche der Investmentbanken einen ungeheuren Druck schuf. Die Risse und Fehlentwicklungen der letzten zehn Jahre sollten sich noch verstärken und schließlich so virulent werden, daß sie die Grundfesten des amerikanischen Finanzzentrums erschütterten. Im Sommer 1979, am Vorabend dieser Ereignisse, kehrte Dennis Levine von Paris nach New York zurück: mit einem frisch eröffneten Bankkonto in der Schweiz und voller Ehrgeiz und Tatendrang.

4. Kapitel

Freundschaften

Ilan Reich sah Dennis Levine zum ersten Mal bei Wachtell, Lipton, Rosen & Katz, einer der angesehensten Anwaltskanzleien an Wall Street. Sie standen beide im Konferenzraum I im 36. Stockwerk; ein riesiger Marmortisch trennte sie. Etwa 20 bis 25 Männer in dunklen Anzügen und weißen Hemden füllten den großen Raum.

Der mittlerweile 27jährige Levine war vor wenigen Monaten aus Paris zurückgekehrt. Nun arbeitete er bei Smith Barney, Harris, Upham & Co, in der M&A-Abteilung. Er trug einen Nadelstreifen-anzug mit einem seidenen Einstecktuch und unterhielt sich angeregt mit einigen Kollegen und Geschäftsleuten. Reich hatte bei Wachtell-Lipton erst im letzten Monat angefangen. Er war beeindruckt, daß sich jemand in seinem Alter bereits so sicher in einer solchen Gesellschaft bewegte. Obwohl er ziemlich weit entfernt von Levine stand, fiel ihm dessen gewinnende Art auf. Er beneidete Levine um diese Eigenschaft, die ihm selbst völlig abging.

Reich hatte im Mai 1979 sein juristisches Examen an der Columbia Universität abgelegt. Jetzt war er 25 Jahre alt, groß, gutaussehend, mit wachem Blick und bereits angegrautem Haar. Auch er hatte gute Manieren und konnte sich ausdrücken. Doch war er ein Einzelgänger, der nur schwer Freundschaft schließen konnte.

Er war in einer wohlhabenden orthodoxen jüdischen Familie aufgewachsen, im Schatten seines ein Jahr älteren Bruders Yaron. Im Grund- und auch im juristischen Hauptstudium an der Columbia Universität lag er ein Jahr hinter seinem Bruder. Später sagte einer seiner Professoren gegenüber einem Reporter: »Ilan galt immer als einer der besten, doch seinen Bruder hielt man für einen der allerbesten.« Manche von Ilans Bekannten glaubten, daß seine Schwierigkeiten, Freunde zu finden, irgend etwas mit der Beziehung zu seinem Bruder zu tun haben müßte.

Doch wie auch immer, Ilan Reich fand schwer Anschluß. Obwohl er in den Augen seiner Professoren als einer der intelligentesten

Jurastudenten seines Jahrgangs galt, ergriff er bei Diskussionen nur selten das Wort. Meistens behielt er seine Gedanken für sich und kritzelte auf seinem Block herum. Beide Angewohnheiten behielt er noch lange bei.

Die Anwaltskanzlei, in die er nach dem Studium eintrat, war einflußreich; ihre Gesellschafter galten mit einem Jahressalär von durchschnittlich über 500 000 Dollar als die bestverdienenden Anwälte in New York City. Reich ging in die Abteilung Unternehmensfusionen und -übernahmen. Damit arbeitete er im schwierigsten, aber auch lukrativsten Bereich der Kanzlei. Sein Abteilungsleiter war Martin Lipton, einer der Hauptgesellschafter; er war der Erfinder des absolut sicheren Schutzmittels vor feindlichen Übernahmeversuchen, der sogenannten poison-pill defense, und eine anerkannte Koryphäe in dieser komplexen Materie. Im übrigen legte die Kanzlei Wachtell-Lipton weniger Wert auf die strikte Einhaltung gewisser Formalitäten als manche der hochvornehmen Wall Street Kanzleien; ein gwiefter junger Anwalt konnte auch schon einmal vor Ablauf der üblichen sieben Jahre Partner werden. Reich wurde später nachgesagt, einer der brillantesten und kreativsten Anwälte gewesen zu sein, die die Kanzlei jemals gehabt hatte. Doch im Herbst 1979 war er bei Wachtell-Lipton noch ein unbeschriebenes Blatt; er hatte bisher nur wenige seiner Kollegen und Vorgesetzten kennengelernt. Das Geschäft, das im Konferenzraum I behandelt wurde, war erst sein zweiter Fall in der Kanzlei.

Bei der Besprechung ging es um die einvernehmliche Fusion zweier großer Zementfirmen. Ein Unternehmen namens Gifford Hill war im Begriff, eine Firma namens Amcord zu übernehmen. Smith Barney fungierte als Investmentbank für Gifford Hill, während Wachtell-Lipton als dessen Rechtsberater auftrat. Neben je vier oder fünf Vertretern von Smith Barney und Wachtell-Lipton nahmen an der Besprechung eine gleich große Anzahl von Anwälten und Bankvertretern für Amcord sowie Spitzenmanager der beiden fusionierenden Unternehmen teil.

Zwischen den Unternehmen hatten bereits Vorgespräche stattgefunden, doch dies war das erste Mal, daß sich die Unternehmensführung gegenübersaß. Das Gespräch begann um 10.00 Uhr. Kurz darauf zog sich Martin Lipton mit den Geschäftsführern beider Unternehmen und deren wichtigsten Beratern in einen Konferenzraum auf der anderen Seite des Ganges zurück, um die vorgeschlagene Fusion in kleinem Kreis zu diskutieren. Die übrigen Gesprächsteilnehmer blieben zurück und hatten eigentlich nichts zu tun, als herumzustehen und Konversation zu betreiben. In diesem Stadium der Verhandlung war so etwas durchaus üblich.

Smith Barneys noch junger M&A-Bereich befand sich im 48. Stockwerk des Hauptgebäudes der Gesellschaft. Als Levine in die Abteilung kam, erhielt er einen Schreibtisch in dem Teil des Bürotraktes, der »bullpen«* genannt wurde. Dort saßen alle jungen Sachbearbeiter der Abteilung. Der »bullpen« lag in der Mitte eines großen Raumes, an dessen Seiten sich die Einzelbüros der dienstälteren Mitarbeiter der Abteilung befanden.

Dennis Levines Kollegen bei Smith Barney merkten schnell, daß er an den abwicklungstechnischen Problemen von Fusionen und Übernahmen wenig Interesse hatte. Die mühselige Bearbeitung der Finanzierungsdetails, die bei jeder Transaktion gemacht werden mußte, war ihm ein Greuel, und die Arbeit ging ihm entsprechend schwer von der Hand. Er fühlte sich als Stratege und Akquisiteur. Levines Haltung führte zu Spannungen in der kleinen Abteilung; häufig geriet er mit seinem Abteilungsleiter Tomilson Hill aneinander. Der war ein harter Arbeiter, ein geradezu puritanischer Investmentbanker; von Levine hielt er nicht sehr viel.

Wall Street lebt von Informationen. Für jede M&A-Abteilung ist es lebenswichtig, ein wenig besser informiert zu sein als die Konkurrenz, um Geschäfte akquirieren zu können. Dementsprechend waren die unteren Chargen der M&A-Abteilungen ständig auf der Suche nach neuen Informationen, während für die eigentliche Akquisition in den meisten Instituten ein Senior Partner verantwortlich war.

Ein cleverer Banker hat viele völlig legale Möglichkeiten, einen potentiellen Fusions- oder Expansionskandidaten im Markt auszumachen. Beispielsweise beobachtet er die Entwicklung der Aktienkurse: Kursanstiege könnten ein Indiz für einen Übernahmeversuch sein, während niedrige Kurse möglicherweise darauf schließen lassen, daß ein unterbewertetes Unternehmen übernahmereif ist. Au-

---

* amerikanischer Baseball-Ausdruck: Übungsplatz für Reservewerfer, »Fohlenbahn«. (Anm. d. Übers.)

ßer der Kursentwicklung wird auch die Bonität der Unternehmen sowie die Entwicklung der betreffenden Branche unter die Lupe genommen. Sobald der Banker bei einem Unternehmen Anzeichen von Schwäche sieht, holt er bei der Geschäftsführung diskret Auskünfte ein.

Eine weitere Möglichkeit an ein Mandat heranzukommen, besteht darin, die an Wall Street üppig brodelnde Gerüchteküche anzuzapfen. Sobald das Gerücht, daß ein Unternehmen einen Fusionspartner sucht oder ein Übernahmekandidat sein könnte, »im Spiel« ist, wie es im Wall Street-Jargon heißt, kann dies durchaus zum Vertragsabschluß zwischen der Investmentbank und einem der beiden beteiligten Unternehmen führen.

Levine hielt sich mehr an die Gerüchteküche. Hier kamen sein Verkaufstalent und sein offensives Wesen am besten zur Geltung. Einer seiner Vorgesetzten in der Fusions- und Übernahmeabteilung gab – wenn auch widerwillig – zu, daß Levine sehr gut mit Menschen umgehen konnte. Er verfügte über eine gewisse Chuzpe, die ihm bei den vielen Kontaktgesprächen, die vor einer Mandatsverteilung geführt werden mußten, Lockerheit im Umgang mit den Gesprächspartnern verlieh.

Levine hatte sich mittlerweile ein Netz von Kontaktpersonen aufgebaut, um die er sich regelmäßig kümmerte. Es reichte von Kollegen aus anderen Investmenthäusern über junge Rechtsanwälte bis zu Arbitragehändlern. Letztere spielten bei Unternehmensübernahmen und Fusionen eine wichtige Rolle, und mit ihnen fühlte sich Levine am wohlsten. Ähnlich wie die Devisenhändler bei der Citibank paßten die Arbitragehändler besser zu Levines aggressiver Art und extravertierter Persönlichkeit als die vornehm-zurückhaltenden Investmentbanker.

Arbitragehändler spekulieren mit Aktien von Übernahmekandidaten. Häufig handeln sie mit Aktienpaketen in Millionenhöhe, und zwar entweder auf Rechnung einer Brokerfirma oder Investmentbank oder im Namen einer Kommanditgesellschaft. Bei der klassischen Arbitrage, die es bereits im 19. Jahrhundert gab, kauft der Arbitragehändler Aktien von Übernahmekandidaten, die er für unterbewertet hält. Er tut dies allerdings erst nach Bekanntgabe der geplanten Übernahme oder Fusion, und zwar, weil er glaubt, daß der Aktienkurs der betreffenden Gesellschaft aufgrund dieser Transaktion steigen wird. Um dies beurteilen zu können, muß er eine Reihe von Faktoren ins Kalkül ziehen. Läuft alles glatt, verkauft er seine Aktien, sobald die Übernahmetransaktion abgeschlossen oder fast beendet ist, und realisiert für die Risikoübernahme einen beachtlichen Gewinn. Geht das Vorhaben schief, sinken die Aktien des Übernahme- oder Fusionskandidaten möglicherweise in den Keller, was für den Arbitragehändler hohe Verluste bedeuten kann.

Es geht bei diesem Geschäft also darum, das Risiko möglichst genau einschätzen zu können. Dafür sind präzise Informationen über die geplante Transaktion unerläßlich. Daher bemüht sich der Arbitragehändler um intensiven Kontakt mit allen Parteien, die an dem Geschäft beteiligt sind. Ein guter Arbitragehändler hängt praktisch den ganzen Tag am Telefon, um von den beteiligten Anwälten, Investmentbankern und Spitzenmanagern Informationen zu bekommen.

Gegen Ende der siebziger Jahre erregte eine neue Form der Arbitrage großes Aufsehen. Es ging darum, aus der Entwicklung der Aktienumsätze Verhaltensmuster zu erkennen, die auf eine geplante Übernahme schließen ließen. Indizien konnten sich aus einer sorgfältigen Analyse der Aktienkurse und des Kaufverhaltens ergeben, oder aber der Arbitragehändler verließ sich bei seinen spekulativen Käufen auf Gerüchte über eine mögliche Übernahme oder Fusion.

Letzteres ist wesentlich riskanter als Aktienkäufe von Unternehmen, deren geplante Übernahme oder Fusion bereits bekanntgegeben wurde. Doch können auch weit höhere Gewinne erzielt werden. Kauft ein Arbitragehändler Aktien vor Bekanntgabe der geplanten Transaktion, erhält er sie billiger als danach. Denn anschließend steigen die Aktienkurse in aller Regel. Ein Tip nur eine Stunde vor der offiziellen Bekanntgabe bringt dem Arbitragehändler möglicherweise einen beträchtlichen Kursvorteil. Vielleicht verkauft er die soeben erworbenen Aktien sofort nach Bekanntgabe des Übernahme- oder Fusionsvorhabens, um sich den Kursgewinn aus dieser einen Stunde Vorsprung zu sichern. Eine beliebte Quelle für Vorabinformationen sind die Investmentbanker, die sich mit den Übernahme- und Fusionsplänen bereits lange vor deren Bekanntgabe befassen.

Häufig sind Investmentbanker durchaus auskunftsfreudig, denn sie wissen, daß auch Arbitragehändler gute Informationsquellen abgeben. Des öfteren erhält ein Arbitragehändler einen Wink, daß eine Gesellschaft wegen interner Finanzprobleme, von der die Öffentlichkeit noch nichts weiß, nach einem Fusionspartner Ausschau hält oder eine Übernahme nicht auszuschließen ist. Der gewiefte Investmentbanker hofft, diese Information in klingende Münze umzuwandeln, indem er die Gesellschaft als Kunden gewinnt.

Investmentbanker bringen bei nicht-einvernehmlichen Übernahmeversuchen Arbitragehändler mitunter ganz bewußt ins Spiel, nämlich wenn sie glauben, daß deren umfangreiche Kauforders ein Unternehmen destabilisieren könnten, das bisher wegen seiner Größe gegen Übernahmeversuche als immun galt. Außerdem kann die übernehmende Gesellschaft Aktienpositionen, die von Arbitragehändlern gehalten werden, jederzeit kaufen, wenn sie den entsprechenden Preis zahlt, da ein Arbitragehändler mit Sicherheit an den Meistbietenden verkauft. Ein Arbitragehändler will schnellen Gewinn machen und keine Daueranlage tätigen.

Die hohen Beträge, um die es bei Übernahme und Fusionsangeboten geht, stellen für die Beteiligten eine ungeheure Versuchung dar, vertrauliche Informationen weiterzugeben, die gemeinhin als »Insider-Informationen« gelten.

Ein richtiger Tip kann einem Arbitragehändler Kursgewinne und einem Investmentbanker Provisionserträge in Millionenhöhe einbringen. Die Weitergabe von Informationen vollzieht sich bestenfalls an der Grenze der Legalität. Viele Beteiligte schwanken zwischen Ehrgeiz und Habgier und ihren moralischen Bedenken und gesetzlichen Verpflichtungen.

Investmentbankern ist es gesetzlich untersagt, Informationen über eine Fusion oder Übernahme vor deren offizieller Bekanntgabe weiterzugeben. Darüberhinaus sind sie auch moralisch zur Geheimhaltung verpflichtet, da mit vorzeitigem Bekanntwerden möglicherweise die Aktienkurse des Übernahmekandidaten in die Höhe schnellen. Für das von der Bank betreute Unternehmen verteuert sich damit die ganze Transaktion oder wird überhaupt unmöglich.

Ähnliche Vorschriften gelten für Anwälte, Mitarbeiter der Unternehmen und eigentlich für alle, die an der Durchführung der Transaktion beteiligt sind. Arbitragehändler dürfen keine Orders auf der Grundlage solcher Informationen aufgeben. Das Verbot gilt auch für Personen, die nicht zum Kreis der Wall Street-Akteure und der Unternehmensangehörigen zählen.

Doch haben es gerade die Wall Street-Akteure, und hier besonders diejenigen, die an den Fusionen und Übernahmetransaktionen mitarbeiten, fast täglich mit dieser Art von vertraulichem Material zu tun. Demzufolge sind sie auch am stärksten der Versuchung ausgesetzt, daraus Kapital zu schlagen.

In den Anwaltskanzleien und Investmentbanken an Wall Street bestehen umfangreiche Sicherheitsvorkehrungen, um den Zugang zu Insider-Informationen soweit wie möglich einzuschränken. Manches davon ist effizient, anderes nur Fassade. Doch helfen die besten Sicherheitsvorkehrungen nichts, wenn jemand es gezielt darauf anlegt, sich durch Informationen zu bereichern.

Die Investmentbanken bzw. Anwaltskanzleien verpflichten sich in den mit ihren Kunden abgeschlossenen Verträgen, daß ihre Mitarbeiter keine vertraulichen Informationen weitergeben oder darauf handeln, also entsprechende Wertpapierkäufe oder -verkäufe durchführen. Die einzelnen Geschäfte erhalten Decknamen, auch wenn die meisten Wall Street-Akteure überzeugt sind, daß die Decknamen mehr zur Beruhigung der beteiligten Unternehmen dienen, als daß sie deren Identität verbergen. Zu den Akten haben nur wenige Mitarbeiter Zugang, und nicht mehr benötigte Unterlagen werden im Reißwolf vernichtet. Zu den M&A-Abteilungen gelangt man nur durch Spezialtüren mit besonderen Sicherheitsvorrichtungen. Die Büros und Telefone werden regelmäßig nach Abhörgeräten untersucht, doch hat man bisher an Wall Street noch keine einzige »Wanze« gefunden.

In Investmentbanken und auch in vielen Anwaltskanzleien gehört es ausdrücklich zur Geschäftspolitik, nicht mit Aktien von Unternehmen zu handeln, über die die Mitarbeiter Insider-Informationen besitzen. Listen mit solchen gesperrten Aktien werden an die Mitarbeiter verteilt. Wer allerdings geheime Informationen weitergeben oder selbst darauf handeln will, kann diese Listen auch als willkommene »Tipzettel« verwenden. Allerdings verstößt dies nicht nur gegen die moralische und vertragliche Verpflichtung, die das Institut gegenüber seinem Kunden hat, und gefährdet seine Integrität; es verstößt auch gegen das amerikanische Wertpapiergesetz.

Die Securities and Exchange Commission (SEC) in Washington wacht darüber, daß die Vorschriften über Insider-Informationen eingehalten werden. Sie kann Verstöße mit Strafen belegen und die

Übeltäter aus dem Wertpapiergeschäft ausschließen. Sofern bei Insider-Handel strafrechtliche Tatbestände vorliegen, wird das Justizministerium eingeschaltet. Derartige Aktivitäten können mit Gefängnis bestraft werden.

In den siebziger Jahren verbesserten beide New Yorker Börsen, die New York Stock Exchange und die American Stock Exchange, ihr Computerprogramm zur Erkennung von Insider-Handel. Die Börsen registrieren bei jedem Aktienumsatz Kurs und Aktienzahl. Sobald eine Transaktion ein bestimmtes Kurslimit und eine festgelegte Aktienanzahl übersteigt, erscheint sie auf einer separaten Liste. Die Zahl dieser Fälle geht täglich in die Hunderte. Die verdächtigen Fälle werden von Börsenprüfern unter die Lupe genommen: Sie versuchen, bei der betreffenden Aktiengesellschaft in Erfahrung zu bringen, ob es eine undichte Stelle geben könnte, durch die vertrauliche Informationen über das Unternehmen, wie z. B. ein noch nicht veröffentlichter Zwischenbericht oder eine bevorstehende Fusion weitergegeben wurden.

Die Börse identifiziert den Börsenmakler, der den besagten Auftrag plaziert hat; er muß den Namen des Kontoinhabers preisgeben, von dem der Auftrag stammte. Daraufhin untersuchen die Börsenprüfer, ob der betreffende Anleger Mitarbeiter in einer der beiden an der Übernahme oder Fusion beteiligten Unternehmen ist oder ob irgendwelche anderen Verbindungen hergestellt werden können. Im Verlauf dieser Untersuchung gibt die Börse ihre Informationen an die SEC weiter, die daraufhin ebenfalls tätig wird.

Da die SEC und die beiden bedeutendsten Börsen bei der Aufdeckung von Insidergeschäften zunehmend erfolgreicher wurden, verlagerten gewitzte Händler ihre Aktivitäten auf Finanzplätze außerhalb der Vereinigten Staaten. Banken in Ländern mit strengem Bankgeheimnis wie der Schweiz, den Bahamas und Cayman Islands sind nicht verpflichtet, amerikanischen Behörden die Namen ihrer Kunden aufzudecken. Doch als immer mehr Insider ihre Transaktionen über Banken im Ausland abwickelten, drangen SEC und Justizministerium Anfang der achtziger Jahre darauf, mit ausländischen Regierungen eine Übereinkunft zu erzielen, daß US-Behörden unter bestimmten Umständen Bankunterlagen einsehen dürfen.

Parallel dazu erweiterten die Gerichte und die SEC den Interpretationsspielraum dessen, was als Insider-Informationen anzusehen ist.

Das Ergebnis war eine gewisse Rechtsunsicherheit, doch gilt für die Definition von Insider-Handel die folgende Faustregel: Wenn ein Anleger den begründeten Verdacht hat, daß ein Aktientip auf vertraulichen, nicht veröffentlichten Informationen über das Unternehmen beruht und daß eine Veröffentlichung dieser Informationen Auswirkungen auf den Aktienkurs hätte, gilt der Hinweis mit ziemlicher Wahrscheinlichkeit als Insider-Information; darauf zu handeln wäre unzulässig. Ein Anleger verstößt auch dann gegen die Insider-Regeln, wenn die Informationen nicht von einem Insider stammen. Es genügt schon, wenn der Anleger »...weiß oder Gründe für die Annahme hat«, daß sie von einem Insider kamen.

Einem New Yorker Taxifahrer wurde Insider-Handel zur Last gelegt, nachdem die SEC Käufe von Übernahmeaktien auf seinem Schweizer Bankkonto ausgemacht hatte. Sie beruhten auf Informationen seiner Fahrgäste; einer von ihnen arbeitete als Korrektor bei Skadden Arps Slate Meagher & Flom, einer führenden Anwaltskanzlei im Übernahmegeschäft. Ein Psychiater aus Connecticut mußte auf Anweisung der SEC Kursgewinne aus Insider Trading zurückzahlen. Die Information hatte er von einem Spitzenmanager während einer therapeutischen Sitzung erhalten. Der Manager hatte ihm anvertraut, daß er sehr besorgt sei, wie seine Frau wohl auf den bevorstehenden Verkauf des Unternehmens reagieren werde.

Insider Trading kann auch Mißbrauch oder Diebstahl vertraulicher Informationen bedeuten. Ein Mitarbeiter, der weiß, daß sein Unternehmen Übernahmeverhandlungen führt, und der nun Aktien kauft, verstößt gegen das Gesetz. Dasselbe gilt für die Mitarbeiter der beteiligten Investmentbanken und Anwaltskanzleien. Nach Meinung der SEC werden hier Gewinne auf Kosten der Aktionäre erzielt und diese um Gewinnchancen betrogen.

Im übrigen hat ein Angestellter gegenüber seinem Unternehmen eine gesetzlich verankerte Verpflichtung, gegen die er durch die einfache Weitergabe von Insider-Informationen über ein anhängiges Geschäft verstoßen würde. Ein Investmentbanker, der Informationen über eine geplante Übernahme weitergibt, verstößt gegen diese Verpflichtung, auch wenn er nicht selbst Aktien kauft. Er braucht für seinen Tip noch nicht einmal eine Gegenleistung zu erhalten.

Doch 1979 galt die SEC in Finanzkreisen keineswegs als streng, wenn es um das Aufspüren und Ahnden von Insider-Geschäften ging. In ihrem 45jährigen Bestehen hatte sie nicht einmal 50 Fälle verfolgt. Beim Insider-Handel schien es sich demnach um einen Verstoß zu handeln, dessen potentielle Gewinne das Risiko bei weitem überstiegen.

Als Ilan Reich an diesem Herbsttag im Jahre 1979 Dennis Levine beobachtete, war dieser gerade dabei, sich von einer Gruppe zur anderen »durchzuarbeiten«. Er stellte sich überall vor und wechselte mit jedem ein paar Worte, bevor er zum nächsten Grüppchen ging. Auch mit Reich machte er sich bekannt; sie plauderten einige Minuten.

Aus Reichs Sicht gab es an der Unterhaltung nichts Bemerkenswertes: Wie wird sich das Geschäft Ihrer Meinung nach entwickeln, haben Sie von dieser Transaktion schon gehört, was halten Sie vom Wetter? Doch überraschte es Reich, daß Levine trotz seines gepflegten Äußeren, das Macht und Erfolg ausstrahlte, in der Rangordnung auf derselben niedrigen Stufe stand wie er. Auch kam es ihm so vor, als setzte Levine alles daran, die jungen Anwälte von Wachtell-Lipton kennenzulernen.

Die Verhandlungen zwischen den Spitzen der beiden Zementunternehmen dauerten an diesem Tag sechs Stunden. Im Laufe der nächsten zwei Monate fanden mehrere Sitzungen statt, bei denen die Einzelheiten der Transaktion besprochen wurden.

Die Fusion erfolgte im Dezember. Reich und Levine begegneten einander mehrmals bei diesen Sitzungen; häufig wechselten sie einige Worte.

Ende Februar oder Anfang März 1980 saß Reich in seinem Büro bei Wachtell-Lipton, als er einen überraschenden Telefonanruf erhielt: »Hallo Ilan, hier ist Dennis Levine«, meldete sich der Anrufer fröhlich. »Wir sollten uns mal zum Essen treffen.«

Obwohl Reich schon seit einigen Monaten in der Kanzlei arbeitete, hatt er dort keine Freunde, mit denen er regelmäßig zum Mittagessen ging. Daher nahm er das Angebot des jungen Investmentbankers freudig an. Einige Tage später trafen sich die beiden Männer in einem Restaurant in Mid-Manhattan in der Nähe von Levines Büro. Sie unterhielten sich über Familie und Karriere. Die meisten Leute hätten dies als ein ganz normales Geschäftsessen empfunden, doch

Reich war froh, mit jemandem Bekanntschaft zu schließen, und genoß die Unterhaltung sichtlich.

Als sie mit dem Essen fast fertig waren, steuerte Levine das Gespräch von dem allgemeinen Geplänkel auf das Gebiet, weswegen er mit Reich eigentlich zusammengekommen war. Levine erzählte Reich, wie sehr er seinen Job liebe, aber daß er es leid sei, Leute zu beraten, die nicht so clever seien wie er. In den nächsten Jahren wolle er 10 bis 20 Millionen Dollar verdienen und dann sein eigener Herr sein. Levine verdiente damals weniger als 30 000 Dollar im Jahr. Er meinte, dann würde er die Anwälte und Banker konsultieren und selbst das große Geld machen.

Als Reich ungläubig fragte, wie er dies anstellen wolle, brachte Levine das Gespräch auf Insider-Geschäfte.

»Man kann damit eine Menge Geld verdienen«, erklärte er mit einem wissenden Unterton. »Die ganze Wall Street macht es, die Arbitragehändler leben davon, Mitarbeiter der Investmentbanken, Rechtsanwälte, Angestellte aus der Industrie, alle tun es. Wachtell-Lipton ist eine riesige Börse für Insider-Informationen.«

»Das kann nicht sein«, widersprach Reich, »das ist illegal, außerdem ist das Risiko viel zu groß.«

Diese Antwort des jungen Anwalts gab Levine das Stichwort für eine ausführliche Erklärung, wie leicht es sei, auf Insider-Informationen zu handeln, ohne entdeckt zu werden. Er habe einige Zeit in Europa gelebt und wisse genau, wie man ein geheimes Bankkonto im Ausland eröffnen könne. Er erzählte von telegrafischen Banküberweisungen von einem Land ins andere und wie man Wertpapierorder an ausländische Banken per R-Gespräch durchgibt. Levine vermittelte seinem Gesprächspartner den Eindruck, als sei er absolut versiert darin, riesige Geldbeträge auf ausländischen Bankkonten verschwinden zu lassen.

Reich hatte das Gefühl, daß Levine bereits Insider-Handel praktizierte. Seine Vermutung beruhte nicht auf irgendeiner konkreten Äußerung Levines, sondern auf der Art und Weise, wie dieser das absolut sichere System erklärte und über die Möglichkeiten zur Eröffnung eines Bankkontos sprach.

Wenn er nur Informationen aus seiner Tätigkeit bei Smith Barney verwenden würde, könnte man ihm, so fuhr Levine fort, möglicherweise auf die Spur kommen, falls die Insider-Transaktionen aufgedeckt würden. Daher wolle er verschiedene Informationsquellen aufbauen. Er brauche jemanden aus einer der großen Kanzleien, wie Wachtell-Lipton, für Informationen über Geschäfte, die nicht mit seiner Investmentbank in Verbindung gebracht werden könnten.

Levine fragte Reich, ob er diese Quelle sein wolle. Der Anwalt wehrte ab. »Meine Position ist nicht hoch genug, als daß ich erfahren würde, was wirklich läuft«, sagte er. »Wir würden im Dunkeln tappen.«

Levine zuckte mit den Schultern. Er suche ja gar nicht die eine, absolut zuverlässige Quelle. Die könne viel zu schnell von der SEC entdeckt werden. Das Raffinierte an seinem Plan sei gerade, daß auf Informationen gehandelt werde, die aus verschiedenen Quellen stammten. Damit könnten todsicher alle Spuren verwischt werden. Der Schlüssel zum Erfolg, so fuhr er fort, liege darin, früh genug Informationen zu bekommen, damit man schon einige Wochen vor Bekanntgabe der Transaktion kaufen könne. Dadurch sei er nicht auf Käufe in letzter Minute angewiesen, auf die die SEC und die Börsen ihr besonderes Augenmerk richteten.

Außerdem könnte er mit Informationen aus mehreren Quellen die Aktien- bzw. Optionskäufe auf verschiedene Gesellschaften streuen; die einzelnen Order lägen dann unterhalb der Grenze, bei der möglicherweise eine Prüfung vorgenommen werde.

»Ich will meine Aufträge unauffällig über einen längeren Zeitraum plazieren«, erklärte Levine. »Das stiftet keine Unruhe im Markt und bringt kein Risiko. Riskant ist so etwas nur für Typen, die so dumm sind und hemmungslos mit Großaufträgen einsteigen.«

Reich wußte sehr wohl, daß das Ansinnen an ihn gesetzwidrig war. Doch sprang er weder entrüstet auf, noch machte er Levine Vorhaltungen, daß dieser ihre Bekanntschaft ausnutzen wolle. Er lehnte das Angebot auch nicht ab, sondern sagte lediglich, er würde es sich überlegen.

Vielleicht war Ilan Reich einsam und hatte Angst, einen potentiellen Freund zu verlieren, mit dem er sich regelmäßig zum Essen treffen könnte. Vielleicht war er naiv und blauäugig genug, um Levine abzukaufen, daß der Plan risikolos war. Vielleicht erschien ihm sein Jahresgehalt von 41 500 Dollar zu gering. Vielleicht befürchtete er, bei Wachtell-Lipton nicht zu reüssieren und nicht Partner zu werden, wo er doch materielle Sicherheit brauchte.

Vielleicht wollte er endlich nicht mehr im Schatten seines Bruders stehen. Der hatte bei einer ebenso angesehenen Wall Street-Kanzlei, nämlich Cleary, Gottlieb, Steen & Hamilton, angefangen und galt bereits als Superstar der Steuerabteilung.

Später würde Reich genügend Zeit haben, um darüber nachzudenken, warum er Levines Angebot nicht sofort abgelehnt hatte. Irgendwie fügte sich alles zusammen, und außerdem glaubte er später, daß er wegen psychischer Probleme einfach nicht klar hatte denken können.

Mitte März trafen sich Reich und Levine zum zweiten Mal zum Mittagessen. Sie redeten zunächst wieder über persönliche und berufliche Dinge, doch setzte Levine seinen Freund erneut unter Druck, sich an seinem Plan zu beteiligen. Er tat dies mit denselben Argumenten wie beim ersten Mal und beteuerte, daß niemand irgend etwas von Reichs Beteiligung erfahren könnte. Es gäbe keinerlei Unterlagen, und das Bankkonto im Ausland würde auf Levines Namen lauten.

Einige Tage später rief Reich Levine an und sagte, er würde ihm vertrauliche Informationen liefern. Er hätte bereits etwas über ein gerade anhängiges Geschäft.

Levine und Reich besprachen am Telefon keine Einzelheiten. Wie immer in Zukunft verabredeten sie ein Treffen für den kommenden Samstag um 10.00 Uhr vor dem Plaza Hotel, Fifth Avenue, Ecke Central Park. Reich glaubte, daß dieser Treffpunkt für das höchstvertrauliche Gespräch genügend Anonymität sichern würde. Außerdem lag er nicht weit von Wachtell-Lipton, wo auf den jungen Anwalt, der noch nicht einmal ein Jahr in der Kanzlei arbeitete, an diesem Tag Stapel von zu bearbeitenden Vorgängen warteten.

An diesem Samstag, den 22. März 1980, war es für die Jahreszeit ungewöhnlich warm. Levine und Reich trafen sich vor dem Plaza, überquerten Central Park South und gingen in den Park. Sie schlenderten eine Weile durch den Park und unterhielten sich über ihre Familie und das Wetter. Beide hatten an einem derartig schönen Tag keine Eile, ins Büro zu kommen – und Reich eilte es überhaupt nicht, nun endgültig Levines Komplize zu werden. Schließlich setzten sie sich auf eine Bank an der Rollschuhbahn.

Reich war nervös und unentschlossen. Er hatte zwar den Entschluß gefaßt mitzumachen, doch nun kamen ihm Zweifel. Er würde das Vertrauen seiner Kanzlei mißbrauchen. Er malte sich aus, was passieren würde, wenn alles aufflöge und er dafür büßen müßte. Und außerdem war er nicht ganz überzeugt, daß Levine trotz aller seiner Behauptungen wirklich die nötige Intelligenz besaß, um den brillanten, aber auch riskanten Plan in die Tat umzusetzen.

Bei einer ihrer früheren Begegnungen anläßlich der Zementfusion hatte Reich einmal versucht, Levine die juristischen Finessen einer solchen Transaktion zu erklären, und dabei bemerkt, daß sein Gesprächspartner überhaupt nicht verstand, worum es eigentlich ging. Reich schloß daraus, daß Levine zwar charmant und freundlich, aber nicht sonderlich intelligent war. Aber schließlich, so fand Reich, braucht man nicht den Intelligenzquotienten eines Atomphysikers, um in einer Investmentbank voranzukommen.

Als sie auf der Parkbank saßen, versicherte Levine erneut, daß Reich absolut kein Risiko eingehen würde. Das Ganze sei idiotensicher. Er selbst wolle 10 bis 20 Millionen Dollar verdienen und dann seine eigene Wall Street-Firma aufmachen. Seinem neuen Partner würde er fürs erste auf dem Geheimkonto 20 000 Dollar zuteilen. Er würde Reichs Aufträge zusammen mit seinen eigenen größeren Orders über das Geheimdepot im Ausland laufen lassen. Reichs Name würde nirgendwo erscheinen und auch niemandem gegenüber erwähnt. Er würde über Reichs Gewinne Buch führen, der Anwalt könnte beliebig von dem Konto abheben, wenn er Geld brauche.

Trotz seiner Skrupel und Gewissensbisse war Reich entschlossen mitzumachen und stieg gleich voll ein. Er erzählte Levine, er habe in seiner Kanzlei gehört, daß ein französisches Unternehmen gegenüber Kerr-McGee Corp., dem Ölkonglomerat mit Sitz in Oklahoma City, ein feindseliges Übernahmeangebot plane.

Bei einem feindseligen Übernahmeversuch ist Geheimhaltung oberstes Gebot, weil der Kontrahent sonst alles daran setzt, die Aktion zu vereiteln. Die aufkaufende Gesellschaft versucht, ohne daß die Öffentlichkeit oder die Konkurrenz etwas merkt, die Finanzierung zu arrangieren und unter Wahrung aller rechtlichen Vorschriften den heimlichen Aufkauf von Aktien des anderen Unternehmens zu organisieren, um schließlich die Aktienmehrheit am Kontrahenten zu halten. Falls der Kontrahent vorher von dem Plan Wind bekommt, ergreift er umgehend Abwehrmaßnahmen gegen den

Aktienaufkauf, wodurch sich die Erfolgsaussichten des Herausforderers mehr oder minder stark verringern.

Sickert ein solcher Übernahmeplan durch, steigen die Aktienkurse des Zielunternehmens; auch dies war ein Grund, warum Geheimhaltung für das aufkaufende Unternehmen so wichtig ist. In der Regel unterbreitet es nämlich, sobald es die Aktienmehrheit aufgekauft hat, den restlichen Aktionären ein Angebot, deren Aktien zu einem Aufpreis zu übernehmen. Der Aufpreis liegt je nach Umfang der Transaktion zwischen 20 und 25 Prozent über dem Kurs am Tage, an dem das Angebot veröffentlicht wird. Wird der Plan bereits vorher bekannt, steigt der Aktienkurs der Gesellschaft, die aufgekauft werden soll. Denn Arbitragehändler und andere spekulative Anleger kaufen so viele Aktien der Gesellschaft, wie sie bekommen können, in der Erwartung, diese nach Bekanntgabe des Übernahmeplans zum Aufpreis zu verkaufen. Der kurstreibende Effekt kumuliert sich: Wachsende Umsätze locken weitere Käufer an, und der Aktienkurs steigt und steigt. Jeder Dollar Kursanstieg bedeutet, daß die aufkaufende Gesellschaft einen weiteren Dollar für die Finanzierung der Transaktion bereitstellen muß.

Reich erläuterte Levine, daß er persönlich an dem Fall Kerr-McGee nicht beteiligt sei. Doch habe er in der Kanzlei gehört, daß angeblich einige Anwälte von Wachtell-Lipton an einer Transaktion mit Lazard Frères arbeiteten, einer angesehenen Investmentbank an Wall Street, die die französische Gesellschaft Elf Acquitaine beraten würde. Reich fuhr fort, daß es sich bei diesem Geschäft um den ersten feindseligen Übernahmeversuch in der Geschichte der Wall Street handele, bei dem die Milliarden-Dollar-Grenze überschritten würde. Seiner Meinung nach würden die Kerr-McGee Aktien sprunghaft ansteigen, sobald der Plan bekanntgegeben würde – also eine ideale Gelegenheit, durch den Kauf von Kerr-McGee-Aktien aufgrund dieser vertraulichen Informationen satte Kursgewinne zu erzielen.

Levine hatte aufmerksam zugehört. Mit seinem charmantesten Lächeln und einem wissenden Kopfnicken sagte er nun zu Reich: »Ich habe schon davon gehört«, und erzählte weitere Einzelheiten, die Reich davon überzeugten, daß er nicht bluffte, sondern tatsächlich von dem Geschäft Wind bekommen hatte.

Der Anwalt war verblüfft. Gerade noch hatte er an Levines Intelligenz gezweifelt, das Vorhaben auch in die Tat umzusetzen, und nun wußte Levine bereits von diesem höchst geheimen Plan. Reich kam sich ziemlich dumm vor. Er hatte einen seiner Meinung nach hohen Einsatz für ihr Treffen im Central Park mitgebracht, und jetzt sollte er wertlos sein. Diese Erkenntnis erschütterte Reichs Selbstvertrauen, das in einer Zweierbeziehung ohnehin nie besonders stabil war. Levine erhielt damit einen psychologischen Vorsprung gegenüber seinem frischgebackenen Partner, den er geschickt und mit sicherem Instinkt ausnutzte.

Levine ließ durchblicken, daß sich Reich mehr anstrengen müsse, wenn er mit seinen Informationen einen nützlichen Beitrag liefern wolle. Er müsse auf die Gespräche seiner Kollegen achten und genau beobachten, welche Besucher die Anwälte empfingen, die an Fusions- und Übernahmefällen arbeiteten.

Levine sagte nicht, woher er seine Informationen über das französische Übernahmeangebot für Kerr-McGee hatte. Reich wußte, daß Smith Barney an dem Geschäft nicht beteiligt war. Levine hatte den Hinweis demnach aus einer anderen Quelle erhalten. Dies bedeutete, daß mindestens eine weitere Person Levine mit Informationen versorgte. Reich vermutete eine Quelle bei Lazard Frères, doch schwieg sich Levine darüber aus.

Reich fühlte sich wie ein begossener Pudel, und zwar weniger wegen Levines Ermahnungen als wegen seines eigenen Versagens. Er hatte seinen Stolz und war entschlossen, wenn er sich schon an dem Insider-Ring beteiligte, würde er seine Sache gut machen. So handelte Ilan Reich in allen Dingen.

Nachdem Levine Reich gedrängt hatte, sich intensiver um Informationen zu bemühen, warnte er ihn jetzt, dabei nicht zu auffällig vorzugehen. Diskretion war unerläßlich. Die Behörden dürften ihnen auf keinen Fall wegen eines Fehlers von Reich auf die Schliche kommen.

Das Gespräch dauerte bis nach 11.00 Uhr. Auf dem Rückweg kamen sie an Joggern, lachenden jungen Pärchen und Müttern mit Kinderwagen vorbei. Levine sah Reich an. Sein charmantes Lächeln war verschwunden, auf seinem Gesicht lag ein Ausdruck von Bosheit, den Reich noch nie gesehen hatte. Das Lächeln auf Levines Gesicht kehrte schnell wieder zurück. Aber seine Stimme war eiskalt, als er zu Reich sagte: »Solltest du jemals ein Sterbenswort zur SEC sagen, geht es dir dreckig.«

5. Kapitel

Die Gesellschaft

Ilan Reichs Vermutung war richtig. Levine handelte auf Insider-Informationen und dies bereits seit eineinhalb Jahren. Und er verfügte tatsächlich über eine Informationsquelle bei Lazard Frères.

Kurz vor seiner Abreise aus Paris, am 20. Juli 1979, war Levine, ohne jemandem davon zu erzählen, nach Genf geflogen, um ein Konto bei Pictet & Cie zu eröffnen. Seine Einlage belief sich auf 39 750 Dollar. Bereits die Kontoeröffnung verstieß gegen die Vorschriften von Smith Barney und hätte bei Bekanntwerden seine Entlassung bedeuten können.

Einen Monat nach seiner Rückkehr, am 29. August 1979, plazierte er seine erste Order auf Grund einer Insider-Information und kassierte ein paar hundert Dollar. Der Anfang war entsprechend Levines begrenztem Startkapital bescheiden. Er mußte die Aktien sorgfältig auswählen; größere Aufträge in teuren Aktien schienen ihm angesichts des niedrigen Depotwertes zu riskant. Im übrigen war er auch deshalb vorsichtig, weil er erst einmal testen wollte, bis zu welchem Punkt sein Schweizer Bankhaus mitzog.

Levine erzählte niemandem von seinen Aktiengeschäften außer seinem alten Freund bei der Citibank, Robert Wilkis. Wilkis arbeitete nicht mehr bei der Citibank, sondern war jetzt im Internationalen Kreditgeschäft bei Lazard Frères tätig.

Sie hatten während Levines Pariser Aufenthalt Kontakt gehalten und trafen sich kurz nach Levines Rückkehr zum Mittagessen. Danach gingen sie noch ein wenig spazieren, und Levine brüstete sich damit, wie leicht es gewesen sei, ein geheimes Bankkonto zu eröffnen und die Order über R-Gespräch zu plazieren. Man kann Millionen verdienen, und sie beide könnten sich die Gewinne teilen. Damit würde Wilkis genügend Geld haben, um seinen Wall Street-Job aufzugeben und eine Karriere beim Staat zu beginnen; dies war nämlich, wie er Levine anvertraut hatte, sein Traum.

Wilkis müßte lediglich Informationen über die bei Lazard Frères anhängigen Transaktionen sammeln und sie an Levine weitergeben. Levine wollte dasselbe bei Smith Barney machen. Dann könnten sie auf Informationen aus beiden Quellen handeln und reich werden.

»Du mußt mitmachen«, sagte Levine beschwörend zu Wilkis. »Jeder tut es. Insider Trading gehört zum Geschäft. Es ist genau so, als wenn du in einem Kaufhaus arbeitest. Da kriegst du auch Rabatt auf deine Einkäufe. Oder du bist in einer Pizzeria angestellt und kannst jeden Abend eine Pizza mit nach Hause nehmen. An Wall Street sind das eben Informationen.«

»Ich habe Angst«, erwiderte Wilkis.

»Nicht doch«, sagte Levine, »mein Plan ist absolut sicher. Ich würde dir gern Tips geben. Aber du mußt alles richtig aufziehen. Dazu gehört, daß du ein Bankkonto im Ausland eröffnest, so daß alles geheim bleibt.«

Als Wilkis noch immer zögerte, meinte Levine: »Ich weiß, daß du für deine Mutter und deine Familie sorgen willst. Hier kannst du das große Geld verdienen. Also sei nicht dumm. Es tut niemandem weh.«

Damit hatte Levine Wilkis wunden Punkt getroffen. Einige Jahre nach dem Tod seines Vaters hatte seine Mutter zum zweiten Mal geheiratet. Der Mann war ein Schwindler und brachte seine Mutter um sämtliche Ersparnisse, bis sie sich schließlich scheiden ließ. Wilkis hatte Levine mehrmals erzählt, daß seine Mutter finanziell von ihm abhängig sei. Wenn er genügend Geld auf einem Geheimkonto ansammeln könnte, müßte er sich wegen der Finanzen seiner Mutter und auch seiner Familie keine Sorgen mehr machen, dachte er, und er könnte überdies ernsthaft in Erwägung ziehen, seinen Wall Street-Job aufzugeben.

Wilkis hatte sich an Wall Street, wo alles auf Geschäft ausgerichtet war, nie so recht wohlgefühlt. Er hielt sich für einen Außenseiter, der über wesentlich mehr Durchblick und Intelligenz verfügte, als seine Kollegen, die seiner Meinung nach selten weiter als bis zum nächsten Geschäftsabschluß dachten. Für ihn war Wall Street ein Ort, wo die Leute durch kräftiges Rühren der Werbetrommel für sich selber und Anbiederei die Karriereleiter hinaufstiegen, wo aber echtes Talent und Intelligenz kaum beachtet wurden. Er glaubte, daß in dieser Umgebung Oberflächlichkeit belohnt, wirkliche Intelligenz aber ignoriert wurde.

Die Diskussionen zwischen Wilkis und Levine über Insider-Handel wiederholten sich mehrfach in den nächsten drei Monaten, bis Wilkis im November 1979 schließlich nach Nassau flog und die Filialen mehrerer Schweizer Banken besuchte. Unter dem Decknamen Mr. Green eröffnete er ein Wertpapierkonto bei Credit Suisse. Die 40 000 Dollar Einlage waren mehr als seine gesamten Ersparnisse, so daß er noch Kredit aufgenommen hatte. Entsprechend Levines Instruktionen erklärte er den Leuten bei Credit Suisse, daß er seine Aufträge per R-Gespräch übermitteln würde. Außerdem solle alle Korrespondenz für ihn bei der Bank verwahrt werden.

Im Laufe der nächsten Monate telefonierten Levine und Wilkis regelmäßig und trafen sich häufig zum Essen, um Informationen über Geschäfte auszutauschen, die in ihren Instituten gerade bearbeitet wurden. Als Schutz vor neugierigen Sekretärinnen oder Kollegen, die das Telefon abnahmen, erfanden sie einen Decknamen. Wenn sie sich telefonisch nicht erreichen konnten und eine Nachricht hinterlassen mußten, gaben sie den Namen Alan Darby an. Diesen Namen hatte sich Levine ausgedacht.

Die Zusammenarbeit mit Wilkis erwies sich als mäßig profitabel. Levines Konto bei Pictet & Cie erhöhte sich mit der Zahl der Aktienorder, welche die New Yorker Börsenmakler seiner Schweizer Bank für ihn an der New York Stock Exchange ausführten. Aber das genügte Levine nicht. Er glaubte, wenn zwei Leute doppelt soviel Informationen ausgraben könnten wie eine Person, müßten sich mit weiteren Informanten in der Finanzwelt ungeahnte Möglichkeiten eröffnen. Er erzählte Wilkis, daß er einen gigantischen Ring von Insider-Händlern aufbauen wolle, der in jeder großen Investmentbank und den zwei größten Anwaltskanzleien für Unternehmensübernahmen, Wachtell-Lipton und Skadden Arps, Informanten sitzen hat. Bevor Levine Reich in seinen Ring einbeziehen konnte, hatte er bei mindestens einem Investmentbanker und zwei Anwälten, einem jungen Mitarbeiter von Wachtell-Lipton und einem bei Skadden Arps, vorgefühlt. Er hatte sehr vorsichtig sondiert und sofort den Rückzug angetreten, als er merkte, daß sein Gegenüber kein Interesse zeigte. Erst durch seine Begegnung mit Reich im Frühjahr 1980 konnte er einen weiteren Informanten gewinnen.

Auch als Levines Ring von Informanten größer wurde, blieb Wilkis sein einziger wirklicher Vertrauter. Wilkis wußte, daß Levine einen jungen Anwalt von Wachtell-Lipton rekrutiert hatte, allerdings weigerte sich Levine, den Namen des neuen Partners preiszugeben, sondern sprach von ihm stets nur als »Wally«, eine Anspielung auf den Namen der Kanzlei. Im Laufe des Sommers 1980 erzählte Levine Wilkis von einem anderen Kandidaten für den Ring, einem Werkstudenten bei Smith Barney, der nach Abschluß seines Studium in Harvard ganz sicher an Wall Street zurückkehren würde.

Auf ihren gemeinsamen Spaziergängen nach dem Mittagessen wies Levine immer wieder darauf hin, daß das oberste Gebot bei ihrem wachsenden Geschäft die Geheimhaltung sei.

»Eine Kette ist nur so stark wie ihr schwächstes Glied«, war Levines Lieblingsspruch. Die Stärke der Kette liege vor allem darin, daß niemand den Namen der übrigen Mitglieder kannte. Falls ein Mitglied auffliegt, müßte die Untersuchung bei dieser Person enden. Nur Levine, als Drahtzieher des Rings kannte die Namen aller Beteiligten. Levine benutzte den Jargon der Spionagewelt. Der Insider-Ring war »die Gesellschaft«, und die Mitglieder und etliche andere Personen, mit denen er zu tun hatte, erhielten Decknamen. Den Rechtsanwalt bei Wachtell-Lipton nannte Levine »Wally«, bei Telefongesprächen mit Wilkis benutzte er den Namen »Alan Darby«; von Wilkis sprach er als »Liz« in Anspielung auf Lazard Frères. J. Tomilson Hill III, Levines Vorgesetzter bei Smith Barney, erhielt die Bezeichnung »Drei Stäbe« wegen der drei III hinter seinem Namen. Die Securities and Exchange Commission war die »Klimaanlage«, weil einer ihrer wichtigsten Mitarbeiter, John Fedders, genauso hieß wie ein großer Klimaanlagenhersteller. Im Jargon ihres Spiels waren die Arbitragehändler, mit denen Levine immer häufiger Kontakt pflegte, »Agenten«. Insider-Informationen wurden »I Quadrat« genannt, und das Geld auf dem Geheimkonto hieß »P Quadrat« für purchasing power, also Kaufkraft.

Robert Wilkis fand das ganze Drumherum aufregend und spannend, und in gewisser Weise war es für ihn ein Ausgleich für seine wachsende Unzufriedenheit bei Lazard Frères.

Wilkis wußte wesentlich mehr über Levines Aktivitäten als Ilan Reich. Dem hatte Levine nicht einmal erzählt, wo das Konto geführt wurde, auf dem angeblich Reichs Erträge gutgeschrieben wurden. Und er wußte ganz sicher auch nichts von dem schweren Schlag, den Levine im Frühjahr 1980 erlitt, kurz nachdem Reich als Partner eingestiegen war. Hätte ihm Levine davon erzählt, wäre er vielleicht, ängstlich wie er war, ausgestiegen.

Seit seiner Rückkehr aus Paris hatte Levine den Umfang seiner Insider-Käufe immer mehr erhöht. Im Frühjahr 1980 fiel einem Angestellten von Pictet & Cie bei der Überprüfung von Levines Konto auf, daß Levine eine große Aktienposition am Tag, bevor die Übernahme dieser Gesellschaft bekanntgegeben wurde, gekauft hatte. Eine intensivere Kontoüberprüfung ergab, daß der Amerikaner regelmäßig Aktien solcher Unternehmen gekauft hatte, die kurz darauf Gegenstand von Fusionen oder Übernahmeversuchen waren.

Dieses Kaufverhalten beunruhigte Pictet & Cie. Die Schweizer Insider-Gesetzgebung unterscheidet sich von den amerikanischen Vorschriften. Der Hauptunterschied besteht darin, daß es einem wirklichen Insider, wie zum Beispiel dem Topmanager eines Unternehmens, nicht verboten ist, Aktien auf der Basis vertraulicher Informationen zu kaufen. Allerdings darf der Topmanager solche Informationen nicht an andere weitergeben. Einige Fälle von Insider-Handel fallen unter andere Vorschriften des schweizerischen Strafgesetzbuches. Da die Bank beunruhigt war, forderte sie Levine auf, sein Konto zu schließen und sich nach einer anderen Bank umzusehen.

Auf Grund des Schweizer Bankgesetzes war es äußerst unwahrscheinlich, daß die Bank diese Ereignisse den Aufsichtsbehörden melden würde. Ein weniger kaltblütiger Gauner hätte jedoch nach dieser Entdeckung verschreckt sein Geld genommen und wäre verschwunden.

Doch Levine hatte bisher nur einen Bruchteil des von ihm erstrebten Reichtums erzielt. Er bewertete dieses Ereignis als einen vorübergehenden Rückschlag und war lediglich verärgert, daß er so lange nicht handeln konnte, bis er eine neue Bank gefunden hatte. Wie bereits Jack Francis bemerkte, als Levine verzweifelt versuchte, im Investmentbank-Bereich unterzukommen, gehörte er zu denen, die nicht aufgaben.

Wilkis hatte seine Aktienkäufe problemlos über die Credit Suisse in Nassau abgewickelt. Seine Aufträge waren niemals so groß wie Levines. Dadurch war auch die Wahrscheinlichkeit geringer, daß seine Käufe Verdacht erregen könnten. Wilkis verdiente eben seinen Einsatz und hatte gerade sein Konto um 30 000 Dollar aufgestockt, um weitere Geschäfte machen zu können. Levine entschloß sich, sein

Konto ebenfalls auf die Bahamas zu transferieren; allerdings waren sich beide darüber im klaren, daß Levine unmöglich Credit Suisse benutzen konnte. Denn zwei Amerikaner, die die gleichen Aktien kaufen, hätten bei der Bank Aufmerksamkeit erregt. Daher wollte sich Levine die Sache vor Ort ansehen.

Der 26. Mai 1980 war in den USA ein Feiertag, Montag nach Memorial Day. Levine flog nach Nassau, wo Geschäfte und Banken offen waren. Er besuchte mehrere Schweizer und kanadische Banken, bevor er sich für Bank Leu International entschied. Deren französischen Geschäftsführer, Jean-Pierre Fraysse, fand er auf Anhieb sympathisch.

Zu Beginn der folgenden Woche hatte Levine bereits 128 900 Dollar von Pictet & Cie auf sein neues Konto überwiesen. Diese Summe stellte den gesamten Kursgewinn auf die 39 750 Dollar dar, die er vor zehn Monaten in Genf deponiert hatte. Am Donnerstag, den 5. Juni, rief er während seiner Mittagspause aus einer Telefonzelle in der Nähe seines Büros Bank Leu per R-Gespräch an.

Bruno Pletscher nahm den Anruf von »Mr. Diamond« entgegen, der sich erkundigte, welcher Betrag auf dem Konto eingegangen sei. Levine beauftragte Pletscher dann, die Hälfte dieses Betrages in einem einzigen Aktienwert anzulegen. Pletscher merkte bald, daß Levine dies immer so machte: Zunächst fragte er nach dem genauen Kontostand, den er nie wußte, und dann gab er den Auftrag, die Hälfte oder manchmal auch den gesamten Betrag in einem einzigen Wert anzulegen.

Beim ersten Aktienkauf ging es um die Aktien der Dart Industries Inc. Levine hatte erfahren, daß Kraft Inc., das große Lebensmittelunternehmen aus Chicago, im Begriff war, Dart, Hersteller von Konsumgütern wie Tupperware und West Bend-Haushaltsgeräten, ein Fusionsangebot zu machen. Auf Levines Auftrag hin kaufte Bank Leu 1 500 Aktien der Dart Industries für insgesamt etwas mehr als 61 000 Dollar.

Levine fing bei Bank Leu bewußt mit kleineren Aufträgen an und legte nicht gleich sein gesamtes Guthaben an. Er wollte erst einmal testen, wie die Bank seine Aufträge ausführte und ob sie irgendwelche Fragen stellte. Außerdem sollte das Fusionsangebot in den nächsten Tagen bekanntgegeben werden, und er wollte keine Unruhe im Markt stiften.

Am Spätnachmittag des 6. Juni, nach Börsenschluß, gab Kraft die geplante Fusion bekannt. Bei Handelsbeginn am Montag stieg die Dart Aktie um drei Punkte; Levine beauftragte telefonisch seine Bank, zu verkaufen, und kassierte über 4000 Dollar für diese Wochenendanlage.

Auch in den nächsten Wochen gab Levine der Bank Leu relativ bescheidene Aufträge. Das Ereignis bei Pictet & Cie konnte ihn nicht vom Insider-Handel abhalten, denn dazu war er zu besessen. Doch hatte er eine Lehre erteilt bekommen, nicht zuviel auf einmal zu wagen, und diese Lehre beherzigte er eine Zeit lang.

Außerdem war er auch gehandicapt, weil er bei Smith Barney und von Wilkis und Reich keine ausreichend präzisen Insider-Informationen erhielt. Keiner von ihnen arbeitete in leitender Position. Das bedeutete, daß sie meistens nur Teilaspekte der jeweiligen Geschäftsvorgänge kannten und vor allem nicht beurteilen konnten, ob eine geplante Transaktion tatsächlich zustande kommen oder sich zerschlagen würde. Wilkis Informationen waren am ungenauesten, weil er mit Fusionen und Übernahmen nichts zu tun hatte. Er war auf Hinweise angewiesen, die er im Büro aufschnappte oder auf den Schreibtischen der Kollegen in der M&A-Abteilung entdeckte. Levine beschwerte sich des öfteren bei Wilkis, daß die Informationen von Lazard Frères ihm mehr Verluste als Gewinne einbrächten. Die geplante feindselige Übernahme von Kerr-McGee war ihn teuer zu stehen gekommen und hatte ihm eine Lehre über die bestehenden Grenzen des Informationsrings erteilt.

Wilkis arbeitete bei Lazard Frères im internationalen Geschäft. Dort hatte er davon Wind bekommen, daß Elf Acquitaine, ein französisches Unternehmen, das teilweise in staatlichem Besitz war, ein Übernahmeangebot an Kerr-McGee plante. Wilkis gab diese Information an Levine weiter, und Reich bestätigte sie bei dem Treffen im Central Park. Levine kaufte für sein Konto bei Pictet & Cie eine große Position Kerr-McGee-Aktien. Doch die Franzosen waren von Anfang an nicht so richtig vom Erfolg eines feindseligen Übernahmeangebots überzeugt, das sie eine Milliarde Dollar kosten würde. Bevor der Kurs der Kerr-McGee Aktien durch die öffentliche Bekanntgabe in die Höhe schnellen konnte, gaben sie ihr Vorhaben auf. Levine verlor Geld, allerdings nicht zum letzten Mal.

Nach Eröffnung des Bank-Leu-Kontos erlitt er im Jahre 1980

folgende Verluste: 60 000 Dollar im Zusammenhang mit Übernah-
megerüchten von Tesoro Petroleum und 13 000 Dollar, als sich eine
Transaktion zerschlug, an der die American District Telegraph beteiligt
war. Doch die Gewinne machten die Verluste mehr als wett.

Am 22. August flog Levine erneut auf die Bahamas und zahlte auf
sein Konto bei der Bank Leu weitere 40 000 Dollar ein. Einen Monat
später landete er den ersten großen Gewinn.

Mitte Spetember telefonierte Reich mit Levine und schlug vor, daß
sie sich zum Mittagessen treffen sollten. Dies war ein Zeichen, daß
Reich Informationen über ein neues Geschäft hatte. Reich erzählte
Levine, daß Wachtell-Lipton von Jefferson National Insurance um
Rechtsbeistand bei einer möglichen Übernahme durch ein größeres
Unternehmen, der Zürich Insurance Company, gebeten worden sei.
Das Geschäft war so gut wie abgeschlossen; das Zürich-Angebot
sollte weit über dem derzeitigen Kurs der Jefferson National Aktien
liegen.

Zu diesem Zeitpunkt hatte sich Levines Einlage in Höhe von
168 000 Dollar mehr als verdoppelt. Er rief am 22. September Bank
Leu an und erteilte den Auftrag, den ganzen Betrag bis auf den letzten
Pfennig in Jefferson National Aktien anzulegen.

Trotz Levines Bedenken plazierte Bank Leu ihre gesamten Wertpapieraufträge nach wie vor über einen einzigen Börsenmakler, nämlich
EuroPartners Securities in New York. Sie erhielten den Auftrag,
8 000 Jefferson National Aktien zu kaufen. Der Gegenwert betrug
383 063 Dollar; dies war der größte Auftrag seiner noch kurzen
Laufbahn als Insider. Falls dieses Geschäft ein Flop würde, müßte er
wieder ganz von vorn anfangen.

Zwei Tage später gaben Zürich Insurance und Jefferson National
bekannt, daß Übernahmeverhandlungen begonnen hätten. Der Kurs
der Jefferson National Aktien zog ruckartig an und Levine machte
sofort Kasse. Der Kursgewinn betrug 155 734 Dollar.

Entsprechend ihrer Übereinkunft rief Reich immer dann bei Levine
an und vereinbarte mit ihm ein gemeinsames Mittagessen, wenn er
wichtige Informationen weitergeben wollte. Sie trafen sich in verschiedenen Lokalen in der Nähe ihrer Büros. Manchmal kauften sie
sich auch ein Stück Pizza und aßen es im Gehen.

Levine achtete darauf, Reich das Gefühl zu geben, daß sie sich als

Freunde träfen. Sie sprachen immer zuerst über Familienangelegen-
heiten, Kollegen, Sport etc. und niemals sofort über vertrauliche
Dinge oder gar Insider-Informationen, die sie im übrigen ohnehin nie
in einem Restaurant erörterten.

Doch nach dem Essen, oder wenn sie im Gehen ein Stück Pizza
aßen, erzählte Reich Levine von verschiedenen Geschäften, die bei
Wachtell-Lipton gerade bearbeitet wurden. Normalerweise berichtete er Levine über eine ganz bestimmte Transaktion.

Ähnlich wie Wilkis fand auch Reich das Ganze aufregend. Ihm
gefiel es, Geheimnisträger zu sein und zu wissen, worum es ging. Der
einsame junge Mann war froh darüber, einen Freund gefunden zu
haben, mit dem ihn etwas verband. Außerdem genoß es der aufrüh-
rerische Geist in Reichs Persönlichkeit, die Regeln zu brechen; er
beruhigte sein gequältes Gewissen indem er sich einredete, daß
niemand geschädigt würde. Schließlich übte er ja seine Tätigkeit als
Jurist völlig unabhängig von Levines Aktienkäufen aus.

Reich machte gern mit und er mochte Levine; doch traf er sich mit
ihm zu geschäftlichen Besprechungen grundsätzlich nur während der
Arbeitszeit. Daher war er ziemlich verärgert, als ihn Levine einmal zu
Hause anrief. Dies überraschte Levine und er erzählte Reich, daß ihn
einer seiner Informanten mitunter spät abends anrief, um sich mit
ihm zu treffen. Reich erkundigte sich, was Levine seiner Frau sagte,
wenn er plötzlich weg mußte.

»Ich sage ihr einfach, ich muß geschäftlich weg«, erwiderte Levine.
»Sie stellt keine weiteren Fragen.«

Levine meinte, falls sein Insider-Ring jemals auffliegen sollte und
er sich entscheiden müßte, allein ins Ausland zu fliehen oder mit
seiner Frau in den Vereinigten Staaten zu bleiben, würde er fliehen.

»Ich weiß nicht, welches Verhältnis du zu deiner Frau hast«, sagte
er zu Reich, »aber ich würde mich verdrücken, wenn's sein muß.«

Reich empfand Levines Worte als Bemerkung unter Freunden. Er
maß ihnen keinerlei Bedeutung im Hinblick auf seine und Levines
geschäftliche Beziehung zu. Ihm fiel nicht auf, welch egoistischer
Überlebensinstinkt daraus sprach, und ihm kam auch nicht in den
Sinn, daß eben dieser Egoismus zum Tragen kommen würde, wenn
seine und Levines Interessen irgendwann einmal auseinanderdriften
sollten.

Levine bestand auf zwei Prinzipien: der Ehefrau nichts von den

Insider-Geschäften zu erzählen und niemals über seine Verhältnisse zu leben. In der ersten Zeit ließ er sein Geld auf den Bahamas und widerstand dem Verlangen, ein tolles Auto zu kaufen oder aus seiner bescheidenen Wohnung in der East 57. Straße auszuziehen.

»Ich werde keine Dummheit machen«, äußerte er mehrmals Reich gegenüber. Was materielle Dinge anbetraf, konnte Levine seine Wünsche tatsächlich unter Kontrolle halten. Doch Anfang 1981 tat er etwas, das Reich unglaublich töricht vorkam. Er lud Reich zu einer Dinner-Party an einem Samstagabend ein. Obwohl sie häufig zusammen zum Mittagessen gingen und aus Reichs Sicht echte Freunde waren, hatten sie sich niemals zu viert mit ihren Frauen getroffen. Die Abendeinladung schien eine gute Gelegenheit, das Eis zu brechen, und Reich nahm die Einladung freudig an.

»Hervorragend«, sagte Levine. »Es kommen eine ganze Menge Leute, und du wirst einige aus dem Insider-Geschäft kennenlernen«.

Reich zuckte zusammen. Er hatte von Anfang an Angst gehabt, in irgendeiner Weise mit dem Insider-Ring in Verbindung gebracht zu werden, wodurch dann nicht mehr nur seine Aussage gegen Levines stehen würde, sollten sie jemals entdeckt werden. Und jetzt lud ihn Levine zu einer Party ein, auf der er Leute kennenlernen sollte, die mit dem allergeheimsten Teil seines Lebens in Verbindung standen.

»Es kommt überhaupt nicht in Frage, daß ich diese Leute kennenlerne oder sie mich«, schrie er Levine an.

Levine versuchte, seinen Freund zu beruhigen. Niemand wisse, wer wirklich beteiligt sei. Er würde doch nicht Reich oder irgendjemand anderen bloßstellen. Aber all diese Versicherungen konnten Reich nicht überzeugen. Er kam nicht auf die Party.

Psychiater glauben, daß manche Menschen ihr Doppelleben so stark von ihren normalen Aktivitäten trennen können, daß beides zumindest eine Zeitlang vollkommen parallel läuft. Es ist so ähnlich, wie wenn jemand auf einer Geschäftsreise einen Seitensprung macht. Im Grunde hat dies nichts zu tun mit seinem normalen Leben zu Hause; zumindest scheint es so.

Ein Doppelleben kann für Aufregung sorgen und Erfolgserlebnisse hervorrufen, die gewisse Minderwertigkeitsgefühle kompensieren. Der heimliche Triumph kann zeitweilig die Langeweile eines Allerweltsjobs verdrängen oder auch das Gefühl ausschalten, daß man im normalen Leben nicht genügend Anerkennung erhält.

Psychiater warnen davor, daß dieses heimliche, segmentierte Doppelleben die meisten Menschen irgendwann nicht mehr befriedigt, gerade weil es geheim ist. Damit die Erfolgserlebnisse wirklich etwas bedeuten, müssen nämlich Dritte von ihnen erfahren.

Mitte 1981 funktionierte der Insider-Handel reibungslos. Levines Konto bei der Bank Leu wuchs beständig. Aber die Tätigkeit bei Smith Barney war weniger erfolgreich.

Levine hatte das Gefühl, daß er seit seiner Rückkehr aus Paris vor knapp zwei Jahren zwar die Arbeit eines Vice President erledigte, aber nicht den Titel bekam. Er beschwerte sich gegenüber Freunden, daß er nicht befördert würde, weil er weder aus einer feinen Familie stamme noch aus Harvard käme. Seiner Meinung nach war Smith Barney zu altmodisch und zu hierarchisch, als daß er über die Köpfe seiner Kollegen hinweg befördert würde, die zwar dienstälter, aber weniger fähig als er waren. Anderen Freunden gegenüber gab er damit an, daß er bald aufsteigen würde und auf Grund seines hohen Gehaltes und der Sonderzahlungen eine Menge Geld anhäufe.

In Wirklichkeit war er bei Tomilson Hill, dem Leiter der Fusions- und Übernahmeabteilung, nicht besonders gut angesehen. Von Anfang an waren sich die beiden Männer unsympathisch. Hill arbeitete, bevor er zu Smith Barney kam, bei First Boston Corporation. Er war konservativ und zugeknöpft; ihn störte Levines hemds- ärmeliges, joviales Verhalten genauso wie dessen offensichtliches Ignorieren der abwicklungstechnischen Kleinarbeit, die mit diesem Geschäft verbunden war.

Daher blockierte Hill die aus Levines Sicht längst fällige Beförderung; Levine sah sich nach einem anderen Arbeitsplatz um.

Im selben Sommer machte sich Levine auch Gedanken, wie er seine Insider-Geschäfte noch anonymer abwickeln könnte. Er hatte bereits ein Jahr zuvor überlegt, das Diamond-Konto auf eine panamaische Gesellschaft zu übertragen, aber er war bis jetzt nicht dazu gekommen, dies in die Tat umzusetzen. Der Streß im Job und bei seinen Insider-Geschäften hatte ihn abgehalten.

Im Spätsommer schlenderten Levine und Reich nach einem gemeinsamen Mittagessen in einem chinesischen Restaurant die Third Avenue entlang. Sie unterhielten sich über Reichs Kursgewinne.

Im Frühjahr 1980 hatten sie ausgemacht, daß Levine auf seinem Konto 20 000 Dollar reservieren und diese für Reichs Insider-Geschäfte verwenden würde. Levine würde ausschließlich auf der Basis von Reichs Insider-Informationen kaufen und verkaufen. Reich hatte eine ungefähre Vorstellung über die bisherigen Erträge und war daher nicht überrascht, als Levine ihm die genaue Summe nannte.

»Du hast jetzt 100 000 Dollar auf meinem Konto«, erklärte ihm Levine. »Vielleicht solltest du mal überlegen, wie du an das Geld kommen kannst, wenn mir etwas passiert.«

»Was schlägst du vor«, fragte Reich.

»Eine panamaische Gesellschaft und dein eigenes Konto«, erwiderte Levine.

Er selbst wolle sein Konto auf eine panamaische Gesellschaft übertragen, die von seinen Anwälten errichtet würde, erläuterte er gegenüber Reich: Das Faszinierende an dieser Konstruktion sei, daß damit buchstäblich alle Spuren des eigentlichen Kontoinhabers ver-wischt würden.

Ein Anwalt würde für Levine eine Gesellschaft in Panama eintragen lassen. Der Anwalt und zwei Kompagnons fungierten als Geschäfts-führer der Gesellschaft. Das Eigentum an der Gesellschaft würde jedoch durch eine einzige Inhaberaktie verbrieft, die den jeweiligen Inhaber als Eigentümer ausweise. Ohne diese Aktie könnten die Behörden nicht den Eigentümer der Gesellschaft ermitteln.

Panama galt inzwischen unter den Rauschgiftkönigen aus Südame-rika und den Vereinigten Staaten als Geldwäscher-Paradies. Auch manche Geheimdienste übten ihre Aktivitäten unter dem Schutz einer in Panama eingetragenen Gesellschaft aus. In Panama waren 150 000 Unternehmen registriert, deren Geschäftsunterlagen lediglich aus einem kurzen Vertrag bestanden, auf dessen Basis die ausländischen Eigentümer überall auf der Welt Geschäfte anonym und steuerfrei abwickeln konnten.

Reich ließ sich nicht überzeugen, er lehnte den Vorschlag ab.

»Dennis, irgendwo gibt es doch ein Papier, auf dem mein Name steht. Es ist schon schlimm genug, daß du meinen Namen kennst, und du sollst auch der einzige bleiben.«

Daraufhin erzählte Levine Reich, daß er bald zu seiner Bank fahren würde, und fragte, ob er für Reich Geld von »dessen Konto« abheben solle.

Reich lehnte, wie schon früher einmal, ab. Er hatte noch immer keinen Pfennig genommen. Das half ihm, die Selbstzweifel wegzuwischen, die ihn quälten, wenn er sich fragte, warum er eigentlich mit Levine gemeinsame Sache machte.

Dieses Verhalten seines Freundes Reich beunruhigte Levine. Als er sich später einmal gegenüber Wilkis beschwerte, daß »Wally« kein Geld nehmen wolle, sagte er, der Anwalt solle gefälligst etwas Geld akzeptieren. Denn wenn er erst einmal merke, was man damit kaufen könne, würde er Geschmack daran finden und sich vielleicht intensiver um Insider-Informationen bemühen. Er, Levine, hätte schon mehrmals mit dem Gedanken gespielt, dem Anwalt bei ihrem nächsten Mittagessen einfach ein Bündel 100-Dollar-Scheine hinzuwerfen. Allerdings machte Levine diese Drohung nie wahr.

Am 30. Oktober 1981 hatte Levine in der Bank Leu eine Besprechung mit Pletscher und Christian Schlatter, der für die Abwicklung von Levines Aufträgen zuständig war.

Zunächst gingen Schlatter und Levine die Kontobewegungen durch. Als dann Pletscher zu ihrer Besprechung im Konferenzraum der Bank hinzukam, erklärte Levine, daß er das Geld aus dem Diamond-Konto auf ein anderes Konto transferieren wolle. Dieses Konto solle auf den Namen einer panamaischen Gesellschaft lauten, die Levine gegründet hatte. Pletscher überreichte Levine einen Satz Kontoeröffnungsformulare. Levine meinte, er würde sie von seinen Anwälten ausfüllen und unterschreiben lassen und verließ die Bank.

Kurze Zeit später kehrte er mit den ausgefüllten Formularen zurück. Die neue Gesellschaft lautete auf den Namen Diamond Holdings und war in Panama eingetragen. Präsident war Hartis Pinder, ein Rechtsanwalt aus Nassau. Einer seiner Partner, Richard Lightbourn, fungierte als Vize-Präsident und Maris Taylor, eine Kanzleiangestellte, als Sekretärin. Levines Name tauchte nicht mehr auf.

Allerdings wollte Levine vor der Umbuchung seines Kontos Geld abheben. Er bat Pletscher um 30 000 Dollar in 100-Dollar-Scheinen. Pletscher holte das Geld und übergab es Levine, der die Scheine in eine Plastikeinkaufstüte stopfte und die Bank verließ.

Dies war erst das zweite Mal, daß Levine Geld abhob. Mitte Mai 1981 hatte er einmal bei einem seiner Routinebesuche bei der Bank

4 000 Dollar abgehoben. Pletscher war über die Summe von 30 000 Dollar keineswegs erstaunt. Einige seiner reichen Kunden hoben häufig größere Beträge ab, und so mancher ging damit geradewegs in eines der Spielcasinos von Nassau und verlor das Geld.

Pletscher glaubte nicht, daß dies Levines Absicht war, denn er hatte es immer furchtbar eilig, die Bahamas zu verlassen. Wie er Pletscher einmal erklärt hatte, blieb er niemals über Nacht in Nassau, um keine Spuren zu hinterlassen. Dies war jedoch nur eine der vielen Lügen, die er der Bank auftischte. Er und sein Bruder Robert verbrachten häufig das Wochenende in Nassau, aber sie wohnten immer in einem anderen Hotel und zahlten stets bar, um keine Aufmerksamkeit zu erregen.

Außerdem erzählte Levine Pletscher und anderen Bankangestellten, daß er verschiedene Reiserouten nach Nassau benutze. Damit seine Reisen nicht nachvollzogen werden konnten, flog er mitunter nach Montreal, und nahm dort wie unzählige kanadische Touristen einen der vielen Direktflüge nach Nassau, oder er flog im Anschluß an eine Geschäftsreise von verschiedenen Städten aus nach Miami. Manchmal, so erzählte er Pletscher, chartere er für eine Teilstrecke auch ein Flugzeug.

Levine erklärte, daß niemand von seinen Reisen nach Nassau wüßte, nicht einmal seine Frau. Seinen Flugschein würde er immer bar zahlen; im Herbst 1981 zahlte er allerdings einmal mit Kreditkarte und reichte die Quittung als Spesenbeleg bei Smith Barney ein.

Der Mann, der bei der Bank stest als »Diamond« bezeichnet wurde, prahlte damit, daß er die Bahamas immer unter falschem Namen betreten würde, damit seine häufigen Reisen nicht auffielen. Amerikaner müssen bei der Einreise in die Bahamas ihre amerikanische Staatsbürgerschaft nachweisen, doch ist dazu kein Paß erforderlich. Geburtsurkunde oder Wählerkarte genügt. Allerdings verweigern die bahamanischen Behörden einem Touristen, der keine solche Urkunde bei sich hat, nur selten die Einreise. Mit ein wenig Überredungskunst reicht auch ein Führerschein.

Entgegen aller Aufschneidereien zeigte Levine bei der Einreise seine Geburtsurkunde vor, die allerdings weder seine Adresse noch sonstige zusätzliche Informationen zu seiner Person enthielt. Er verwendete absichtlich nicht seinen Paß, weil er nicht wollte, daß der mit Stempeln übersät würde, aus denen seine häufigen Reisen nach Nassau ersichtlich wären.

Am 30. Oktober war Levines Hauptsorge allerdings nicht, Spuren zu verwischen, sondern sein Geld aus den Bahamas herauszubringen. Im Flughafen von Nassau ist auch der amerikanische Zoll vertreten; US-Bürger müssen bei der Ausreise ein Zollformular ausfüllen, auf dem unter anderem angegeben werden muß, ob man mehr als 10 000 Dollar Bargeld bei sich führt.

Am 30. Oktober versuchte Levine zum ersten Mal, durch den amerikanischen Zoll in Nassau mit mehr als 10 000 Dollar Bargeld zu kommen. Bei der Ausreise aus den Bahamas werden Koffer und Handgepäck fast nie durchsucht. Trotzdem war Levine nervös und etwas ängstlich.

Im Laufe der nächsten Jahre hob Levine bei der Bank Leu immer größere Beträge ab; er verlangte stets 100-Dollar-Scheine und steckte den ganzen Betrag jedes Mal in eine Plastiktüte. Bei diesem ersten Mal und auch bei allen späteren Gelegenheiten hatte Levine keine Probleme beim Zoll. Er stieg in das Flugzeug ein, das ihn mit 30 000 Dollar zurück in die Vereinigten Staaten brachte.

Mit dieser ersten größeren Abhebung bezahlte er eine Reise, die er mit seiner Frau Laurie unternahm. Sie wollten seinen neuen Job als Vice President in der M&A-Abteilung von Lehman Brothers Kuhn Loeb feiern, eines der ältesten und angesehensten Investmenthäuser an Wall Street.

6. Kapitel

Gewinne und Verluste

In der Mitte des 19. Jahrhunderts wanderten Heinrich, Emanuel und Mayer Lehman aus Bayern, wo die Familie Viehhandel betrieb, in die Vereinigten Staaten von Amerika aus. Ihr Ziel war nicht die traditionelle Einwandererstadt New York, sondern Montgomery, Alabama, das Zentrum des Baumwollhandels. 1850 gründeten sie das Textil- und Handelsunternehmen Lehman Brothers.

Die Gebrüder Lehman standen im Bürgerkrieg auf der Seite der Südstaaten. Aber kurz nach Kriegsende verlegten sie den Geschäftssitz nach Lower Manhattan und beteiligten sich an der Gründung der New Yorker Baumwollbörse. Im Zuge des nationalen Nachkriegsaufschwungs stiegen sie auch in das Zucker-, Weizen- und Ölgeschäft ein und schließlich auch in den Handel von Aktien und Rentenpapieren.

Die traditionellen Yankee Investmentbanken boten ihre konservativen Finanzdienste lediglich etablierten Unternehmen an. Den Gebrüdern Lehman und einer Gruppe innovativer deutsch-jüdischer Kaufleute blieb es überlassen, risikoreichere Möglichkeiten zur Finanzierung junger Unternehmen auszuknobeln. Zu diesen kreativen Kaufleuten gehörten Jacob Schiff und Solomon Loeb, der spätere Mitgründer von Kuhn, Loeb & Company, und Marcus Goldman, Mitbegründer von Goldman, Sachs & Co.

Das Ansehen der deutsch-jüdischen Investmentbanker an Wall Street wuchs, bis sie schließlich zum Kreis der anerkannten Mitglieder gehörten. Am meisten Ansehen genoß Lehman Brothers, denn hier waren die Geschäftsführer Männer von Format, die zu den Spitzen der Geschäftswelt gehörten. Dennoch wurde das Institut nie den aus seinen Anfängen stammenden Ruf los, einen Hang zum Spekulativen, Unternehmerischen zu haben.

Als Levine im Sommer 1981 bei Smith Barney wieder einmal bei der Beförderung übergangen wurde, begann er umgehend mit der Suche nach einem Arbeitsplatz bei einer anderen Investmentbank.

Anfang Oktober handelte er mit Lehman Brothers, die seit ihrer Fusion mit Kuhn-Loeb im Jahre 1977 Lehman Brothers Kuhn Loeb hießen, einen Vertrag aus. Levine kündigte bei Smith Barney, wo er dreieinhalb Jahre gearbeitet hatte, aber es nur zum Second Vice President mit einem Gehalt von weniger als 40 000 Dollar pro Jahr brachte. Ungeachtet einiger Probleme zwischen ihm und seinem Chef kreuzte Tomilson Hill auf einem Formular für Levines Personalakte an, daß er den Mitarbeiter jederzeit wieder einstellen würde.

Im November 1981 fing Levine bei Lehman Brothers Kuhn Loeb als Vice President mit einem beträchtlich höheren Gehalt an. Er war von Eric Gleacher eingestellt worden, dem Leiter der M&A-Abteilung. Gleacher imponierten Levines bescheidene Herkunft, die seiner eigenen ähnelte, und sein ungezügelter Ehrgeiz.

Die Atmosphäre bei Lehman Brothers war völlig anders als bei Smith Barney. Man spürte den vielgerühmten Unternehmergeist. Der Führungsstil war locker; belohnt wurden Einzelleistungen, nicht Teamgeist oder partnerschaftliches Verhalten.

Diese Einstellung zeigte sich vor allem im Bonussystem des Hauses. Die Mitarbeiter der Wall Street-Firmen erhalten den jährlichen Bonus traditionell vor Weihnachten. Dies geht zurück auf eine Zeit, als die Wall Street-Firmen Personengesellschaften mit relativ begrenzten finanziellen Mitteln waren. Sie behielten während des Jahres möglichst viel Geld in der Kasse, indem sie bescheidene Gehälter zahlten, die im Dezember kräftig aufgestockt wurden. Die Senior Partner und Spitzenmanager einer Investmentbank erhalten eine jährliche Tantieme von einer Million Dollar oder sogar mehr. In der Regel setzt sich der Betrag aus einem bestimmten Prozentsatz des Jahresgewinns plus Dienstgrad zusammen.

Bei Lehman Brothers bildeten Jahresüberschuß und Dienstgrad die Richtgrößen, doch kam es auch auf individuelle Faktoren an, wie beispielsweise die Höhe der Provisionserträge, die jemand generiert hatte. Dieses System schuf gewaltige Gehaltsunterschiede bei Mitarbeitern desselben Dienstgrades und führte zu dem fast allgegenwärtigen Druck, der in dem Unternehmen auch in den ausgesprochen ertragreichen Jahren zu Beginn der achtziger Jahre herrschte.

Michael Thomas, erfolgreicher Autor, ehemaliger Mitarbeiter bei Lehman Brothers und Sohn des einstigen Lehman Vorsitzenden Joseph Thomas, beschrieb das Unternehmen so: »Lehman Brothers besteht aus Solisten. Die Firma ist wie das New Yorker Philharmonische Orchester: großartige Musiker, die nicht zu dirigieren sind.«

Es herrschte eine Atmosphäre, von der es auch hieß, sie bringe große Talente und große Probleme mit sich. Lehman Brothers war eine angesehene Firma, als Levine im Herbst 1981 eintrat. Die Betonung auf Individualität kam ihm sehr zupaß. Sein Talent, aus seinen Kontakten zu Arbitragehändlern, Rechtsanwälten und Bankkollegen aus anderen Instituten neues Geschäft zu generieren, machte ihn zu einem Mitarbeiter mit vielversprechenden Karriereaussichten.

Ein Kollege von Lehman Brothers beschrieb Levine später gegenüber dem *Wall Street Journal* so: »Dennis saß den ganzen Tag in seinem Büro, schaute auf seinen Bildschirm mit den Börsenkursen und telefonierte. Zwischendurch sprang er auf, um mit jemandem über das neueste Gerücht zu tratschen, das er gerade gehört hatte. Er hatte hervorragende Informationen, war aber sehr darauf bedacht, seine Quellen nicht preiszugeben. Sobald er von einem Arbitragehändler einen Hinweis über ein Geschäft erhielt, an dem ein anderes Institut beteiligt war, tauschte er die Information mit einem dritten Arbitragehändler. Im Grunde verbrachte er seine Tage im Büro damit, Informationen ausfindig zu machen.« Was seine Kollegen bei Lehman Brothers nicht wußten, war, daß er auch nach Möglichkeiten suchte, durch seine Insidergeschäfte Kursgewinne zu erzielen. Er war noch keinen Monat bei Lehman Brothers beschäftigt, da handelte er bereits auf Insider-Informationen in einem Geschäft, bei dem zwei Elektronikunternehmen beteiligt waren und das er bearbeitete. Seine Gewinne beliefen sich auf 60 000 Dollar. Bei Lehmann Brothers hatte Levine doppeltes Glück. Seine extravertierte Persönlichkeit wurde geschätzt und dadurch belohnt, daß er an immer größeren Geschäften mitarbeiten durfte. Außerdem konnte er seine Bekanntschaft mit Ira Sokolow auffrischen, dem Werkstudenten, mit dem er sich im vergangenen Sommer bei Smith Barney angefreundet hatte. Zu der Zeit war Sokolow 26 Jahre alt. Er hatte seinen Collegeabschluß an Wharton School gemacht, die ein Teil der Universität von Pennsylvania ist, und arbeitete in den Sommermonaten zwischen dem ersten und zweiten Jahr des zweijährigen MBA-Studiums, das er in Harvard absolvierte, bei Smith Barney. Sein Schreibtisch im »bullpen«, im 48. Stockwerk der Smith Barney-Zentrale, stand ziemlich in der Nähe von Levines Arbeitsplatz.

Levine hatte schnell gemerkt, daß Sokolow, der nach Abschluß seiner Ausbildung in Wharton in der Wirtschaft gearbeitet hatte, hochintelligent war und blitzschnell erkannte, worauf es bei einer Transaktion ankam. Levine war fest überzeugt, daß jemand mit einer solchen Ausbildung und Intelligenz wie Sokolow bei einem Investmenthaus an Wall Street arbeiten würde, sobald er sein Studium in Harvard abgeschlossen hatte.

Im Sommer 1980 waren die Investmenthäuser mit Arbeit überschwemmt, denn zu dieser Zeit begann die Welle von Fusionen und Aufkäufen, die Wall Street einige Jahre in Bewegung halten sollte. Bei Smith Barney hatte kaum einer der jungen, ehrgeizigen Sachbearbeiter oder der Partner, die in Arbeit versanken, Zeit für den Werkstudenten – bis auf Levine. Er lud Sokolow zum Mittagessen ein und erzählte ihm in beredten Worten von seinen angeblichen Erfolgen als Investmentbanker.

Sokolow war zurückhaltend, ließ sich aber leicht beeindrucken. Ein Bekannter beschrieb ihn als »einen sympathischen Jungen«. Er reagierte positiv auf Levines Freundschaftsangebote und lauschte gebannt dessen Erzählungen von Erfolgserlebnissen in Paris und an Wall Street.

Sokolow hatte gerade als Sachbearbeiter bei Lehmann Brothers angefangen. Aufgrund seiner Intelligenz und seiner Fähigkeiten, die Levine schon ein Jahr zuvor aufgefallen waren, gehörte er aber bereits zu den wichtigen Mitarbeitern im M&A-Bereich. Manchmal arbeiteten sie gemeinsam an derselben Transaktion, doch meistens waren sie mit unterschiedlichen Fällen beschäftigt. Dies eröffnete Levine die Möglichkeit, den Kreis der Insiderinformanten zu erweitern.

Levine benutzte dieselbe Methode wie bei Reich und Wilkis. Er ging häufig mit Sokolow zum Mittagessen und sprach darüber, wieviel ihm daran gelegen sei, sich selbständig zu machen. Er erklärte Sokolow, wie man absolut sicher Insidergeschäfte machen kann, und daß ohnehin jeder an Wall Street dies tue. Er bot ihm an, ihn mit 20 000 Dollar zu beteiligen und für ihn, Sokolow, Insidergeschäfte zusammen mit seinen eigenen großen Aufträgen laufen zu lassen. Ende 1981, also knapp zwei Monate nachdem Levine bei Lehman Brothers eingetreten war, erklärte sich Sokolow bereit, ihm vertrauliche Informationen zu liefern. Zu diesem Zeitpunkt arbeitete er, der zweifellos zu den intelligentesten Nachwuchsbankern gehörte, gerade knapp vier Monate an Wall Street.

Als Sokolow dem Ring beitrat, hatte Levine gerade Probleme, Reich bei der Stange zu halten. Dieser hatte nach wie vor Zweifel, ob Levines Ring absolut sicher war. Außerdem plagten ihn Gewissensbisse, weil er das Vertrauen seiner Kanzlei mißbrauchte. Reich dachte darüber nach, was er eigentlich getan habe. Er hatte nie Geld genommen. Niemals hatte seine Beteiligung an Levines Insiderring irgendeinen Einfluß auf seine Arbeit als Anwalt gehabt. Dennoch beunruhigte ihn die ganze Situation, und er suchte nach einer Möglichkeit, aus dem Ring auszusteigen.

Anfang 1981 erfuhr Reich, daß Levine Aktien einer Gesellschaft gekauft hatte, die ein Kunde von Wachtell-Lipton aufkaufen wollte. An einem Freitag erkundigte sich Levine telefonisch bei Reich nach dem neuesten Stand dieser Transaktion. Reich wußte, daß der Übernahmeplan gescheitert war. Wenn er Levine davon berichtete, würde dieser sofort seine Aktien ohne größere Verluste verkaufen. Aber Reich behielt die Information für sich.

»Hoffentlich verliert er viel Geld. Vielleicht hört er dann auf, und alles ist zu Ende«, wünschte sich Reich.

Levine verlor bei diesem Geschäft ziemlich viel Geld, aber nicht genug, um ihn von Insidergeschäften abzubringen. Reich war keineswegs aus dem Schneider. Er blieb, wenn auch nur halbherzig, Mitglied des Rings, weil er Angst vor Levine hatte. Schließlich hatte er Levine mit Insiderinformationen versorgt; der könnte nun versuchen, ihn damit zu erpressen. Reich übersah, daß Levine ihn gar nicht erpressen konnte, ohne sich selbst in Gefahr zu bringen. Diese Fehleinschätzung beruhte wahrscheinlich auf einer anderen Art von Erpressung, die er unbewußt fürchtete: Levine könnte seine Freundschaft nicht mehr wollen, sie würden nie mehr zusammen zum Mittagessen gehen. Für den psychisch gestörten jungen Anwalt waren dies wichtige Überlegungen, denn trotz aller Skrupel schätzte er seine besondere Beziehung zu Levine sehr.

Reich machte bei Wachtell-Lipton gute Fortschritte. Man hatte erkannt, daß er einer der wenigen Anwälte war, die die abwicklungstechnischen Aspekte einer Finanzierung verstehen und zugleich überraschende Kreativität bei der Lösung der vielfältigen juristischen Probleme an den Tag legen.

Marty Lipton, einer der Senior Partner bei Wachtell-Lipton, war es vor allem zu verdanken, daß die Firma die begehrteste Kanzlei an Wall Street für Übernahmetransaktionen wurde. Er war berühmt für seine äußerst komplizierten juristischen Lösungen, die nur die klügsten Anwälte und Bankiers verstehen konnten. In Reich fand Lipton einen ihm intellektuell ebenbürtigen Mitarbeiter. Häufig mußte Lipton den jungen Kollegen bitten, seine Gedankengänge aufzuschreiben, damit Lipton sie nachvollziehen konnte.

Dennoch hatte Reich bei Wachtell-Lipton Schwierigkeiten. Er galt als Einzelkämpfer und machte auch kein Hehl aus seiner Abneigung gegen die Routinearbeit, die mit jeder Transaktion verbunden war. Einmal las er sogar Zeitung, als Kollegen einen Kunden über ein Problem aufklärten, das Reich für viel zu trivial hielt, als daß er sich darum kümmern müsse. Reich war sich seiner psychischen Probleme bewußt. Sie nahmen ihm die Selbstsicherheit, die er gebraucht hätte, um wirklich aus Levines Ring auszusteigen; immerhin unternahm er einige Anläufe.

Etwa zwei Monate nach der Unterhaltung über Reichs Kontostand und Levines Vorschlag, eine panamaische Gesellschaft zu gründen, kauften sie Optionen einer Gesellschaft, die nach Reichs Informationen über kurz oder lang eine Fusion eingehen würde.

Optionen beinhalten das Recht, eine Aktie zu einem späteren Zeitpunkt zu einem festgesetzten Kurs zu kaufen oder zu verkaufen. Eine »Kauf«option ist das Recht, Aktien zu erwerben, in der Hoffnung, der vereinbarte Kurs liegt zum Fälligkeitstermin unter dem Marktkurs; eine »Verkaufs«option beinhaltet das Recht, Wertpapiere zum vereinbarten Kurs zu veräußern, in der Hoffnung, dieser liegt am Fälligkeitstermin über dem Marktkurs.

Auf einen einfachen Nenner gebracht, bietet eine Option die Möglichkeit, mit kleinem Einsatz große Gewinne zu erzielen. Der Optionskäufer zahlt einen »Optionspreis«, der nur einen Bruchteil des tatsächlichen Aktienkurses ausmacht.

Allerdings erwirbt man mit Zahlung des Optionspreises auch nur das Anrecht auf Kauf der Aktie, nicht aber die Aktie selbst. Das Risiko besteht darin, daß der Aktienkurs nicht in die erwartete Richtung geht, so daß die Optionen verfallen und der Kapitaleinsatz verloren ist.

Doch die Möglichkeit, mit einer verhältnismäßig geringen Anlage große Gewinne zu erzielen, machen Optionen in den Augen der wirklich spekulativ eingestellten Anleger – und der Anleger mit Insiderinformationen – äußerst attraktiv. Beispielsweise erzielte ein Geschäftsmann aus Kuwait namens Faisal al Massoud al Fuhaid mit einem Einsatz von 50 000 Dollar 1,1 Millionen Dollar Kursgewinn. Er kaufte Optionen der Santa Fe International Corporation im September 1981, kurz bevor das Unternehmen von Kuwait Petroleum Corp. aufgekauft wurde. Faisal und sieben weiteren ausländischen Anlegern wurden von der SEC Insidergeschäfte zur Last gelegt. Sie mußten schließlich 7,8 Millionen Dollar Kursgewinne zurückerstatten.

Als Levine anfing, über Bank Leu Insidergeschäfte abzuwickeln, und schnelle Kursgewinne machen wollte, erwarb er ziemlich häufig Kaufoptionen, weil er mit kleinem Einsatz wesentlich mehr kaufen konnte. Dabei bewegte er sich auf relativ sicherem Boden, denn aufgrund seiner Insiderinformationen wußte er, daß der Kurs der betreffenden Aktien wegen der bevorstehenden Fusion oder Übernahme steigen würde.

Aber das Geschäft, von dem Reich erzählt hatte, kam niemals zustande; der Aktienkurs stieg nicht an, und Levine hatte die Optionen umsonst gekauft. Levine erklärte Reich, von dem der Hinweis stammte, daß er fast das ganze Reich zur Verfügung stehende Geld in Optionen angelegt hätte, und dies sei nun verloren.

Dieser Hinweis gab Reich das Stichwort. »Das ganze birgt vielleicht kein Risiko, aber es bringt auch keinen Gewinn«, erklärte er Levine bei ihrem nächsten Mittagessen nach dem Reinfall mit den Optionen.

»Stimmt«, gab Levine zu. »Wir waren dumm, in jede Transaktion einzusteigen. In Zukunft müssen wir vorsichtiger sein. Nach dieser Lehre werden wir jetzt absahnen.«

Mehrere Wochen vergingen, ohne daß Reich Levine anrief, um mit ihm ein Mittagessen zu vereinbaren. Er hätte durchaus Informationen über verschiedene Transaktionen gehabt, aber jedes Mal, wenn Levine anrief, vertröstete ihn Reich. Er könne jetzt nicht reden und würde zurückrufen, was er dann nicht tat. Oder er verabredete sich mit Levine und kam bewußt eine halbe Stunde zu spät, wenn Levine bereits wieder gegangen war.

Reich glaubte, wenn er einfach nichts täte, würde ihn Levine irgendwann in Ruhe lassen. Doch Levine hörte nicht auf, Druck auf Reich auszuüben, der schließlich auch wieder Insiderinformationen weitergab.

Im Herbst 1982 erklärte Reich Levine, daß er jetzt endgültig aufhören würde. Reich hatte es verstanden, seine Übereinkunft mit Levine vollkommen von seinem übrigen Leben zu trennen. Ihm kam es vor, als wenn sich diese Geschichte in einem Schrank abspielte, dessen Tür er bislang möglichst fest verschlossen hielt. Doch die psychologische Barriere begann zu zerbröseln; Reich begriff, daß Levine ihn ausnutzte.

»Was ich mache, ist falsch«, erzählte er Levine eines Tages nach einem gemeinsamen Mittagessen. »Ich mag das nicht mehr.«

Levine versuchte, Reich bei der Stange zu halten. Er brachte dieselben Argumente wie früher: Der ganze Plan sei absolut sicher, jeder an Wall Street betreibe Insidergeschäfte, man könne Millionen Dollar damit verdienen. Schließlich gab er auf. Beim Abschied kam es Reich vor, als wenn Levine ziemlich traurig und unglücklich dreinschaute. Levine machte keinerlei Anstalten, Reich zu erpressen. Sie trafen sich auch in Zukunft regelmäßig zum Mittagessen.

Insgesamt hatte Reich Insiderinformationen über acht Transaktionen an Levine weitergegeben.

Reich konnte nicht wissen, daß Levine auf den Bahamas mit wesentlich gravierenderen Problemen als seinem Ausscheiden aus dem Ring zu kämpfen hatte.

Jean-Pierre Fraysse verdiente als General Manager der Bank Leu International jährlich rund 140 000 Dollar an Gehalt und Tantiemen. Er verwaltete seine eigenen Finanzen genauso fachmännisch wie das Vermögen seiner Kunden.

Ende 1979 hatte er England verlassen, um der hohen Besteuerung zu entgehen, denen Ausländer unterworfen sind, wenn sie länger als neun Jahre im Lande bleiben. Nach seiner Ankunft auf den Bahamas wollte er möglichst wenig englische Steuern zahlen; deshalb gründete er eine Gesellschaft, in die er die Vermögenswerte einbrachte, die er und seine Frau, die englische Malerin Madeleine Rampling, in England zurückgelassen hatten.

»Der Plan ist teuer, aber lohnend«, schrieb Fraysse 1982 an einen Geschäftspartner in London und fügte als P. S. hinzu: »Es wäre sicherer, wenn alle Korrespondenz bezüglich dieser Angelegenheit vernichtet würde.«

Als Fraysse im Mai 1980 Dennis Levine kennenlernte, merkte er sofort, daß der Amerikaner über den US-Aktienmarkt ausgesprochen gut informiert war. Er beobachtete die Bewegungen auf »Mr. Diamonds« Konto und erkannte bald, daß Levine mit untrüglichem Instinkt Aktien immer gerade vor einem deutlichen Kursanstieg kaufte.

Fraysse begann, sich hin und wieder bei Levines Käufen auf eigene Rechnung anzuhängen. Er benutzte dafür das Konto, das er bei Bank Leu für seine Vermögenswerte in England eingerichtet hatte. Auch Christian Schlatter, dem jungen Buchhalter, der normalerweise Levines telefonische Aufträge ausführte, fiel auf, daß Levine zahlreiche Gewinner auswählte; er kaufte die gleichen Aktien für sein Konto.

Die Käufe eines Kunden zu kopieren – in der Fachsprache wird dies »piggybacking« genannt –, ist nicht illegal. Fraysses und Schlatters Käufe hielten sich in relativ bescheidenem Rahmen. Allerdings gerieten die beiden Bankangestellten und auch ihr Institut durch diese Praxis des »piggybacking« in eine Grauzone des amerikanischen Rechts. Aufgrund von Insiderinformationen anzulegen, verstößt gegen das US-Wertpapiergesetz, sofern der Anleger Grund zu der Annahme hat, daß die Information hätte vertraulich bleiben müssen.

Schlatter war ungleich weniger versiert als Fraysse. Er vertraute einmal Bruno Pletscher an, daß der die »Diamond«-Käufe kopiere, weil er den Amerikaner für einen cleveren, erfolgreichen Aktienhändler halte.

Fraysse war jedoch bereits im Frühjahr 1981 verunsichert, als er erfuhr, daß die US-Securities and Exchange Commission, genannt SEC, energisch gegenüber Personen durchgriff, die ausländische Bankkonten benutzten, um ihre Insidergeschäfte auf den amerikanischen Wertpapiermärkten zu verschleiern.

Der Bank-Leu-Angestellte, der Fraysse von diesem Vorgehen informierte, gab ihm zugleich einen Artikel aus dem *Wall Street Journal* vom 30. März 1981, in dem es darum ging, daß die SEC versucht hatte, die Identität vermeintlicher Insider herauszubekommen, die ihre Aktienkäufe über eine Filiale der Schweizer Banca della Svizzera Italiana abgewickelt hatten. Dieser Fall war nur der Anfang eines langwierigen Kampfes der SEC, ausländische Bankkonten zu »knacken«.

Fraysse schrieb einen Hausbrief an Schlatter, Pletscher und einen weiteren Mitarbeiter namens D. A. Benjamin und fügte eine Fotokopie des Zeitungsartikels bei.

»J. P. Gabriel erklärte in Miami, daß die SEC neuerdings sehr streng mit Insidern umgeht, und daß wir sehr vorsichtig sein sollen, falls wir Kunden haben, die ein wenig zu hart am Wind segeln. Wir haben einen«, schrieb Fraysse in seinem Hausbrief vom 10. April.

Dieser Hinweis bezog sich eindeutig auf Levine; Fraysse schlug einige Vorsichtsmaßnahmen vor. Die Bank solle vermögende Kunden vor den Gefahren des Insiderhandels warnen; außerdem sollten übermäßig hohe Aktienaufträge von der Bank reduziert werden. Ferner schrieb er, man solle überdenken, ob man weiterhin mit EuroPartners zusammenarbeiten wolle. Diese Brokerfirma war im Besitz ausländischer Banken, einschließlich Bank Leu, Zürich. Daher war es nicht ausgeschlossen, daß amerikanische Aufsichtsbehörden, die Insidergeschäfte über ausländische Banken ein für allemal unterbinden wollten, diese Firma besonders unter die Lupe nehmen würden.

Schlatter wußte buchstäblich nichts über den amerikanischen Wertpapiermarkt, und schon gar nicht, wie man einen anderen Broker finden konnte. Vielleicht war das der Grund, warum er den Vorschlag ignorierte, die Aufträge nicht mehr bei EuroPartners zu plazieren. Aus ähnlichen Gründen hatte auch Bruno Pletscher Levines Empfehlung vom Mai 1980 ignoriert, die Aufträge auf verschiedene Brokerhäuser zu streuen. Dieses Versehen führte schließlich ein Jahr später zum ersten Zusammenstoß zwischen der SEC, der Bank Leu International und »Mr. Diamond«.

Mitte Juni 1982 hörte Fraysse von EuroPartners, daß die SEC bei mindestens zwei von Bank Leu gegebenen Aktienorders untersuchte, ob es sich möglicherweise um Insidergeschäfte handelte. Obwohl diese Untersuchung als routinemäßige Prüfung abgetan wurde, empfahl Fraysse in einem Hausbrief an Pletscher und Schlatter, daß es an der Zeit sei, die Aktienaufträge auf zwei oder drei Brokerhäuser zu verteilen.

Er erklärte, daß er die SEC-Untersuchung in der vergangenen

Woche zweimal gegenüber »Diamond« erwähnt und den Amerikaner gebeten habe, vorübergehend keine Aufträge zu geben. Dieser habe die Situation verstanden und ihm gegen Ende der Woche am Telefon erklärt, nach Aussage seines Anwalts sei an den SEC-Prüfungen nichts Besonderes.

Levine wollte den nervösen Bankmanager beruhigen, indem er ihm klarzumachen versuchte, daß die Untersuchungen einfach daher resultierten, daß die SEC eine bestimmte Zeitlang vor und nach der Bekanntgabe einer Fusion oder Übernahmeaktion sämtliche Umsätze in der betreffenden Aktie überprüft.

»Dennoch gab ich ihm den Rat«, so schrieb Fraysse in dem Memo, »zu seiner eigenen Sicherheit nicht zu große Aufträge kurz vor einem solchen Datum durchzugeben. Außerdem erklärte ich ihm, daß wir das ganze Konto überdenken müßten, falls er bei seinen Aktivitäten nicht vorsichtiger vorgehen würde.«

Schlatter eröffnete daraufhin bei zwei anderen New Yorker Brokerfirmen Depotkonten auf den Namen der Bank, um nicht mehr sämtliche Aufträge von Levine über EuroPartners plazieren zu müssen.

Levine hielt sich vorübergehend zurück, doch bekam er aus seinem Ring zu wertvolle Informationen, als daß er lange hätte Abstinenz üben können. Nicht einmal einen Monat später gab er Bank Leu bereits wieder große Aktienaufträge.

Am 13. Juli plazierte er einen Auftrag für 12 000 Aktien der Thiokol Corp., eines Elektronikunternehmens. Die Bekanntgabe eines Übernahmeangebots sechs Tage später brachte Levine einen Kursgewinn von 116 205 Dollar. Am 17. August kaufte er 27 000 Aktien der Criton Corporation und verkaufte sie eine Woche später mit einem Gewinn von 212 628 Dollar, nachdem ein anderes Unternehmen ein Tenderangebot unterbreitet hatte.

Ein Teil dieser Käufe war über EuroPartners abgewickelt worden; beide Orders wurden von der SEC überprüft.

Im September 1982 flog Pletscher nach Zürich in Urlaub. Wie immer bei seinen Reisen in die Schweiz, machte er einen Besuch in der Zentrale der Bank Leu, um mit einigen Direktoren zu sprechen. Am 9. September hatte er eine Besprechung mit Hans Peter Schaad, dem Syndikus der Bank; Gesprächsgegenstand waren u. a. die Aktienkäufe durch die Bank, die von der SEC untersucht wurden.

Bei seiner Rückkehr nach Nassau fand Pletscher einen Brief von John Lademann, Mitglied der Generaldirektion der Bank Leu und Verwaltungsratsmitglied von EuroPartners. Der Brief enthielt die Namen der Aktien, die von der SEC überprüft wurden, und den Auftrag: »Bitte prüfen Sie diese Transaktionen und geben Sie mir Nachricht, ob irgendwelche Unregelmäßigkeiten festgestellt wurden.«

Auf den unteren Teil des Briefes tippte Pletscher eine Notiz über das Telefongespräch, das er am 16. September mit Lademann geführt und bei dem er ihm die Einzelheiten der betreffenden Transaktionen erläutert hatte.

»Er äußerte Besorgnis über Aktienaufträge, die SEC-Untersuchungen auslösen könnten«, schrieb Pletscher über Lademanns Reaktion. »Er sagte, es sei ratsam, bei der Plazierung großer Aktienaufträge sehr vorsichtig vorzugehen.«

Vier Tage später rief ein New Yorker Börsenmakler, der einen Teil des Thiokol Auftrages für Bank Leu ausgeführt hatte, bei Schlatter an und unterrichtete ihn von der SEC-Untersuchung. Demnach prüfte die SEC diesen Fall nicht nur bei EuroPartners, sondern auch bei anderen Maklerfirmen. Trotzdem versuchte Levine, den Vorgang herunterzuspielen, als er am selben Tag mit Schlatter telefonierte. Die Untersuchung sei eine reine Routineangelegenheit und würde zu nichts führen.

Fraysse machte sich jedoch Sorgen. In einer knappen Notiz an Schlatter schrieb er: »Die Sache wird gefährlich – Bank Leu International auf der SEC-Liste der Insidergeschäfte.«

Letztendlich behielt Levine recht. Die SEC-Anfragen stellten sich im Grunde als Routineüberprüfungen heraus. Im Rahmen der computergeschützten Überwachung des Börsenhandels an der New York Stock Exchange und der American Stock Exchange war aufgefallen, daß die Umsätze mehrerer Aktien in die Höhe geschnellt waren. Da dies jeweils vor der öffentlichen Bekanntgabe von Fusionstransaktionen erfolgte, hatte die Börsenverwaltung die Vorfälle zur Überprüfung an die SEC weitergeleitet.

Obwohl die SEC-Zentrale in Washington und mindestens zwei regionale SEC-Niederlassungen die Fälle prüften, konnten sie keinen Nachweis erbringen, daß es sich tatsächlich um Insidergeschäfte gehandelt hatte. Für die SEC bedeutete dies eine der vielen Untersuchungen möglichen Insiderhandels, bei denen nichts herauskam, denn solche Geschäfte sind äußerst schwierig nachzuweisen.

Insidergeschäfte hinterlassen keine Spuren. Die Abwicklung über ausländische Bankkonten bedeutet, daß der Auftraggeber anonym bleibt und zugleich die Kursgewinne dem Zugriff der SEC entzogen sind. Gerichtliche Auseinandersetzungen mit einer ausländischen Bank mit dem Ziel, daß diese den Namen eines Kunden preisgibt, können Jahre dauern. Beispielsweise zog sich die gerichtliche Auseinandersetzung mit der SEC über den Insiderfall, bei dem Kunden der Banca della Svizzera Italiana beteiligt waren, über fünf Jahre hin. Diesen Fall hatte Fraysse 1981 in seiner Notiz erwähnt, wo »jemand ein wenig zu hart am Wind segelte«.

Jedenfalls machte sich Fraysse wegen der SEC-Anfragen Sorgen und bestand auf Vorkehrungen, daß sich so etwas nicht wiederholen würde. Er gab Anweisung, bei verschiedenen New Yorker Brokerfirmen Konten für die Bank zu eröffnen, so daß Levines Aufträge gestreut werden konnten und auf diese Weise nicht mehr auf die Überwachungslisten der beiden New Yorker Börsen gerieten.

7. Kapitel

Piggybacking

Bernhard Meier gehörte in der Bank-Leu-Zentrale in Zürich zu den besten Kennern des amerikanischen Wertpapiermarktes. Er hatte 1978 bei der Bank als persönlicher Assistent von Hans Knopfli, dem Präsidenten der Generaldirektion, angefangen. Zwei Jahre später wurde Meier in die Vereinigten Staaten geschickt, um das amerikanische Investmentgeschäft kennenzulernen. Er besuchte Seminare und Kurse bei sechs großen amerikanischen Banken und nahm an Management-Programmen der New York University und der Wharton School teil. Im Juni 1981 bestand er die Prüfung der New York Stock Exchange zur Erlangung einer Börsenmaklerlizenz.

Meier war gebürtiger Schweizer. Sein Studium hatte er an der angesehenen Hochschule für Wirtschafts- und Sozialwissenschaften in St. Gallen absolviert. Er war nicht sehr groß, sah gut aus, ein Mann mit Geist und Charme, dessen extravertiertes Wesen eher zu den geselligen Amerikanern paßte, die er in New York getroffen hatte, als zu seinen reservierten Schweizer Kollegen.

Aufgrund von Levines vielen Aktienaufträgen war das Wertpapiergeschäft der Bank Leu beträchtlich gestiegen, seitdem Fraysse die Leitung übernommen hatte. Bereits 1982 stellte dieser Geschäftsbereich für die Bank eine wichtige Ertragsquelle dar. Schlatter war mittlerweile völlig überlastet, was sicher dazu beitrug, daß er nicht sofort Konten bei anderen New Yorker Brokerhäusern eröffnete, um Levines Aufträge zu streuen, sondern dieses Vorhaben etwas verschleppte.

Fraysse hatte allerdings schon einige Zeit vor der SEC-Anfrage bei EuroPartners in der Zentrale einen erfahrenen Mitarbeiter für das Investmentgeschäft angefordert. Im Juli 1982 kam Meier nach Nassau.

Als Meier als Assistent Vice President mit einem Jahresgehalt von 36 000 Dollar auf die Bahamas übersiedelte, war er 31 Jahre alt. Er brachte die 25jährige Helene Sarasin mit, eine hochgewachsene

Schönheit aus Basel, die er später heiratete. Sie bezogen ein Apartment im exklusiven Lyford Cay Club, in dem Fraysse eine Wohnung am Meer mit drei Schlafzimmern mietete. Die Bank bezahlte für das Paar die Mitgliedschaft im Club, die 5 000 Dollar kostete, und Fraysse ermunterte sie, sich unter den reichen Ausländern im Club Freunde und vermögende Kunden zu suchen.

Nach einigen Monaten Eingewöhnung und Einarbeitung in die Bankgeschäfte übernahm Meier Schlatters Aufgaben. Schlatter verließ die Bank Leu International wenig später. Als erstes erweiterte Meier den Kreis der New Yorker Brokerhäuser, bei denen die Bank ein Konto hatte, auf fast ein Dutzend, um auf diese Weise »Mr. Diamonds« Aufträge breit streuen zu können.

Meier schaute sich das Diamond-Konto an und erkannte sofort das System. Er verglich die erfolgreichen Geschäfte mit amerikanischen Zeitungsartikeln und Finanzanalysen, die ihm die New Yorker Brokerhäuser schickten. Kurz nachdem er das Investmentgeschäft der Bank Leu übernommen hatte, begann er, Levines Geschäfte zu kopieren; er plazierte Aufträge über 200 oder 300 zusätzliche Aktien für sein eigenes Depot, das den Decknamen »Ascona« hatte.

Allerdings konnte Meier den Verlockungen von Levines Erfolgen nicht lange widerstehen; er erhöhte den Umfang seiner Aufträge.

So gab Levine am 12. November 1982 Meier telefonisch Anweisung, sein gesamtes Guthaben in Aktien der Itek Corporation anzulegen. Levine machte Meier darauf aufmerksam, die Käufe auf jeden Fall über mehrere Wochen und auf verschiedene Makler zu verteilen, um ja nicht das Interesse der SEC zu erwecken.

Im Verlauf der nächsten fünf Wochen kaufte Meier 50 000 Aktien der Itek Corporation für Levines Konto. Die Anlage belief sich auf mehr als 1,5 Millionen Dollar. In derselben Zeit kaufte Meier für sein eigenes Depot 1 300 Itek Aktien.

Meier beobachtete im Dezember und in der ersten Januarhälfte 1983 genau den Kursverlauf: Die Aktie stieg und stieg. Er verspürte große Lust, die Position noch vor Levine mit einem satten Kursgewinn aufzulösen, tat es aber nicht. Hätte Meier gewußt, was Levine wußte, hätte er geduldig gewartet.

Itek war für Levine das perfekte Geschäft, der Traum eines jeden Insiderhändlers.

Levine hatte von der geplanten Transaktion sehr früh erfahren und konnte nun in aller Ruhe lange vor der öffentlichen Bekanntgabe kaufen. Damit verringerte sich das Risiko beträchtlich, daß seine Käufe der SEC auffallen oder im Überwachungsprogramm der New York Stock Exchange aufscheinen könnten. Seine Informationsquelle war einwandfrei, und trotzdem konnte Levine ruhig schlafen, weil er an der Transaktion nicht selbst beteiligt war.

Das perfekte Insidergeschäft begann, als Litton Industries, einer der Hauptlieferanten des US-Verteidigungsministeriums mit Sitz in Beverly Hills, Kalifornien, im September 1982 Lehman Brothers bat, als Finanzberater bei Littons Versuch zu agieren, Itek zu übernehmen. Dieses Unternehmen aus Lexington, Massachusetts, stellt Verteidigungsgüter und graphisches Material her. Die Übernahme war nichteinvernehmlich und mußte daher laut Litton streng vertraulich behandelt werden.

Einer der M&A-Experten, die Lehman Brothers auf die Bearbeitung der Finanzierungsprobleme ansetzte, war Ira Sokolow. Er hielt Levine über die Transaktion auf dem laufenden und erzählte ihm im November, daß der Übernahmeversuch mit Sicherheit Anfang 1983 gestartet würde.

Am 17. Januar 1983 gab Litton seine Absicht bekannt, die Aktien der Itek Corporation zu einem Kurs von 48 Dollar pro Aktie zu übernehmen. Levine hatte einen Teil der Aktien im November zu 22 Dollar gekauft. Als er seine gesamte Position am 18. Januar verkaufte, kassierte er einen Gewinn von 805 000 Dollar. Meier verkaufte seine 1 300 Aktien mit einem Kursgewinn von 21 761 Dollar.

Nach diesem Erfolg hing sich Meier an fast jede von Levines Kauforders mit einem Auftrag zwischen 1 000 und 3 500 Stück für sein eigenes Konto an.

Meier kopierte Levines Aufträge auch für einige Kundendepots, die er bei Bank Leu verwaltete. Bei solchen Depots verlassen sich die Anleger auf das Fachwissen und die Anlageentscheidungen der verwaltenden Bank. Auch wenn Meier keine Gewinnbeteiligung aus den verwalteten Depots erhielt, so erwirtschaftete er für die Bank Provisionserträge und außerdem bekam er den Ruf eines cleveren Portfoliomanagers, wenn er Levines Käufe kopierte.

Bruno Pletscher setzte auf den neuen Wertpapierspezialisten Meier große Hoffnungen. Als Levine seine Aufträge über Bank Leu abzuwickeln begann, kümmerte sich zunächst Pletscher um das Konto. Doch die Bank expandierte, und Pletscher war mit anderen Aufgaben beschäftigt, deshalb betraute er Schlatter mit der Depotverwaltung. Da sich das Wertpapiergeschäft der Bank zu einer der Hauptertragsquellen entwickelte, kamen Pletscher und Fraysse überein, daß sie einen Spezialisten benötigten; Pletscher war froh, als Meier kam und ohne Probleme in das neue Arbeitsgebiet hineinwuchs. Meier kam genau zum richtigen Zeitpunkt: Ab Mitte 1982 intensivierte Levine seine Aktiengeschäfte; bald rief er fast jede Woche mit einem Auftrag für eine neue Aktie an.

An der Art und Weise, wie er seine Geschäfte über das Diamond-Konto abwickelte, änderte sich nichts: Levine führte normalerweise in seiner Mittagspause aus einer New Yorker Telefonzelle ein R-Gespräch mit Meier und gab seine Aktienaufträge durch. Häufig handelte es sich dabei um Tausende von Aktien, was bedeutete, daß Meier danach stundenlang am Telefon hing, um die Käufe auf verschiedene Brokerhäuser zu verteilen.

Im Spätherbst 1982 kam Pletscher einmal nachmittags in Meiers Büro, um mit ihm etwas zu besprechen, doch Meier war kurzangebunden: »Stören Sie mich nicht. Ich muß so schnell wie möglich einen großen Auftrag für Diamond ausführen.«

Etwas änderte sich an Levines Verhaltensweise, nämlich seine Art, Bargeld abzuheben. Zu Anfang hatte er fast nichts abgehoben, sondern die Kursgewinne stehengelassen, um genügend Geld für immer größere Käufe zu haben. Gegen Ende 1982 machten die Kursgewinne mehr als zwei Millionen Dollar aus, und er hob nun größere Beträge ab. Am 21. Februar 1983 verließ er Bank Leu mit 100 000 Dollar in bar, seiner ersten sechsstelligen Entnahme.

Stets verlangte Levine 100-Dollar-Scheine, die er immer in eine Plastiktüte steckte. Er protestierte niemals, wenn Meier oder Pletscher ihn aufforderten, auf dem Abhebungsformular mit seinem richtigen Namen zu unterschreiben, da auf Grund der Vorschriften bei Barabhebungen kein Deckname verwendet werden durfte. Sie erkundigten sich nicht bei Levine, was er mit dem Geld machte; dies ging sie nichts an.

Levine war ein geschätzter Kunde. Manchmal mußten Bankangestellte schnell bei verschiedenen anderen Banken amerikanisches Geld wechseln, damit Levines Bedarf an 100-Dollar-Scheinen befriedigt werden konnte. Wenn Levine nicht anders konnte, empfingen ihn Meier oder Pletscher auch an einem Samstag oder Sonntag in der Bank.

Einmal erkundigte sich Levine, ob es möglich sei, ihm Bargeld nach New York zu schicken. Doch als er erfuhr, daß die Bank das Geld beim amerikanischen Zoll deklarieren und wahrscheinlich auch den Namen des Empfängers mitteilen müsse, ließ er den Gedanken fallen. Pletschers Vorschlag, daß ihm die Bank telegrafisch oder per Scheck Geld schicken könnte, lehnte er ab.

1983 trennten sich Pletscher und seine Frau. Sie kehrte mit den drei Kindern in die Schweiz zurück. Pletscher erklärte sich damit einverstanden, während das Scheidungsverfahren lief, eine beträchtliche Summe für den Unterhalt der Kinder und den Haushalt zu zahlen. Obwohl er jährlich mehr als 60 000 Dollar verdiente, und das in einem Land ohne Einkommensteuer, brauchte er dringend Geld. Meier bemerkte Pletschers Finanznöte und gab dem Vice President der Bank einen guten Rat. Er erzählte ihm, daß er auf eigene Rechnung ein bißchen Aktienhandel betreibe. Vielleicht wolle Pletscher ebenfalls ein Konto eröffnen und damit etwas Geld hinzuverdienen.

»Bernie, wie riskant ist das?« fragte Pletscher. »Du kennst meine private Situation.«

»Das Risiko ist gering«, erwiderte Meier. »Es gibt bestimmte neue Emissionen auf dem Markt, die sind sehr sicher. Du kannst sie vor dem öffentlichen Verkauf erwerben. Wenn sie dann der Öffentlichkeit angeboten werden und der Kurs steigt, stößt du sie mit Gewinn ab.«

Pletscher eröffnete sein erstes Depot bei der Bank Leu Ende 1983 auf den Decknamen »Yellow Bird« und begann mit kleinen Käufen in Aktien, die ihm entweder von Meier oder gelegentlich auch von Jean-Pierre Fraysse empfohlen wurden.

Ende März 1984 meinte Meier, Pletscher solle 200 Aktien der Jewel Companies kaufen; dies war eine riesige Supermarkt- und Drugstorekette mit Sitz in Chicago. Ein paar Wochen später empfahl Meier Pletscher, die Position um weitere 400 Stück aufzustocken, weil der Kurs bald steigen würde. Als Pletscher zu bedenken gab, daß er nicht gern so lange eine Position halten würde, erzählte ihm Meier, er habe Informationen von Diamond, daß bald irgend etwas passiert, was den Kurs der Jewel Aktien in die Höhe treibt. Es könnte sich um den Versuch einer anderen Gesellschaft handeln, Jewel zu übernehmen.

Pletscher stimmte dem Kauf weiterer 400 Aktien zu. Zugleich erhöhte Meier seine eigene Position auf 3 400 Stück.

Ihre Käufe waren nichts im Verhältnis zu Levines Aufträgen. Nachdem er am 22. März mit mehreren tausend Stück eingestiegen war, erhöhte er seine Position Jewel Aktien bis zum 2. April auf 75 000 Stück im Wert von 3,7 Millionen Dollar. Levine war sich absolut sicher über die Transaktion, weil sein Arbeitgeber, Lehman Brothers, American Stores Inc. vertrat, die Lebensmittel- und Einzelhandelskette mit Sitz in Salt Lake City. Man traf in aller Stille Vorbereitungen zur Übernahme von Jewel. Allerdings litt Levine unter denselben Ängsten wie Pletscher. Er haßte es, eine Aktie so lange zu halten. Die geplante Übernahme ging für seinen Geschmack viel zu langsam voran. Er wollte, daß das Geschäft endlich über die Bühne ging, damit er Kasse machen und sich einer neuen Transaktion zuwenden konnte.

Eine Möglichkeit, Bewegung in eine Übernahmesituation zu bringen, besteht darin, durch eine Kaufwelle seitens der Arbitragehändler den Aktienkurs des Zielunternehmens zu destabilisieren. Die Unternehmensleitung wird dadurch verunsichert und ist nun gezwungen, sich mit der Übernahmedrohung ernsthaft auseinanderzusetzen. Levines Versuche, den Kurs der Jewel Aktie durch Gerüchte über Arbitragekäufe nach oben zu bringen, waren fehlgeschlagen. Er saß weiterhin auf Aktien im Wert von 3,7 Millionen Dollar, und nichts tat sich. Deshalb beschloß er im April 1984, den Kurs der Jewel Aktie durch Lancierung von Nachrichten an die Medien in die Höhe zu treiben. Er gewann Robert Wilkis, der ebenfalls bei Jewel Aktien groß eingestiegen war, als Komplizen.

Ende des Monats brachte Levine Wilkis dazu, beim Finanzressort der *Chicago Tribune* anzurufen. Wilkis verlangte den Reporter, der für Fusionen und Übernahmen zuständig war, und wurde mit Herb Greenberg verbunden, einem schlauen, hartnäckigen Reporter.

»Jewel wird von einer Gesellschaft namens American Stores übernommen«, sagte der Anrufer zu Greenberg.

»Wer sind Sie«, fragte Greenberg.

»Das kann ich Ihnen nicht sagen. Aber meine Information stimmt. Das sollte Ihnen genügen.«

»Wie können Sie das beweisen. Woher weiß ich, daß Sie wissen, wovon Sie reden?«

Der Anrufer nannte Greenberg das erwartete Kursangebot für Jewel Aktien und versprach, mit weiteren Informationen zurückzurufen. Greenberg schlug spaßeshalber vor, daß der Anrufer den Decknamen »Deep Freeze« verwenden solle, und rief sofort Lawrence Howe, Topmanager bei Jewel an, um sich zu erkundigen, ob an dem Gerücht etwas wahr sei. Howe lachte nur über den Gedanken, daß sein Unternehmen mit irgend jemand über eine Fusion reden sollte.

Nichtsdestotrotz hatte es um Jewel, die bedeutendste Supermarktkette in Chicago, zu Beginn desselben Monats bereits Übernahmegerüchte gegeben, und Greenberg wollte die Sache unbedingt weiterverfolgen.

Bei seinem nächsten Anruf einige Tage später gab Wilkis dem Reporter eine äußerst wichtige Information: Weston Christopherson, Chairman von Jewel, und L. S. Skaggs, Chairman von American Stores, hatten sich in der vergangenen Woche in einem Hotel in Denver getroffen. Der Anrufer wußte nicht den Namen des Hotels, nannte aber Greenberg das Datum des Treffens.

Greenberg berichtete diesen Vorfall dem Leiter des *Tribune*-Finanzressorts, Terry Brown. Der schlug vor, er solle alle Hotels in Denver anrufen und fragen, ob für die fragliche Nacht ein Zimmer auf den Namen Christopherson oder Skaggs reserviert war. Greenberg wurde fündig: Auf den Namen Skaggs existierte eine Reservierung für diese Nacht. Er rief Howe von Jewel an und erzählte ihm davon. Howe bestätigte, daß das Treffen stattgefunden habe. Am Dienstag, den 1. Mai 1984, erschien in der *Tribune* ein Artikel über die Gespräche zwischen beiden Unternehmen. Darin stand unter anderem folgendes: »Wie aus inoffiziellen Kreisen verlautet, will American Stores, die große Lebensmittel- und Drugstore-Kette Jewel übernehmen. Es wurden Vorbereitungen getroffen für ein nichteinvernehmliches Angebot zum Kurs von beachtlichen 75 Dollar pro Aktie bzw. zusammen rund 875 Millionen Dollar. Jewel, an der institutionelle und andere große Anleger mehr als 50 Prozent des Aktienkapitals halten, notierte bei Schluß der New York Stock Exchange am Montag bei 44 Dollar, d. h. minus 50 Cents.«

Der Artikel brachte den gewünschten Erfolg. Nicht nur, daß die Unternehmensleitung von Jewel aufgeschreckt wurde; auch andere Blätter berichteten darüber. Dies löste eine Kaufwelle aus, die den Kurs der Jewel Aktie in die Höhe trieb. Am 1. Juni gab American

Stores sein Angebot an Jewel bekannt, schließlich fusionierten die beiden Unternehmen. Dennis Levine erzielte beim Verkauf seiner Aktien seinen bisher größten Gewinn, nämlich 1,2 Millionen Dollar. Wilkis, Pletscher und Meier verkauften ebenfalls mit beträchtlichen Gewinnen.

Trotz der Kursgewinne bei den Jewel Aktien und anderen Anlagen, die ihm Meier vorgeschlagen hatte, blieb Pletscher vorsichtig. Gegen Ende 1984 bot ihm Meier an, ihn ein wenig mit Optionshandel vertraut zu machen, den er für profitabel hielt.

»Ist das riskant?« fragte Pletscher.

»Risiken gibt es überall, aber das hier ist begrenzbar«, antwortete Meier.

»Nun gut, wenn du für dich selbst solche Geschäfte machst, bin ich auch dabei.«

Bei den ersten kleinen Geschäften verdiente Pletscher weniger als 1000 Dollar pro Transaktion. Allerdings kam ihm das Geld sehr gelegen, denn er wollte seinen Lebensstandard auf den Bahamas beibehalten und mußte zugleich seine Familie in der Schweiz unterstützen. Pletscher war jedoch ein vorsichtiger Mensch und ging bei seinen Anlagegeschäften über mehrere Monate sehr behutsam vor.

Im Februar 1985 sank der Kurs von Optionen, die Meier für Pletscher gekauft hatte, buchstäblich in den Keller; dabei verlor Pletscher 3700 Dollar. Meier wußte, daß dies für ihn einen schweren Schlag bedeutete, und bot ihm an, den Verlust aus seiner eigenen Tasche zu begleichen.

Pletscher wies das Angebot zurück: »Nein, Bernie, ich habe verloren, basta. Du hast mich vorher gefragt, und ich habe ja gesagt.«

»Gut, ich akzeptiere das«, erwiderte Meier. »Aber keine Sorge, ich werde den Verlust schon wieder wettmachen.«

Voller Schuldgefühl und Besorgnis über die finanzielle Situation seines Kollegen erzählte Meier, was hinter dem Diamond-Konto steckte.

»Du mußt wissen, daß Diamond eine goldene Nase hat. Er hat bereits jede Menge Gewinn gemacht. Warum solltest du nicht auch von seinen Geschäften profitieren. Diamond legt in Wertpapieren an; wie es der Zufall will, haben die meisten seiner Orders mit Übernahmesituationen zu tun. Dieser Bursche muß mehr als andere wissen.«

Diese Erklärung schien Pletscher einleuchtend. Er dachte an die

Zeit, als er selbst Levines Aufträge ausgeführt hatte, und besonders an seinen üppigen Kursgewinn bei der Anlage in Jewel Aktien. In den vergangenen Monaten, als Meier auf Geschäftsreise oder Urlaub war, hatte er einige profitable Transaktionen für Levine ausgeführt.

»Bernie, du weißt, ich habe nicht viel Geld, und was ich habe, will ich nicht verlieren«, sagte er zu Meier. »Aber gib mir Bescheid, wenn du das nächste Geschäft auf dem Tisch hast.«

Schon einige Tage später kam Meier in Pletschers Büro: »Ich habe einen Auftrag von Diamond; daran solltest du dich beteiligen. Es scheint ein gutes Geschäft zu sein.«

Pletscher stimmte zu, und Meier kaufte für Pletschers Yellow-Bird-Depot 500 Aktien von American Natural Resources. Für sein eigenes Konto auf den Namen Ascona kaufte er 1 000 Aktien. Im Verhältnis zu Levines Mammutkauf waren diese Beträge winzig.

Das Diamond-Konto war in den vergangenen Monaten enorm gewachsen. Trotzdem war Meier nicht gefaßt auf einen Auftrag in dieser Größenordnung. Über mehrere Tage verteilt kaufte Meier im Februar auf Levines Anordnung 145 500 Aktien der American Natural Resources für insgesamt 7,2 Millionen Dollar.

Meier war über das Ausmaß dieses Auftrages dermaßen überrascht, daß er ein paar Tage nach seinem ersten Gespräch mit Pletscher noch einmal auf ihn zukam.

»Bruno, du solltest deinen Bestand in ANR Aktien aufstocken. Kauf noch 1 000 Stück. Ich habe gehört, die Sache ist absolut sicher.«

»Nochmal 1 000, das ist zuviel für mich«, meinte Pletscher, der bereits wegen seiner 2 500-Dollar-Anlage so nervös war, daß er fast stündlich die Kursbewegungen verfolgte. Selbst der leichte Aufwärtstrend wirkte auf ihn nicht beruhigend. »Ich habe bereits viel Geld investiert«.

Meier redete auf ihn ein. »Du kannst doch auf deinen Wertpapierbestand einen Lombardkredit aufnehmen.«

Selbst als Pletscher von Meier erfuhr, wieviel Diamond gekauft hatte, willigte er nur in den Kauf weiterer 500 Stück ein. Meier kaufte für sich nochmals 1 000, so daß sein Bestand jetzt 2 000 Aktien ausmachte.

Der 1. März 1985 war ein Freitag. Nach Börsenschluß gab die Coastal Corporation, ein Energieunternehmen aus Texas, ein All Cash-Angebot zum Erwerb der American Natural Resources für 60

Dollar pro Aktie bekannt. Dennis Levine war an den Vorbereitungen dieser Transaktion maßgeblich beteiligt gewesen.

Als Pletscher am Montag früh in die Bank kam und feststellte, daß der Kurs der ANR Aktie bei Börsenbeginn bei fast 59 Dollar stand, sagte er zu Meier, er solle seine Aktien verkaufen. Doch der antwortete: »Verlier jetzt nicht die Nerven, wir wollen nichts überstürzen.«

Pletscher erklärte sich einverstanden damit, den Verkauf Meier zu überlassen. Im Laufe des Tages kam ein Anruf von Levine. Daraufhin verkaufte Meier sämtliche ANR Aktien auf allen drei Konten. Meier verdiente 24 518 Dollar, Pletscher annähernd 12 500 Dollar. Der Vice President der Bank Leu geriet über diesen Gewinn fast aus dem Häuschen.

Levine hatte seine ANR Aktien für durchschnittlich 49,03 Dollar pro Aktie gekauft; sein Kursgewinn betrug fast 1,4 Millionen Dollar.

Die Bank-Leu-Angestellten waren nicht die einzigen, die Dennis Levines Aufträge kopierten.

Im September 1983 unternahm Martha Malave, eine Händlerin aus dem Euroanleihen-Bereich von Merrill Lynch & Co., eine Geschäftsreise nach Nassau. Dabei führte sie auch ein Gespräch mit Bernie Meier von der Bank Leu, der ihr erzählte, wie aktiv die Bank auf dem amerikanischen Wertpapiermarkt geworden war.

Der US-Wertpapiermarkt war nicht ihr Gebiet; zurück in New York gab sie daher die Information an Brian Campbell weiter, einen jungen Händler in Merrill Lynchs Internationalem Geschäft.

Campbell, ein hochgewachsener, blonder, gut aussehender Mann von 26 Jahren, hatte vor etwas mehr als einem Jahr bei Merrill Lynch angefangen, nachdem ihm die Traineeausbildung bei der Manufacturers Hanover Bank zu langweilig geworden war. Campbell sprach fließend spanisch und besaß einen Universitätsabschluß in International Management. Daher setzte man ihn bei Merrill Lynch im Internationalen Geschäft ein. Er sollte ausländische Kunden akquirieren und deren Geschäfte auf den amerikanischen Wertpapiermärkten abwickeln.

Im September und Oktober rief Campbell mehrfach bei Meier von der Bank Leu an, um einen Teil der Wertpapieraufträge der

Bank zu bekommen. Die beiden Männer verstanden sich sofort bestens, und Meier schlug vor, daß Campbell ihn in Nassau besuchen solle.

Ende Oktober flog Campbell nach Nassau, führte ein Gespräch mit Meier und kehrte nach New York mit einem neuen Konto zurück – nämlich dem der Bank Leu International.

Im Laufe weniger Wochen entwickelte sich zwischen beiden Männern ein bestimmtes Kommunikationsmuster. Bei ihren fast täglich stattfindenden Telefonaten versorgte Campbell Meier mit den neuesten Erkenntnissen der Merrill Lynch Aktienanalysten, und Meier gab einen beträchtlichen Teil der Börsenaufträge von Bank Leu, einschließlich Teilen von Levines Orders, zur Ausführung an Campbell.

Mitunter hatte Meier alle Hände voll zu tun, Levines umfangreiche Käufe auf genügend Börsenmakler zu verteilen, damit der Markt nicht in Bewegung geriet. Daher begrüßte er die Gelegenheit, nun größere Aufträge an den seiner Meinung nach ausgesprochen kompetenten Brian Campbell geben zu können.

Vor jeder Auslandsreise übergab Meier seinem Kollegen Pletscher, der ihn am Händlertisch vertrat, eine Liste der Börsenmakler und deren Telefonnummern. Im Fall eines Großauftrages von Diamond sollte Pletscher die Käufe auf die genannten Makler verteilen. Als Meier Anfang 1984 Pletscher die Aufstellung gab, wies er ihn besonders auf Brian Campbell als einen überaus hilfsbereiten Makler hin.

»Du kannst Brian Campbell ruhig große Aufträge geben; er gibt uns den besten Service«, erläuterte Meier. »Er ist schnell, kann aber im richtigen Moment abwarten. Außerdem gibt er uns einen Provisionsnachlaß, wie wir ihn anderswo nicht unbedingt bekommen.«

Als Pletscher fragte, was Meier mit Abwarten meinte, erklärte der Wertpapierfachmann, daß Campbell sich im Markt umhört, ob der Auftrag der Bank in etwa den täglichen Umsätzen in der jeweiligen Aktie entspricht. Wenn unsere Aufträge über dem täglichen Umsatz liegen, könnte das »die Aufmerksamkeit auf unsere Geschäfte lenken«.

Meier fuhr fort, daß Campbell die Kenntnisse, die er durch die Abwicklung einer großen Order für die Bank erhält, nicht mißbräuchlich verwenden würde, wie es zwei andere Makler getan hatten. Den beiden sollte Pletscher auf Meiers Geheiß keine Aufträge geben, denn sie hatten Orders der Bank Leu kopiert.

»Diese Leute reden zuviel. Sie geben ihr Wissen an Kunden weiter und wollen damit angeben, wie gut sie informiert sind«, sagte Meier. »Wir sind jedenfalls nicht dazu da, Börsenmakler mit Informationen zu versorgen.«

In Wirklichkeit hatte Campbell schnell gemerkt, wie erfolgreich Bank Leu im Handel mit Übernahmeaktien war; und er hatte sich bei zahlreichen Geschäften mit seinem eigenen Konto und mit einigen Kundendepots angehängt, die er bei Merrill Lynch betreute.

Später würde Campbell der SEC erklären, er habe keine Ahnung gehabt, daß bei Bank Leus erfolgreichen Handelsaktivitäten Insiderinformationen im Spiel waren. Meier habe ihm nie gesagt, warum er eine bestimmte Aktie kaufe; er hätte einfach angenommen, die Bank habe einen cleveren Kunden. Er hätte einige entsprechende Kauforders plaziert, nachdem er sich bei den Aktienanalysten von Merrill Lynch erkundigt habe.

Campbell gab Informationen über die Aktiengeschäfte der Bank an seine Freundin weiter, ferner an einen früheren Kommilitonen, mit dem er im Studentenheim zusammengewohnt hatte, an den Teilhaber eines Immobilienunternehmens, und schließlich an Carlos Zubillaga, einen Makler im Caracas Büro von Merrill Lynch.

Zubillaga, der damals Mitte dreißig war, stammte aus einer Familie, die in der venezuelischen Gesellschaft und Politik höchstes Ansehen genoß. Eine Zeitlang hatte er für die venezuelische Regierung in der stattlichen Schuldenverwaltung gearbeitet. Campbell hatte er 1982 auf einem Seminar bei Merrill Lynch kennengelernt. Sie waren Freunde geworden und blieben auch nach Zubillagas Rückkehr nach Caracas in Verbindung.

Zubillaga dehnte das »piggybacking« noch weiter aus, indem er nämlich nicht nur selbst die Aufträge kopierte, sondern die Informationen auch an seinen Kollegen im Caracas-Büro von Merrill Lynch, Max Hofer, weitergab.

So konnte es geschehen, daß ein Aktienkauf seitens Dennis Levines über dieses weiträumige Netz von Beziehungen, die sich von Nassau über New York nach Caracas erstreckten, zigmal kopiert wurde und dadurch ganz andere Dimensionen annahm. Levine kaufte und ebenso Wilkis; Meier und Pletscher – in geringerem Maße auch

Fraysse – kopierten diese Käufe. Dasselbe taten Campbell und seine Leute sowie Zubillaga und Hofer.

Die Abwicklung über EuroPartners Securities Corp. stellte ein Risiko dar, weil es gefährlich werden kann, die Käufe auf eine einzige Maklerfirma zu konzentrieren. Doch der Ausweg, nämlich die Abwicklung auf mehrere Brokerhäuser zu streuen, brachte nun auch Probleme mit sich. Hätte Levine gewußt, in welchem Ausmaß seine sorgfältig geplanten Geschäfte kopiert wurden, wäre ihm möglicherweise bewußt geworden, daß es nur noch eine Frage der Zeit sein konnte, bis die Käufe die Aufmerksamkeit der Securities and Exchange Commission erregen würden. Vielleicht hätte er etwas unternommen, um die Käufe von Mitläufern zu unterbinden. Levines nächste Auseinandersetzung mit den Aufsichtsbehörden resultierte allerdings nicht aus Mitläufer-Aktivitäten, sondern weil Levine einen Versuch unternahm, durch Insiderinformationen, auf die er verbotenerweise handelte, zugleich auch seine Stellung bei Lehman Brothers auszubauen.

Chicago Pacific Corporation wurde im Juni 1984 als Rechtsnachfolgerin der bankrotten Chicago, Rock Island & Pacific Railroad ins Leben gerufen. Durch die Liquidation einiger Eisenbahnlinien verfügte das Unternehmen im Herbst 1984 über umfangreiche liquide Mittel und war deshalb auf der Suche nach einem größeren Unternehmenskauf.

Im September erhielt Lazard Frères von Chicago Pacific das Mandat, bei einem geheimen feindlichen All Cash-Angebot für die Übernahme von Textron Inc., eines der großen amerikanischen Konglomerate und einer der bedeutendsten Hersteller von Hubschraubern und Werkzeugmaschinen, als Finanzberater tätig zu sein.

Im selben Monat erfuhr Wilkis von einem Freund bei Lazard Frères, daß Chicago Pacific Vorbereitungen zum Kauf von Textron traf; er gab diese Information an Levine weiter.

Zwei Jahre zuvor hatte Wilkis sein geheimes Konto von Credit Suisse zur Bank of Nova Scotia auf den Cayman Inseln verlegt, ein weiteres Paradies im Hinblick auf das Bankgeheimnis. Für dieses Konto kaufte er Anfang Oktober 29 000 Textron Aktien.

Levine verwendete sein Bank-Leu-Konto: Zwischen dem 1. und

19. Oktober erwarb er 51 500 Textron Aktien. Bernie Meier, Brian Campbell und Carlos Zubillaga kauften ebenfalls Textron Aktien, wenn auch in wesentlich geringerem Umfang.

Sechs Monate zuvor, nämlich im April 1984, war Lehman Brothers Kuhn Loeb von Shearson/American Express übernommen worden. Von jetzt an hießen sie Shearson Lehman Brothers Inc. Schwerer als die Namensänderung wog allerdings die Tatsache, daß dies das Ende der ältesten Wall Street-Firma bedeutete. In der Investmentbank herrschte wegen dieser Übernahme helle Aufregung. Einige Partner kündigten, andere, die dies ebenfalls gern getan hätten, blieben lediglich, weil sie vertraglich gebunden waren.

Levine blieb und kämpfte hart darum, zur Position eines Managing Director der M&A-Abteilung zu avancieren. Seine hervorstechendste Eigenschaft war sein ungeheures Talent, neue Geschäfte zu akquirieren. Diese Reputation wollte er dadurch unterstreichen, daß er Textron als Kunden gewann.

Daher gab er die von Wilkis erhaltene Information, daß Textron ein Übernahmeziel sei, an Stephen Waters weiter, einen der Leiter der M&A-Bereiches bei Shearson Lehman Brothers. Levine empfahl, daß Waters bei Textron anrufen und die Dienste von Shearson Lehman Brothers zur Abwehr des Übernahmeversuches anbieten solle.

Waters kannte Beverley Dolan, den Präsidenten von Textron, von früheren Geschäften und rief ihn am 9. Oktober 1984 an.

»Mein Kollege, Dennis Levine, hat gehört, daß Textron möglicherweise Ziel eines unerwünschten Übernahmeversuches ist. Wir hielten es für richtig, Ihnen dieses Gerücht zur Kenntnis zu bringen«, sagte Waters zu Dolan. Levine saß ihm gegenüber und hörte zu.

Dolan erwiderte: »Das ist das Neueste, was ich höre. Vielen Dank. Rufen Sie mich wieder an, wenn Sie weitere Informationen haben.«

Am 24. Oktober gab Chicago Pacific das Angebot bekannt, Textron für 1,5 Milliarden Dollar aufzukaufen. Der Kurs der Textron Aktie stieg sofort um 7,25 Dollar pro Aktie. Wilkis verkaufte seine Position mit einem Kursgewinn von rund 100 000 Dollar, Levine realisierte über 200 000 Dollar Kursgewinn.

Trotz des frühen Hinweises rekrutierte Textron nicht Shearson Lehman Brothers. Stattdessen wandte sich Dolan an Morgan Stanley, mit deren Unterstützung der Versuch von Chicago Pacific erfolgreich abgewehrt werden konnte. Zu Levines Leidwesen war dies noch nicht das Ende seiner Pechsträhne im Zusammenhang mit dem Textron-Geschäft.

In den Tagen vor Bekanntgabe von Chicago Pacifics Angebot war der Kurs der Textron Aktien auf Grund von Käufen, die weit über Levines oder denen seiner Imitatoren lagen, stetig gestiegen. Dieser Kursanstieg hatte im Aktienüberwachungsprogramm der New York Stock Exchange Alarm ausgelöst. Daraufhin begann die SEC im November eine offizielle Untersuchung, ob in Textron Aktien möglicherweise Insidergeschäfte stattgefunden hatten.

Dolan erzählte den SEC-Prüfern, daß er zum ersten Mal von einem Übernahmeversuch aus dem Mund von Stephen Waters von Shearson Lehman gehört habe. Bei seiner Befragung durch die SEC erklärte Waters, das Gerücht sei von einem seiner Kollegen, von Dennis Levine, im Markt aufgeschnappt worden. Levine erhielt eine offizielle Vorladung. Am 14. November um 10.30 Uhr saß er mit zwei jungen SEC-Anwälten, Leonard Wang und Judith Oligny, im Büro von Shearson Lehmans Wall Street-Anwälten. Levines Aussage geschah unter Eid.

Zunächst wurde Levine gefragt, ob er Wertpapierdepots unterhalte. Er antwortete mit nein. Er wurde gefragt, ob er im Laufe des vergangenen Jahres jemals ein solches Konto unterhalten habe, was er verneinte. Er wurde gefragt, ob er befugt sei, Aufträge für ein Wertpapierkonto zu erteilen, und er verneinte erneut.

Als Wang, der den größten Teil der Fragen stellte, auf Textron zu sprechen kam, bestätigte Levine, was Waters bereits gesagt hatte. Ja, er habe das Gerücht über ein mögliches Übernahmeangebot an Textron aufgeschnappt. Ja, er habe dies an Waters weitergegeben, und sie hätten sich mit Textron in Verbindung gesetzt.

Wang fragte, wo Levine das Gerücht gehört habe. Levine antwortete, Anfang Oktober habe er in der Empfangshalle von Drexel Burnham Lambert, einem Konkurrenzinstitut, zufällig gehört, wie sich zwei Herren reichlich obskur über ein Geschäft unterhalten hätten.

Die Männer hätten Lester Crown, einen reichen Geschäftsmann aus Chicago und Direktor von Chicago Pacific, erwähnt, erklärte Levine. Sie hätten auch Skadden Arps Slate Meagher & Flom, die Anwaltskanzlei für Übernahmen, und die angesehene Investmentbank First Boston Corporation erwähnt. Schließlich hätten sie etwas erzählt von »Feuerwerk in Rhode Island«.

Im Verlauf seiner Aussage schmückte Levine die Geschichte immer weiter aus. Die Männer seien in ihren späten dreißiger oder frühen vierziger Jahren gewesen. »Sie trugen graue Nadelstreifenanzüge, wie wir alle. Beide hatten Aktenkoffer.«

Aus verschiedenen Anhaltspunkten, insbesondere »Feuerwerk in Rhode Island«, habe er geschlossen, daß die Männer sich über einen Übernahmeversuch in bezug auf Textron unterhielten, das seine Zentrale in Providence hat.

Der 31jährige Leo Wang war im Mai 1982 zur Vollstreckungsabteilung der SEC gekommen, nachdem er nach Abschluß eines Jura-Studiums an der University of Wisconsin vier Jahre in einer Anwaltskanzlei in Milwaukee gearbeitet hatte.

Seine Fragen an Levine waren knapp und korrekt, aber trotzdem unerbittlich. Er zeigte keinerlei Gefühlsregung und gab Levine und dessen Anwalt auch keinen Hinweis darüber, zu welchem Ergebnis er durch die Befragung gekommen war.

Wang hatte sich während der zweieinhalb Jahre bei der SEC bei seinen Kollegen den Ruf eines äußerst kritischen, hartnäckigen Untersuchungsanwalts erworben. Nachdem er Levine mehr als zwei Stunden befragt hatte, sagte ihm sein Instinkt, daß der Investmentbanker die Unwahrheit erzählte. Die Frage war, inwieweit Levine die Wahrheit verschwieg und ob Wang und die SEC dahinterkommen würden.

In den vergangenen drei Jahren war die SEC beim Aufdecken von Insidergeschäften recht erfolgreich gewesen. Insgesamt hatte sie sich mit 50 Insiderfällen befaßt, genauso viele wie in den zurückliegenden viereinhalb Jahrzehnten.

Zum Teil resultierte dieser Erfolg aus der Tatsache, daß die SEC die Einhaltung von Insiderregeln strenger und effizienter kontrollierte. Als John S. R. Shad, selbst früher Investmentbanker an Wall Street, 1981 die Leitung der SEC übernahm, versprach er, daß die Verfolgung von Insidergeschäften in der Behörde höchste Priorität erhalten würde.

Ein weiterer Grund für die wachsende Zahl von Insiderüberprüfungen lag in dem rapiden Anstieg der Fusions- und Übernahmefälle. Je stärker die Aktivität in diesem Bereich zunahm, desto mehr

Gelegenheiten boten sich, um an Insiderinformationen heranzukommen und damit Mißbrauch zu treiben. Auch hatte sich der finanzielle Einsatz in einer Zeit von Milliarden-Dollar-Übernahmen drastisch erhöht. Bis auf wenige Ausnahmen versäumten es die Banken, Anwaltskanzleien und Wertpapierhäuser, die an dieser neuen Art von Geschäften beteiligt waren, ihr internes Überwachungssystem an die zunehmenden Möglichkeiten von Informationsmißbrauch anzupassen.

Im übrigen konnte die SEC ihren Ruf als Verfolger von Insidergeschäften entscheidend verbessern, als sie einen sensationellen Fall aufdeckte, bei dem ein hohes Mitglied der Reagan-Administration und dessen Liaison beteiligt waren. Im Januar 1984 beschuldigte die SEC den stellvertretenden Verteidigungsminister Paul Thayer, an acht Personen, darunter seine Freundin, Insiderinformationen weitergegeben zu haben, als er im Verwaltungsrat von zwei größeren, an Fusionen beteiligten Unternehmen saß. Die Frau wurde zwar nicht angeklagt, doch stürzte sich die Sensationspresse auf den Fall, weil es sich bei Thayer um ein Mitglied der Regierung handelte und weil eine Frau im Spiel war. Jedenfalls untermauerte dies in der Öffentlichkeit die Vorstellung, daß die SEC bei Insidergeschäften mit aller Strenge vorging.

Die Atmosphäre an Wall Street wurde immer neurotischer. Während man bisher geglaubt hatte, Insidergeschäfte können gar nicht verhindert werden, setzte sich nun die Überzeugung durch, daß sie zumindest nicht mehr ohne Risiko durchzuführen sind. Gerüchte über SEC-Untersuchungen verschiedener Aktientransaktionen machten an Wall Street schnell die Runde.

Als Ira Sokolow im November bei Shearson Lehman Brothers davon erfuhr, daß Levine über mögliche Insidergeschäfte im Hinblick auf Textron Aktien befragt worden war, bekam er es mit der Angst zu tun. Zwar hatte er an der Textron-Transaktion nicht mitgearbeitet und er wußte auch noch nicht, daß Levine diese Aktien gekauft hatte. Aber allein die Vorstellung, daß Levine daran beteiligt sein könnte, und die seit neuestem zu beobachtende strenge Vorgehensweise der SEC bereiteten ihm große Sorgen.

»Du machst dir was vor, Dennis. Du wirst geschnappt. Es ist jetzt höchste Zeit auszusteigen«, erklärte Sokolow beschwörend.

Doch Levine wischte Sokolows Ängste beiseite: »Ich bin doch gar nicht beteiligt. Ich habe niemals Textron Aktien gekauft. Mach dir keine Sorgen.«

Levine glaubte fest daran, daß die SEC ihn in keiner Weise mit den Textron-Geschäften in Verbindung bringen konnte, und er war überzeugt, daß die Lügen, die er den beiden jungen SEC-Anwälten aufgetischt hatte, für ihn ohne Folgen blieben.

Gegenüber Wilkis brüstete er sich damit, wie gut er lügen konnte: »Ich kann jeden hinters Licht führen. Schon als Junge habe ich Aluminiumverkleidungen an Nigger verkauft, die von der Sozialhilfe lebten.«

Er behielt wieder einmal recht. Der SEC gelang es nicht, ihm oder anderen Insiderhandel in Textron Aktien nachzuweisen. Der Fall endete für die Enforcement Division in einer frustrierenden Sackgasse.

Leo Wang allerdings blieb bei seiner Überzeugung, daß der arrogante Investmentbanker unter Eid falsche Aussagen gemacht hatte. Der Name »Dennis Levine« prägte sich fest in seinem Gedächtnis ein – für zukünftige Fälle.

8. Kapitel

Der Regenmacher

Eines stimmte an Levines Geschichte über das Textron-»Gerücht«:
Anfang Oktober 1984 war er tatsächlich bei Drexel Burnham gewesen. Er führte dort ein Bewerbungsgespräch.

Als er im November 1981 bei Lehman Brothers anfing, glaubte er,
auf dem richtigen Weg nach oben zu sein. Er bekam den langersehnten Titel Division Vice President in M&A. Sein Gehalt war erheblich
höher. Er arbeitete bei einem angesehenen, alteingesessenen Institut
und er hatte einen neuen Mentor, Eric Gleacher, den anerkannten
Leiter von M&A.

Levines Hauptaufgabe bei Lehman Brothers bestand darin, Informationen zu sammeln. In seinem Büro stand ein Bildschirm, der ihn
permanent mit Informationen über den Börsenverlauf versorgte.
Doch er verbrachte die meiste Zeit am Telefon. Das auffälligste in
seinem ganzen Büro, die Telefonschnur, war lang genug, daß er beim
Telefonieren auf und ab gehen oder sich an die Tür stellen konnte, um
die Sachbearbeiter im »bullpen« zu beobachten.

Per Telefon zapfte er das Netz von Investmentbankern, Anwälten
und Arbitragehändlern an, mit denen er im Laufe der Jahre in
Kontakt gekommen war. Er schuf sich bei Lehman Brothers den Ruf
eines »Regenmachers«, d. h. eines Mannes mit einem Riecher für
neue Geschäfte. In einer Branche, in der ein einziges Geschäft zwei
Millionen Dollar Provision bringen kann, ist dies eine hochgeschätzte
Eigenschaft.

Levines Kollegen bei Lehman Brothers hielten ihn wegen seiner
Fähigkeit, genaue Informationen über anhängige Transaktionen zu
liefern, für ein Genie. Ein früherer Partner von Lehman Brothers
erinnerte sich später, daß Levine Informationen erhalten hatte,
wonach Criton Corporation Ziel einer Übernahmeattacke würde. Eric
Gleacher rief bei Criton an, um sich nach Einzelheiten zu erkundigen,
erhielt jedoch schlicht die Antwort, er sei verrückt. Dennoch statteten
Gleacher und Levine der Geschäftsleitung einen Besuch ab und

überzeugten sie davon, daß die Gefahr tatsächlich bestand. Lehman Brothers wurde beauftragt, eine Strategie zur Abwehr des Übernahmeversuches auszuarbeiten. Zwei Wochen nach Gleachers erstem Anruf bei Criton verkündete Dyson-Kissner-Moran Corporation ein Übernahmeangebot für Criton Aktien. Deshalb hielt man Levine für einen brillanten Analysten, der seiner Firma zu beträchtlichen Provisionen verholfen hatte.

Levines Kollegen konnten nicht ahnen, daß er über das Criton-Geschäft einen Tip aus seinem Insiderring erhalten hatte. Er verdiente an den Criton Aktien 212 628 Dollar.

Levine genoß den Ruf, unerbittlich hinter Informationen herzujagen. Daher spielten ihm einige Kollegen einschließlich Gleacher einmal einen Streich. Sie erzählten ihm von einem Gerücht über eine bevorstehende Übernahme und baten ihn, sein berühmtes Netz anzuzapfen, um die Sache zu überprüfen. Im Laufe des Tages wurde Levine zunehmend ärgerlicher, weil er nicht den kleinsten Hinweis über das Unternehmen oder die Transaktion erhielt. Er bat seinen Chef Gleacher um Hilfe, doch der winkte ab: »Ich habe jetzt keine Zeit, Dennis. Melde dich wieder, wenn du fertig bist.« Abends wurde Levine dann von seinen Kollegen aufgeklärt, daß es die Firma gar nicht gab.

Im allgemeinen war Levine bei Lehman Brothers recht beliebt. Er war umgänglich und immer gut aufgelegt. Die Atmosphäre war nicht so altzopfig wie bei Smith Barney. Levine fiel mit seiner aggressiven Art nicht zu stark aus der Rolle. Er trug teure Anzüge und strahlte das Flair eines wohletablierten Investmentbankers aus.

Aber wie bereits bei Smith Barney mißfiel auch bei Lehman Brothers einigen Kollegen, daß Levine die finanzierungstechnische Seite von Unternehmensaufkäufen und Fusionen nicht beherrschte. Einer dieser Kollegen war J. Tomilson Hill.

Im Juli 1982, neun Monate nach Levines Eintritt bei Lehman Brothers, fing sein früherer Chef bei Smith Barney in diesem Institut an. Er stieg bei Lehman Brothers als Partner ein, eine Position, die Levine dort niemals erreichte. Trotz aller Freundlichkeit, mit der sie sich begegneten, hatte Levine Angst, daß Hill ihm schwierige finanztechnische Probleme zuweisen würde, wodurch seine Schwächen offenbar würden und seine Karriereaussichten bei der neuen Firma zerstört werden könnten.

115

Obwohl manche Kollegen Vorbehalte gegen Levine hatten, war er bei Gleacher gut angesehen und übernahm mehr und mehr Verantwortung in großen Transaktionen. In der Rangskala der M&A-Abteilung befand er sich direkt unterhalb des obersten Drittels. In einem Lebenslauf schrieb er später, daß er für das Institut Provisionsgeschäfte in Höhe von 10 Millionen Dollar im Jahre 1982, 15 Millionen Dollar 1983 und 20 Millionen 1984 akquirierte. Nicht in diesem Lebenslauf stand die Tatsache, daß Levine bei fast jedem großen Geschäft Aktien für sein Wertpapierkonto bei der Bank Leu gekauft hatte.

Im Herbst 1983 verließ Gleacher Lehman Brothers, um als Partner bei Morgan Stanley einzusteigen, wo er später Leiter der M&A-Abteilung wurde. Levine setzte alles daran, um zu Gleachers Nachfolger, Peter Solomon, eine gute Beziehung aufzubauen. Levine hatte seine Fähigkeit als Stratege unter Beweis gestellt und war nun zuversichtlich, daß er wegen seines Talents als »Regenmacher« bald zum Managing Director befördert würde.

Levine schien prädestiniert für beruflichen Erfolg, ebenso wie er bei Insidergeschäften erfolgreich war. Obwohl er fest damit rechnete, daß nun bald sein beruflicher Wunschtraum in Erfüllung ginge, ließ er nicht ab von seinen Insidergeschäften. Er war schon zu tief darin verwickelt. Immer höher stieg er ein und immer größer wurden seine Aktienorders. Fast sah es so aus, als wollte er die SEC herausfordern. Er lechzte förmlich danach, noch mehr Aktien zu kaufen und noch mehr Kursgewinne zu erzielen. Er wurde unersättlich und er liebte die Aufregung des Spiels.

Eines frustrierte ihn allerdings unmäßig: Es gelang ihm nicht, Kontakte in weiteren Investmenthäusern und Kanzleien aufzubauen. Wiederholt äußerte er sich gegenüber Wilkis, daß ihm all die verpaßten Gelegenheiten bei Transaktionen, von denen er nichts wußte, in der Seele weh täten. Er animierte seinen Freund, doch bei Lazard Frères neue Informationsquellen aufzutun. Er war selbst ständig auf der Suche nach weiteren Mitgliedern für seinen Insiderring, wobei er äußerst vorsichtig sein mußte.

Trotz aller Frustrationen verfügte Levine im Frühjahr 1984 über jenes Insidernetz, von dem er vor vier Jahren träumte und über das er damals mit Ilan Reich bei ihren gemeinsamen Mittagessen gesprochen hatte.

Reich hatte sich vor mehr als einem Jahr aus dem Ring ausgeklinkt, nachdem er bis Ende 1982 Informationen geliefert hatte. Im November 1983 feierten er und Levine mit einigen Kollegen im Restaurant »21« den Abschluß einer Fusion, bei der beide Firmen beteiligt gewesen waren. Levine kam an den Tisch, an dem Reich mit seinen Anwaltskollegen saß. Er äußerte sich in den höchsten Tönen über Reich und meinte, daß die Fusion ohne dessen Mitarbeit nicht zustande gekommen wäre. Als die beiden sich im Laufe des Abends nochmals begegneten, wisperte Levine zu Reich: »Wir sollten uns wieder zusammentun. Meine Geschäfte gehen blendend.«

Reich kam ebenfalls gut voran. Kaum eine der großen komplexen Transaktionen, die Wachtell-Lipton übernahm, ging ohne ihn über die Bühne. Einige Wochen nach dem Abendessen im »21« traf er sich wieder mit Levine zum Mittagessen.

Reich glaubte zu dieser Zeit, daß seine Ehe zerrüttet sei und daß er möglicherweise Alimente und Unterhalt für seinen kleinen Sohn zahlen müßte. Einige seiner Freunde sollten später mutmaßen, daß er besorgt darüber war, ob er es tatsächlich zum Partner bei Wachtell-Lipton schaffen würde und die Insidergewinne für den Fall bräuchte, daß er seinen Job verlöre.

Tatsächlich erhielt Reich Ende 1983 in seiner jährlichen Beurteilung bei Wachtell-Lipton ein teilweise negatives Zeugnis ausgestellt. Einerseits lobten die Partner seine herausragende Fähigkeit, auch für die schwierigsten Probleme bei Übernahmesituationen kreative Lösungen zu entwickeln, aber ihnen paßte es nicht, daß er nur äußerst zögerlich die Routinearbeit erledigen wollte, die bei jedem Geschäft anfällt.

Was davon auch immer stimmte, jedenfalls stieg Reich am 3. Mai 1984 wieder in den Ring ein. Er berichtete Levine, daß Wachtell-Lipton von Warburg, Pincus & Company angeheuert worden sei, die Rechtslage für den Aufkauf der SFN Companies zu prüfen. Das Ganze stellte sich als äußerst schwieriges Unterfangen dar, das gründliche juristische Recherchen erforderlich machte. Levine nutzte die Zeit, um 20 000 SFN-Aktien zu kaufen, die er einen Tag, nachdem die Transaktion am 23. August verkündet wurde, mit einem Kursgewinn von 129 316 Dollar veräußerte.

Auch Wilkis wollte zwischenzeitlich aus dem Ring aussteigen, obwohl er weiter Informationen lieferte und darauf handelte. Er blieb wegen der damit verbundenen Spannung dabei, und weil Levine ständig um seine Freundschaft buhlte und ihm zugleich Schuldgefühle einredete.

Im Juni 1982 hatte Wilkis Levine in dessen Büro bei Lehman Brothers besucht und ihm erklärt, daß er aussteigen würde. Credit Suisse wolle wegen nicht näher erläuterter Probleme sein Konto nicht mehr bearbeiten. Außerdem würde er nicht die von Levine versprochenen Gewinne erzielen, und im übrigen habe er Angst, wegen Insider Trading ins Gefängnis zu kommen.

»Es ist einfach zu riskant, Dennis«, erklärte Wilkis. »Ich habe Angst. Für mich ist es aus.«

Levine musterte seinen Gefolgsmann und erwiderte in ruhigem Ton: »Ich habe von unserem Ring profitiert. Erzähle nicht, du hast zu wenig bekommen; wenn du aussteigen willst, kann ich dir auch nicht helfen.«

»Dennis, ich kann nicht mehr mitmachen. Ich kann so nicht mehr leben. Ich hasse diese Geheimnistuerei.«

»Ach komm, sei kein Frosch; versuch's auf den Cayman Inseln«, erklärte Levine und warf Wilkis ein schmales Büchlein zu. Beim Aufheben merkte Wilkis, daß es ein Flugplan war. Einige Tage später flog er auf die Cayman Inseln, um sich nach einer neuen Bank umzusehen. Er entschied sich für die Bank of Nova Scotia und transferierte sein Geld von Nassau auf sein neues Konto.

Wilkis blieb Mitglied der »Gesellschaft«. Er tauschte mit Levine höchstvertrauliche Informationen und wickelte seine Aktientransaktionen über sein neues Konto auf den Cayman Inseln ab. Allerdings waren Wilkis Aktivitäten auch weiterhin nicht besonders profitabel, weil er nicht im Bereich Unternehmensfusionen und -übernahmen arbeitete. Levine machte ihm ständig Vorwürfe, daß seine Informationen nichts taugten. Im Laufe der Zeit gelang es Wilkis jedoch, seine Informationsquellen zu verbessern, so daß sein Konto allmählich satte Gewinne aufwies. Sein Erfolg beruhte zum Teil darauf, daß er Levines unstillbaren Informationshunger jetzt durch eine weitere Informationsquelle speisen konnte.

Der 22jährige Randall Cecola fing im September 1983 als Jung-Analyst im M&A-Büro von Lazard Frères an.

Im Mai desselben Jahres hatte er sein Bachelors Examen an der

Purdue University in West Lafayette, Indiana, bestanden und wollte sich jetzt genügend Geld verdienen, um zur Harvard Business School zu gehen. Cecola war intelligent und ehrgeizig; und er mußte seine Mutter und zwei jüngere Brüder, die in Barrington, Illinois, einem Vorort von Chicago wohnten, finanziell unterstützen.

Cecolas Vater hatte die Familie vor vielen Jahren verlassen, so daß Cecola nun einen Teil seines Verdienstes an seine Mutter nach Illinois schickte, die von der Sozialhilfe lebte. Außerdem überwies er Geld an seine Brüder, die beide ihr Studium mit Studienkrediten finanzierten. Trotzdem lebte Cecola in New York nicht gerade bescheiden. Er kaufte sich eine teure Stereoanlage und gab viel Geld für Reisen aus.

Das nötige Kleingeld wollte sich Cecola auf dem Aktienmarkt verdienen. Da seine Mittel nicht ausreichten, um groß genug in das Aktiengeschäft einzusteigen, daß dabei ein auch seinen Vorstellungen entsprechender Gewinn herausspringen würde, entschied er sich für das risikoreiche Optionsgeschäft. Er war überzeugt, daß er aus seinen bescheidenen Ersparnissen mit Hilfe seiner Fähigkeiten als Analyst satte Gewinne erzielen würde.

Wie in den meisten Wertpapierhäusern waren auch bei Lazard die Angestellten verpflichtet, Wertpapierkonten nur im eigenen Haus zu unterhalten, wo sie von der internen Revision überprüft werden konnten. Als Cecola seinen Vorgesetzten mitteilte, er wolle ein Optionskonto bei Lazard eröffnen, lehnten diese mit der Begründung ab, daß Optionen für einen Neuling ein zu großes Risiko darstellten.

Da Cecola aber fest daran glaubte, daß er die richtigen Optionen kaufen würde und da er unbedingt Geld brauchte, setzte er sich über die Aussagen seiner Vorgesetzten und über die bei Lazard herrschenden Bestimmungen hinweg. Im November 1983, zwei Monate nach seinem Eintritt bei Lazard Frères, bat er einen Freund in Indianapolis, ein Wertpapierkonto zu seinen, Cecolas Gunsten, bei einer örtlichen Brokerfirma zu eröffnen. Später eröffnete er durch einen anderen Freund noch ein zweites Konto in Barrington. Beide Konten lauteten auf den Namen der Freunde, damit Cecolas Name nicht auftauchte – eine Vorsichtsmaßnahme für den Fall, daß die beiden Firmen Kontakt zu Lazard Frères hatten. Doch die Aufträge stammten von Cecola. Er begann mit seinen Wertpapiergeschäften Ende 1983.

Im Mai 1984 freundete sich Cecola mit Robert Wilkis an, der bereits annähernd fünf Jahre bei der Firma arbeitete. Wilkis bemerkte, daß Cecola ausgesprochen intensiv die Aktienkursentwicklung verfolgte und viel darüber diskutierte. Als sie einmal gemeinsam abends das Büro verließen, brachte Wilkis die Rede auf Insidergeschäfte. Er erklärte, daß er selbst mit jemandem zusammen darin engagiert sei, und bot Cecola ein Konto im Ausland an, wenn dieser Informationen über anhängige Transaktionen im M&A-Bereich weitergeben würde.

Bisher war Wilkis auf Informationen aus zweiter Hand angewiesen, nun verfügte er über eine Informationsquelle direkt in der Fusions- und Übernahmeabteilung. Er erhielt wertvolle Informationen aus seinen Gesprächen mit dem jungen Analysten. Beispielsweise erzählte ihm Cecola im September 1984, daß Chicago Pacific Corporation Lazard angeheuert habe, um den Finanzierungsplan für einen Aufkauf der Firma Textron auszuarbeiten.

Auch Ira Sokolow gelang es, das Informationsnetz zu erweitern, indem er seinen besten Collegefreund, David S. Brown, anwarb.

Brown und Sokolow schlossen 1976 ihre Ausbildung an der University of Pennsylvania ab. Danach studierte Brown Jura an der University of Michigan und fing 1979 bei der Anwaltskanzlei McKenna, Conner & Cuneo in Los Angeles an.

Sokolow hatte bereits etwa ein Jahr lang Informationen an Levine weitergegeben, als er im Oktober 1982 begann, auch Brown mit solchen Informationen zu versorgen. Brown handelte auf der Basis dieser Informationen kleine Beträge Aktien und Optionen, die er über zwei Konten bei Brokerfirmen abwickelte.

Im Juni 1983 startete Brown eine Karriere als Investmentbanker bei Goldman, Sachs & Co. in New York und begann, selbst Insiderinformationen auszugraben. Im Rahmen des erweiterten Informationsnetzes gab Brown seine Hinweise an Sokolow weiter, der dann die Informationen Levine zuspielte. Sokolow weigerte sich, Levine Browns Namen preiszugeben. Er sagte ihm lediglich, daß er eine eigene Quelle bei Goldman-Sachs habe. Da Sokolow nicht selbst handeln wollte, ließ er sein »Konto« quasi als Unterkonto von

Levines Konto führen und erhielt von Levine regelmäßig Bargeld als »Abhebung« von seinem Konto. Sokolow wiederum gab einen Teil davon an Brown für dessen Informationen weiter.

Im Laufe von mehr als drei Jahren zahlte Levine an Sokolow weniger als 130 000 Dollar. Doch Levine beschwerte sich lautstark bei Wilkis über die hohen Geldforderungen von Sokolow und Brown, so daß Wilkis den Eindruck erhielt, als zahlte ihnen Levine Hunderttausende von Dollars. Auch wenn er gegenüber Wilkis die finanziellen Forderungen der Ringmitglieder gewaltig übertrieb, gab er nicht deren Identität preis. Er bezeichnete Sokolow als »Lehman« und Brown als »Goldie«. Levine erwähnte auch weitere Informationsquellen und sagte, wie wertvoll deren Hinweise seien, um damit bei Wilkis Schuldgefühle zu erzeugen.

Als Wilkis einmal gegen Mitte 1984 darauf zu sprechen kam, wie sehr es ihn beunruhige, daß sie gegen Gesetze verstießen und das in sie gesetzte Vertrauen mißbrauchten, schnitt ihm Levine das Wort ab: »Das ist dein Problem, Bobby. Du hast dich immer in der Grauzone bewegt. Aber ich weiß, wo es langgeht. Ich habe dich mitgenommen, aber ich habe genau Buch geführt. Dieser Junge bei Goldman ist großartig, und Lehman glaubt an die Gesellschaft. Er arbeitet hart für mich und gibt gute Hinweise, während du mit deinen Informationen jedes Jahr in den roten Zahlen steckst. Freundschaft ist eine Sache, aber ich leite die Gesellschaft und du hast versagt.«

Seit dem Tag, als Levine sein erstes Wertpapierkonto bei Pictet & Cie eröffnete, ließ er seine Gewinne auf dem Konto stehen, um sie wiederanzulegen. In einer Welt, in der Erfolg daran gemessen wird, wie viel man verdient und was man besitzt, widerstand er der Versuchung, große Summen zur Finanzierung eines Luxuslebens abzuheben. Damit könnte er zwar seinen Erfolg dokumentieren, würde aber auch riskieren aufzufliegen.

Er lebte alles andere als ärmlich. Er kaufte seiner Frau wertvollen Schmuck und besaß ein teures BMW-Coupé. Das Ehepaar verbrachte seine Ferien in Europa, auf Hawaii und in der Karibik. Mitunter schwamm er in Bargeld. Doch entsprachen Besitz und Ausgaben seinem Einkommen, das im Jahre 1983 etwa 100 000 Dollar betrug und 1984 fast 700 000 Dollar erreichte.

Ende 1983 fing Levine an, gegen sein Grundprinzip zu verstoßen, das lautete, nicht so viel Geld auszugeben, daß die Umgebung mißtrauisch wird.

Im Februar 1983 hob er von seinem Bank-Leu-Konto erstmals 100 000 Dollar ab. Doch die eigentliche Abhebungswelle startete am 3. November: Er flog auf die Bahamas, um 30 000 Dollar abzuheben. Acht Tage später kam er erneut zur Bank Leu, um weitere 160 000 Dollar abzuheben. Am 2. Dezember entnahm er seinem Konto noch einmal 200 000 Dollar. Damit hob er im Jahre 1983 insgesamt 490 000 Dollar ab.

Im darauffolgenden Jahr versorgte sich Levine mit genau derselben Menge Bargeld: 200 000 Dollar im März, 200 000 Dollar im Juli und 90 000 Dollar im Dezember.

Sein Lebensstil wurde aufwendiger, die Urlaubsreisen luxuriöser. Das Ehepaar Levine liebte es, in New Yorks teuersten Restaurants zu dinieren, und sie taten dies mehrmals pro Woche. Der Schmuck, den er für Laurie kaufte, wurde immer teurer. Einmal prahlte er gegenüber Wilkis von einem Diamantcollier, das er seiner Frau gekauft habe. Und dann war da noch die neue Wohnung.

Die hohen Abhebungen im Jahre 1983 und 1984 erfolgten zu der Zeit, als Levine eine Wohnung mit sechs Zimmern in einem altehrwürdigen Haus an der Park Avenue zwischen der 93. und 94. Straße kaufte.

Die Wohnung kostete 550 000 Dollar; 10 Prozent, also 55 000 Dollar mußte er für die Kaufoption hinblättern. Bei Vertragsabschluß zahlte er weitere 225 000 Dollar und finanzierte den Rest über eine Hypothek in Höhe von 270 000 Dollar. Dazu kamen erhebliche Ausgaben für umfangreiche Renovierungsarbeiten, die zehn Monate dauerten. Levine, seine Frau und ihr kleiner Sohn Adam wohnten während dieser Zeit in ihrer alten Mietwohnung in 225 East 57. Straße. Sie nahmen sich einen Architekten, der den Grundriß eleganter gestalten sollte. Wände wurden abgerissen und neue eingezogen. In der Eingangshalle wurde ein heller Eichenboden verlegt. Den Abschluß der Halle bildete eine teure geschwungene Wand mit einem Bogen, der den Blick auf eine zweite geschwungene Wand freigab.

Die Wände des Eßzimmers, der Küche und des Dienstmädchenzimmers wurden entfernt und ein neuer Wohntrakt geschaffen. Eine Wand aus dickem Glas trennte das neue Eßzimmer von einem neugeschaffenen Schlafzimmer. An ein kleines Arbeitszimmer für Levine schloß sich ein Badezimmer an. Auch die Küche wurde total umgebaut. Als die Arbeiten schon ziemlich fortgeschritten waren, beschlossen die Levines, daß ihnen das ganze nicht gefiel – also wurde alles wieder herausgerissen und von neuem angefangen.

Das Schlafzimmer des Ehepaares Levine lag ganz am Ende der Wohnung, die sich im 8. Stock befand. Es wurde mit einer kompletten Schrankwand ausgestattet, in der auch ein Fernseher mit 66-cm-Bildschirm eingebaut war, der auf Knopfdruck ausschwenkte. In dem neuen großen Marmorbadezimmer gab es auch ein Jacuzzibecken und einen elektrischen Handtuchwärmer.

Nach Abschluß der Maurerarbeiten wurde ein Innenarchitekt beauftragt, die gesamte Wohnung mit neuen teuren Möbeln und moderner Kunst auszustatten. Levine, nach dessen Vorstellung ein Gemälde ausreichend Orange aufweisen mußte, um zur Couch zu passen, war, ehe er sich's versah, Eigentümer einer Skulptur von Rodin, einer Zeichnung von Picasso und eines großen Gemäldes von Miró.

Als erfahrener Heimwerker hatte Ilan Reich sein Loft selbst renoviert. Daher sprach Levine häufig mit ihm über den Fortgang der Arbeiten in seiner neuen Wohnung in Park Avenue.

Levine hatte Reich viel von seiner »Eine Million Dollar«-Wohnung vorgeschwärmt. Doch als Reich Anfang 1985 eingeladen war, um die neue Wohnung zu besichtigen, staunte er nicht schlecht über Umfang und Kosten der Renovierungsarbeiten und der Innenausstattung. Er schätzte sie auf 150 000 bis 200 000 Dollar.

Reichs Schätzung war viel zu niedrig. Die Kosten für Renovierung und Innenausstattung der Wohnung beliefen sich auf fast 500 000 Dollar.

Doch auch auf der Basis seines zu niedrigen Ansatzes fragte sich Reich, wie viel Geld Levine wohl durch Insider-Geschäfte verdienen würde. Nach ihrem ersten gemeinsamen Mittagessen, bei dem Levine von seinem Plan eines Insider-Rings gesprochen hatte, hatte er Reich gegenüber keine weiteren Einzelheiten erzählt. Vielmehr spielte er die Rolle des »Meisterspions«, der nur solche Informationen weitergab, die unbedingt für den Fortgang der Arbeit benötigt wurden. Angeblich wurden dadurch die Mitglieder des Rings vor dem Risiko geschützt, daß die Entdeckung eines Informanten die anderen in Gefahr bringen könnte.

Reich war mittlerweile überzeugt, daß weitere Personen beteiligt waren. Trotzdem schwieg sich Levine eisern über deren Namen aus. Außerdem erhielten Reichs frühere Bedenken, ob Levine den Plan geheim halten könnte, durch die hohen Ausgaben für die Wohnung neue Nahrung. Im August spielte er erneut mit dem Gedanken auszusteigen.

Vorher gab er noch eine letzte Insiderinformation weiter.

Am 17. August 1984 heuerten die Familie und die Treuhänder, die 50 Prozent der Aktien von G. D. Searle & Company hielten, dem Pharmaunternehmen und Erfinder von NutraSweet, die Kanzlei Wachtell-Lipton als Rechtsberater für den geplanten Verkauf von 34 Prozent ihrer Aktienbestände an. Reich war an dem Fall nicht beteiligt. Er hörte davon und gab die Information an Levine weiter.

Es hatte bereits Gerüchte gegeben, daß Searle möglicherweise von einem Chemieunternehmen übernommen würde, das seine Pharmabeteiligungen erweitern wollte. Bisher war es nicht zu einem Übernahmeversuch gekommen, weil ein Großteil der Aktien bei Familienmitgliedern und Treuhändern lagen. Allgemein wurde erwartet, daß deren Beschluß, Aktien zu verkaufen, den Weg für ein Übernahmeangebot ebnete. Auch würde ein solcher Beschluß dazu führen, daß der Kurs der Searle Aktie gewaltig ansteigt.

Auf Grund von Reichs Hinweis kaufte Levine 60 000 Searle Aktien und zusätzlich noch Optionen. Allerdings ging die ganze Transaktion nur schleppend voran. Die Searle-Familie konnte sich für Levines Empfinden nicht schnell genug zu einem Entschluß durchringen. Daher bat er kurz vor Ende September wieder einmal Wilkis, bei der *Chicago Tribune* anzurufen, um auf diese Weise die Dinge durch eine Indiskretion ins Rollen zu bringen. Dieses Mal beteiligte sich auch Levine an den Telefongesprächen, selbstverständlich ohne seinen Namen zu nennen. Der daraus resultierende Zeitungsartikel übte auf die Familie Druck aus, den Prozeß zu beschleunigen. Als die Familie Ende September bekanntgab, daß sie einen Käufer für das Unternehmen suche, zumindest jedoch einen Großteil ihrer Aktien verkaufen wolle, veräußerte Levine sämtliche Searle Aktien und -Optionen für einen Kursgewinn von insgesamt 834 743 Dollar.

Als Levine seine Searle-Gewinne kassierte, war Reich wieder einmal ausgestiegen, oder zumindest glaubte er dies. Während des ganzen Sommers machten ihm Gewissenbisse wegen seiner Geschäfte mit Levine schwer zu schaffen. Er konnte die Situation nicht länger ertragen. Außerdem war die Ehekrise überwunden. Das Ehepaar Reich erwartete das zweite Kind. Jetzt war es an der Zeit, einen Schlußstrich zu ziehen.

Dennoch brachte es Reich nicht fertig, Levine diesen Entschluß ins Gesicht zu sagen. So nahm er das alte Spielchen wieder auf; er rief nicht zurück, wenn ihn Levine angerufen hatte, oder kam so spät zu einer Verabredung, daß Levine bereits gegangen war.

Den ganzen September lang bis Anfang Oktober wich er einer Konfrontation mit Levine aus. Er wußte genau, daß er das Unvermeidliche lediglich hinausschob, daß er das Versteckspiel endlich beenden und Levine sagen müsse, daß er endgültig aussteigen würde. Mitte Oktober verabredete er sich mit Levine zum Essen.

Sie trafen sich in einem Restaurant in der First Avenue in Midtown Manhattan und unterhielten sich, wie früher, zunächst über Familie und Job. Reich erzählte, daß er auf Grund seiner Leistungen bei verschiedenen Transaktionen mittlerweile glaube, zum Partner befördert zu werden. Er berichtete voller Begeisterung von einem juristischen Husarenstück, auf Grund dessen schließlich eine Partei, die auf SFN Aktien saß, diese herausrücken mußte, wodurch der Weg für eine erfolgreiche Übernahme frei wurde. Obwohl er erst seit fünf Jahren bei der Kanzlei arbeitete, war er nun zuversichtlich, bei der Beförderungsrunde Anfang November in den Kreis der Gesellschafter aufgenommen zu werden.

Levine berichtete über seine wachsende Frustration bei Shearson Lehman und wie weit er mit der Suche nach einem neuen Arbeitsplatz gediehen war. Er hatte positive Antworten von drei der angesehensten Investmentbanken erhalten, darunter Drexel Burnham Lambert, dem ›hottest house‹ an Wall Street. Bei Drexel sieht es gut aus, erzählte er, vielleicht würde er sogar als Managing Director eingestellt, einen Posten, den er ohnehin verdiente.

Als sie nach dem Essen die East Side hinunterspazierten, kam Reich auf den Grund ihres Treffens zu sprechen. Er sagte Levine, daß er nun endgültig aus dem Insider-Ring aussteigen würde. Er erzählte von seiner Angst, geschnappt zu werden, und von der entsetzlichen Vorahnung, die ihn jedesmal überkam, wenn er vertrauliche Informationen weitergab.

»Dennis, ich mache nicht mehr mit. Es war ein großer Fehler«, sagte er.

Zu Reichs großer Erleichterung nahm Levine diesen Entschluß ruhig hin, fast so, als ob er ihn erwartet hätte. Reich wurde klar, daß es wahrscheinlich auch so war. Schließlich hatte er seinen Freund wochenlang gemieden, und Levine war intelligent genug, um zu wissen warum.

Levine sagte wenig. »Auf deinem Konto sind jetzt 300 000 Dollar. Willst du denn dein Geld nicht haben?« fragte er.

»Auf keinen Fall. Ich fühle mich besser, weil ich nie Geld genommen habe«, erwiderte Reich.

Reich war erleichtert. Er glaubte, daß er endlich die Angstgefühle loswerden würde, die ihn über vier Jahre lang verfolgt hatten.

Sie gingen weiter nebeneinander her. Nach Levines Einschätzung stieg Reich aus einem anderen Grund aus. Er glaubte, Reich machte Schluß, weil er nun zum Partner avancieren würde und den Insider-Ring nicht mehr brauchte.

Levine hatte sich schon immer gewundert und auch ein wenig darüber amüsiert, daß Reich niemals Geld nahm. Er sagte sich, daß der Anwalt eines Tages auf etwas stoßen würde, was er unbedingt besitzen wollte, und dann seine Meinung über das Geld ändern würde. Doch wenn er jetzt Partner würde, hätte er keine finanziellen Sorgen mehr. Levine wußte, daß selbst ein frischgebackener Gesellschafter bei Wachtell-Lipton rund 500 000 Dollar pro Jahr verdient.

Levine drängte nicht darauf, daß sich Reich die Angelegenheit noch einmal überlegen solle. Vielleicht würde der Anwalt demnächst seine Meinung wieder ändern, wie er es schon einmal getan hatte. Levines Gedanken kreisten vor allem darum, wie er den Job bei Drexel Burnham bekommen konnte.

Obwohl Levine für Shearson Lehman Brothers viele neue Geschäfte akquiriert hatte und trotz der seiner Meinung nach guten Beziehung mit Peter Solomon, den Leiter von M&A, wurde Levine bei der Beförderungsrunde in diesem Sommer übergangen und nicht zum Managing Director ernannt. Solomon äußerte sich gegenüber Kollegen bei Shearson Lehman, daß er Lervine noch nicht für reif genug halte und daß er in abwicklungstechnischen Fragen noch immer Schwächen habe.

Wie damals bei Smith Barney war Levine völlig am Boden zerstört. Er nahm Kontakt zu Hadley Lockwood Inc., einer Personalvermittlung für Führungskräfte, auf, die sich nach einem neuen Arbeitsplatz für ihn umsehen sollte.

Wall Street erlebte zu dieser Zeit den Höhepunkt der größten Fusionswelle in der Geschichte. In einem solchen Umfeld war jemand mit Levines Referenzen und Kontakten »heiße Ware«. Positive Antworten kamen von drei Investmenthäusern. Das beste Angebot schien das von Drexel Burnham zu sein; Levine glaubte, daß er in dieses Institut gut passen würde.

Drexel Burnham Lambert war die Heimat der Piraten in Nadelstreifen.

Im Herbst 1984 war Drexel das berühmteste Investmentinstitut an Wall Street und eines der rentabelsten dazu. Das Haus symbolisierte die ungeheuren Kräfte, die Wall Street im Laufe des vergangenen Jahrzehnts umgestaltet hatten.

In einem Umfeld, in dem Investmentbanken zig Millionen Dollar Provisionen kassierten, war Drexel der schärfste Konkurrent von allen. Seine aggressiven Taktiken lösten bei der Konkurrenz Ärger, Furcht und Neid aus. Man beschwerte sich darüber, daß Drexel als Konsortialführer eine ungebührlich hohe Quote der Anleihen einbehielt, um sie bei der eigenen Kundschaft zu plazieren. Drexel wurde vorgeworfen, keinen Sinn für Tradition zu zeigen und die ungeschriebenen Gesetze der Wall Street zu verletzen.

Die Gesellschafter von Drexel gehörten zu den höchstbezahlten Investmentbankern. Das Institut war Inbegriff der Meritokratie, in der die Fähigkeit, ein Geschäft abzuschließen, wesentlich mehr galt und sich finanziell stärker auswirkte als das Diplom einer Elite-Universität. Die Firma warb viele hochintelligente junge Banker von der Konkurrenz ab, indem sie ungewöhnlich hohe Gratifikationen zahlte und Starruhm versprach.

Aber nichts rief bei der Konkurrenz mehr Aufruhr und Neid hervor als Drexels Dominanz im umstrittenen Junk Bond-Markt, und nichts illustriert besser, wie erfolgreich das Star-System funktionierte, als der Aufstieg des Mannes, unter dessen Leitung diese Dominanz zustandekam: Michael Milken.

Milken begann den Handel mit Junk Bonds Ende der sechziger

Jahre, als er nach seinem Studium an der Wharton School gerade bei Drexel angefangen hatte. Damals wurden als einzige Art von Junk Bonds die sogenannten Gefallenen Engel gehandelt, d. h. frühere Investment-Grade-Papiere, die inzwischen mit einem niedrigeren Rating belegt wurden, weil die Emittentin in Schwierigkeiten geraten war.

Milken erkannte ein neues Potential von Junk Bonds. Er trennte die aufsteigenden Unternehmen von den Verlierern, die die Rating Agencies alle in einen Topf geworfen hatten, und entwickelte einen Markt für hoch-rentierliche Junk Bonds mit erstaunlich niedriger Ausfallrate.

Er konnte eine breite Kundschaft davon überzeugen, daß sorgfältig ausgewählte Junk Bonds einen höheren Wert darstellen, als ihre Ratings glauben machen. Viele Anleger waren fasziniert von der Aussicht auf satte Renditen aus den hochverzinslichen Anleihen und füllten damit ihre Wertpapierdepots.

Es war nur noch ein kleiner Schritt, bis Drexel begann, an Milkens Kundenkreis von institutionellen und privaten Anlegern Junk Bonds zu verkaufen, die von »shell companies« emittiert wurden, um Kapital für freundliche und unfreundliche Übernahmekäufe aufzubringen. Damit änderte Drexel das ganze Finanzierungsgebaren. Denn die Junk Bonds traten mehr und mehr an die Stelle von Banken und Versicherungsgesellschaften als Primärquelle für die Finanzierung von Aufkäufen. Zu Drexels Hauptkunden gehörten die Firmenaufkäufer und spekulativ eingestellte Unternehmer. Sie veränderten die Unternehmenslandschaft in Amerika, indem sie mit Hilfe von Junk Bonds Jagd auf die größten Unternehmen des Landes machten.

Milken machte nicht nur Drexel berühmt, sondern wurde selbst ungeheuer reich. Er verdiente bei Drexel Riesensummen. Sein Jahresverdienst aus Gehalt und Leistungszulagen wurde auf 15 bis 25 Millionen Dollar geschätzt, wahrscheinlich das höchste Einkommen, das jemals an Wall Street gezahlt wurde. Außerdem erzielte er noch erhebliche Gewinne, indem er sich – was ziemlich ungewöhnlich war – in den meisten Transaktionen, die er betreute, selbst finanziell engagierte.

Daher war es nur natürlich, daß Drexel beim Ausbau ihrer bis dato kleinen M&A-Abteilung auf Einzelkämpfer und auf das System von Stars setzte.

Im Jahre 1984 bemühte sich Drexels Geschäftsleitung, die Firma zu einer vollen Investmentbank auszubauen. Zu diesem Zeitpunkt kamen die riesigen Gewinne vor allem aus dem Junk Bond-Geschäft. Nun versuchte das Unternehmen, die besten Leute von anderen Instituten abzuwerben, um den Rentenhandel, Warenterminge-schäfte und andere Bereiche aufzustocken.

In diesem Sommer traf sich die Unternehmensspitze zu einer Klausursitzung, um Ideen zu diskutieren, wie Drexel einen größeren Marktanteil im lukrativen M&A-Geschäft erreichen konnte. Zu den Teilnehmern gehörten Frederick Joseph, Präsident und Geschäftsfüh-rer, Herbert Bachelor, Executive Vice President und Leiter des Konsortialgeschäfts, sowie David Kay, Leiter von M&A.

Die Spitzenmanager kamen zu dem Schluß, daß es zwei Möglich-keiten gab, Drexel schnell in M&A groß zu machen: entweder einen Star von einem anderen Institut abzuwerben oder einen in den eigenen Reihen heranzuziehen.

Kay, der 1978 bei Drexel eingetreten war, um dort eine M&A-Einheit aufzubauen, machte sich besonders stark für die Idee, einen »Star« einzukaufen, wodurch seine Einheit schnell Profil gewinnen würde. Er fand Unterstützung bei Joseph, dem Sohn eines Taxifah-rers aus Boston, der sich innerhalb von zehn Jahren vom Leiter der Abteilung Investment Banking zum CEO (Geschäftsführer) bei Drexel hochgearbeitet hatte.

Sie machten eine Aufstellung aller M&A-Persönlichkeiten an Wall Street, dazu gehörten beispielsweise Eric Gleacher von Morgan Stanley, Bruce Wasserstein von First Boston Corporation und Martin Siegel von Kidder, Peabody & Co. Als Kay und Joseph die Liste durchgingen, wurde ihnen bewußt, daß Drexel den betreffenden Bankern wenig bieten konnte. Alle verdienten mehr als eine Million Dollar pro Jahr und alle arbeiteten für Institute, die im M&A-Bereich ein wesentlich höheres Ansehen genossen als Drexel.

Daher nahmen sie die andere Überlegung nochmals auf und beschlossen, einen erfolgversprechenden jungen M&A-Spezialisten einzustellen und aus ihm einen Star zu machen.

Im Spätsommer kreuzten sich Drexels Suche nach einem poten-tiellen Star und Levines Bemühen, ein Institut zu finden, in dem er zum Star aufsteigen konnte. Kay und Joseph nahmen Verhandlungen mit Levine auf, die sich über mehrere Wochen hinzogen.

Der Lebenslauf, den die Personalvermittlung Hadley Lockwood Ende Oktober an Drexel schickte, zeigte, wie Levine sich selbst und seine Karriere einschätzte, denn Hadley hatte ihn auf der Basis von Levines eigenen Angaben geschrieben. Unter anderem stand darin: »Dennis sieht sich als ein Mann, dessen Lieblingsbeschäftigung zwei Dinge sind: Geschäfte abzuschließen und Geld zu verdienen. Seine außergewöhnlichen Erfolge in der Akquisition haben sich bei Lehman Brothers nicht im selben Maß finanziell niedergeschlagen. 1984 betrug sein Grundgehalt 75 000 Dollar, die Gewinnbeteiligung rund 100 000 Dollar. Als er von der fusionierten Shearson Lehman/American-Express Gruppe den Bonus für 1984 erhielt, zeigte sich, daß man die ursprüngliche Summe als zu niedrig erachtete. Am 10. Oktober 1984 bekam Dennis eine Gewinnbeteiligung von etwas mehr als 500 000 Dollar ausgehändigt. Außerdem wurde er zum Senior Vice President ernannt. Ende 1984/ Anfang 1985 soll er zum Managing Director befördert werden.«

Der Lebenslauf enthielt eine Auflistung von Levines wachsenden Aufgabenbereichen bei Shearson Lehman Brothers; ferner wurde aufgezeigt, welche Schwierigkeiten damit verbunden waren, Levine abzuwerben.

»Da Dennis sein Studium an Colleges absolvierte, aus denen normalerweise keine Investmentbanker hervorgehen, mußte er sich seinen Weg mühselig nach oben bahnen, um in die major-bracket-Institute zu gelangen. Dadurch wurde er so etwas wie ein »workaholic«, der nur ganz kurzfristig einen Termin für ein Bewerbungsgespräch ausmacht und selbst dann oft absagen muß. Dennis wird allerdings nur ein Gespräch führen, wenn er überzeugt ist, daß das Angebot von Drexel Burnham deutlich besser ist als seine Position beim jetzigen Arbeitgeber; er wechselt nicht gern den Arbeitsplatz und ist ein ausgesprochen loyaler Mitarbeiter.«

Im Lebenslauf, der speziell auf Drexel umgemünzt wurde, stand außerdem, daß das Umfeld bei Drexel »auf Dennis' offensives Akquisitionstalent und seine Fähigkeit, Neugeschäft zu generieren, zugeschnitten zu sein scheint«.

Levine erwies sich in den Gesprächen mit Kay und Joseph als zäher Verhandler. Er erzählte, er sei »begeistert« gewesen von der traditionsreichen Atmosphäre, die bei Lehman Brothers herrschte, als er dort eintrat. Doch hielt er die Fusion mit Shearson/American Express für einen »Ausverkauf, der ihn um seine Zukunft betrog«. Obwohl er seine Zukunft beim jetzigen Arbeitgeber rosig sah, hatte der dennoch das Gefühl, zu einem anderen Institut gehen zu müssen, weil er nicht sicher war, ob Shearson Lehman Brothers überleben würde.

Drexel holte über Levine an Wall Street vertraulich und inoffiziell Auskünfte ein, die nichts Negatives ergaben. Joseph Flom und Marty Lipton, zwei in ganz Amerika hoch angesehene Anwälte für Übernahmefälle, gaben auf Befragen Levine hervorragende Bewertungen. Dasselbe taten auch einige Investmentbanker.

Bei David Kay fand Levine am meisten Unterstützung, denn Kay sah in ihm das, was er als »Befähigung zum Star« bezeichnete. Seiner Meinung nach besaß Levine ein für sein Alter ungewöhnliches Maß an Selbstsicherheit und Präsenz. Er spürte in Levines Ehrgeiz die Fähigkeit, die eigene Dynamik und seinen Enthusiasmus auf einen zögerlichen Kunden zu übertragen und aus schwelender Glut ein Geschäft zu entfachen.

»Er zeigte sich sehr versiert, wie eine Transaktion durchgeführt werden muß und wie man sie überhaupt einfädeln kann«, erinnerte sich Kay später. »Er hatte ein gutes Gefühl für ein Geschäft, einen Sinn für das Potential. Wir glaubten, daß er genau die richtige Einstellung hatte, um bei Drexel zu reüssieren.«

Levines Zeugnisse rechtfertigten Kays Haltung. Mit jedem neuen Arbeitsplatz war ihm größere Verantwortung übertragen worden, und er schien gute Leistungen zu bringen. Im letzten Jahr bei Shearson Lehman Brothers hatte er eine Schlüsselrolle bei großen Transaktionen gespielt, das war genau die Art von Geschäften, die Kay für Drexel Burnham suchte.

Levine hatte in seiner Investmentbank-Karriere in der Tat einen weiten Weg zurückgelegt seit seinen ersten frustrierenden Versuchen, die Hürde Baruch College zu überwinden. Nicht der geringste Hinweis darauf war mehr sichtbar in seinen höflichen Umgangsformen und der tadellosen Art, wie er sich kleidete. Es schien, als wollte er vermeiden, daß jemand aus einer Nachlässigkeit in Benehmen oder Auftreten auf die Unzulänglichkeiten seiner Herkunft schließen könnte.

Als Drexel Levines Reputation an Wall Street überprüfte, gab es weder Getuschel über seine Schwächen in der Abwicklungstechnik, noch hörte man negative Äußerungen über Levines bemerkenswerte

Fähigkeit, wertvolle Informationen auszugraben. Im Gegenteil: Seine Geldgier, Antriebskraft für seine illegalen Geschäfte, brachte ihm sogar in seiner Karriere noch Pluspunkte ein. Kollegen priesen in den höchsten Tönen, wie schnell er Informationen aufspürte, wie viel er wußte und wie oft seine Hinweise zu Abschlüssen mit neuen Kunden führten.

Ende Dezember waren sich Levine und Drexel einig. Am 9. Januar 1985 schickte David Kay einen Arbeitsvertrag an Levine; er sollte am 4. Februar anfangen.

Levine sollte einer von fünf Managing Directors sein. Sein Grundgehalt wurde auf 140 000 Dollar festgesetzt, mit einer garantierten Leistungszulage von mindestens 750 000 Dollar im Jahr 1985. Sofort bei Arbeitsbeginn konnte er sich auf den Bonus bis zu 200 000 Dollar Vorschuß geben lassen. Er sollte 1 000 Drexel Burnham Aktien im Wert von rund 100 000 Dollar erhalten.

Kay schrieb noch einen Schlußsatz darunter: »Dennis, wir sind alle sehr angetan von Ihrer Entscheidung, in unser Institut einzutreten, und freuen uns, Sie bald bei uns begrüßen zu können.«

Um Levine einstellen zu können, zahlte Drexel Burnham insgesamt rund 267 000 Dollar an die Personalagentur für Führungskräfte, Hadley Lockwood. Niemand hatte auch nur die geringste Ahnung, wieviel der neue Star die Investmentfirma im Endeffekt kosten würde.

Am 28. Januar, also nach seinem Ausscheiden bei Shearson Lehman und bevor er bei Drexel Burnham anfing, machte Levine einen Abstecher auf die Bahamas, um 150 000 Dollar von seinem Konto bei Bank Leu abzuheben.

9. Kapitel

Leichtes Geld

Das Apartment der Coastal Corporation befand sich im 38. Stock der United Nations Plaza Towers. Durch die deckenhohen Fenster hatte man einen weiten Blick nach Norden und Westen über die Skyline von Manhattan. Doch das halbe Dutzend Männer, die an einem Sonntagabend im Februar 1985 dort saßen, interessierten sich nicht für den Blick. Sie berieten über die Strategie für einen geheimen Zwei-Milliarden-Dollar-Plan mit dem Decknamen »Möwe«. Die Männer, die an diesem 17. Februar die Köpfe zusammensteckten, waren keine Verschwörer aus einem billigen Spionageroman. Vielmehr handelte es sich um Spitzenmanager der Coastal Corporation, einer bedeutenden Gas- und Ölexplorationsfirma mit Sitz in Houston, und ihren Investmentbankern von Drexel Burnham Lambert. Geheimhaltung war für sie allerdings genauso wichtig wie für jeden Spion.

Unter dem Decknamen Möwe verbarg sich Coastals Geheimplan, American Natural Resources, ein kleineres Erdgasunternehmen, zu übernehmen. Sollten Informationen über diesen Übernahmeversuch an die Öffentlichkeit dringen, würde der Kurs der ANR-Aktie und damit der von Coastal zu zahlende Preis steigen. Die Leute an Wall Street und die Industriemanager hatten dieses Phänomen in den vergangenen Monaten nur allzu häufig beobachtet.

Manager und Banker konnten nicht ahnen, daß ihr Geheimhaltungsplan durch eine Person in ihrer Runde bereits zum Scheitern verurteilt war.

Dennis Levine fing bei Drexel Burnham Lambert am 4. Februar an, einem Montag. Er erhielt ein mittelgroßes Büro mit Glaswänden in der Fusions- und Übernahmeeinheit. Es befand sich im achten Stock der Drexel Zentrale in 55 Broad Road, zwei Häuserblocks von der New Yorker Börse entfernt.

David Kay und Fred Joseph hatten beschlossen, daß sie ihren neuen

Star am ehesten bekannt machen könnten, wenn sie ihn gleich auf die teuerste Kauftransaktion ansetzten, die zu dieser Zeit bei Drexel Burnham in Bearbeitung war, nämlich Coastals zwei Milliarden schwerer Versuch, American Natural Resources zu kaufen. Nach Abschluß der Transaktion wäre dieses Geschäft in aller Munde, und ein perfektes Debut für Levine wäre damit gelungen.

David Arledge, Coastals Senior Vice President für Finanzen, hatte bereits Anfang Januar mit Drexel Burnham wegen der Übernahme von ANR Kontakt aufgenommen. In New York traf er sich mit Joseph und John Sorte, einem leitenden Direktor in Drexel Burnhams M&A-Bereich. Beide versicherten dem Besucher, daß Drexel Burnham hocherfreut wäre, das Finanzierungspaket für diese Transaktion zusammenzustellen.

Im Laufe desselben Monats trafen sich die drei Männer zu Vorgesprächen, zunächst bei Drexel Burnham, später in Coastals Apartment im UN Plaza Towers-Gebäude, einem luxuriösen Apartmenthaus, das mit dem UN-Plaza-Hotel verbunden ist und schräg gegenüber von den Vereinten Nationen liegt. Die Gespräche wurden in das Apartment verlegt, um zu vermeiden, daß durch wiederholte Besuche der Coastal Spitzenmanager bei Drexel Gerüchte über eine geplante Übernahme aufkämen.

Am 11. Februar erklärte Arledge Sorte telefonisch, daß die Geschäftsleitung von Coastal die Grundlage für eine All-cash-Offerte in Höhe von 60 Dollar pro Aktie schaffen wolle. Arledge wies darauf hin, daß die Mittel in kurzer Zeit aufgebracht und ANR aus dem Markt gehalten werden müsse, um einen Kursanstieg zu verhindern, der die ganze Transaktion zu teuer machen würde.

Sorte antwortete, daß 60 Dollar pro ANR-Aktie weit genug über dem derzeitigen Kurs liege. Er sei überzeugt, daß das Geld schnell und ohne Aufsehen zusammengebracht werden könne. Im übrigen würde er bei der Transaktion tatkräftig vom neuen Managing Director im M&A-Team, Dennis Levine, unterstützt.

Sorte legte den Telefonhörer auf und erläuterte Levine, der während des Telefongespräches ihm gegenüber gesessen hatte, die Transaktion. Levine war vom Erfolg der Transaktion überzeugt, insbesondere weil es ein Bargeldangebot zu 60 Dollar pro Aktie sein sollte.

Drei Tage später führte er ein R-Gespräch mit Bernhard Meier von der Bank Leu. Er beauftragte ihn, so viele Aktien der American Natural Resources zu kaufen wie nur möglich. Er schärfte Meier ein, vorsichtig vorzugehen und die Käufe unter den Börsenmaklerfirmen zu streuen. Am nächsten Tag rief er wieder bei Meier an und fragte nach seinem Kontostand. Als Levine hörte, daß es nahezu 7,3 Millionen Dollar waren, beauftragte er Meier, den gesamten Betrag in ANR Aktien zu investieren.

»Das ist ein todsicherer Gewinner«, erklärte er Meier.

Am Tag, an dem Levine telefonisch Meier mit dem Aktienkauf beauftragte, landeten Arledge und zwei weitere Coastal-Spitzenmanager, James Whalen und Austin O'Toole, in New York, um am Wochenende mit dem Drexel Burnham-Team das weitere Vorgehen zu besprechen. Levine nahm am Samstag nicht teil, kam aber am Sonntag zu den Besprechungen in das Coastal-Apartment. Man diskutierte über die Finanzierung durch ein Konsortium aus arabischen, Schweizer und kanadischen Banken.

Levine sagte am Anfang wenig, doch als der Finanzierungsplan Formen annahm, schaltete er sich mehr und mehr in die Diskussion ein. Er äußerte sich über den Zeitpunkt der Bekanntmachung und über mögliche Gegenmaßnahmen, die ANR zur Abwehr des Übernahmeversuchs ergreifen könnte.

Er erläuterte Arledge, daß er in aller Stille sein Informationsnetz angezapft habe, um festzustellen, wer größere Aktienpakete von ANR hält, und zu sondieren, ob diese Anleger verkaufen würden, wenn Coastal ihre Übernahmeaktion starten würde. Levine wies darauf hin, daß Arbitragehändler bereits im Januar begonnen hätten, ANR Aktien zu kaufen, was für Coastal positiv ist. Privatanleger erwerben Aktien in der Regel als langfristige Anlage und verkaufen nicht so schnell, wenn ein fremdes Unternehmen ein Übernahmeangebot macht. Befinden sich dagegen größere Aktienpakete im Besitz von Arbitragehändlern, erleichtert dies normalerweise eine friedliche Übernahme, weil sie ihre Aktien in aller Regel an den Meistbietenden abgeben.

Levine fuhr fort, er habe festgestellt, daß unter den Arbitragehändlern, die sich in den vergangenen Tagen intensiv in ANR Aktien engagiert hatten, auch Ivan F. Boesky sei, einer der reichsten Aktienspekulanten in Amerika.

Am 1. März traf Coastal die letzten Vorbereitungen für die

öffentliche Bekanntgabe des Übernahmeangebots. Levine versicherte Arledge, daß er vom Erfolg der Transaktion überzeugt sei, denn 60 Dollar pro Aktie sei ein gutes Angebot.

American Natural Resources wehrte sich gegen den Übernahmeversuch, indem sie zwei Millionen eigene Aktien aus dem Markt nahmen und zur Finanzierung des Kampfes Vermögenswerte veräußerten. Erst Ende Mai kam es zwischen beiden Unternehmen zu einer Einigung, so daß Coastal den Aufkauf von ANR beenden konnte. Letztendlich mußte Coastal 65 Dollar pro Aktie zahlen; die Gesamtkosten hatten sich von ursprünglich gut 2 Milliarden auf 2,45 Milliarden Dollar erhöht. Durch den frühen Einstieg der Arbitragehändler in ANR-Aktien ging der Kurs nach oben. Entsprechend hohe Kursgewinne erzielten sie, als sie die Aktien wieder veräußerten. Keiner verdiente dabei mehr als Ivan Boesky. Als die Übernahme schließlich stattfand, besaß er 9,9 Prozent am ANR-Aktienkapital; damit erzielte er Kursgewinne in Höhe von drei bis vier Millionen Dollar.

Die starke Umsatztätigkeit in ANR-Aktien kurz vor Bekanntgabe des Übernahmeangebotes wurde im Überwachungssystem der New Yorker Börse registriert und der SEC gemeldet. Diese begann am 13. März mit einer Voruntersuchung, ob es sich in diesem Fall möglicherweise um Insider-Geschäfte handelte, konnte aber keine ausreichenden Beweise finden, um eine offizielle Untersuchung einzuleiten. Für Levine, der seine 145 000 ANR-Aktien am 4. März mit einem Kursgewinn von annähernd 1,4 Millionen Dollar verkauft hatte, bedeutete dieses Geschäft das Ende des ersten Aktes in Drexels Strategie, ihn zum Star zu machen. Der Vorhang zum zweiten Akt öffnete sich im Reich der echten Stars, in Los Angeles.

Zur Tagung über hoch-rentierliche Junk Bonds, die Drexel jedes Jahr im Frühling durchführte, kamen die führenden Übernahme-Spezialisten, Arbitragehändler, Fondsverwalter und Spitzenmanager aus ganz Amerika. Auf dem Programm der viertägigen Konferenz standen Podiumsdiskussionen über aktuelle Ereignisse und ausführliche Präsentationen über Finanzierungsfragen. Für Unterhaltung sorgten Showstars wie Frank Sinatra und Dolly Parton.

Der eigentliche Grund, warum in jedem Frühjahr rund 2000 Menschen diese Konferenz besuchten, war Michael Milken. Seine mitreißenden Reden über die Stärke der Junk Bonds verliehen der Konferenz mitunter die Aura religiöser Erweckungsversammlungen.

Die Jahrestagung 1985 fand vom 26. bis 30. März im Beverly Hills Hotel statt. Levine kam zum ersten Mal in seiner neuen Position als Drexel Managing Director. Er sonnte sich im Glanz seines beruflichen Erfolges, zu dem auch das Coastal-ANR-Geschäft beigetragen hatte.

Zu den Referenten der Tagung gehörte auch Sir James Goldsmith, jener anglo-französische Finanzier, der zu dieser Zeit vielleicht der ausgefuchsteste und weitsichtigste Übernahmespezialist war, den es gab.

Er stammt aus einer alten, reichen Familie, hatte es aber aus eigener Kraft zum Multimillionär gebracht. Er besitzt einen englischen und einen französischen Paß, sein Vater war Mitglied des britischen Parlaments, seine Mutter stammte aus der Auvergne. Er wurde 1933 in Paris geboren, doch floh seine Familie nach Ausbruch des Zweiten Weltkriegs aus Frankreich und schickte den jungen James zur Ausbildung nach Eton. Ohne ein Hehl daraus zu machen, führt er ein Doppelleben mit Ehefrau und Kindern in Paris und einer Geliebten und zwei gemeinsamen Kindern anderswo.

Im Frühjahr 1985 besaß er ein Haus in New York und eines in Paris, einen Landsitz in England und einen Bauernhof in Spanien. Er war Drahtzieher eines umfangreichen Netzes von Holding-Gesellschaften in England, Frankreich und den Vereinigten Staaten, die von Diätnahrung, Schokolade, Schnupftabak und Lebensmittelketten bis zum auflagenstärksten französischen Nachrichtenmagazin, *L'Express*, und einer belgischen Wochenzeitschrift reichten.

Sein Imperium war größtenteils durch feindliche Aufkäufe entstanden. Die Übernahme fand häufig über die Générale Occidentale statt. Er benutzte dieses Unternehmen, um Diamond International – insbesondere wegen seiner Waldbestände – aufzukaufen, und auch, als er Übernahmeattacken gegen zwei weitere Holzverarbeiter St. Regis und Continental Group, startete, die allerdings erfolglos blieben.

Er war nicht nur deshalb zur Junk Bond-Tagung nach Los Angeles gereist, um dort seine Ansichten über die Zukunft der amerikanischen Wirtschaft darzulegen, die er für aufgeblasen und bürokratisch hielt. Er wollte sich auch mit Drexel-Mitarbeitern über den im

Dezember begonnenen Übernahmeversuch eines weiteren Unternehmens aus der holzverarbeitenden Industrie, Crown Zellerbach, beraten.

Am Abend des zweiten Konferenztages, also am 27. März, traf sich Sir James mit drei Übernahme-Spezialisten von Drexel, G. Chris Anderson, Douglas McClure und Dennis Levine, um über den Fortgang des feindlichen Übernahmeversuches zu diskutieren.

Seit Dezember hatte Sir James 8,6 Prozent des Aktienkapitals von Crown Zellerbach für insgesamt 78 Millionen Dollar aufgekauft. Eine Woche vor der Drexel-Tagung hatte er eine Besprechung mit William Creson, dem Vorstandsvorsitzenden von Crown, dem er erklärte, daß er 51 Prozent des Aktienkapitals aufzukaufen gedenke. Creson erwiderte, daß das Unternehmen eine Übernahme durch Sir James vehement ablehne, denn dieser habe nach der Übernahme von Diamond International Aktiva des Unternehmens verkauft und dabei Millionen erwirtschaftet. Außerdem habe er sich teuer dafür bezahlen lassen, daß er die Übernahmeversuche von St. Regis und Continental gestoppt habe.

Nach dieser Abfuhr von Creson beschloß Sir James, eine feindliche Übernahmeofferte von Crown-Aktien zu starten. In der Sitzung mit Levine, Anderson und McClure sollten Vorgehensweise und Preisgestaltung des geplanten Barangebots besprochen werden.

Am nächsten Morgen führte Levine von seinem Zimmer Nr. 289 im Beverly Hills Hotel ein R-Gespräch mit Bank Leu. Da Meier auf Urlaub in der Schweiz war, sprach Levine mit Bruno Pletscher. Obwohl Gerüchte über Goldsmiths Absichten den Kurs der Crown Aktien bis zum 28. März bereits auf 40 Dollar pro Stück getrieben hatten, glaubte Levine, daß Sir James mit seinem Angebot durchaus höher gehen würde. Daher beauftragte er Pletscher, für vier Millionen Dollar Crown Zellerbach Aktien zu kaufen.

»Hier wird eine Transaktion vorbereitet«, fügte er hinzu.

Auf seiten von Drexel wurde Levine mit der Leitung der Übernahmetransaktion betraut. In den folgenden Wochen stand er Sir James und dessen Spitzenmanagern mit Rat und Tat zur Seite, während Crown Abwehrstrategien gegen den unerwünschten Freier verfocht. Goldsmith und das Unternehmen bekämpften sich bis aufs Messer, und beide Parteien stellten Strafantrag über die vom Gegner angewendeten Mittel.

Anfang April setzte Crown die sogenannte »poison-pill«-Abwehrmaßnahme gegen das Übernahmeangebot ein: Crown gab Gratisbezugsrechte aus, um das Aktienkapital des Unternehmens zu verwässern, falls Goldsmith tatsächlich die Aktienmehrheit bekommen sollte. Dadurch würde Crown als Übernahmekandidat an Attraktivität verlieren und Goldsmith möglicherweise deshalb seinen Plan aufgeben.

Am 24. April erfuhr Levine, daß Crown die äußerste aller Abwehrmaßnahmen ergriffen hatte: Mead Corporation, ebenfalls in der Papierverarbeitung tätig, würde Crown im Rahmen eines einvernehmlichen »white-knight«-Angebotes übernehmen. Das Angebot von 50 Dollar pro Aktie, oder insgesamt 1,4 Milliarden Dollar sollte am nächsten Tag vom Verwaltungsrat von Mead und Crown verabschiedet werden.

Levine rief Bank Leu an und sprach wiederum mit Pletscher.

»Es ist ein sehr kurzfristiges Geschäft«, sagte er zu Pletscher. »Kaufen Sie so schnell wie möglich.«

An diesem Nachmittag und am nächsten Morgen kaufte Pletscher für Levine weitere Crown Aktien im Wert von 200 000 Dollar. Er kaufte für sich selbst für 12 000 Dollar und rief Meier an, der noch Urlaub in der Schweiz machte, ob er einsteigen wolle. Meier verneinte, weil er nur dann kaufte, wenn er die Kursentwicklung am Bildschirm verfolgen konnte.

Spät abends rief George Lowy, Partner in der New Yorker Anwaltskanzlei Cravath Swaine & Moore, Goldsmith in seinem Haus in New York an, um ihm mitzuteilen, daß Lowys Mandant Mead Corporation ein freundliches Übernahmeangebot für Crown plane. Lowy fügte hinzu, daß er dieses Angebot gern mit Sir James besprechen würde, woraufhin ihn dieser bat, ihn am nächsten Morgen in seinem Haus in der East 80. Straße aufzusuchen.

Goldsmiths Stadtdomizil zeigt den Luxus eines der reichsten Männer der Welt. Die Auffahrt ist mit Marmor ausgelegt, im Haus stehen überall alte französische Möbel, an den Wänden hängen Tapeten aus Seidendamast.

Kurz vor 10.00 Uhr traf Lowy zur Besprechung mit Sir James und dessen Stab ein; dazu gehörten Roland Franklin, einer seiner engsten Berater, mehrere Anwälte und eine Handvoll Bankfachleute von Drexel, darunter Levine.

Zur selben Zeit tagte der Verwaltungsrat der Mead Corporation in Dayton, wo das Unternehmen seinen Hauptsitz hatte. Auf der Tagesordnung stand unter anderem die Beschlußfassung über die Übernahme von Crown Zellerbach.

Mittlerweile gehörten dem Arbitragehändler Ivan Boesky 7,4 Prozent des Crown-Aktienkapitals. Nach Meinung der Anwälte von Mead würde Boesky seine Aktien ganz sicher zu einem Kurs von 50 Dollar pro Stück abgeben. Daher konzentrierte sich ihr Bemühen darauf, Goldsmith dazu zu bringen, daß er seine 19 Prozent Aktienkapital ohne eine gerichtliche Auseinandersetzung oder ein teures Meistbietungsverfahren verkaufen würde. Aus Meads Sicht machte die ganze Transaktion nur Sinn, wenn Goldsmith mitzog.

Levine und die übrigen Teilnehmer blieben unten, als Lowy, Sir James, Franklin und Blaine Fogg, einer von Goldsmiths Anwälten, in einen Salon im ersten Stock gingen. Lowy erläuterte, daß sich Mead und Crown auf eine freundliche Übernahme zu 50 Dollar pro Aktie geeinigt hätten, und daß das Unternehmen mit Sir James eine Einigung über den Kauf von dessen Crown Aktien erzielen wolle. Goldsmith meinte, obwohl er die Kontrolle über Crown gewinnen wolle, würde er nicht 50 Dollar pro Aktie zahlen. Dies sei, so fügte er hinzu, ein zu hoher Preis für ihn.

Man einigte sich auf den Verkauf der Aktien an Mead und verhandelte zwei Stunden lang bis zum Mittagessen über die Einzelheiten dieser Transaktion.

Beim Essen sprach Goldsmith über amerikanisches Business, französische Kultur und Politik. Dabei erwies er sich als charmanter, wortgewandter Gastgeber. Die meisten Leute halten Goldsmith für konservativer als selbst die Rechtsparteien in Europa, und während des Essens klagte er auch bitter über den Zustand der sozialistischen Regierung in Frankreich.

Kurz vor dem Dessert wurde Lowy zum Telefon gerufen. Einer seiner Partner, der an der Verwaltungsratssitzung von Mead in Dayton teilgenommen hatte, wollte ihn sprechen.

Die Unternehmensspitze von Mead hatte bisher niemanden im Hause über die Verhandlungen mit Crown informiert. Allerdings waren sie davon ausgegangen, daß der Verwaltungsrat der Transaktion zustimmen würde. Statt dessen hatte der Verwaltungsrat den Vorschlag abgelehnt. Mead war gerade dabei, sich von der Flaute zu erholen, die die gesamte papierverarbeitende Industrie im Jahre 1982 erfaßt hatte. Der Verwaltungsrat wollte nicht noch weiteres Fremdkapital für die Übernahme von Crown aufnehmen. Nach dem Telefongespräch war Lowys erster Gedanke, wie er das Haus verlassen könnte, ohne nochmals in das Speisezimmer zurückkehren zu müssen. Als er es schließlich betrat, sagte er zu Goldsmith und den Gästen: »Sie werden mir keinen Nachtisch anbieten. Der Verwaltungsrat hat die Transaktion nicht genehmigt.«

Sir James äußerte sein Mißfallen. Nun würde er seinen ursprünglichen Plan weiterverfolgen, nämlich Crown kaufen. Doch ihm und Franklin fiel auf, wie heftig Levine auf die Nachricht reagierte, daß Mead sein Angebot zurücknehmen wollte. Levine wurde aschfahl im Gesicht.

Das Mittagessen endete ziemlich abrupt. Goldsmith und Franklin machten sich darüber Gedanken, warum Levine der Zusammenbruch der Transaktion so mitnahm. Sie gingen davon aus, daß er eine große Zahl von Crown Aktien besaß. »Er wollte so schnell wie möglich zu seinem Broker«, sagte Goldsmith scherzhaft zu Franklin.

Das Ganze war für Levine alles andere als ein Scherz. Kaum hatte er das Haus verlassen, ging er in die nächste Telefonzelle, um Pletscher anzurufen.

»Die Transaktion ist abgeblasen. Verkaufen sie so schnell wie möglich!« erklärte er seinem Banker.

Noch am selben Tag verkaufte Pletscher Levines gesamten Crown-Bestand und erzielte dabei einen Kursgewinn von gerade 82 000 Dollar. Er verkaufte auch seine eigenen 300 Aktien und kam plus minus Null heraus. Am 25. Juli erreichte Goldsmith bei Crown Zellerbach die absolute Mehrheit; bei Börsenschluß an diesem Tag notierte die Aktie mit 38,25 Dollar.

Damit war zum ersten Mal eine »poison-pill«-Verteidigungsstrategie wirkungslos geblieben. In einem von Drexel verfaßten Kommentar hieß es, die Transaktion war ein »überzeugender Erfolg« und weitgehend Levines Beratung zum taktischen Vorgehen zu verdanken.

Während der ersten Monate von Levines Tätigkeit bei Drexel hatte Wilkis den Eindruck, daß sein Freund geradezu berauscht von seinem neuen Job war. Pausenlos prahlte er mit seinen Erfolgen und seinen reichen Freunden Jimmy Goldsmith und Ivan Boesky.

»Sie finden mich toll«, erzählte Levine überschwenglich seinem Freund Wilkis, als er von der Junk Bond-Konferenz zurückkam und sie sich zum Abendessen trafen. Euphorisch rief er aus: »Ich bin kein Banker. Ich bin ein Genie!«

Nur wenige Tage später rief Levine ziemlich erregt gegen Mitternacht bei seinem Freund zu Hause an und erklärte ihm, er müsse ihn unbedingt sprechen. Sie verabredeten sich am Museum of Natural History, Central Park West, nicht weit von Wilkis' Wohnung. Als sich die beiden Männer kurze Zeit später trafen, beklagte sich Levine bitter, daß seine Frau ihn zutiefst beleidigt habe.

»Sie hat meine Karriere durch den Dreck gezogen«, regte sich Levine auf. »Ich schmeiß' die dumme Gans raus. Wahrscheinlich kostet mich das eine Million Dollar. Aber ich werde mir eine Frau suchen, die meiner Position würdig ist. Und wenn das nicht klappt, werde ich mir eben eine Geliebte zulegen.«

David Kay, Fred Joseph und die anderen Spitzenmanager von Drexel Burnham waren von Levines Arbeit bei der Coastal- und der Crown Zellerbach-Transaktion begeistert. Beide Übernahmen hatten an Wall Street viel Aufsehen erregt und dem aufsteigenden Stern von Drexel Burnham Gelegenheit zur Profilierung gegeben.

Bei Drexel ging man davon aus, daß Levine mit steigendem Bekanntheitsgrad mehr und mehr Großgeschäft akquirieren würde. Damit könnte Drexels M&B-Bereich dieselbe marktbeherrschende Position erreichen, die das Haus im Junk Bond-Markt einnahm. Schließlich lief beides Hand in Hand: Ein aggressiver Firmenaufkäufer, der Drexel für die Finanzierung dieses Geschäfts rekrutierte, würde die M&A-Experten des Instituts anheuern, um die Übernahme durchzuführen. Damit würden Drexels Provisionseinnahmen steigen.

Levine galt nicht nur als Top-Akquisiteur; er kultivierte auch die Rolle eines Mentors der jungen Mitarbeiter im M&A-Bereich. Die Hochschulabsolventen, die von den Harvard, Stanford und Wharton Business Schools kamen, trafen sich regelmäßig in seinem glasverkleideten Büro, »um zu lernen, wie man's macht«.

Im Jahre 1985 drängte es bereits so viele der besten Business School-Absolventen in den Investmentbanking-Bereich, daß die Elite-Universitäten befürchteten, durch die Konzentration von Talent an Wall Street könnten möglicherweise der amerikanischen Industrie nicht mehr genügend Spitzenkräfte zur Verfügung stehen.

Beispielsweise gingen traditionell jedes Jahr 14 bis 15 Prozent der Absolventen der Harvard Business School ins Investmentbanking. 1984 waren es bereits 10 Prozent, und 1985 fingen sage und schreibe 28 Prozent der Absolventen bei Investmenthäusern an. Im Frühjahr desselben Jahres führte ein Drittel der Yale-Universitätsabgänger Bewerbungsgespräche bei der First Boston Corporation.

Warum Wall Street auf so viele Business School-Absolventen wie ein Magnet wirkte, lag größtenteils an dem enormen Anstieg der Handelsaktivitäten, der Fusionen und Übernahmen, zum Beispiel in Form von Leveraged Buy-Outs und anderer Geschäftsarten der Investmentbanken. 1980 betrugen die Erträge der 20 größten Investmenthäuser zusammen 10,9 Milliarden Dollar; Ende 1985 beliefen sie sich auf annähernd das Dreifache, nämlich 28,8 Milliarden.

Unter den angesehensten Instituten herrschte scharfe Konkurrenz um neue Mitarbeiter zur Bewältigung der zahlreichen Geschäfte. Dieser Konkurrenzdruck manifestierte sich in hohen Gehältern für Hochschulabsolventen. Ein frisch gebackener M&A von Harvard konnte gut und gern mit einem Anfangsgehalt und garantierter Zulage von 75 000 bis 100 000 Dollar rechnen. Im Alter von dreißig Jahren verdiente er oder sie dann leicht eine halbe Million.

Dieses Geld wurde in Porsches und BMWs umgesetzt, in Luxuswohnungen in East Side Manhattan und in Sommerhäuser in den Bergen von Hampton. Allerdings fehlte die Zeit, um den materiellen Wohlstand zu genießen. Das Investmentbanking der achtziger Jahre war kein Job für Freizeitmaximierer.

Überstunden gehörten zum normalen Arbeitstag, und bei den Vorbereitungsarbeiten für eine Unternehmensübernahme war auch eine 100-Stunden Woche nichts Anormales. Das Tempo war atemberaubend. Nächtliche Strategiesitzungen, Gespräche mit Industriebossen und Mitsprache bei Entscheidungen, die die amerikanische Wirtschaft umstrukturierten, gehörten zum Alltag eines Investmentbankers. Die Belohnung folgte fast auf dem Fuß. Man mußte nicht auf den Jahresbericht warten, um den Erfolg quantifizieren zu können. Eine Transaktion wurde innerhalb weniger Wochen oder sogar Tage abgewickelt, und das nächste Geschäft stand schon vor der Tür.

Felix Rohatyn, eine der einflußreichsten Persönlichkeiten in dieser Branche sagte, die jungen Investmentbanker seien die »Rock Stars« der achtziger Jahre.

Kein Wunder, daß sich Drexel Burnhams neue Mitarbeiter um Levine scharten, um zu lernen, wie ein Geschäft zustandekommt, wie man es akquirieren kann, damit es der Investmentbank Provisionen bringt und den eigenen jährlichen Bonus erhöht.

In den ersten Monaten bei Drexel fuhr Levine ab und an nach Nassau, um sein Konto zu überprüfen. Meistens machte er diese Reisen am Wochenende oder über einen verlängerten Feiertag, damit seine Abwesenheit nicht auffiel. Mitunter flog er am Ende einer Geschäftsreise nach Nassau und kehrte dann von dort nach New York zurück. Als letzten Ausweg entschuldigte er sich gegenüber Kay und anderen für seine Abwesenheit mit der Ausrede, daß er seinen kranken Schwiegervater in Miami besuchen müsse.

Einmal erzählte er, sein Bruder Robert und er würden zum Tauchen auf die Bahamas fahren. Kay kam dies merkwürdig vor, weil Levine eine schwere Erkältung hatte und Tauchen deshalb gefährlich für sein Gehör sein konnte. Doch weder Kay noch irgend jemand anders bei Drexel Burnham sahen sich veranlaßt, Nachforschungen anzustellen.

Wie bei Smith Barney und Shearson Lehman telefonierte Levine auch bei Drexel stundenlang mit Arbitragehändlern, Anwälten und Investmentbankern; er sprach mit Wirtschaftsjournalisten und half sogar einem Reporter, der gerade ein Buch über Drexels Aufstieg zur Spitze der Investmentbanken schrieb.

Zugleich erhöhte sich sein Kontostand bei der Bank Leu. Er legte nun mehr Geld an mit einer höheren Wahrscheinlichkeit, ein positives Ergebnis zu erzielen, weil er über bessere Informationen verfügte. Im Frühjahr 1985 hatte Levine sein System perfektioniert; er stand vor dem größten Coup seiner Insider-Karriere.

Trotz Reichs endgültigem Ausstieg waren Levines Informationen jetzt präziser. Inzwischen hatte er bei Drexel eine Position erreicht, auf Grund derer er bei den wichtigen Transaktionen an maßgeblicher Stelle mitwirkte. Vorbei waren die Zeiten, da er auf Gerüchte angewiesen war und als Randfigur nur zufällig einmal ins Schwarze traf.

Auch Wilkis war bei Lazard Frères inzwischen in verschiedenen

Bereichen der Unternehmensfinanzierung, einschließlich Fusionen, tätig gewesen; dies hatte die Qualität seiner Informationen verbessert. Im Mai 1985 wechselte Wilkis als First Vice President in die M&A-Abteilung von E. F. Hutton & Company. Dies ergab eine weitere potentielle Informationsquelle für den Insider-Ring. Zum ersten Mal in seinem Berufsleben war Wilkis an seinem Arbeitsplatz zufrieden. Er hatte das Gefühl, bei Hutton das richtige Umfeld für seine Talente zu finden. Deshalb gab er an Levine nur noch spärlich Informationen weiter und weigerte sich, mit ihm über irgendwelche Hutton-Geschäfte zu sprechen. Ende 1985 schloß Wilkis sein Wertpapierkonto und legte das Geld in Geldmarktzertifikaten an.

Ira Sokolow, um den sich Levine bereits 1980, als dieser noch Werkstudent war, bemühte, war inzwischen zum Vice President in Shearson Lehmans M&A-Abteilung aufgestiegen. Damit verfügte Levine über eine hervorragende Quelle bei seinem früheren Arbeitgeber. Darüber hinaus gab Sokolow die Informationen weiter, die er von David Brown erhielt.

Selbst während der aufreibenden Arbeit im Frühjahr 1985 im Zusammenhang mit den Coastal- und Crown Zellerbach-Transaktionen und seinen illegalen Aktienkäufen fand Levine Zeit für eine Reihe anderer Insider-Geschäfte.

Am 14. März heuerte McGraw-Edison & Co. Goldman-Sachs als Finanzberater an im Zusammenhang mit dem von Forstman Little & Company vorgeschlagenen Leveraged Buy-Out. Brown erfuhr von dem Vorschlag und informierte Solokow sofort per Telefon. Dieser wiederum gab die Information an Levine weiter, der in der Mittagspause Bank Leu anrief, um für insgesamt 3,4 Millionen Dollar 79 500 Aktien der McGraw-Edison zu kaufen.

Im Laufe der Woche erwarben Wilkis 15 000 und Meier 1 000 Aktien. Am 22. März wurde der Buy-Out bekanntgegeben: Levine verkaufte seine Aktien mit einem Gewinn von 906 836 Dollar; er zahlte Sokolow aus, der einen Teil an Brown weitergab.

Als Levine am 28. März seine erste Order für Crown Zellerbach Aktien telefonisch durchgab, wies er Pletscher an, auch 21 800 Multimedia Aktien zu kaufen. Denn er hatte erfahren, daß dieses Unternehmen in einen Leveraged Buy-Out verwickelt war. Er verkaufte die Aktien eine Woche später mit einem Gewinn von 129 000 Dollar.

Mitte April erfuhr Wilkis von Cecola, daß Houston Natural Gas Corporation Lazard Frères als Berater angeheuert hatte. Es ging um die Offerte von InterNorth Inc., einem anderen Energieunternehmen, HNG zu übernehmen. Am 30. April traf sich Cecola mit Wilkis bei Saks Fifth Avenue und erzählte ihm, daß die Transaktion voraussichtlich Anfang des nächsten Monats abgeschlossen sei.

Wilkis gab die Information an Levine weiter, der Meier in Nassau anrief: »Das ist ein bombensicheres Geschäft, ich mache dabei leicht 20 bis 30 Prozent Gewinn.« Levine kaufte für 4 Millionen Dollar insgesamt 74 800 HNG Aktien.

Meier erzählte Pletscher von Levines jüngster Order und schlug Pletscher vor, doch auch einige HNG Aktien zu kaufen. Als Pletscher abwinkte, weil er geschäftlich verreisen mußte und sein Geld nicht in Aktien anlegen wollte, wenn er die Kursentwicklung nicht verfolgen konnte, meinte Meier: »Keine Sorge. Das ist ein sicheres Geschäft. Diese Gelegenheit solltest du dir nicht entgehen lassen.«

Trotz Pletschers Zögern kaufte Meier für ihn 500 und für sich selbst 1 500 Aktien. Wilkis stieg über sein Konto auf den Cayman Inseln mit 35 000 Aktien ein und Cecola erwarb für sein Konto in Indianapolis, das ein Freund für ihn eröffnet hatte, Optionen.

Am 2. Mai wurde Angebot von InterNorth an Houston Natural Gas bekanntgegeben. Der Kurs der HNG Aktien stieg. Levine verkaufte seine Aktienbestände für 4,9 Millionen Dollar und erzielte damit geradewegs die von ihm vorausgesagte Rendite von 20 bis 30 Prozent. Meier verdiente aus der Veräußerung seiner 1 500 Aktien 28 749 Dollar, Pletschers Kursgewinn aus den 500 Stück betrug mehr als 9 000 Dollar. Wilkis machte 540 000 Dollar gut. Cecola erzielte aus den Optionen im Wert von 1 000 Dollar einen Gewinn von 46 687 Dollar. Zwei Monate später verließ er Lazard Frères und schrieb sich in der Harvard Business School ein.

Normalerweise traf sich Levine mit Sokolow zum Mittagessen, wenn dieser Informationen weitergeben wollte. Genauso hatte er es mit Reich gehalten und machte es noch immer mit Wilkis. Seitdem er bei Drexel arbeitete, setzte er die Mittagessen als Spesen ab. Er deklarierte sie als »Rekrutierungsgespräche«.

Am 6. Mai, einem Montag, trafen sich Sokolow und Levine zum Mittagessen im Palm Too, einem teuren Restaurant, in dem Levine jedesmal ein 800-Gramm-Steak bestellte. Sokolow berichtete von dem neuesten Projekt bei Shearson Lehman Brothers, der Fusion von Nabisco Brands Inc., dem Nahrungsmittelhersteller, und R. J. Reynolds, dem Tabakriesen. Nabisco hatte Shearson Lehman als Finanzberater angeheuert; das Geschäft schien vielversprechend.

Auf dem Rückweg in sein Büro telefonierte Levine mit Meier und beauftragte ihn, Nabisco Aktien zu kaufen. Meier sollte dabei jedoch langsam vorgehen, weil das Geschäft noch nicht sicher war.

Während der folgenden zwei Wochen hielt Sokolow Levine über den Stand der Geheimverhandlungen zwischen Nabisco und Reynolds ständig auf dem laufenden. Auf Grund dieser Informationen gab Levine Meier am 21. Mai den telefonischen Auftrag, seinen gesamten Kontobestand in Nabisco Aktien anzulegen.

Zwei Tage später flogen Levine und seine Frau nach Barbados, um dort in dem Luxusetablissement Sandy Lane Hotel einen fünftägigen Urlaub zu verbringen. Levine telefonierte mit Drexel wegen verschiedener laufender Geschäfte, und er rief Sokolow wegen der Nabisco-Reynolds-Fusion an. Er stellte Drexel Telefonkosten für Ferngespräche in Höhe von 333 Dollar in Rechnung.

Levine kehrte am 28. Mai, also am Tag nach Memorial Day, zurück. Zwei Tage später gab Nabisco bekannt, daß es mit Reynolds in Fusionsvorhandlungen stünde. Levine hatte für 9,2 Millionen Dollar 150 000 Nabisco Aktien zum Durchschnittskurs von 61,30 Dollar pro Stück gekauft. Nach Bekanntgabe der Verhandlungen stieg der Kurs um fast 33 Prozent und Levine verkaufte seinen Bestand zu einem Durchschnittspreis von annähernd 80 Dollar pro Aktie.

Sein Gewinn aus der Nabisco-Information belief sich auf 2 694 421,26 Dollar – das war der größte Coup, den Dennis Levine in seiner Karriere als Insider landete.

10. Kapitel

Der Russe

Als Zeichen dafür, daß Levine nun zur Spitze der Investmentbanker gehörte, lernte er bereits in den ersten Wochen seiner neuen Tätigkeit bei Drexel Burnham Lambert Ivan Boesky persönlich kennen.

Levine ging der Ruf voraus, beste Quellen unter den New Yorker Arbitragehändlern zu besitzen. Trotzdem war er bisher nie dem reichsten und einflußreichsten Mann in der ganzen Arbitrageszene begegnet.

Boesky wiederum hatte den Namen Dennis Levine nie gehört, bis der junge Investmentbanker Managing Director bei Drexel wurde. Dort unterhielt Boesky enge Beziehungen zu Michael Milken und dessen Kollegen in Drexels Junk Bond-Abteilung.

Der erste Berührungspunkt ergab sich bei Levines erster Transaktion bei Drexel, dem Coastal Corporation-Angebot für American Natural Resources.

Ivan Boesky besaß alles, was sich Levine wünschte.

Innerhalb von zehn Jahren war der hagere, 48jährige Finanzkünstler mit dem schmallippigen Lächeln zu einer Wall Street-Legende geworden. Er hatte es verstanden, aus 700 000 Dollar, die von seiner verstorbenen Schwiegermutter stammten, ein Vermögen von mittlerweile rund 200 Millionen Dollar zu machen.

Boesky wickelte die Arbitragegeschäfte in der Regel über die Ivan F. Boesky Corporation ab, eine private Investment-Holdinggesellschaft, die auf Abritragehandel bei Fusionen und auf Venture Capital spezialisiert war und der über eine Brokertochtergesellschaft ein Sitz an der New York Stock Exchange gehörte.

Wall Street Insider schätzten, daß ihm durch die beschränkten Teilhaberschaften mit Finanzunternehmen annähernd eine Milliarde Dollar für Arbitragezwecke zur Verfügung standen.

Er besaß die Mehrheit in vielen weiteren Anlagegesellschaften. Dazu gehörte auch ein größerer Investment Trust in England,

Cambrian & General Securities PLC, an dem er mit rund 50 Millionen Dollar beteiligt war. Gemeinsam mit seiner Frau hielt er 53 Prozent am berühmten Beverly Hills Hotel, dem kalifornischen Feudalhotel, dessen Wert auf über 100 Millionen Dollar geschätzt wurde.

Er wohnte im nördlichen Westchester County, auf einem 163 Acre großen, bewaldeten Grundstück mit Parkanlagen, Tennisplätzen, Schwimmbecken, einer Halle für Racket- und Handball sowie natürlichen Wasserquellen. Seine wunderschöne Villa in Kolonialstil hatte zehn Schlafzimmer und war voller antiker Möbel. Ihr Wert wurde auf 10 Millionen Dollar geschätzt. Er ließ sich jeden Tag in einer großen schwarzen Limousine nach New York fahren und war bekannt für lange Arbeitstage, die um sechs Uhr früh begannen und um ein Uhr nachts endeten.

Boesky verwaltete sein Imperium von einer elegant eingerichteten Bürosuite an der Fifth Avenue aus, die früher einmal Marc Rich gehörte, dem Finanzier, der 1983 in die Schweiz floh, um sich einer Anklage wegen Steuerhinterziehung zu entziehen.

In seinem Büro hatte Boesky die modernsten Kommunikationsanlagen installieren lassen. Um ihn herum standen ganze Reihen von Videobildschirmen, auf denen die Aktivitäten der Händler in den anderen Räumen zu beobachten waren. Auf Quotron-Bildschirmen blinkten die aktuellen Börsenkurse in grüner Schrift, über ein Telefon mit 160 Direktverbindungen und 300 Knöpfen hielt er Kontakt zu zahlreichen Firmenaufkäufern, Spitzenmanagern und Investmentbankern. Selbst das Telefon in seiner Limousine hatte drei Amtsleitungen.

Von diesem Büro aus herrschte Boesky über das Risikoarbitrage-Geschäft. Er war Hauptakteur bei buchstäblich jeder größeren Übernahme in Amerika. Sein Gütezeichen bestand darin, daß er bei großen Übernahmetransaktionen riesige Aktienpositionen erwarb, die in der Regel das Vier- bis Fünffache der anderen Arbitragehändler darstellten. Durch seine spektakulären Aktivitäten war die Risikoarbitrage von einem wenig beachteten Geschäft einiger Spezialisten in den Mittelpunkt der Aufmerksamkeit an Wall Street gerückt. Alle größeren Investmentbanken folgten seinem Beispiel und stiegen in dieses Geschäft ein, für das sie eine eigene Abteilung aufbauten.

In seinen Erfolgen spiegelte sich die Wandlung an Wall Street und die Welle der Fusionen und Übernahmen wider, die die amerikanische

Unternehmenslandschaft verändert hatte. Er war ein offensiver, absolut kompetenter Mensch, der zwanghaft größer einsteigen und höhere Gewinne erzielen mußte, als irgend jemand sonst. Unerbittlich jagte er dem Mammon nach.

Kurz nach seiner Begegnung mit Levine hielt Boesky den Gastvortrag bei der Diplomverleihung der University of California Business School in Berkeley. Die Quintessenz seiner Lebensmaxime, die er den frischgebackenen Absolventen mitteilte, lautete folgendermaßen: »Übrigens ist Habgier durchaus in Ordnung. Das sollten Sie wissen. Ich glaube, Habgier ist gesund. Sie können geldgierig und trotzdem mit sich im reinen sein.«

Auch wenn es schockierend ist, daß Boesky dies bei der Diplomverleihung einer Business School äußern konnte, so zeigt es den Zynismus und üppig wuchernden Materialismus dieses Jahrzehnts, daß Boeskys Worte Applaus und Gelächter auslösten.

Die Zähigkeit, mit der Boesky Geld scheffelte und zum ungekrönten Arbitragekönig avancierte, entspricht der Art und Weise, wie er sein Image als Meister der Arbitrage kultivierte.

Obwohl er an einem kleinen College in Detroit studiert hatte, stiftete er der Harvard Universität Hunderttausende von Dollars. Damit sicherte er sich die Ernennung in ein Beratergemium der Universtität. Aufgrund dieser Ernennung konnte er Mitglied des New Yorker Harvard Club werden, wo er oft Hof hielt. Er unterrichtete an der New York University einen Kurs für Business-Studenten im Hauptstudium und gehörte zum Gremium der Treuhänder der Universität. Er spendete riesige Summen für zahlreiche philantropische und kulturelle Zwecke. Beispielsweise stiftete er dem Jüdisch-Theologischen Seminar von Amerika zwei Millionen Dollar und eine wertvolle Schriftensammlung. 1983 benannte das Seminar seine moderne Bibliothek nach Boesky und seiner Frau Seema. Seine großzügige Wahlkampfunterstützung der Republikanischen Partei brachte ihm die Ernennung zum Berater für Jüdische Angelegenheiten beim Vorsitzenden des Republikanischen Nationalausschusses ein.

Ähnlich wie Levine kam auch Boesky aus einer relativ bescheiden lebenden jüdischen Unternehmerfamilie. Sein Vater war als einer von fünf Brüdern 1912 aus Rußland eingewandert und besaß drei gutgehende Restaurants in Detroit.

Boesky vermittelte oft ganz bewußt den Eindruck, als sei er in Armut aufgewachsen. Besonders gern erzählte er die Geschichte, daß er als Dreizehnjähriger einen alten Lieferwagen gekauft habe und ohne Führerschein durch Detroits Parkanlagen gefahren sei, um Eis zu verkaufen. Er behauptete, er hätte 150 Dollar in fünf und zehn Cents-Stücken verdient, und »das hat mich gelehrt, Geldscheine zu schätzen«. Seine Ausbildung verlief ohne Höhepunkte. Er besuchte drei Colleges, ohne einen Abschluß zu erhalten, und schrieb sich 1959 im Detroit College of Law ein, an dem kein Collegeabschluß verlangt wurde. Nach zweimaligem Anlauf erhielt er schließlich 1964 sein juristisches Diplom.

Als Student heiratete er 1962 Seema Silberstein, eine Tochter des Detroiter Baulöwen Ben Silberstein. Da er in Detroits renommierten Anwaltskanzleien keinen Job bekam, arbeitete er ein Jahr lang als Gehilfe eines Bundesrichters, der ein Freund der Silbersteins war. Danach bewarb sich Boesky erneut bei den großen Kanzleien und wurde wieder nicht angenommen. Schließlich stellte man ihn als Buchhalter ein, doch die Arbeit interessierte ihn nicht. Boesky hatte sein Jurastudium ein Jahr zuvor abgeschlossen und mußte Frau und Kind ernähren, was ihm sichtlich schwerfiel. Sein Schwiegervater nannte ihn »Ivan the Bum« (Iwan der Faulpelz).

1966 siedelte Ivan mit Frau und Kind nach New York über. Ein ehemaliger Mitschüler von der Detroiter High School, mit dem er zusammen in der Ringermannschaft der Schule gewesen war, arbeitete als Arbitragehändler bei einer Investmentbank, ein Job, der Boesky faszinierte. Er fing bei L. F. Rothschild an, kündigte allerdings bald wieder, da er nur selten Gelegenheit zum Arbitragehandel hatte. Sein nächster Job war bei First Manhattan, wo jedoch nur wenig Geld für Arbitragehandel zur Verfügung stand. Er wechselte zu Kalb Voorhis, wurde aber am ersten Tag wieder hinausgeworfen, weil er bei einer Transaktion 20 000 Dollar in den Sand gesetzt hatte.

Es dauerte einige Monate, bis Boesky wieder einen Job fand. In der Zwischenzeit bewohnte er mit seiner Familie ein luxuriöses Apartment an der Park Avenue, das ihnen vom Schwiegervater zur Verfügung gestellt wurde.

1972 fing Boesky bei Edwards & Hanly an, einer kleinen Brokerfirma, bei der er die Arbitrage übernehmen sollte. In seinem Geschäftsgebaren zeigten sich bereits die charakteristischen Züge, die später zur Legendenbildung um seine Person beitragen sollten. Einmal erhielt er von der New York Stock Exchange eine Rüge und mußte 10 000 Dollar Strafe zahlen, weil er mehr Wertpapiere verkauft hatte, als seine Firma zu liefern imstande war. Im übrigen setzte er sich über die Regeln der fairen Zusammenarbeit hinweg, die von den meisten Arbitragehändlern beachtet wurden. Häufig kaufte er sämtliche Aktien einer Gesellschaft, deren er habhaft werden konnte, gleichgültig, ob dieses Verhalten den Kurs in die Höhe trieb oder er seine Kollegen aussperrte. Dafür erhielt er einen weiteren Beinamen, den er nicht wieder los wurde, nämlich »Ivan the Terrible« (Iwan der Schreckliche).

Edwards & Hanly waren bereits unterkapitalisiert, als Boesky dort anfing. Als die Firma 1975 pleite ging, beschloß Beoesky, auf eigene Faust weiterzumachen. Seine Schwiegermutter war vor kurzem verstorben. Mit der Erbschaft seiner Frau von 700 000 Dollar eröffnete er am 1. April 1975 die Ivan F. Boesky & Company.

Das Büro bestand aus zwei kleinen Händlerräumen in den ehemaligen Bürotrakt von Edwards & Hanly. Von dort aus plazierte Boesky Anzeigen im *Wall Street Journal*, in denen er Teilhaber an einer Kommanditgesellschaft suchte, die ausschließlich Risikoarbitrage betreiben sollte. Er bot dasselbe Modell wie zehn Jahre später an: 55 Prozent der Gewinne an ihn, 95 Prozent der Verluste an die anderen Gesellschafter. 1985 hatte sich lediglich die Mindesteinlage erhöht: Von damals 75 000 Dollar über fünf Millionen auf nunmehr zehn Millionen Dollar. 1975 schnitt sich der Arbitragehändler normalerweise 20 Prozent vom Gewinn ab, und die Gesellschafter mußten 80 Prozent der Verluste tragen.

Boesky heuerte zwölf Leute an, die in das kleine Büro kaum hineinpaßten. Er setzte sie bis spät in die Nacht unter Druck, zahlte ihnen aber wenig. Seinen Kunden gegenüber war er genauso geldgierig wie gegenüber seinen Mitarbeitern; er kassierte fast dreimal soviel Provision wie die anderen Arbitragehändler. Um aus den Kommanditgesellschaften attraktive Anlagevehikel zu machen, mußte Boesky umso risikofreudiger sein. Kurz nach Eröffnung seiner Firma kaufte er einen Sitz an der New York Stock Exchange. Als Börsenmitglied konnte er bis zum Vierfachen seines Kapitals investieren gegenüber dem Zweifachen, bis zu dem ein normaler Anleger gehen durfte. Diese Hebelwirkung führte zu einer enormen

Gewinnsteigerung, solange die Geschäfte gut gingen, doch waren die Anleger auch gewaltigen Risiken ausgesetzt.

Aber Boesky erwies sich als Meisterakteur in diesem heißen Markt. In den ersten Jahren erzielte er eindrucksvolle Gewinne: 97 Prozent im Jahre 1976; 95 Prozent 1977; 18 Prozent 1978, als die durchschnittliche Aktienrendite sechs Prozent betrug; und 51 Prozent 1979. Die Anleger überschütteten ihn mit Geld, so daß 1980 aus dem ursprünglichen Einsatz von 700 000 Dollar bereits 90 Millionen geworden waren. Doch dann kam der Tag im März 1980, als die Hunt-Brüder ihrer Einschußpflicht im Silberhandel nicht nachkommen konnten, und es so aus sah, als müßte ihr Broker, Bache & Company, seinen riesigen Arbitragebestand liquidieren. Die Angst vor einer Überschwemmung des Aktienmarktes drückte auf die Kurse. Insbesondere die Übernahmeaktien, in denen die Arbitragehändler mit Millionen investiert waren, rutschten in den Keller. Manche behaupteten, daß Boesky an einem Tag zehn Millionen Dollar verloren hat. Er beendete das Jahr mit plus sechs Prozent.

Zwischen 1975 und 1980 hatten Boeskys Anleger weit über dem Durchschnitt des Aktienmarktes gelegen. Wer im April 1975 einen Dollar bei Boesky anlegte, erhielt Ende 1980 7,54 Dollar verglichen mit 2,19 Dollar bei Anlage des Geldes direkt an der Aktienbörse.

Doch 1980 beschloß Boesky, sich aus dem Arbitragegeschäft zurückzuziehen. Er erklärte, daß die Übernahmewelle zu Ende sei und ein Mangel an ertragreichen Anlagemöglichkeiten bestünde. Verhandlungen über den Verkauf der Firma an seine Angestellten zogen sich in die Länge und führten nicht zum Ziel. Schließlich übernahm ein anderer Arbitragehändler die Firma und nannte sie fortan Bedford Partners.

Offiziell schloß die Ivan F. Boesky & Company ihre Pforten im Januar 1981. Boesky erklärte, er würde keinen Arbitragehandel mehr betreiben. Nach Meinung einiger Angestellter verkaufte Boesky seine erste eigene Firma möglicherweise aus steuerlichen Gründen. Aber wie dem auch sei, drei Monate später besorgte er sich Geld für die Ivan F. Boesky Corporation, die ihre Geschäftstätigkeit im Mai 1981 aufnahm. Die Liste der Anleger reichte von wohlhabenden Privatanlegern bis zu großen Versicherungsunternehmen.

Das Renditeprofil der neuen Firma illustriert, warum Boesky der Ruf vorauseilte, äußerst riskante Geschäfte zu machen. 1982 betrug die Rendite satte 57 Prozent verglichen mit einem Minus von 11 Prozent des Standard & Poor's 500 Index.

1983 schloß Boesky das erste Mal mit einem Verlust ab, er betrug 33 Prozent. Dieses schlechte Ergebnis war weitgehend darauf zurückzuführen, daß die Gulf Oil Company im August 1982 – dieser Monat gehörte zum Geschäftsjahr 1983 der Boesky Company – beschloß, ihr Kaufangebot für Cities Service zurückzunehmen. Viele Arbitragehändler hielten große Pakete von Cities Service Aktien und erlitten schwere Verluste, als sich die Transaktion zerschlug. Man schätzte damals, daß Boesky mit seiner Neigung zu klotzen statt zu kleckern rund zwei Millionen Aktien besaß und durch den Kursverfall zwischen 11 und 13 Millionen Dollar verlor.

Boesky erholte sich auf spektakuläre Art und Weise. Die Fusionsaktivitäten nahmen gegen Ende des Jahres 1983 drastisch zu und erreichten neue Rekordzahlen im Jahre 1984. Dies galt auch für Boeskys Gewinne, die größtenteils aus zwei Megatransaktionen mit Ölgesellschaften stammten.

Die Übernahme von Getty Oil durch Texaco und die Übernahme von Gulf Oil durch die Standard Oil Company of California waren die Art von Geschäften, die Arbitragehändler reich machen können.

Bei kleinen und mittleren Transaktionen passiert es, daß der Aktienkurs des Zielunternehmens in die Höhe schnellt, weil die Zahl der verfügbaren Aktien weit hinter der Nachfrage der Arbitragehändler zurückbleibt. Doch bei den zwei Ölgeschäften handelte es sich um Multimilliarden-Dollar-Transaktionen, was bedeutete, daß genügend Aktien im Markt waren und die Arbitragehändler zu erschwinglichen Kursen große Positionen erwerben konnten.

Wie üblich kaufte keiner mehr Aktien als Boesky und niemand machte soviel Gewinn wie er, als die Transaktionen beendet waren. Boesky erzielte für sich und seine Anleger schätzungsweise 50 Millionen Dollar Kursgewinn aus den Getty Aktien und 65 Millionen aus den Gulf Oil Aktien. Der Gulf-Gewinn kam Boesky besonders gelegen, nachdem er im Jahr zuvor empfindliche Verluste erlitten hatte, weil Gulf das Cities Service-Geschäft platzen ließ.

Am Ende des Geschäftsjahres, am 31. März 1984, betrug die Rendite sage und schreibe 142 Prozent. Sein Ruf als der König unter den Arbitragehändlern und sein Prestige an Wall Street stiegen entsprechend.

Da er bei den großen Übernahmegeschäften eine einflußreiche Rolle spielte, lernte er sämtliche Finanziers, Broker und Firmenaufkäufer kennen, die die Drahtzieher der Mega-Geschäfte waren. Wie viele Händler verbrachte Boesky einen großen Teil seiner Zeit damit, Gerüchte, Klatsch und Tips mit Gott und der Welt auszutauschen. Stundenlang telefonierte er mit seinen diversen Informationsquellen; häufig sprach er dabei mit Amerikas führenden Übernahmejongleuren, beispielsweise mit T. Boone Pickens Jr., Vorsitzender von Mesa Petroleum Company, und Carl Icahn, späterer Mehrheitsaktionär von TWA.

Boesky verfügte auch über enge Beziehungen zu Drexel, die in den vergangenen Jahren Millionen Dollar durch Junk Bond-Finanzierungen für seine Arbitrage-Aktivitäten aufgebracht und umgekehrt von Boesky Provisionen in Millionenhöhe erhalten hatten. Überdies investierte Boesky in großem Umfang in Junk Bonds, die von anderen Drexel-Kunden emittiert wurden. Drexel hinwiederum investierte für eigene Rechnung in Boeskys Unternehmen. So beteiligte sich Drexel zum Beispiel mit sieben Prozent an einer Motel-Kette in Kalifornien, an der Boesky die Mehrheit hielt.

Anleger, die Drexel Junk Bonds kauften, investierten häufig auch in Boeskys Kommanditgesellschaften. So war der Chef der Rapid-American Corporation, Meshulam Riklis, Anleger bei Boesky und kaufte zugleich die von Drexel emittierten Junk Bonds, mit denen Übernahmen durch Firmenjäger finanziert wurden.

Auch wenn an diesem ineinander verwobenen Knäuel von Händlern, Aufkäufern und Finanziers nichts illegal oder grundsätzlich faul war, so waren doch Aufsichtsbehörden und Anleger besorgt über mögliche Interessenkonflikte in dieser volatilen Welt der Übernahmen. Diese Besorgnis wurde besonders dann artikuliert, wenn sich herausstellte, daß Boesky große Aktienpositionen übernommen hatte, bevor die Übernahmetransaktion bekanntgegeben wurde.

Bei einer Übernahme verschafft sich der Interessent im Normalfall zunächst mit Hilfe einer Investmentbank das Kapital für die geplante Übernahme. Häufig stammen die Mittel, die den Übernahmeinteressenten zur Verfügung stehen, aus Junk Bonds, welche von Drexel Burnham emittiert wurden. Sobald die Fianzierung gesichert ist, fängt der Interessent an, ganz normal über einen Broker Aktienkäufe zu plazieren. Auf diese Weise erwirbt er an der Börse Aktien des

Zielunternehmens in der Größenordnung von rund einer Million Stück. Aufgrund der SEC-Vorschriften ist der Interessent verpflichtet, die Höhe seiner Beteiligung und seine Übernahmepläne öffentlich bekanntzugeben, sobald er fünf Prozent des Aktienkapitals des betreffenden Unternehmens aufgekauft hat. Die Bekanntgabe führt zu einem Kursanstieg, da nun die Arbitragehändler mit großen Orders einsteigen. Diese Praxis ist legal.

Illegal wird sie, wenn sich Übernahmeinteressenten und Arbitragehändler zusammentun und gemeinsam gerade so viele Aktien kaufen, daß sie beide unterhalb der Fünf-Prozent-Grenze bleiben. Auf diese Weise unterlaufen sie die Veröffentlichungs-Vorschriften der SEC und können die öffentliche Bekanntgabe des Übernahmeplanes hinausschieben. Der Vorteil für den Übernahmeinteressenten liegt darin, daß ein beachtlicher Teil der Aktien des Übernahmekandidaten bei einem ihm »wohlgesinnten« Akteur ist. Der Arbitragehändler profitiert von diesem Geschäft, da er die Aktien vor dem großen Kursanstieg erwirbt.

Auch der Investmentbanker kann mit im Spiel sein, indem er nämlich mehrere Arbitragehändler gleichzeitig über anhängige Transaktionen informiert. Dadurch gelangen mehr Aktien des Zielunternehmens in den Besitz von Arbitragehändlern, die auf das spätere Übernahmeangebot des Interessenten eingehen und sich zu dem von ihm genannten Übernahmekurs von ihren Aktienpaketen trennen werden. Die Bekanntgabe des Übernahmeplanes setzt das Management des Zielunternehmens unter Druck, denn sie wissen sehr wohl, daß der Interessent große Aktienpakete ihres Unternehmens von den Arbitragehändlern erwerben kann.

Obwohl es in diesem Bereich bisher zu keiner Anklage wegen unerlaubter Handlungen gekommen war, zeigte doch die versuchte Übernahme von Philips Petroleum Company Anfang 1985, bei der Boesky und Carl Icahn eine nicht unwesentliche Rolle spielten, welch ungeahnte Möglichkeiten sich für Spekulanten bieten, bei geplanten Übernahmen groß einzusteigen.

Aus eidesstattlichen Erklärungen geht hervor, daß Boesky große Mengen von Philips Aktien kaufte. Etwa zur selben Zeit lief Icahns feindselige Übernahmeattacke. Aus den Unterlagen geht hervor, daß Icahn kurz vor Bekanntgabe seines Angebotes häufig mit Boesky telefoniert und sich mehrmals mit ihm getroffen hatte.

»Er ruft mich täglich an«, sagte Icahn in einer eidesstattlichen Erklärung auf die Frage nach seiner Beziehung zu Boesky während der Philips-Transaktion.

Am 28. Januar kaufte Icahn privat von Boesky, also nicht über die Börse, 2,7 Millionen Philips Aktien zu circa 47 Dollar pro Stück. Am Montagabend, den 4. Februar, übermittelte Icahn sein Angebot von 55 Dollar pro Aktie an Philips. Zugleich wurde das Übernahmeangebot öffentlich bekanntgegeben.

Fünf Tage später war Boesky zum Abendessen in Icahns New Yorker Domizil eingeladen. Sie sprachen über die Möglichkeit, wie sich Boesky an Icahns Übernahmeangebot beteiligen konnte. Icahn konnte sich nicht mehr erinnern, ob Boesky ihm im Laufe dieses Abends oder einige Tage später erzählte, daß er weitere vier bis fünf Millionen Philips Aktien gekauft habe.

Im Verlauf des nächsten Monats einigten sich Icahn und Philips, daß Icahn sein Angebot fallen lassen und dafür 25 Millionen Dollar in bar zur Deckung seiner Unkosten erhalten würde. Philips bot den Aktionären Papiere mit einem Nennwert von 62 Dollar an. Boesky hatte bis zum 31. März, also zum Ende des Geschäftsjahres 1985, sämtliche Philips Aktien abgestoßen.

Trotz hoher Kursgewinne bei der Philips-Transaktion war Boesky ziemlich am Ende. Denn die Kursentwicklung seines Investmentfonds im Geschäftsjahr 1985 ließ mehr als zu wünschen übrig. In einer Zeit steigender Börsenkurse und Übernahmetransaktionen in Hülle und Fülle wies Boeskys Anlagefonds magere 7,7 Prozent Rendite aus.

Boesky wollte nicht nur seine persönlichen Verluste wieder wett machen und die Ertragsentwicklung des Fonds verbessern, so daß er zum Ende des Geschäftsjahres akzeptable Kursgewinne ausweisen oder gar an die außergewöhnlich gute Entwicklung im Jahre 1984 anschließen konnte. Am meisten Sorgen bereitete ihm die Vorstellung, daß sein Ruf auf dem Spiel stand.

Viele reiche Geschäftsleute sind zufrieden, wenn sie ohne großes Aufhebens Vermögen ansammeln, manche setzen sogar alles daran, daß nichts darüber an die Öffentlichkeit dringt. Das Geld an sich und seine Vermehrung bedeuten für sie genügend Befriedigung.

Im Gegensatz dazu kultivierte Boesky seinen persönlichen Ruhm im selben Ausmaß, wie er auf Reichtum aus war. Er wollte keinesfalls anonym bleiben, es reichte ihm aber auch nicht, lediglich einen gewissen Bekanntheitsgrad unter Kennern der Wall Street zu genießen. Er kaufte sich Publizisten und zahlte Tausende von Dollars, um sein Buch über die Geheimnisse des Arbitragehandels an den Mann zu bringen. Mit allen Mitteln versuchte er, sich das Image des Finanzgenies zuzulegen, das mehr arbeitet als alle anderen und das die größten Risiken eingeht und dafür die höchsten Gewinne einsteckt.

Vor diesem Hintergrund – rückläufige Entwicklung seiner Fonds und der damit verbundenen Gefahr für den eigenen Ruf – war Boesky zu Beginn des Jahres 1985 der perfekte Kandidat, um Mitglied in Dennis Levines Insiderring zu werden. Die Hinweise von Levine und seiner Organisation würden dem sinkenden Stern wieder Auftrieb geben und Boesky wieder zum Zaubergroßmeister der Wall Street machen.

Auch aus Levines Sicht war Boesky für den Insiderring ein absoluter Gewinn. Denn damit eröffnete sich für ihn die Möglichkeit, mit den Insidergeschäften in eine Größenordnung vorzudringen, bei der er noch mehr Gewinn erzielen konnte, ohne ein zusätzliches Risiko einzugehen.

Auf einen einfachen Nenner gebracht, bedeutete Boesky für Levine eine Art Versicherung. Sobald Boesky von einer bevorstehenden Übernahme erführe, würde er so große Aktienpositionen dieses Unternehmens kaufen, daß der Kurs in die Höhe schnellt. Außerdem würden andere Arbitragehändler Boeskys Beispiel folgen, denn Boesky genoß den Ruf, immer sehr früh von einer Übernahmeaktion Wind zu bekommen. Sobald er Aktien kaufte, würden die anderen ebenfalls darauf springen, was zu weiteren Kurssteigerungen führen würde.

Levine brauchte also nichts anderes zu tun, als rechtzeitig – das heißt einen Tag oder selbst nur eine Stunde vor Boesky – einzusteigen, und konnte dann die von Boesky ausgelöste und von den anderen Arbitragehändlern weiter verstärkte Welle von Kurssteigerungen getrost aussitzen. Die strategische Position von Levine und seiner Informanten innerhalb ihrer Firmen war so gut, daß sie rechtzeitig erfahren würden, wenn die Transaktion platzen sollte, um dann sofort sämtliche Aktien zu verkaufen und mit plus minus null oder vielleicht sogar mit einem kleinen Kursgewinn herauszukommen. Seit der Crown Zellerbach-Mead-Transaktion war Levine überzeugt, daß dies klappen würde.

Darüber hinaus stellte die Rekrutierung Boeskys in den Insiderring auch einen Gewinn für Levines Karriere als Investmentbanker dar: Denn die Tatsache, daß Boesky große Aktienbestände halten würde, erhöhte die Erfolgsaussichten bei feindseligen Übernahmen.

Es ist unklar, ob Levine zuerst Boesky angerufen oder Boesky Kontakt mit Levine aufgenommen hat.

Klar ist, daß Levine Insiderinformationen an Boesky über das feindselige Übernahmeangebot der Coastal Corporation für American Natural Resources weitergegeben hat und daß Boesky bereits vor der öffentlichen Bekanntgabe dieser Transaktion ANR Aktien kaufte. Als das Geschäft abgeschlossen war, besaß Boesky 9,9 Prozent des ANR-Aktienkapitals, das er zum Übernahmekurs verkaufte.

Auch in den darauffolgenden Wochen gab Levine vertrauliche Informationen, die er selbst erhalten hatte oder die aus dem Insider-Ring stammten, an Boesky weiter. Levine verlangte dafür keine Gegenleistung. Sofern es sich um Transaktionen handelte, die nicht von Drexel abgewickelt wurden, war Levine sorgfältig darauf bedacht, daß Boesky nicht erfuhr, woher die Informationen stammten. Im übrigen hatte Levine als einziges Mitglied des Insiderrings Kontakt mit Boesky, auch wenn er gegenüber Wilkis über seine Zusammenarbeit mit dem legendären Arbitragehändler prahlte.

Bis zum Frühjahr 1985 hatten Levines Insidergeschäfte beträchtliche Größenordnungen angenommen, doch schienen sie winzig im Verhältnis zu den riesigen Positionen, die Boesky auf Grund von Levines Hinweisen aufbaute.

Boesky verfügte über einige Vorteile, aufgrund derer er offen im Markt riesige Aktienpakete kaufen konnte, ohne der Art von Überprüfung ausgesetzt zu sein, wie sie Levine befürchten mußte. Er brauchte seine Käufe nicht über eine ausländische Bank zu leiten und sie unter etliche Brokerhäuser zu verteilen. Denn er hatte seit eh und je große Positionen risikoreicher Aktien übernommen und besaß auf diese Weise die perfekte Deckung für seine illegalen Käufe. Aufsichtsbehörden und Konkurrenten würden schlichtweg annehmen, daß Boesky mal wieder in großem Umfang spekulierte; wie allgemein bekannt war, gingen seine Spekulationen auch häufig auf.

Darüberhinaus mußte Levine, insbesondere zu Beginn seiner Insidergeschäfte, bei seinen Aktienkäufen seine begrenzte Kapitaldecke beachten, während Boesky 20 oder mehr Millionen Dollar in eine Transaktion stecken konnte und, auch wenn das Geschäft schief gehen sollte, kein größeres finanzielles Risiko einging.

Den allerbesten Schutz gewährte ihm allerdings sein eigener Beruf. Für Arbitragehändler war es nämlich ganz legitim, daß sie sich über ein anhängiges Geschäft erkundigten und Aktien auf der Basis von Gerüchten, eigenen Recherchen und guter Nase kauften. Wie sollten Aufsichtsbehörden die »goldene Nase« der Arbitragehändler von illegalen Hinweisen unterscheiden können?

Am 1. Mai, also am Tage, nachdem Levine Aktien der Houston Natural Gas auf Grund von Wilkis Informationen gekauft hatte, erzählte er Boesky, daß InterNorth ein Tender Offer für HNG plane.

Boesky stieg voll ein. Aus dem großen Topf der Mittel, die ihm zur Verfügung standen, ließ er durch seine nahezu hundert Angestellten für circa 16 Millionen Dollar 301 800 Stammaktien der HNG kaufen, also das Vierfache von Levines Position. Als InterNorth und HNG am nächsten Tag ihre Fusionsvereinbarung bekanntgaben, stieß Boesky seine Aktien mit einem Kursgewinn von 4,1 Millionen Dollar ab.

Im selben Moment gab Levine Boesky einen Hinweis über ein Geschäft, das Levines erfolgreichster Coup werden sollte: die Kooperationsgespräche zwischen Nabisco Brands und R. J. Reynolds Inc. Nachdem er sich am 21. Mai mit insgesamt 150 000 Nabisco Aktien eingedeckt hatte, gab Levine am nächsten Tag die Information an Boesky weiter. Der begann eine fünf Tage dauernde Kaufwelle und hatte am 29. Mai für über 25 Millionen Dollar 377 000 Nabisco Aktien gekauft. Am nächsten Tag wurde bekanntgegeben, daß die beiden Unternehmen Vorgespräche über eine Kooperation geführt hatten. Boesky verkaufte und scheffelte 4 Millionen Dollar Gewinn.

»Ich habe dem Russen den Nabisco-Tip gegeben«, erzählte Levine Anfang Juni 1985 seinem Freund Wilkis, als sie sich trafen, um im Palm Too zum Abendessen zu gehen.

»Der Russe« war Levines Deckname für Boesky. Wilkis wußte,

daß Levine von Boesky als Person, von seinem ungeheuren Reichtum und seinen Erfolgen als Arbitragehändler fasziniert war. Levine hatte ihm erzählt, daß er Boesky bereits bei einem halben Dutzend Transaktionen Hinweise gegeben hatte. An diesem Juniabend erläuterte er nochmals, warum er Boesky an ihrem wertvollen Gut profitieren ließ: »Ich versuche, ihn für uns zu gewinnen, denn er kann uns noch wertvolle Dienste leisten. Wenn wir uns selbständig machen, kann er Kapital in unser Geschäft pumpen.«

In Wahrheit hatte Levine anderes mit dem Russen vor, doch er behielt seine Pläne für sich.

Boeskys Ruhm an Wall Street wuchs proportional mit dem Umfang der Aktienpakete, die er kaufte. Damit hatte er wie kein anderer Zugang zu den Spitzenmanagern der Wirtschaft, den Firmenaufkäufern und Investmentbankern.

Selbstverständlich bedeutete dies auch Austausch von Informationen. Boesky war berühmt dafür, daß er nicht locker ließ, wenn es darum ging, einen noch so winzigen Informationsvorsprung zu erhalten. Die Grenze zwischen rechtmäßigen Informationen aus dieser Vielzahl von Verbindungen und illegalen Insiderinformationen ist fließend. Hätte Boesky es dabei belassen, mit Levine lediglich Informationen auszutauschen, hätte er diese verschwommene Linie nie überschritten. Doch kurz nach dem Nacisco-Tip meinte Levine zu Boesky: »Ich habe Ihnen einen Dienst erwiesen. Was springt nun für mich heraus?«

Da Boesky beeindruckt war, welch erstklassige Informationen ihm Levine geliefert hatte, und da er die erstaunlichen Anlageerfolge des Jahres 1984 wiederholen wollte, willigte er ein, sich mit Levine zum Abendessen zu treffen, um bei dieser Gelegenheit über die Form einer weiteren Zusammenarbeit zu sprechen.

Wie bereits David Kay bei den Einstellungsverhandlungen bemerkt hatte, konnte Levine ein zäher Verhandler sein. Er war sich seines Wertes für Boesky bewußt und schlau genug, um dessen Schwächen zu erkennen. Andererseits hatte Boesky sein Imperium auf Abmachungen mit Anlegern aufgebaut, die ihm wesentlich mehr Gewinnspielraum einräumten, als es die Standardverträge vorsahen. Jetzt wollte er davon nur so viel abgeben, wie unbedingt nötig war, um den Informationsfluß aufrechtzuerhalten.

Boesky und Levine trafen sich im Laufe der nächsten Wochen mehrmals, um darüber zu verhandeln, wie ihre Zusammenarbeit aussehen sollte. Die Vereinbarung, die sie schließlich trafen, sah zwei Arten der Honorarzahlung an Levine vor. Sofern Boesky keine Aktien an einem Unternehmen hielt, bevor er von Levine über eine anhängige Transaktion informiert wurde, würde Levine fünf Prozent von Boeskys Kursgewinnen aus dem Verkauf dieser auf Grund von Levines Insiderinformationen erworbenen Aktien erhalten. Angenommen, Poesky hätte vor Levines Hinweis keine Nabisco Aktien im Portefeuille gehabt, dann wäre Levine mit fünf Prozent an seinem Vier-Millionen-Dollar-Gewinn beim Verkauf der Nabisco Aktien beteiligt gewesen, das heißt er hätte 200 000 Dollar bekommen.

Sofern Levine an Boesky Informationen über Unternehmen weitergab, deren Aktien letzterer bereits besaß, würde Levine eine geringere Gewinnbeteiligung als fünf Prozent erhalten. Diese Art von Informationen war für Boesky zwar ebenfalls wertvoll, weil er den Zeitpunkt von Zukäufen und Verkäufen darauf abstellen konnte, doch hatten sie einen geringeren Wert für ihn. Die beiden Männer verhandelten intensiv über den Prozentsatz von Levines Gewinnbeteiligung und einigten sich schließlich auf ein Prozent. Nach dieser Übereinkunft hätte Levine durch seinen Tip bei der Nabisco-Transaktion von Boesky 40 000 Dollar bekommen.

Auf Boeskys Wunsch wurde in die Vereinbarung auch folgende »Strafklausel« aufgenommen: Sollte Boesky aufgrund von Levines Hinweisen Kursverluste erleiden, würden diese mit Levines Forderungen an ihn verrechnet.

Die Vereinbarung läßt keinen Zweifel, daß sich Boesky darüber im klaren war, von Levine Insiderinformationen zu erhalten. Doch er war immer schon ein Spieler gewesen und hatte die entsprechende Risikofreude. Die Vereinbarung mit Levine ähnelte sehr stark einer Übereinkunft, die Boesky mit einer anderen Schlüsselfigur an Wall Street getroffen hatte.

Martin Siegel war in einem bürgerlichen Haushalt in Natick, Massachusetts, einem Vorort von Boston, aufgewachsen. Seinem Vater gehörte ein gut eingeführtes Damenschuh-Geschäft, das sich seit Jahrzehnten in Familienbesitz befand. Siegel war ein ungewöhnlich aufgeweckter Junge. Er träumte davon, Astronaut zu werden. Er besuchte das Rensselaer Polytechnic Institute und hatte bereits mit 19 Jahren das Diplom eines Chemieingenieurs in der Tasche. Danach arbeitete er vorübergehend bei Eastman Kodak und bei Raytheon Company. Als er zwanzig war, mußte sein Vater mit dem Schuhgeschäft Konkurs anmelden, ein Ereignis, das Martin Siegel schwer traf. Er warf seine Pläne, Astronaut zu werden, über Bord und schrieb sich in der Harvard Business School ein.

1971 bestand Siegel sein Examen. Er war gerade 23 Jahre alt und wollte nun sein Glück an Wall Street versuchen. Sein gutes Aussehen, seine gewinnende Art und sein Harvard-Diplom verhalfen ihm zu einer Anstellung als Investmentbanker bei Kidder, Peabody & Co. Dort machte sich Siegel bald einen Namen als hochintelligenter und engagierter harter Arbeiter. Als 1980 die neue Ära der Unternehmensfusionen, Kooperationen und Übernahmen begann, war er clever genug, um von dieser Entwicklung zu profitieren.

»Ich wollte mir nicht von irgendeinem Senior Partner erzählen lassen, ›so haben wir es 1942 gemacht‹«, meinte Siegel in einem Interview mit der Zeitschrift *Insitutional Investor*. »Damit kann man sich schnell einen Namen machen. Das Investmentbank-Produkt, was sich am leichtesten verkaufen läßt, ist eine gute Idee im M&A-Bereich. Das erregt allgemeine Aufmerksamkeit, weil damit die traditionellen Bankbeziehungen zerstört werden.«

Derselbe Artikel enthielt auch das folgende aufschlußreiche Zitat von Siegel: »Es gibt zwei Marty Siegel. Der eine ist der Bursche, der all die Transaktionen macht, der immer auf dem Sprung ist, immer bereit zu neuen Geschäften – ein wahres Energiebündel. Dann gibt es den anderen Marty Siegel, der am liebsten nach Hause gehen und mit seinen Kindern spielen möchte. Wenn dieser Marty Siegel über den anderen etwas liest, erhält das Ganze surrealistische Züge, als wäre er schizophren.«

Jahrelang lebte Siegel bescheiden und sparsam, weil ihn der Konkurs seines Vaters wie ein Alptraum verfolgte. 1981 heiratete er zum zweiten Mal. Seine Frau arbeitete ebenfalls als Investmentbanker bei Kidder-Peabody. Im darauffolgenden Jahr bekam sie ihr erstes Kind. Das Ehepaar baute sich an der Küste des Long Island Sound in einer exklusiven Connecticut-Enklave eine Luxusvilla mit viel Zedernholz und Glas, einem Tennisplatz und einem Gymnastikraum. Zugleich behielten sie eine Wohnung in der Upper East Side von Manhattan. Sie nahmen ein Kindermädchen für das Baby und begannen, per Hubschrauber von Connecticut zur Wall Street zu pendeln. Dieses neue aufwendige Leben überstieg Siegels Gehalt und Tantiemen, er mußte seine Ersparnisse anzapfen. Schließlich glaubte er, eine Lösung seiner finanziellen Probleme gefunden zu haben.

Im August 1982 traf sich Siegel mit Ivan Boesky im Grillraum des New Yorker Harvard Clubs. Die beiden Männer kannten sich bereits seit einigen Jahren. Sie hatten regelmäßig telefoniert und, wie es an Wall Street üblich ist, ihre Ansichten über Aktien und Unternehmensbewertungen ausgetauscht. Sie waren sich auch persönlich nähergekommen. Wie Levine ein paar Jahre später, war auch Siegel von Boeskys Reichtum beeindruckt. Im Vergleich zu dessen weitläufigem Landsitz nahm sich das Haus, das Siegel am Long Island Sound gebaut hatte, winzig aus. Boesky fuhr im rosaroten Rolls Royce vor, um dort mit Siegel Tennis zu spielen.

Als sie an besagtem Augusttag zusammen zu Mittag aßen, erzählte Siegel ein wenig von seinen finanziellen Schwierigkeiten, woraufhin sich Boesky erbot, für Siegel einige Anlagen zu tätigen. Sie diskutierten hin und her und einigten sich schließlich darauf, daß Boesky Siegel eine kleine Gewinnbeteiligung als Gegenleistung für Informationen zahlen würde. Dafür sollte Siegel Boesky möglichst früh mit Informationen versorgen, so daß dieser lange vor einer öffentlichen Bekanntgabe Aktienpositionen aufbauen und auf diese Weise eine Überprüfung der Käufe durch die SEC vermeiden konnte.

Kurz nach dieser Unterhaltung mit Boesky erhielt Siegel das Mandat der Martin Marietta Corporation, als Chefstratege bei der Abwehr eines feindseligen Übernahmeversuches zu agieren, der von der Bendix Corporation geplant war. Dieses Mandat würde Siegel mit einem Schlag ins Rampenlicht der Wall Street bringen und seine Abmachung mit Boesky besiegeln.

Unter Siegels Anleitung entwickelte Martin Marietta eine Abwehrstrategie, die auf einem äußerst kühnen Schachzug beruhte, nämlich der sogenannten Pac-Man-Abwehr, benannt nach dem gleichnamigen Videospiel. Gemäß dieser Strategie sollte das Zielunternehmen seinen unerwünschten Aufkäufer mit einem Gegenangebot verschlingen. Die Pac-Man-Abwehrstrategie war bereits mehrfach angewandt worden, doch niemals bei einer Transaktion diesen

Ausmaßes. Die Strategie konnte nur dann erfolgreich sein, wenn es gelang, Bendix davon zu überzeugen, daß Martin Mariettas Gegenangebot an der Börse ernst genommen wurde. Denn dann war Bendix gezwungen, mit Martin Marietta Verhandlungen aufzunehmen. Martin Marietta mußte versuchen, Bendix als Übernahmekandidaten ins Spiel zu bringen, um den Kurs der Bendix Aktien in die Höhe zu treiben. Das Bendix-Angebot für Martin Marietta wurde am 25. August 1982 bekanntgegeben. Am nächsten Tag telefonierte Siegel mit Boesky und erzählte ihm, daß Martin Marietta plante, Bendix ein Gegenangebot in Höhe von 1,5 Milliarden Dollar zu machen. Daraufhin kaufte Boesky 52500 Bendix Aktien, für die er später einen Kursgewinn von 120000 Dollar realisierte.

Die Pac-Man-Abwehr brachte Bendix tatsächlich »ins Spiel«; das Unternehmen wurde später von Allied Corporation gekauft. Martin Marietta überlebte den Angriff, und Martin Siegels Sieg katapultierte ihn in das Zentrum des Übernahmebooms, der in Amerika herrschte. Siegel und Kidder-Peabody schlugen daraus Kapital, indem sie sich darauf spezialisierten, Unternehmen gegen unerwünschte Übernahmeattacken zu verteidigen. Allerdings hatte Siegel den Eindruck, daß seine Dienste von Kidder nicht ausreichend honoriert wurden. Häufig beschwerte er sich gegenüber Freunden, daß sein Gehalt niedriger wäre als das mancher Kollegen, die länger bei der Firma seien, aber weniger leisteten als er.

Im Dezember 1982 bat Siegel Boesky um 125000 Dollar in bar. Diese Bitte erfüllte der Arbitragehändler mit Vergnügen, obwohl der Betrag höher war als Siegels Gewinnbeteiligung an der Bendix-Transaktion, Siegels bisher einziger Insiderinformation an Boesky. Für Boesky stellten die 125000 Dollar eine Investition dar. Er legte die Scheine in einen Koffer, den er von einem Boten in die Empfangshalle eines New Yorker Hotels bringen ließ, wo Siegel wartete. Siegel nannte dem Boten das vereinbarte Kennwort und erhielt den Koffer. Mit dem Geld bezahlte er im Laufe der nächsten Monate die Gehälter seiner Angestellten und andere Ausgaben.

Siegel und Boesky entwickelten ein System, wonach Siegel Boesky anrief, um ein Treffen zu vereinbaren, wenn ersterer Informationen weitergeben wollte, und umgekehrt rief Boesky wegen eines Treffens an, wenn er Informationen brauchte. Sie trafen sich entweder in einer Passage in der Wall Street-Gegend oder in einem Café in der Nähe von Boeskys Büro in der Fifth Avenue. Zwischen Februar und Mai 1983 hielt Siegel Boesky über die Bemühungen eines von Siegels Kunden bei Kidder, der Diamond Shamrock Corporation, auf dem laufenden, Natomas Inc. aufzukaufen. Boesky erzielte bei dieser Transaktion Kursgewinne in Höhe von 4,8 Millionen Dollar. Siegel informierte Boesky über verschiedene andere Transaktionen, die bei Kidder liefen. Die größte schien die perfekte Insider-Transaktion schlechthin zu sein.

Im April 1984 erhielt Siegel von Carnation Company ein Mandat, dem Unternehmen bei einer möglichen Übernahme oder einer gravierenden Änderung der Aktionärsstruktur als Finanzberater zur Verfügung zu stehen. Siegel schloß daraus, daß Carnation demnächst verkauft werden würde, und äußerte diese Vermutung gegenüber Boesky, der daraufhin begann, Carnation-Aktien zu kaufen. Im Laufe von mehreren Monaten erwarb Boesky 1,7 Millionen Aktien. Als am 4. September 1984 bekanntgegeben wurde, daß Nestlé Holdings Inc. Carnation zu kaufen gedenke, veräußerte er seine gesamte Position mit einem Kursgewinn von 28,3 Millionen Dollar. Das Raffinierte dabei war, daß Boesky die Position lange vor der Nestlé-Bekanntmachung aufgebaut und damit das Risiko einer Überprüfung durch die SEC auf ein Minimum reduziert hatte.

Jeweils zum Jahresende 1983 und 1984 setzten sich Siegel und Boesky zusammen, um das Siegel zustehende »Honorar« auszurechnen. Für beide Jahre zusammen erhielt Siegel 575 000 Dollar. Beide Male wurde das Geld von einem Boten an Siegel nach Nennung des Kennworts an einem der Öffentlichkeit zugänglichen Ort übergeben.

Allerdings kamen Siegel ernsthafte Zweifel an der Sicherheit ihrer Vereinbarung, als er in der Zeitschrift *Fortune* vom August 1984 einen Artikel über Boesky las. Der Artikel lautete »Ivan Boesky, Money Machine« und enthielt eine recht ausgewogene Darstellung über Boeskys Aufstieg aus dem Nichts zu »einem von Wall Streets waghalsigsten – und kontroversesten – Arbitragehändlern«. Gerade der Begriff »kontrovers« beunruhigte Siegel, denn in dem Artikel stand folgender Satz: »Boeskys Konkurrenten munkeln hinter vorgehaltener Hand über sein perfektes Timing; in der Gerüchteküche ist immer wieder zu hören, daß er sich auf Transaktionen konzentriert, bei denen Kidder-Peabody und First Boston beteiligt sind.«

Boesky zeigte sich in keiner Weise beunruhigt, als Siegel ihm von seinen Ängsten berichtete. Er schlug Siegel lediglich vor, für die Zahlungen ein Konto bei einer ausländischen Bank zu eröffnen. Diese Empfehlung ließ Siegel blaß werden, denn sie erschien ihm zu offensichtlich kriminell. Obwohl er von Boesky Ende 1984 Geld annahm, bedeutete der Carnation-Hinweis die letzte Insiderinformation, die er dem Arbitragehändler zukommen ließ. Im Laufe des ganzen nächsten Jahres weigerte er sich standhaft, Boesky weitere Informationen zu geben und nahm auch kein Geld mehr an.

Obwohl Siegel 1985 1,7 Millionen Dollar Gehalt und Bonus verdiente, hatte er nach wie vor das Gefühl, bei Kidder nicht seinen Leistungen entsprechend bezahlt zu werden. Anfang 1986 nahm er das Angebot an, Mitleiter der M&A-Abteilung bei Drexel Burnham zu werden. Sein Mehrjahres-Vertrag sah ein jährliches Gehalt von mehreren Millionen Dollar vor. Siegel hatte Angst, wie Boesky wohl auf die Nachricht seines Wechsels reagieren würde. Als er sich schließlich ein Herz faßte und dem Arbitragehändler von seinem Wechsel berichtete, war dieser tatsächlich wütend. Allerdings konnte Siegel nicht ahnen, daß Boesky deshalb wütend war, weil er bereits über eine exzellente Quelle bei Drexel verfügte – Dennis Levine.

11. Kapitel

HO-1743

Zieht man an einem Faden, kann es passieren, daß sich das ganze Gewebe auflöst.

Am Mittwoch, den 22. Mai 1985, einen Tag vor Levines Abreise nach Barbados, wo er Ferien machen wollte, kam in Merrill Lynchs New Yorker Zentrale ein seltsamer Brief an. Er war mit Schreibmaschine geschrieben und an die Revisionsabteilung adressiert. Auf dem Umschlag stand kein Absender, doch er war in Caracas, Venezuela, abgestempelt. Der Brief wimmelte von Grammatik- und Orthographiefehlern, aber die Aussage war klar; er hatte folgenden Wortlaut:

Sehr geerte herren: Hirmit seze ich sie in kentnis das zwei manager iren Caracas-büros auf insider-informationen handeln. Ein aufstelung von geschäfte bis jezt ist an die S. E. C. geschikt. In dise brif ist gesagt, wenn wir kunden nich von ire wissen profitiren wir uns fragen wie geschäfte von manager controlirt werden. Wenn sie alles genau untersuchen wir inen geben namen von insider mit ire eigene handschrif.

Darunter standen die Namen Max Hofer und Carlos Zubillaga.

Merrill Lynch & Company ist mit einem internationalen Netz von 1100 Niederlassungen und 45 000 Angestellten Amerikas größte Brokerfirma. Schon allein wegen ihrer Größe, aber auch wegen der Art ihres Geschäfts, das Solidität und Integrität der Firma voraussetzt, verfügt Merrill Lynch im Vergleich zu den anderen Wall Street-Firmen über die größte Revisionsabteilung. In diesem Bereich sind 75 Mitarbeiter beschäftigt.

Der Brief aus Caracas kam zunächst wegen seiner ausländischen Briefmarke in das Internationale Geschäft. Zwei oder drei Tage später landete er auf dem Schreibtisch von Richard Drew, einem Vice President der Revisionsabteilung. Bevor Drew 1981 bei Merrill Lynch eintrat, hatte er als Jurist 14 Jahre bei der New York Stock

Exchange gearbeitet. Bei Merrill Lynch unterstanden ihm 12 Analysten, die die bei der Firma getätigten Wertpapiergeschäfte überwachten und kritische Situationen überprüften.

Beim Anblick des Briefes stand für Drew fest, daß die Angelegenheit gründlich untersucht werden müsse. Er beauftragte damit den erfahrenen Analysten Steve Snyder.

Unter den Analysten und Juristen, die sich mit Merrill Lynchs Beschwerdefällen befaßten, galt Snyder als ein Mensch, der den Dingen unnachgiebig auf den Grund ging. Juristen, die mit ihm zusammen arbeiteten, kam sein Eifer mitunter unheimlich vor, doch es stand außer Frage, daß er einen ausgezeichneten Spürsinn hatte.

Als erstes besorgte sich Snyder eine Aufstellung sämtlicher Wertpapiergeschäfte, die Carlos Zubillaga und Max Hofer in den vergangenen zwölf Monaten getätigt hatten. Die Unterlagen enthielten alle Geschäfte für Kunden und für ihr eigenes Konto.

Bei der Durchsicht der Hunderte von Aufträgen stellte Snyder fest, daß beide Mitarbeiter Aktien von Unternehmen gekauft hatten, die an Übernahmeaktionen beteiligt gewesen waren, wie zum Beispiel Textron, G. D. Searle, Sperry Corporation und Houston Natural Gas.

Diese Entdeckung machte Snyder nur noch skeptischer. Daher überprüfte er auch die Bewegungen auf den Cash Management-Konten der beiden Mitarbeiter. Dabei handelt es sich um eine Kombination aus Giro-, Spar- und Depotkonto, das bei Merrill Lynch geführt wird.

Bei der Überprüfung von Zubillagas Konto entdeckte Snyder eine weitere Merkwürdigkeit: Der Venezuelaner hatte zwei Schecks über insgesamt 8 000 Dollar auf Brian Campbell ausgestellt.

Snyder fiel ein, daß Campbell Broker in Merrill Lynchs Internationalem Geschäft war. Er ging mit den Unterlagen zu Drew.

»Merkwürdig, daß jemand aus Venezuela Schecks an Champbell schickt«, sagte er zu seinem Vorgesetzten.

»Schauen Sie sich Campbells Unterlagen an«, schlug Drew vor.

Daraus ging hervor, daß Campbell Merrill Lynch im Februar verlassen hatte, um einen Job bei Smith Barney – Harris, Upham & Co. anzunehmen. Snyder fand außerdem heraus, daß Campbell und Zubillaga im Jahre 1982 denselben Ausbildungskurs für Broker bei Merrill Lynch besucht hatten. Bei der Überprüfung der Geschäfte, die auf Campbells Kundenkonten und seinem eigenen Konto abgewickelt worden waren, stellte Snyder fest, daß sich dort dieselben Übernahmeaktien wiederfanden wie bei Zubillaga und Hofer. Nur hatte Campbell jeweils einen Tag früher gekauft als die beiden Broker in Caracas.

Snyder und Drew war klar, daß die drei Makler sich zumindest über den Kauf von Übernahmeaktien abgesprochen haben mußten. Doch schwante ihnen noch Schlimmeres. Snyder ging der Sache weiter nach.

Campbells größter Firmenkunde war Bank Leu International in Nassau. Bei dieser Adresse leuchtete für Snyder ein rotes Warnlicht auf, wußte er doch, daß illegale Geschäfte häufig über Institute im Ausland abgewickelt wurden.

Ein weitere Warnlampe blinkte auf, als er Bank Leus Aufträge überprüfte. Die Bank hatte dieselben Übernahmeaktien gekauft wie Campbell und die anderen Broker, allerdings in Blöcken oder 10 000 Stück. Die Aufträge waren nicht nur weit größer, sondern die Bank hatte auch wesentlich mehr Übernahmekandidaten gekauft als die Makler von Merrill Lynch.

Drew und Snyder besprachen den Fall. Da Bank Leu in eigenem Namen orderte, konnte man nicht erkennen, wer hinter dem Kauf der Übernahmeaktien stand. Möglicherweise war es nur ein cleverer Händler, der ein glückliches Händchen hatte. Allerdings hatte Drew schon zu viele Insidergeschäfte gesehen, und Snyder war von Natur aus viel zu mißtrauisch, als daß sie an ein »glückliches Händchen« glaubten. Deshalb baten sie ihren Kollegen Robert Romano, Spezialist für Insidergeschäfte, sich den Fall anzusehen.

Romano hatte als Bundesstaatsanwalt in New Jersey gearbeitet, bevor er 1977 in die Vollstreckungsabteilung der SEC eintrat. Im Laufe der nächsten sechs Jahre bearbeitete er für die SEC mehrere kritische Insiderfälle und führte bei der Behörde Untersuchungsmethoden ein, die ihm aus seiner Zeit als Staatsanwalt geläufig waren. Dazu gehörten beispielsweise Tonbandaufzeichnungen von Gesprächen als Beweismaterial. Kurz bevor Romano die SEC verließ, hatte er die Untersuchung über die Insidergeschäfte von Paul Thayer geleitet, ehemals hochrangiges Mitglied der Reagan-Administration, der wegen Behinderung der Justiz vier Jahre Gefängnis erhielt.

Seitdem Romano Ende 1983 zu Merrill Lynch übergewechselt war, hatte er fast alle Insiderprobleme bearbeitet, die dort aufgetaucht waren, und dabei auch verschiedentlich mit der SEC zusammengearbeitet.

Als er Drews und Snyders Bericht über den neuesten Fall hörte, stand für ihn ziemlich fest, daß bei der Bank Leu jemand auf Insiderinformationen handelte.

»Irgend jemand hat dort einen heißen Draht«, meinte Romano voller Überzeugung.

Mitte Juni wurden Zubillaga und Hofer in die New Yorker Zentrale beordert und getrennt befragt. Hofer erklärte, daß er von Insiderinformationen nichts wisse. Er habe auf Empfehlungen von Zubillaga gehandelt, der wohl seine Informationen von Campbell bekommen hätte.

Zubillaga gab zu, von Campbell Hinweise erhalten und darauf gehandelt zu haben. Er stritt ab, in irgendeiner Art an Insidergeschäften beteiligt gewesen zu sein. Seiner Meinung nach habe Campbell lediglich die Käufe eines Kunden kopiert und ihn, Zubillaga, darüber informiert.

Zu den 8 000 Dollar an Campbell erklärte Zubillaga, daß dies Campbells Beteiligung an den Kursgewinnen gewesen sei, die er aufgrund der Hinweise aus New York erzielt habe.

Drew, Romano und Snyder waren in eine Sackgasse geraten. Sie hatten die Spuren von Zubillaga und Hofer zurück zu Campbell und von diesem zur Bank Leu verfolgt. Doch konnte Merrill Lynch Campbell nicht zur Rede stellen, weil er die Firma verlassen hatte, und an eine ausländische Bank kam man nicht heran.

Snyders gründliche Untersuchung hatte ergeben, daß Aktien von 27 Unternehmen, die in irgendeine Art von Fusion verwickelt waren, gehandelt worden waren. Die Zahlen der gehandelten Aktien gingen in die Tausende und die Kursgewinne in die Hunderttausende.

Romano vermutete, daß die bei Merrill Lynch entdeckten Geschäfte ein Baustein der Untersuchung sein könnten, die die SEC gerade wegen des Verdachts der Insidergeschäfte durch Ellis AG durchführte, eine große Schweizer Brokerfirma. Bank Leu war eine Schweizer Bank. Einige Aktien, die bei Merrill Lynch auftauchten, waren auch Gegenstand der SEC-Untersuchung bei Ellis AG. An Wall Street hörte man Gerüchte, wonach diese Untersuchung den größten Insiderfall in der Geschichte der Wall Street zutage fördere, an dem Dutzende von Aktien und bis zu vierzig Brokerhäuser und

Investmentbanker in den Vereinigten Staaten beteiligt seien. Man munkelte, daß die SEC Probleme habe, das Beweismaterial zusammenzubringen.

Am Freitag, den 28. Juni, rief Romano Gary Lynch an, Direktor der Vollstreckungsabteilung der SEC in Washington, weil er glaubte, ein fehlendes Stück im Ellis AG-Puzzle liefern zu können.

Der 35jährige Lynch war erst seit vier Monaten Chef der Abteilung, hatte aber schon immer als Jurist bei der SEC gearbeitet. Bei Untersuchungen galt er als fair, aber hartnäckig, er sprach leise und hatte ein Pokerface. Er war Nachfolger von John Fedders, der im Februar hatte zurücktreten müssen, nachdem die Presse über seine persönlichen Probleme berichtet hatte, zum Beispiel, daß der Zwei-Meter-Mann gelegentlich seine Frau schlug. Lynch war bei seinen Kollegen beliebt. Mit seiner Beförderung im März zum Leiter der Vollstreckungsabteilung konnte verhindert werden, daß die ›Affäre Fedders‹ negative Auswirkungen auf das Betriebsklima hatte.

Als Romano Lynch am Telefon hatte, sagte er zu ihm: »Gary, ich denke, ich habe etwas für dich.«

»Was denn?« fragte Lynch.

»Ich glaube, wir haben eine Offshore-Bank an der Angel, die bei allen kürzlichen Übernahmen beteiligt war«, erklärte Romano.

»Was meinst du?« fragte Lynch.

Romano nannte die Aktien: »Textron, Searle, Sperry, Jewel Companies.«

»Oh, Gott«, entfuhr es Lynch.

»Gary, hier ist 'ne Menge Material.«

Lynch ließ seinen Stellvertreter, John Sturc, rufen und schaltete den Lautsprecher an seinem Telefon ein. Die beiden Männer lauschten gespannt, was Romano ihnen über die interne Untersuchung bei Merrill Lynch berichtete.

John Sturc war knapp 35 Jahre alt, er trug eine Brille und hatte nur noch wenig Haar. Sein Vater war Karrierebeamter beim Internationalen Währungsfonds. Sturc hatte immer in Washington D. C. gelebt – außer während der Collegejahre an der Cornell Universität und dem Jurastudium in Harvard.

Fünf Jahre war er Staatsanwalt, dann ging er in eine Anwaltskanzlei. Doch nach weiteren sechs Monaten wurde ihm klar, daß ihm die

Arbeit in einer Kanzlei nicht lag. 1982 trat er in die SEC ein, weil ihm die komplizierten Untersuchungen Spaß machten und er außerdem wieder in den öffentlichen Dienst zurück wollte.

Am Wochenende dachte er über Bob Romanos Äußerungen nach. Merrill Lynchs Untersuchung hatte konkrete Hinweise zu Verdachtsmomenten erbracht, die Sturc und die SEC in verschiedenen Bereichen hatten. Die Bank Leu war bereits bei früheren SEC-Überprüfungen aufgeschienen. Fast alle von Merrill Lynch genannten Aktien waren bereits irgendwann einmal von der SEC überprüft worden.

Sturc glaubte nicht, daß eine Verbindung zur Ellis AG-Untersuchung bestand. Doch war er zu vorsichtig, um darüber zu spekulieren, wohin die Spur führen würde. Er wußte nur, daß er und seine Mitarbeiter der Spur so weit wie irgend möglich folgen sollten.

Am Montag ließ Sturc eine offizielle Verfügung vorbereiten, daß das Beweismaterial von Merrill Lynch geprüft werden dürfe. Mit einer solchen Verfügung erhalten die SEC-Juristen das Recht, unter Strafandrohung Unterlagen und Aussagen von allen in ihrer Rechtshoheit befindlichen natürlichen und juristischen Personen anzufordern. Am nächsten Tag, dem 2. Juli, wurde die Verfügung von den SEC-Kommissaren genehmigt und Ermittlung Nummer HO-1743 offiziell eingeleitet.

Sturc trug letztlich die Verantwortung für die Untersuchung, doch die eigentliche Leitung wurde Paul Fischer, einem Assistant Enforcement Director, übertragen. Fischer beauftragte einen seiner besten Juristen mit der Durchführung der Untersuchung. Sein Name war Leo Wang.

Zusammen mit Wang arbeitete Peter Sonnenthal, der erst vor kurzem bei der SEC angefangen hatte, nachdem er einige Jahre als Rechtsanwalt tätig gewesen war. Sie prüften die Unterlagen, die ihnen von Merrill Lynch in New York nach Washington geschickt worden waren. Sie listeten die Geschäfte chronologisch auf, setzten neben die Käufe und Verkäufe der Bank die Daten der Übernahmebekanntgaben und fügten die jeweiligen Handelsdaten für Zubillaga und Hofer hinzu.

Mitte Juli erhielten Zubillaga und Hofer Vorladungen der SEC. Die beiden Broker wurden getrennt und unter Eid von Wang und Sonnenthal befragt. Sie machten gegenüber der SEC im wesentlichen dieselben Aussagen wie gegenüber Merrill Lynch in New York. Ihrer Meinung nach stammte der Brief von einem Kollegen in Caracas, der neidisch auf ihre Kursgewinne war. Wang schickte Kopien der Sitzungsprotokolle an Merrill Lynch, um sicherzustellen, daß es keine Abweichungen gab.

Campbell erfuhr Anfang Juli von der Revisionsabteilung bei Smith Barney, die von Merrill Lynch informiert worden war, daß eine Untersuchung seiner Handelsaktivitäten lief. Campbell versicherte seinem Arbeitgeber, daß er mit Insidergeschäften nichts zu tun habe. Dann rief er Bernie Meier bei Bank Leu an und erzählte ihm, daß die Revisionsabteilung seine Orders überprüfe und daß sie sicher auch Fragen über die Aufträge der Bank Leu stellen würde.

Als Campbell im Laufe des Monats eine Vorladung der SEC erhielt, rief er wieder bei Meier an.

»Halt den Kopf hoch«, sagte Meier aufmunternd. »Dir kann nichts passieren.«

Anfang August wurde Campbell drei Tage lang in der SEC-Zentrale in Washington von Wang, Sonnenthal und einem weiteren SEC-Juristen, Edward Harrington, verhört. Campbells Anwalt, Peter Morrison, war ebenfalls dabei. Die Aussagen erfolgten unter Eid.

Campbell berichtete von seinen Kontakten mit Bernie Meier und erzählte, wie er das Konto für Bank Leu eröffnete. Meier habe ihm niemals gesagt, warum er eine Aktie kaufte, doch gab Campbell zu, ihm sei schon bald aufgefallen, daß Meier Übernahmeaktien kaufte.

Wiederholt erklärte er, daß er die von der Bank Leu erworbenen Aktien selbst überprüft habe, bevor er sie für sich gekauft habe. Er hätte keine Ahnung, wem das Konto gehörte, für das Meier bei ihm Aufträge plazierte. Campbell gab auch zu, daß ihm Meier 10 000 Dollar als Anlage in einem Immobiliengeschäft geliehen habe. Die SEC-Juristen suchten noch immer nach Beweismaterial, das sie an die Quelle der Insiderinformationen führen würde. Außerdem wollte die SEC unbedingt in Erfahrung bringen, wer den anonymen Brief an Merrill Lynch geschickt hatte. In dem Brief wurde versprochen, die »namen von insider mit ire eigene handschrif« zu nennen. Wang und Sonnenthal glaubten, daß der Absender möglicherweise die Drahtzieher der Geschäfte identifizieren konnte. Diese Überlegung widersprach zwar den Anzeichen, wonach die Orders durch Bank Leu plaziert wurden, doch handelte es sich um eine der vielen Spuren, denen nachgegangen werden mußte. Daher wollte die SEC von Merrill Lynch unbedingt die Erlaubnis erhalten, sämtliche Angestellten des Caracas-Büros befragen zu dürfen.

Sollten die Geschäfte tatsächlich von der Bank Leu International initiiert worden sein, hätte die SEC fast unüberwindbare Hindernisse zu bewältigen, um die Identität des Insiders in Erfahrung bringen zu können.

Fast zehn Prozent des Umsatzes an der New York Stock Exchange kommen aus dem Ausland. Computerhandel verbindet die amerikanischen Börsen mit den internationalen Finanzplätzen, insbesondere mit der Börse in London und Tokio. Der Handel »rund um die Uhr« ist schon fast Realität. Nur ein Bruchteil der Aufträge aus dem Ausland basiert auf Insider Trading oder anderen Mißbräuchen. Dennoch stellt die Gefahr des Mißbrauchs des ausländischen Bankgeheimnisses für die Überwachungsbehörden in den USA und im Ausland ein wachsendes Problem dar.

Das US-Außenministerium hat mit Großbritannien und den Cayman Inseln, einer britischen Kolonie, ein Abkommen geschlossen, wonach amerikanische Untersuchungsbehörden leichteren Zugang zu Informationen bei Drogenfällen haben. Analog dazu wurde mit der holländischen Regierung und den Niederländischen Antillen ein Abkommen geschlossen, das amerikanischen Untersuchungsbehörden den Zugang zu Finanzinformationen erleichtert. Was die Arbeit der SEC betrifft, so konnte John Fedders den Abschluß ähnlicher Abkommen mit ausländischen Regierungen über Insidergeschäfte und andere Wertpapiermißbräuche vorantreiben.

1982 kamen die USA und die Schweiz überein, daß die SEC und das US-Justizministerium Zugang zu Schweizer Bankkonten in bestimmten Fällen von Insidergeschäften an den US-Wertpapiermärkten haben sollten, die auch nach Schweizer Recht unzulässig sein könnten. Allerdings gilt die Übereinkunft nur begrenzt. Sie enthält eine Klausel, daß die Einsicht verweigert wird, wenn eine Kommission der Schweizerischen Bankiervereinigung feststellt, daß der Fall keine Verletzung des liberalen Schweizer Rechts über Insidergeschäfte darstellt.

Die Übereinkunft von 1982, die sogenannte Konvention XVI, war das Ergebnis des Druckes, den US-Richter in zwei Fällen auf Schweizer Banken in New York ausgeübt hatten. Im ersten Fall ging es um die Behauptung der SEC, verschiedene arabische Geschäftsleute hätten Kursgewinne von 7,8 Millionen Dollar erzielt, indem sie aufgrund von Insiderinformationen über eine bevorstehende Übernahme der Santa Fe International Corporation Optionen gekauft hatten. Die SEC hatte herausgefunden, daß die Erträge an eine Schweizer Privatbank, auf die Schweizer Konten von zwei amerikanischen Banken, der Citibank und Chase Manhattan, und auf das Konto einer New Yorker Wertpapierfirma, die der Credit Suisse gehört, geflossen waren.

In dem Urteil vom 26. Oktober 1981 ordnete der US-Amtsrichter William Conner an, die Kursgewinne auf den diversen Konten zu sperren, bis der Fall abgeschlossen sei. Damit wurde ein Präzedenzfall geschaffen. Der Jurist, der federführend für die SEC diesen Fall bearbeitete, war Bob Romano. Nach seinem Weggang im Jahre 1983 war John Sturc sein Nachfolger.

Der zweite Fall begann am 27. März 1981, als die SEC Klage gegen »gewisse unbekannte Käufer« von Aktien und Optionen in St. Joe Minerals einreichte. Die Käufe hatten kurz vor Bekanntgabe der Übernahmeofferte seitens Joseph E. Seagram & Company stattgefunden. Bundesrichter Milton Pollack sperrte sämtliche mutmaßlichen Insidergewinne in der New Yorker Filiale der Banca della Svizzera Italiana, nachdem die SEC Befürchtungen geäußert hatte, daß das Geld ins Ausland transferiert würde, weil die unbekannten Beklagten via ausländische Banken und Unternehmen operierten.

Im November ging Pollack noch einen Schritt weiter. Er drohte der Banca della Svizzera in Lugano mit einer Strafe von 50 000 Dollar pro Tag, falls sie nicht die Namen der Händler in St. Joe Minerals Aktien und -Optionen preisgebe. Angesichts der zur Bezahlung der Strafe drohenden Beschlagnahmung ihrer Vermögenswerte in den USA überredete die Bank einen der Drahtzieher in dem Insidergeschäft, sein Recht auf Wahrung des Bankgeheimnisses aufzugeben. Daraufhin konnte die Bank seinen Namen und drei panamaische Gesellschaften, die er kontrollierte, preisgeben, ohne gegen schweizerisches Recht zu verstoßen.

Pollacks Verfügung ließ die Schweizer Banken erschauern und führte zu der vorläufigen Vereinbarung von 1982.

Die Fälle St. Joe und Santa Fe stellten einerseits bahnbrechende

Siege für die SEC dar, andererseits zeigten sie aber auch, wie schwer es ist, die US-Börsen gegen Mißbrauch von Leuten zu schützen, die mit Konten in der Schweiz oder in anderen Plätzen operieren, in denen das Bankgeheimnis »oberstes Gesetz« ist. Die Namen der Insider im Santa Fe-Fall wurden der SEC erst im Mai 1985 nach viereinhalb Jahren gerichtlicher Auseinandersetzungen in der Schweiz bekanntgegeben. Im Herbst 1985 befanden sich die St. Joe-Auftraggeber noch immer auf freiem Fuß. Ihre illegalen Gewinne blieben weiterhin gesperrt, während ihre Anwälte den Fall mit aller Hartnäckigkeit im Gerichtssaal ausfochten.

In der letzten Augustwoche hatten Wang und Sonnenthal eine Besprechung mit Fischer. Dabei ging es um den Stand der Untersuchung und über die weitere Vorgehensweise. Sie mußten unbedingt einen Weg finden, um an die Bank Leu heranzukommen.

Zu diesem Zweck mußten sie nicht nur die rechtlichen Hürden überwinden, die die schweizerische Gesetzgebung im Hinblick auf die Tochtergesellschaft einer Schweizer Bank vorsieht. Das Problem verschärfte sich noch durch das Bankgeheimnis, das auf den Bahamas gesetzlich verankert ist. Die SEC hatte erst kürzlich eine Abfuhr erhalten, als sie den Namen eines Kontoinhabers wissen wollte. Die Verhandlungen auf Regierungsebene über ein Abkommen der gegenseitigen Unterstützung im Hinblick auf Bankgeheimnisse und Geldwäsche ruhten seit 1979.

Die SEC-Juristen beschlossen, sich zunächst um die Kooperation der Bank auf freiwilliger Basis zu bemühen und Bernhard Meier anzurufen, der über die Handelsaktivitäten der Bank am besten Bescheid zu wissen schien. Sollte dies nicht funktionieren, könnten sie immer noch den offiziellen Weg beschreiten und Vorladungen verschicken.

Am frühen Nachmittag des 28. August kam Bernie Meier in Bruno Pletschers Büro gestürmt. Sein Gesicht war rot vor Zorn.

»Jetzt sitzen wir in der Scheiße«, brüllte Meier.

Pletscher war über das Verhalten seines sonst so korrekten Kollegen ziemlich geschockt.

»Was ist denn los?« fragte er.

»Ich bin gerade von der SEC angerufen worden. Unser Freund ist zu weit gegangen. Sie wollen 'ne Menge wissen, auch über seine Aktien«, erwiderte Meier.

»Worüber redest du eigentlich?« wiederholte Pletscher seine vorherige Frage.

Meier beruhigte sich ein wenig und erzählte Pletscher, daß ihn die SEC angerufen habe und Einzelheiten über 27 Aktien wissen wolle, die über die Bank Leu gehandelt worden waren. Der Anrufer sagte, bei sämtlichen Aktien handele es sich um Übernahmesituationen, und die SEC vermute Insidergeschäfte.

Als der Anrufer die Namen der Aktien nannte, wußte Meier sofort, daß es sich um das Diamond-Konto handelte und daß die SEC die Aufträge via Campbell zur Bank Leu zurückverfolgt haben mußte. Als Campbell ihm im Juli zum ersten Mal von der Überprüfung erzählte, hatte er Levine informiert, daß die SEC einen Broker über Aktiengeschäfte befragte, die Bank Leu für Levine plaziert hatte. Daraufhin versicherte Levine, daß die ganze Sache nur eine Routinefrage sei und zu nichts führen würde. Meier solle die Angelegenheit vergessen, was dieser auch versuchte. Doch als die SEC nun plötzlich bei der Bank Leu anrief und Auskunft über 27 Transaktionen haben wollte, bekam es Meier mit der Angst zu tun. Außerdem ärgerte ihn das Ganze. Offensichtlich wußte die SEC mehr, als Meier dachte. Vielleicht irrte sich Levine, als er meinte, die Überprüfung würde im Sand verlaufen.

Pletscher gegenüber erklärte Meier, daß es wohl lächerlich sei, wenn die SEC glaube, sie könne Auskünfte von einer Schweizer Bank auf den Bahamas erhalten. Sie habe darauf gar kein Recht. Dieses Argument erschien Pletscher einleuchtend. Er arbeitete seit fast zwanzig Jahren bei einer Schweizer Bank, das Bankgeheimnis war ihm heilig. Auch glaubte er nicht, daß Levines Aktivitäten gesetzwidrig waren.

»Ich hatte den Eindruck, daß wir in der Grauzone agieren, aber nicht, daß wir etwas Illegales machen«, erklärte er Meier und führte weiter aus, daß er der Ansicht war, Levines Aufträge zu kopieren, habe gegen kein Gesetz verstoßen, auch wenn es vielleicht gegen das Reglement der Bank war.

»Wir haben niemals eine Bestätigung bekommen, daß er Insider ist«, sagte Meier. »Wir wußten es nie genau.«

Meier war noch immer aufgebracht und nervös. Die SEC erwarte eine umgehende Antwort. Ob Pletscher wohl glaube, daß die Bank überhaupt darauf regieren müsse.

»Es sieht nicht gut aus«, meinte Pletscher und gab die Frage zurück an Meier. »Was müssen wir deiner Meinung nach tun? Glaubst du, wir müssen der SEC die verlangten Informationen geben?«

Sie wußten beide nicht, was sie tun sollten. Wie es für die rigide Schweizer Gesellschaft typisch ist, war ihre erste Reaktion, dem Verlangen einer Behörde nachzukommen, selbst wenn es sich um eine ausländische Regierung handelte.

Pletscher schlug vor, die Zentrale in Zürich um Rechtsbeistand und Rat über das weitere Vorgehen zu bitten. Hätten sie jedoch zu dieser Zeit tatsächlich die Zentrale konsultiert, wäre ihnen wahrscheinlich geraten worden, den Anruf zu ignorieren und den Fall von der Rechtsabteilung in Zürich bearbeiten zu lassen. Doch Meier meinte, daß er auf die Antwort aus Zürich nicht warten könne. Er müsse sich vorher rühren. Im Grunde müsse er die SEC umgehend zurückrufen.

Pletscher fragte: »Kannst du Diamond anrufen?«

»Nein, aber er hat in der letzten Zeit häufig wegen neuer Aufträge telefoniert. Ich bin sicher, daß er in den nächsten Tagen anruft.«

»Laß uns warten, bis wir mit Diamond reden können«, schlug Pletscher vor.

Pletscher begleitete Meier in dessen Büro, wo Meier die SEC anrief. Er erklärte, daß die Bank eine schriftliche Aufforderung benötige und daß er vor einer Beantwortung die Rechtslage prüfen lassen werde.

Der erste Versuch der SEC war fehlgeschlagen. Am 30. August schickte die Behörde ein offizielles Fernschreiben an die Bank, in dem sie Auskünfte über 28 Aktien verlangte, also eine Aktie mehr, als in dem Telefongespräch erwähnt worden war. Ein ähnliches Schreiben ging an die Zürcher Zentrale der Bank. Ferner bat die SEC die US-Zollbehörden um Benachrichtigung, falls Bernhard Meier in die USA einreisen sollte.

Am selben Tag, an dem das Fernschreiben eintraf, rief Levine an. Meier erzählte ihm, daß die SEC-Prüfung zur Bank Leu geführt habe. Er müsse umgehend nach Nassau kommen. Levine blieb ruhig. Er versicherte Meier, daß es leicht sei, mit dem Problem fertig zu werden, dennoch würde er so bald wie möglich nach Nassau fliegen.

Im Juli hatte Meier Levine zum ersten Mal von der SEC-Prüfung berichtet. Damals äußerte er sich gegenüber Wilkis, daß die Bank in ein kleineres Problem geraten sei, versicherte aber zugleich, daß er, Levine, das Ganze im Griff hätte und gemeinsam mit der Bank daran arbeiten würde, seine Spuren zu verwischen. Die Nachricht vom Anruf der SEC störte ihn lediglich deshalb, weil dies bedeutete, daß er schon wieder nach Nassau reisen mußte. Dabei war er doch am Tag vor dem SEC-Anruf bei Meier gerade erst bei der Bank gewesen und hatte 150 000 Dollar abgehoben.

»Es gibt ein gottverdammtes Organisationsproblem bei der Bank«, schimpfte er gegenüber Wilkis, als er von dem SEC-Anruf bei Meier hörte. »Ich werde diesen Idioten sagen, daß sie das in Ordnung bringen müssen.«

Levine berichtete Wilkis, daß er mit Boesky gesprochen habe. »Ich habe ihm erzählt, daß ein Freund von mir Probleme mit der SEC hat, und der Russe hat gemeint: ›Sagen Sie Ihrem Freund, er soll zu Harvey Pitt gehen. Das ist der beste Anwalt für solche Sachen. Ich gehe auch immer zu ihm, wenn ich Schwierigkeiten mit der SEC habe.‹«

»Glaubst du, es ist ratsam, bereits jetzt einen Anwalt einzuschalten«, gab Wilkis zu bedenken.

»Du Trottel, meinst du vielleicht, ich heuere den Anwalt an. Das werde ich schön die Bank machen lassen.«

»Wenn es nun wirklich ein essentielles Problem für die Bank wird und deren Interessen nicht mit deinen übereinstimmen?« fragte Wilkis unbeirrt.

»Das wird nicht passieren. Ich arbeite nämlich mit der Bank.«

Der 2. September war Labor Day, Banken und Geschäfte hatten geschlossen. Levine nutzte den Feiertag für einen Trip nach Nassau. Er traf sich zu einer Besprechung mit Meier und Pletscher in der Bank. Die beiden Schweizer Banker waren offensichtlich noch immer höchst erregt über die Schnüffeleien der SEC.

Levine ärgerte sich, daß sie überhaupt von US-Prüfern kontaktiert worden waren, doch ließ er sich nichts anmerken. Statt dessen setzte er seinen ganzen Charme und seine Überredungskunst ein, um sie zu beruhigen und sie zur Mitarbeit zu gewinnen. Er hatte sich einen Plan ausgedacht, wie man mit der SEC-Prüfung fertig werden konnte.

Zu Beginn der Unterredung berichtete Meier nochmals von dem

Telefonanruf der SEC. Er zeigte Levine das Fernschreiben, in dem neben den ursprünglich 27 noch eine 28. Aktie genannt war.

»Das ist kein Problem. Damit werden wir fertig«, meinte Levine zuversichtlich und blätterte dabei einige Unterlagen durch, die er aus seiner Tasche gezogen und auf den Konferenztisch aus Eiche gelegt hatte.

Durch seine Arbeit habe er Erfahrung im Umgang mit SEC-Anfragen. Im übrigen arbeiteten in der Behörde lauter verknöcherte Bürokraten und Juristen, die draußen keinen Job finden. Er selbst hätte die SEC angelogen und er kenne genügend Leute, die dasselbe getan hätten. Wahrscheinlich gehen die SEC-Juristen davon aus, daß sie alle lügen, doch können sie es nicht beweisen.

»Die SEC-Leute verstehen nicht, worum es geht und deshalb brauchen Sie sich keinerlei Sorgen zu machen«, sagte Levine im Brustton der Überzeugung. »Sie müssen stark auftreten und nur das Notwendigste herauslassen. Hauptsache, Sie haben einen guten Anwalt, der Sie vertritt. Dann ist die Sache schon geritzt. Die SEC hat kein Recht, sich mit einer Schweizer Bank anzulegen, und sie hat ebenfalls kein Recht, sich in die Angelegenheiten einer Bank auf den Bahamas einzumischen.«

Levines Äußerungen verfehlten nicht ihre Wirkung auf Pletscher und Meier. Besonders überzeugend fanden sie den Hinweis, daß sich die SEC nicht in die Angelegenheiten der Bank einmischen darf. Sie hörten interessiert zu, als Levine erläuterte, wie man die SEC abschmettern könne.

»Sie müssen den SEC-Prüfern lediglich sagen, daß Sie die Entscheidung zum Kauf der Aktien jeweils auf der Grundlage eigener sorgfältiger Marktanalysen selbst getroffen haben. Sie sind einfach clever. Die SEC hat keinerlei Möglichkeiten, das Gegenteil zu beweisen, und deshalb werden sie die Überprüfung fallen lassen.«

Levine fuhr fort, daß der SEC mitgeteilt werden solle, die Aktien seien für Kunden gekauft worden, deren Depots von Meier verwaltet würden. Meier war sicherlich kein Insider, sondern ein berufsmäßiger Anlageberater. Er habe die Aktien aufgrund eigener Recherchen und Empfehlungen seiner Broker gekauft. Die Bank könnte es von Rechts wegen ablehnen, der SEC irgendwelche Unterlagen zu überlassen, und die SEC müßte die Geschichte mit der Vermögensverwaltung glauben.

Bei dieser Vorgehensweise sei es ganz wichtig, so fuhr Levine fort, einen Anwalt einzuschalten, der die Geschichte mit den verwalteten Depots überzeugend bei der Aufsichtsbehörde vorbrächte. Um die Geschichte zunächst erst einmal gegenüber dem Anwalt glaubwürdig zu machen, beschlossen die drei Männer, die Bankunterlagen dahingehend zu ändern, daß Levine eine Vereinbarung unterzeichnete, in der die Bank als Verwalter seines Depots eingesetzt wurde.

Meier verließ das Besprechungszimmer und kehrte mit dem standardisierten Vermögensverwaltungsvertrag der Bank zurück. Levine schlug vor, noch die Klausel hinzuzufügen, die besagte, daß er die Bank angewiesen habe, spekulative Werte einschließlich Übernahmeaktien zu kaufen.

Den ausgefüllten Vertrag wollte Levine mit seinem bahamanischen Anwalt durchgehen und ihn dann der Bank übergeben. In der Zwischenzeit unterzeichnete er provisorisch eine Vereinbarung und gab sie den Bankmanagern.

Darüber hinaus versprach Levine, Brokeranalysen und Zeitungsartikel zusammenzusuchen, um die Käufe von Übernahmeaktien, die damals von der SEC überprüft wurden, glaubwürdig zu machen. Meier könnte anhand der Unterlagen dem Rechtsanwalt erklären, warum er seinerzeit in die betreffende Aktie eingestiegen sei. Auch dies gehörte zu Levines Plan.

Dann fragte Levine Meier und Pletscher, ob die Bank einen guten Anwalt hätte, der mit der SEC fertigwerden könnte. Als dies verneint wurde, zog Levine aus seinen Unterlagen einen Zettel hervor und schaute ihn sich an.

»Ich empfehle, daß Sie Harvey Pitt von der Kanzlei Fried-Frank einschalten.« Er gab Pletscher den Zettel mit Pitts Namen und Telefonnummer.

»Warum gerade ihn?« fragte Pletscher.

»Ich kenne Harvey Pitt von anderen Fällen«, erläuterte Levine. »Er war früher General Consul bei der SEC und kennt die Behörde in- und auswendig. Sie überzeugen Pitt von der Geschichte, und Pitt überzeugt die SEC.«

Die Anspannung legte sich allmählich, als Levine seinen Plan darlegte. Pletscher und Meier glaubten allmählich selbst, daß sie mit der SEC relativ reibungslos fertig würden. Allerdings schlug Meier vor, Levine sollte sich mit Käufen zurückhalten, solange die SEC-

Untersuchung lief. »Wir dürfen nicht weiter in Aktien handeln, die in Übernahmetransaktionen verwickelt sind«, sagte er zu Levine.

Levine versprach, vorsichtiger zu sein und nur auf solche Übernahme-Aktien zu handeln, bei denen die Übernahme öffentlich bekanntgegeben wurde oder über die alle Welt spricht. Doch warnte er davor, die Käufe ganz einzustellen. Denn das könnte für die SEC ein Indiz sein, daß die Bank etwas zu verbergen habe.

»Hat Ihnen die SEC gesagt, was die ganze Untersuchung ausgelöst hat?« fragte Levine.

Meier erwiderte, die SEC habe dazu nichts gesagt. Aber er erzählte Levine nochmals, daß Brian Campbell, einer der Broker, mit denen Meier in New York handelte, vor der SEC im August aussagen mußte. Campbell habe Merrill Lynch Anfang 1985 verlassen und sei zu einer anderen Brokerfirma gegangen, wobei er das Bank-Leu-Geschäft weitgehend mitgenommen habe. Meier fuhr fort, daß seiner Meinung nach Campbells Nachfolger bei Merrill Lynch aus Verärgerung über den Verlust eines so wichtigen Kunden die Untersuchung initiiert und die SEC darauf angesetzt haben könnte. Jedenfalls habe Campbell bei Merrill Lynch einige Käufe der Bank kopiert, und die SEC habe ihn zu diesen Käufen befragt.

Levine hatte noch nie etwas von Campbell gehört. Er räsonierte über die »Dummheit« des Brokers, Kundenaufträge zu kopieren, ließ die Sache aber auf sich beruhen.

Kaum hatte Levine die Bank verlassen, gingen Meier und Pletscher in das Büro von Jean-Pierre Fraysse, um den Leiter der Bank über den Verlauf der Besprechung und vor allem den Plan des Amerikaners, wie man mit der SEC fertigwerden würde, zu informieren. Sie erläuterten Fraysse, daß es im besten Interesse der Bank liege, bei dem Plan mitzumachen. Die SEC dürfte sich überhaupt nicht mit Aktientransaktionen befassen, die von einer Bank auf den Bahamas plaziert worden sind. Levines Plan schien jedenfalls der beste Weg zu sein, um die Anfrage schnell abzuschmettern und Kunden und Bank zu schützen.

»Ja, das scheint der beste Weg zu sein, um das Problem zu lösen«, stimmte Fraysse zu.

Pletscher fügte hinzu, daß Levine vorgeschlagen habe, einen amerikanischen Anwalt namens Harvey Pitt einzuschalten, der die

Bank gegenüber der SEC vertreten solle. Er fragte Fraysse, ob er jemals von diesem Pitt gehört habe.

»Nein, ich kenne ihn nicht«, erwiderte Fraysse. »Aber ich werde ihn anrufen und fragen, ob er unser Mandat annimmt.«

12. Kapitel

»Einfach lügen«

Harvey Pitt hatte seinen Posten als Syndikus der Securities and Exchange Commission vor sieben Jahren aufgegeben und war in die renommierte Anwaltskanzlei Fried-Frank, Harris, Shriver & Jacobson übergewechselt. Mittlerweile gehörte er zu den führenden Wertpapieranwälten in den Vereinigten Staaten. Er hatte Unternehmen vertreten, die andere Gesellschaften übernehmen wollten, aber auch Firmen, die sich gegen einen unerwünschten Übernahmeversuch zur Wehr setzten. Unter seiner Ägide war der Wertpapierbereich der Kanzlei mächtig gewachsen und zu einer der Hauptertragsquellen geworden. Zu seinen Spezialgebieten gehörte die Bearbeitung von Fällen, bei denen es um Insidergeschäfte ging und er für seine Kunden mit der SEC verhandeln mußte.

Pitt stammte aus Brooklyn, war 40 Jahre alt und eine eindrucksvolle Erscheinung: mit Vollbart und stattlich gebaut, selbstsicher und aktiv. Mit Vorliebe hakte er seine Daumen in den Hosenträger ein; auf seinem Lieblingshosenträger prangten rote Teufel. Er war ein zäher und fanatisch gründlicher Anwalt. Kurz nach seinem Eintritt bei Fried-Frank im Jahre 1978 erschien ein Artikel über ihn in einem Buch über »workaholics«. Seitdem hatte er sein Arbeitspensum oder -tempo nicht verringert. Damit er rund um die Uhr auf sein Büro zurückgreifen konnte, beschäftigte er Sekretärinnen in drei Schichten.

Wie die meisten berühmten Rechtsanwälte, war auch Pitt nicht billig. Er berechnete 300 Dollar pro Stunde und häufig auch ein Vielfaches davon für die Bearbeitung komplizierter Unternehmensprobleme.

Gegen Ende der ersten Septemberwoche 1985 rief Fraysse in Pitts Büro im Watergate-Komplex in Washington an und bat um Rückruf. Im nachfolgenden Telefongespräch erläuterte Fraysse, daß er sich mit Pitt treffen möchte, um mit ihm über die Möglichkeit zu sprechen, die Bank Leu in einer anhängigen SEC-Untersuchung zu vertreten.

Sie vereinbarten, sich zu Beginn der nächsten Woche zu einem Arbeitsfrühstück im Westbury Hotel in New York zu treffen, wo Pitt regelmäßig ein bis zwei Tage pro Woche war.

Vor diesem Treffen suchten Pitts Anwaltsgehilfen einige Daten über Bank Leu International in Nassau heraus. Ihre Recherchen ergaben, daß sie eine Tochtergesellschaft der Bank Leu, der ältesten privaten Geschäftsbank der Schweiz war, und daß die Mutterbank ein angesehenes Finanzinstitut war.

Pitt schickte ein Rundschreiben an die New Yorker, Londoner und Washingtoner Büros der Kanzlei, um festzustellen, ob durch ein Mandat der Bank Leu irgendwo ein Interessenkonflikt entstünde. Die einzige Antwort auf sein Rundschreiben bestand in einem Telefonanruf von Michael Rauch, einem leitenden Prozeßanwalt im New Yorker Büro der Kanzlei.

Rauch war 47 Jahre alt und hatte in Princeton und an der Harvard Law School studiert. Er wohnte in der Upper West Side von Manhattan, rauchte Zigarren und trug Anzüge, die ein wenig modischer und auffälliger waren als die dunklen Uniformen der anderen Partner.

Nach dem Jurastudium arbeitete Rauch vier Jahre lang als stellvertretender Staatsanwalt von New York. Danach, im Jahre 1968, kam er zu Fried-Frank. Er avancierte bald zu einem der besten Prozeßanwälte, dem der Ruf vorausging, niemals die Nerven zu verlieren, ein vorschnelles Urteil zu fällen oder etwas Unbesonnenes zu sagen. Als Leon Silverman, Leiter der Abteilung Prozesse bei Fried-Frank, 1982 mit der Untersuchung über Raymond Donovan, Reagans ehemaligem Arbeitsminister, beauftragt wurde, wählte er sich umgehend Rauch zu seinem engsten Mitarbeiter.

In der Kanzlei Fried-Frank bearbeitete Rauch zahlreiche Fälle, bei denen es um Wertpapierbetrugsprozesse ging; zuletzt vertrat er Credit Suisse in dem Fall von Insidergeschäften in Santa Fe International Corporation. Jetzt bot er Pitt seine Hilfe an, falls dieser einen Prozeßanwalt brauchte, der sich mit ausländischem Bankgeheimnis auskannte. Pitt nahm das Angebot an. Diese Zusammenarbeit legte den Grundstein für ihren späteren Erfolg.

Das Arbeitsfrühstück, zu dem sich Pitt und Fraysse in der folgenden Woche trafen, dauerte nicht lange. Fraysse erklärte, daß Pitt ihm von verschiedenen Quellen aus dem Wertpapierbereich empfohlen worden sei, die seinen SEC-Hintergrund und seine Arbeit bei der Anwaltskanzlei kannten. Dann erzählte er, daß die Bank eine Aufforderung von der SEC erhalten habe, Auskünfte über mögliche Insidergeschäfte im Hinblick auf 28 Aktien zu geben. Die betreffenden Geschäfte seien alle von Bernhard Meier, dem Portfolio Manager der Bank, für Depots durchgeführt worden, die von der Bank verwaltet werden.

Pitt erläuterte Fraysse die US-Insiderregeln und die Funktion der SEC in diesem Zusammenhang. Fraysse überließ Pitt eine Kopie der SEC-Anfrage und einen kurzen Abriß über die Bank.

Ein paar Tage später unterhielten sich Pitt und Rauch in einer Konferenzschaltung mit Meier und Richard Coulson, einem in Nassau lebenden amerikanischen Anwalt, dem Rechtsberater der Bank. Pitt, Rauch und Meier kamen überein, sich so bald wie möglich zu treffen, um die einzelnen von der SEC überprüften Geschäfte durchzugehen. In der Zwischenzeit müßte sich die Bank über die Alternativen der weiteren Vorgehensweise klarzuwerden. Dazu gehörte die Entscheidung, ob die Bank überhaupt auf die SEC-Anfrage reagieren wolle, denn sie hatte ihren Sitz außerhalb der US-Rechtshoheit, und es könnte gegen die bahamanische Bankgesetzgebung verstoßen, Informationen an die SEC weiterzugeben. Pitt und Rauch schlugen vor, daß sie unabhängig von dieser Grundsatzentscheidung nach Nassau kommen würden, um mit Meier zu reden. Doch dieser lehnte den Vorschlag ab. Er müsse in der nächsten Woche ohnehin nach New York fliegen und würde sich dann dort mit Pitt und Rauch treffen.

Hatte die SEC-Anfrage bei Meier zunächst Angst und Nervosität ausgelöst, war er nun entschlossen, der Aufsichtsbehörde zu trotzen. Er wollte sich an Levines Plan halten, daß er sämtliche Geschäfte für die verwalteten Depots getätigt hatte. Doch um die SEC-Anfrage möglichst schnell vom Tisch zu bekommen, mußten die amerikanischen Anwälte von dieser Version überzeugt werden. Meier traf Pitt und Rauch am 18. September im Wall Street-Büro der Kanzlei Fried-Frank. Er verbrachte einen ganzen Tag damit, die beiden von seinen Fähigkeiten als Vermögensberater zu überzeugen und vor allen Dingen seinen Spürsinn für Übernahmeaktien zu demonstrieren, die er herausfand, indem er sich in seiner Aktienanalyse auf die Fundamentaldaten der Unternehmen konzentierte. Er machte kein Hehl daraus, wie wütend er über die SEC war, daß sie es wagte, sich in die Geschäfte einer Schweizer Bank auf den Bahamas einzumischen. Er sei entschlossen, hart zu bleiben und jegliche Zusammenarbeit mit der SEC abzulehnen.

Kurz nach Meiers Rückkehr in das Waldorf Astoria, wo er Zimmer Nummer 2341 bewohnte, klopfte es an seiner Tür. Er öffnete und sah sich einem Mann gegenüber, der ihm einen Umschlag überreichte. Darin befanden sich zwei Vorladungen der SEC. Die eine beinhaltete die generelle Vorlage der Bankunterlagen seit 1. Oktober 1983, in der zweiten wurde Einsicht in Meiers persönliche und geschäftliche Unterlagen verlangt, und zwar unter Strafandrohung.

Die SEC hatte alle Hoffnung aufgegeben, mit Meier oder der Bank Leu auf freiwilliger Basis zusammenarbeiten zu können. Nun zahlte sich aus, daß sie die Zollbehörden eingeschaltet hatte. Denn Meier hatte auf dem Formular, das er bei der US-Grenzkontrolle in Nassau ausfüllen mußte, seinen Aufenthaltsort in New York angegeben. Die Zollbeamten benachrichtigten umgehend die SEC.

Die Vorladungen, insbesondere die Forderung nach seinen persönlichen Unterlagen, waren für Meier ein schwerer Schlag, seine Zuversicht schwand. Ziemlich außer sich rief er die Kanzlei Fried-Frank an und erreichte Pitt am Telefon. Der versuchte, seinen aufgebrachten Klienten zu beruhigen. Sie vereinbarten, sich am folgenden Sonntag in Nassau zu treffen, aber zuallererst würde Pitt einen Boten herüberschicken, der die beiden Dokumente abholen sollte.

Nach dem Telefongespräch geriet Meier vollends in Panik. Er glaubte fest daran, daß er seit seiner Abreise in Nassau beschattet wurde. Rückblickend dachte er, daß er bereits im Flughafen von Nassau von irgend jemandem registriert und auch seine Ankunft in New York beobachtet worden sein müsse.

Pletscher sollte am nächsten Tag ebenfalls nach New York kommen, um zusammen mit Meier einen potentiellen Kunden zu besuchen. Doch Meier rief ihn in Nassau an und berichtete ihm voller Angst von den Vorladungen.

»Der amerikanische Zoll hat bei meinem Abflug von Nassau äußerst merkwürdig reagiert«, erzählte Meier. »Ich glaube, ich werde beobachtet. Du mußt bei der Ausreise vorsichtig sein.«

Pletscher wollte ursprünglich auch im Waldorf Astoria wohnen, sagte aber nun, er würde im Helmsley Palace absteigen, falls ihn die SEC ebenfalls beobachten sollte. Er würde am Donnerstagabend ankommen, da sie am Freitag den Kundentermin hatten, und versprach, Meier sofort nach seiner Ankunft anzurufen.

Meier bestellte beim Zimmerservice ein Sandwich und etwas zu trinken und versuchte abzuschalten. Doch riß ihn das Telefon aus seinen Gedanken. Es war Levine. Er rief von einem Restaurant in der 92. Straße. Ecke Third Avenue an, also ungefähr zwei Straßen von seiner Wohnung in der Park Avenue entfernt.

Meier hatte Levine einige Tage zuvor erzählt, daß er einen Termin mit den Anwälten hätte. Nun rief der Investmentbanker an, um sich zu erkundigen, wie das Treffen verlaufen war. Außerdem wollte Levine weiteres Hintergrundmaterial zu einigen Aktien liefern. Allerdings erzählte ihm Meier kaum etwas über das Gespräch mit den Anwälten, sondern ließ sich statt dessen lang und breit über die Vorladungen der SEC und seine Vermutung aus, daß er beobachtet würde. Er hätte Angst davor, vor der SEC aussagen zu müssen. Obwohl er den Anwälten seiner Meinung nach die Geschichte überzeugend verkauft habe, wisse er nicht, ob er bei einem Verhör durch SEC-Anwälte ebenso überzeugend lügen könne.

Levine blieb genauso ruhig wie einige Wochen zuvor, als er zum ersten Mal von der Untersuchung hörte.

»Sie lügen einfach gegenüber der SEC, und damit kommen Sie schon durch«, lautete Levines Empfehlung. »Die SEC-Leute wissen, daß Sie nicht die Wahrheit sagen, doch haben die keinerlei Anhaltspunkte, um das Gegenteil zu beweisen.«

Bruno Pletscher hatte von Anfang an Zweifel, ob man mit der Lügengeschichte bei der SEC Erfolg haben würde. Durch die Vorladungen wurden seine Zweifel nur noch größer, denn sie zeigten deutlich, daß es die amerikanischen Aufsichtsbehörden ernst meinten. Als er am späten Nachmittag des 19. September zum Nassau International Airport fuhr, um nach New York zu fliegen, stellte er sich vor, daß die Grenzbeamten seinen Namen und die Nummer seines Schweizer Passes im Computer registriert hatten. Im Flughafen erfuhr Pletscher, daß die Stromversorgung momentan unterbrochen war. Er hielt dies für ein gutes Omen. Die Grenzbeamten mußten die Papiere und Passagiere, die die Abendmaschine und damit den letzten Flug gebucht hatten, der von Nassau weggeht, im Kerzenlicht anschauen, denn sämtliche Computer waren ausgefallen. Auf diese Weise konnten die Grenzbeamten die Papiere auch nicht mit der Liste verdächtiger Personen abgleichen.

Pletscher konnte nicht wissen, daß die SEC im September 1985 nicht einmal seinen Namen kannte und erst Wochen später von seiner Existenz erfuhr.

Nachdem sich Pletscher in New York im Hotel Helmsley Palace eingetragen hatte, ging er zu Fuß zum Waldorf Astoria. Dort rief er über das Haustelefon Meier an, der ihm Minuten später im Foyer gegenüberstand. Meier war noch immer verängstigt und schlug vor, woanders hinzugehen, weil sie im Hotel vielleicht beobachtet würden.

Sie gingen zum Helmsley Palace. Erst in Pletschers Zimmer zog Meier Kopien der SEC-Vorladungen aus seiner Tasche und überreichte sie seinem Kollegen.

»Wie können die Vereinigten Staaten so etwas von jemandem verlangen, der nicht hier wohnt und der kein US-Bürger ist?« fragte Pletscher.

»Ich habe keine Ahnung«, sagte Meier. »Ich weiß nicht, ob sie es können oder nicht. Jedenfalls macht mir das Ganze große Sorgen.«

Die beiden beschlossen, den Kundentermin für den nächsten Vormittag abzusagen und lieber mit der Frühmaschine nach Nassau zurückzufliegen. Meier empfahl Pletscher, in seinem Zimmer zu bleiben, und fügte beim Hinausgehen hinzu: »Mach um Gottes willen niemandem die Tür auf.«

Etwa zehn Minuten später klopfte es an Pletschers Tür.

Pletscher zuckte zusammen. »Die SEC hat mich doch aufgespürt!« schoß es ihm durch den Kopf. Er dachte an Meiers Rat, die Tür nicht zu öffnen. Es klopfte nochmals, diesmal kräftiger. Pletscher ging zur Tür und öffnete sie einen Spalt.

Draußen stand das Zimmermädchen und überreichte ihm mit einem Lächeln Schweizer Schokolade, einen Gute-Nacht-Gruß des Hotels.

Harvey Pitt ist viel auf Geschäftsreise. Er fliegt Erster Klasse, mitunter mietet er sich sogar einen Privatjet, um pünktlich zu wichtigen Meetings zu kommen. Stets wohnt er in Luxushotels.

Als er das Zimmer betrat, das Meier für ihn im Nassau Beach Hotel reserviert hatte, war sein erster Gedanke, der Bankmanager wolle ihn auf den Arm nehmen. Er rief Rauch an und erfuhr, daß dieser ein ebenso kleines Zimmer hatte; es bot noch den zusätzlichen Vorteil, daß es direkt über der Hotelbar lag, wo eine Band laut Calypsorhythmen spielte. Als Pitt vor dem Schlafengehen duschen wollte, stellte er fest, daß es kein warmes Wasser gab. Seit seiner High School-Zeit hatte er sich nicht mehr kalt geduscht.

Am Sonntagnachmittag kam Meier vorbei. Sie saßen bis zum Abend in Pitts kleinem Hotelzimmer und diskutierten über die weitere Vorgehensweise. Meier wollte nicht, daß ihn die amerikanischen Anwälte im Lyford Cay Club besuchten, wo er wohnte und zu dem auch ein Luxushotel gehörte, das wesentlich mehr Annehmlichkeiten bot als das Nassau Beach Hotel. Meier versuchte auch zu verhindern, daß die Anwälte zur Bank Leu kamen. Ihm schien es unangenehm zu sein, mit ihnen gesehen zu werden; vielleicht wollte er auch nicht die Neugierde der Bankangestellten wecken. Dennoch sollte das nächste Gespräch in der Bank stattfinden.

Vor dieser Sitzung besprachen Meier und Pletscher noch einmal die Einzelheiten ihrer Version. Pletscher hatte noch immer Vorbehalte, die Meier auszuräumen versuchte.

»Wir sollten uns an Diamonds Empfehlung halten und sagen, daß wir die Aktien ausgewählt haben«, erklärte Meier. »Wenn diese Staranwälte überzeugt sind, sollten wir mit der SEC keine großen Probleme mehr haben.«

»Im übrigen werde *ich* reden«, fuhr Meier fort. »Du brauchst dich um nichts zu kümmern. Ich sage einfach, daß du nur eingesprungen bist, wenn ich weg war, und selbst dann hast du dich regelmäßig bei mir erkundigt, denn ich habe jeden Tag angerufen.«

Manche Anwälte legen gar keinen Wert darauf, von ihren Klienten die Wahrheit über deren Beteiligung an einem Vergehen oder Verbrechen zu erfahren. Die Frage der Schuld oder Unschuld ist für sie sekundär und wirkt sich nicht auf die Art ihrer Verteidigung aus. Vielleicht glauben sie, daß jeder Mensch, ungeachtet der Schuldfrage, das Recht auf bestmögliche Verteidigung hat; vielleicht wollen sie auch nicht ihr Gewissen damit belasten, daß sie einen Schuldigen verteidigen.

Es gibt aber auch Anwälte, die unbedingt die volle Wahrheit wissen möchten, bevor sie einen Fall übernehmen. Der Grund für dieses Verhalten kann Wahrheitsliebe sein oder auch die Überlegung, daß sie keine gute Verteidigungsstrategie entwickeln können, wenn sie nicht genau wissen, worauf diese basieren soll. Vielleicht ist es auch eine Mischung aus beidem.

In komplizierten Fällen von Wirtschaftskriminalität liegen Schuld und Unschuld dicht beieinander. Vieles, was auf Vorstands- oder Verwaltungsratsebene abläuft, spielt sich in einer Grauzone ab. In solchen Fällen werden Rechtsanwälte eher dazu neigen, von ihren Klienten die volle Wahrheit erfahren zu wollen. Sicherlich paßt Insider Trading in die Kategorie komplexer Verbrechen, insbesondere, wenn es sich bei den Beteiligten um Ausländer handelt, die nicht der amerikanischen Gerichtsbarkeit unterliegen.

Pitt und Rauch sahen sich mit zwei widersprüchlichen Erklärungen zu den 28 Übernahmeaktien konfrontiert, die auf der Vorladung aufgeführt waren. Nach Meinung der SEC handelte es sich bei den Käufen um Insidergeschäfte. Dagegen behauptete die Bank, sie seien auf der Basis eigener Fundamentalanalysen erworben worden. Die beiden Anwälte hielten es daher für unerläßlich, von ihren Klienten die volle Wahrheit zu hören. Alles andere würde eine Verteidigung nur erschweren.

Als Pitt und Rauch an diesem Montag die Bank betraten, wurden sie sogleich in das große Konferenzzimmer geführt, wo Pletscher, Meier und Richard Coulson auf sie warteten. Außerdem war auch Michael Barnett, ein Anwalt aus Nassau, anwesend. Er war Spezialist in Fragen der bahamanischen Gesetzgebung zum Bankgeheimnis. Pitt erläuterte den Anwesenden, der schlimmste Fehler, den Bank Leu machen könnte, wäre, ihre Anwälte zu belügen. Denn Rauch und er könnten sie nur dann wirksam verteidigen, wenn sie die Wahrheit wüßten.

»Die Tatsachen auf beiden Seiten sehen wie folgt aus«, fuhr Pitt fort. »Sie haben zwei SEC-Vorladungen, die zugestellt wurden, nachdem Meiers Einreise in die USA elektronisch registriert worden war. Das bedeutet, daß es die SEC mit der Untersuchung ernst meint und wir es mit einer äußerst kritischen Situation zu tun haben. Ferner haben Sie eine Aufstellung von 28 Aktien, die Gegenstand der Untersuchung sind. Viele dieser Aktien scheinen kurz vor der

Bekanntgabe von Übernahmetransaktionen gekauft worden zu sein. Schließlich stehen auf der offiziellen Ermittlungsverfügung 14 Personen aus der Vollstreckungsabteilung der SEC. Das ist eine ungewöhnlich hohe Anzahl.

Ihre Seite behauptet, daß es sich um Käufe für verwaltete Depots handelt. Entweder ist die Behörde total auf dem Holzweg, oder Sie halten mit der Wahrheit etwas hinter dem Berg. Wir sind sehr gute Anwälte. Wenn Sie uns die Wahrheit sagen, können wir Ihnen wahrscheinlich helfen.«

»Nein, nein«, beschwichtigte Coulson. »Bernie hat auf der Basis von Fundamentaldaten gekauft. Das ist alles.«

Coulson hatte die Aufgabe, den Rechtsanwälten im Namen der Bank Rede und Antwort zu stehen. Er war Amerikaner, 54 Jahre alt, und hatte sich vor vielen Jahren in Nassau niedergelassen. Nach seinem Jurastudium an der Yale Universität praktizierte er zunächst in der Kanzlei Cravath, Swaine & Moore in New York und arbeitete dann als Investmentbanker. Mit der einschlägigen Gesetzgebung kannte er sich also bestens aus. Coulson versicherte Pitt und Rauch, daß sie wußten, wie wichtig es war, die Wahrheit zu sagen. Er unterstrich nochmals, daß Meier sämtliche Käufe im Rahmen der Vermögensverwaltung aufgrund seiner eigenen Analyse der jeweiligen Aktien durchgeführt hatte.

Es folgte eine eingehende Befragung der beiden Banker. Damit wollten die Anwälte aus New York einerseits sehen, ob es in ihrer Geschichte irgendwelche Brüche gäbe, andererseits brauchten sie Material zum Aufbau der Verteidigung. Meier wurde gefragt, nach welchen Kriterien er bestimmte Aktien ausgewählt habe. Daraufhin erläuterte er seine Anlagestrategie und auch die Art der Hilfestellung, die er dabei von den verschiedenen amerikanischen Brokern bekommen habe.

Als nächstes fragte Pitt Pletscher, wie er die Aktienkäufe abgewickelt habe, wenn Meier auf Dienstreise oder in Ferien war. Pletscher hatte sich nur selten zu Wort gemeldet, so daß Pitt und Rauch annahmen, daß er trotz seines Titels niedriger in der Bank angesiedelt war.

Pletscher stellt den Prototyp eines Schweizers dar. Er ist höflich, zurückhaltend und vorsichtig. Doch an diesem Tag war er noch schweigsamer als sonst, da er sich bei der ganzen Angelegenheit äußerst unwohl fühlte. Er traute den amerikanischen Anwälten nicht. Er kannte sich mit dem amerikanischen Rechtssystem nicht aus und empfand Pitt und Rauch als Eindringlinge. Wäre es nach ihm gegangen, hätte man die Rechtsabteilung der Zürcher Mutter konsultiert. Außerdem hatte Pletscher Zweifel, ob das von Levine ausgedachte Täuschungsmanöver überzeugen würde.

Nach reiflichem Überlegen beantwortete er Pitts Frage: »Ich habe immer mit Bernie Kontakt gehalten.«

»Wenn Bernie in Urlaub ist, wie kann er mit den Maklern Kontakt halten, und wie hat er es geschafft, immer zur richtigen Zeit anzurufen, wo doch die Schweiz sechs Stunden früher dran ist als Nassau oder New York?«

Meier wollte antworten, wurde jedoch gleich von Pitt mit dem Hinweis unterbrochen, daß er Pletscher gefragt habe.

»Ich habe zu den Brokern Kontakt gehalten und die Informationen an Bernie weitergegeben«, sagte Pletscher. »Bei kleinen Käufen habe ich mich auf die Broker verlassen, während bei größeren Orders die Entscheidung immer von Bernie kam.«

Abschließend versprach Pitt, daß er und Rauch bald wieder nach Nassau kommen würden. Beim nächsten Treffen wollten sie sich genauen Einblick in die einzelnen Käufe verschaffen und dabei auch die Unterlagen der verwalteten Depots einsehen, für die Meier gekauft hatte.

Pletscher fühlte sich angesichts von Pitts bohrenden Fragen und seiner Forderung nach detaillierten Antworten zunehmend unbehaglicher. Als die Anwälte die Bank verlassen hatten, sagte er zu Meier: »Mir ist ganz klar, daß ich Unsinn erzählt habe. Sicher haben die das auch gemerkt. Wir sollten Zürich kontaktieren.«

»In Zürich kennen sie sich doch mit SEC-Geschichten nicht aus«, antwortete Meier. »Sie haben mit dem US-Aktienmarkt nicht viel zu tun und verstehen ihn auch nicht.«

»Ich will aber trotzdem, daß sie eingeschaltet werden«, sagte Pletscher mit Nachdruck.

Am Dienstag früh rief Pletscher in der Zürcher Zentrale an und sprach mit Hans Peter Schaad, dem Syndikus der Bank. Er erzählte Schaad, daß die SEC-Anfrage ernster sei, als sie ursprünglich angenommen hätten, und bat ihn, möglichst bald nach Nassau zu fliegen, um sich »ein umfassendes Bild der Lage zu machen«. Schaad antwortete, daß er sich die Sache überlegen und sie mit Hans Knopfli besprechen wolle, dem Präsidenten der Generaldirektion in Zürich, der als Verwaltungsratsvorsitzender der Bank Leu International fungierte.

Pletschers Zweifel wurden dadurch zwar nicht zerstreut, doch fühlte er sich etwas erleichtert, daß er Schaad informiert und auf diese Weise die Verantwortung auf die höchste Ebene der Bank geschoben hatte, wo sie, wie er nun schon seit drei Wochen meinte, auch hingehörte.

Pitt und Rauch wollten im Laufe des Dienstagvormittag abfliegen. Um sieben in der Früh wurde Pitt durch einen Telefonanruf geweckt. Es war Coulson. Er wollte sich mit den beiden in einer halben Stunde zum Frückstück im Hotelrestaurant verabreden, da er mit ihnen unbedingt vor ihrer Abreise noch reden müsse.

Pitt rief Rauch an, der ebenfalls noch schlief. Er sagte zu seinem Kollegen, daß sie in weniger als dreißig Minuten mit Coulson frühstücken würden.

»Entweder sagt er uns jetzt die Wahrheit, oder er entzieht uns das Mandat«, prophezeite Pitt.

Keines der beiden Ereignisse trat ein. Coulson war sehr freundlich und erläuterte nochmals die Situation; er wies vor allem auf die Bedeutung der bahamanischen Gesetzgebung zum Bankgeheimnis hin. Die drei Anwälte einigten sich darauf, ihr Gespräch in der folgenden Woche fortzusetzen, nachdem Pitt und Rauch mit der SEC gesprochen hatten.

Im Laufe derselben Woche kam eine Abordnung der Revisionsabteilung der Bank Leu in Zürich nach Nassau, um die routinemäßige Prüfung der Bücher vorzunehmen. Der Leiter der Revisionsabteilung und sein Stellvertreter hatten sich bereits in einem kleinen Büro häuslich eingerichtet, als Meier und Pletscher sie um ein Gespräch in einer besonderen Angelegenheit baten.

Pletscher wußte nach diesem Gespräch noch weniger, was er tun sollte. Es war eines von mehreren Ereignissen, bei denen er möglicherweise Signale seiner Vorgesetzten mißdeutete und schließlich mit mehr Verantwortung dastand, als er ursprünglich zu tragen bereit gewesen war.

Meier war Ansprechpartner der amerikanischen Anwälte, weil er mit ihnen besser umgehen konnte und die Geschichte ohnehin in seinen Händen lag. Gegenüber den Rechnungsprüfern aus Zürich erläuterte allerdings Pletscher die Lage, denn er kam schließlich selbst aus dem Rechnungswesen und war bei Bank Leu International für Finanzen zuständig. Pletscher gab einen Abriß der SEC-Untersuchung über die Handelsaktivitäten im Hinblick auf 28 Aktien und wies darauf hin, daß die Untersuchung etwas mit Insidertrading zu tun haben könnte. Er erzählte ferner, daß Fraysse zugestimmt habe, die zwei amerikanischen Anwälte zu bitten, die Bank in der Untersuchung zu vertreten, doch hätte er, Pletscher, auch die Rechtsabteilung in Zürich um Hilfe gebeten. Nun hätte er gerade erfahren, daß Knopfli und nicht Schaad in der nächsten Woche nach Nassau kommen würde. Der Ernst der Lage erfordere jedoch unbedingt Rechtsbeistand aus der Zentrale. Daher bat Pletscher den Leiter der Revisionsabteilung, mit Zürich zu sprechen und darauf zu dringen, daß Schaad käme.

Um den Ernst der Lage zu illustrieren, erläuterte Pletscher, daß die Bank ein großes Konto führe, aber das die von der SEC beanstandeten Transaktionen entsprechend den jeweiligen Anweisungen des Kunden abgewickelt worden seien. Er gab zu, daß die Bank in eine schwierige Lage geraten sei, weil er und Meier zusätzlich zu den Umsätzen des Kunden dieselben Aktien für ihre persönlichen Konten und für Depots gekauft hätten, die die Bank für Anleger verwaltet.

Die Rechnungsprüfer sagten keinen Ton, als Pletscher von dem Plan erzählte, den sich der Kunde ausgedacht habe, um die SEC loszuwerden: nämlich gegenüber der Aufsichtsbehörde zu behaupten, daß die Transaktionen aufgrund von Meiers Anlageentscheidungen für die von der Bank verwalteten Depots durchgeführt worden seien.

Daraufhin sagte Meier, daß die Bank unter Umständen einige Unterlagen produzieren müsse, womit der wahre Hintergrund der Tansaktionen und die Existenz nur eines Kontos verschleiert und die Geschichte mit den verwalteten Depots glaubhaft gemacht werden könnte. Dabei denke er an den Verwaltungsvertrag, der der Bank Vollmacht über Levines Wertpapierkonto einräume. Ferner erzählte er, daß er Zeitungsausschnitte und anderes öffentlich zugängliches Material sammle, um damit seine Behauptung zu untermauern, er habe seine Kauf- und Verkaufsentscheidungen aufgrund von Informationen von Maklern und anderen Quellen getroffen.

Dies schien, so Pletscher, der beste Schutz für den Kunden und die Bank zu sein. Sollte das Problem nicht aus der Welt geräumt werden, könnte die Bank mit einer Strafe von bis zu 40 Millionen Dollar belegt werden.

Diese Summe schockierte die Wirtschaftsprüfer. Pletscher erläuterte, daß er und Meier die Kursgewinne des Kunden auf etwa zehn Millionen Dollar schätzten. Ihre amerikanischen Anwälte hätten ihnen erzählt, daß laut US-Wertpapiergesetzgebung ein Gericht die Rückzahlung der Gewinne und zusätzlich Zahlung einer Strafe bis zum Dreifachen dieser Summe verlangen könne.

Angesichts dieser Hiobsbotschaft nahmen die Rechnungsprüfer einige Unterlagen über Levines Transaktionen unter die Lupe. Es gibt Zeiten, so ihre Schlußfolgerung, in denen zum Schutz der Interessen der Bank gewisse Dokumente auf den neuesten Stand gebracht werden müssen. Sie benutzten dafür den französischen Ausdruck ›à jour‹.

Pletscher fragte, was sie meinten, worauf diese antworteten, daß die Unterlagen, die er und Meier produziert hätten, widerspiegeln sollten, was die beide berichtet hätten.

Dies war genug. Pletscher und Meier glaubten, die Rechnungsprüfer hätten dem Scheinvertrag zugestimmt, mit dem die Bank Vollmacht über Levines Konto erhielt. Später sollten die Wirtschaftsprüfer Meier gegenüber erklären, daß es sich um ein Mißverständnis gehandelt habe. Sie hätten lediglich gemeint, daß Meier das öffentlich zugängliche Material sammeln sollte, mit dem er seine Behauptung, er habe die Aktien selbst ausgewählt, untermauern wolle.

Der Leiter der Revision erkannte den Ernst der Lage. Deshalb erklärte er sich bereit, am nächsten Morgen Zürich anzurufen und Pletschers Bitte zu wiederholen, daß Schaad nach Nassau kommen solle. Das Telefongespräch führte dazu, daß die beiden Wirtschaftsprüfer von der Zentrale aus Furcht vor weiteren US-Vorladungen angewiesen wurden, über London, und nicht, wie ursprünglich geplant, über New York nach Zürich zurückzufliegen.

Außerdem wurde den Wirtschaftsprüfern mitgeteilt, daß nach wie vor Knopfli, und nicht Schaad, zu Beginn nächster Woche nach Nassau fliegen würde, um sich der Probleme anzunehmen. Doch noch vor Ende der Woche erhielten Meier und Pletscher den Anruf eines anderen Besuchers, wodurch sie einen weiteren nicht wieder gutzumachenden Schritt in die Richtung taten, die ihnen Levine gewiesen hatte.

13. Kapitel

»Unter gar keinen Umständen«

Obwohl er nach außen hin gelassen und höflich schien, wie es einem Schweizer anstand, war Bruno Pletscher im Innern sehr aufgewühlt. Der September ging zu Ende. Die Aufregungen und Schwindeleien im Zusammenhang mit der Vertuschungsaktion hatten ihn bereits fast einen Monat in Atem gehalten. Er führte täglich mit sich einen Kampf, um mit der ständigen inneren Anspannung fertigzuwerden und dabei nicht überzuschnappen.

Wegen der Belastung, die mit der SEC-Anfrage verbunden war, hatte er sich kaum um seine eigentlichen Aufgaben kümmern können. Die Arbeit türmte sich auf seinem Schreibtisch. Seit dem Sommer war Jean-Pierre Fraysse immer häufiger auf Geschäftsreise und überließ Pletscher die Tagesarbeit. Damit wäre er völlig ausgelastet gewesen; er hätte die Besprechungen mit den Anwälten und Wirtschaftsprüfern und das dauernde Getuschel mit Meier wirklich nicht gebraucht.

Pletscher glaubte nach wie vor fest daran, daß die amerikanischen Behörden kein Recht hatten, sich in die Angelegenheiten der Bank einzumischen. Doch hatte er weiterhin Zweifel, daß die Bank mit ihrem Täuschungsmanöver Erfolg haben würde.

Am Freitag, den 27. September, wollte Pletscher einige Buchhaltungs- und Personalangelegenheiten aufarbeiten, die erledigt werden mußten, bevor er am Ende der folgenden Woche einen vierwöchigen Urlaub antrat. Er war recht ungehalten, als ihn Meier am Vormittag mit dem Hinweis störte, daß »Diamond« bald eintreffen müsse. (Obwohl beide den wirklichen Namen des Kunden kannten, nannten sie ihn stets »Diamond«.) Levine hatte am Tag zuvor mit Meier ein R-Gespräch geführt und gesagt, er würde für ein paar Stunden vorbeikommen. Pletscher erklärte Meier, daß er ungeheuer beschäftigt sei und deshalb für den Amerikaner nicht viel Zeit hätte. Dies entsprach durchaus der Wahrheit. Doch stimmte auch, daß Pletscher nicht mehr als unbedingt nötig in die Vertuschungsgeschichte hineingezogen werden wollte. Er versprach, später im Konferenzraum vorbeizuschauen, so daß Diamond seine Kontounterlagen mit ihnen beiden durchgehen konnte.

Als Pletscher den Konferenzraum betrat, saßen die zwei Männer am Tisch. Meier schrieb eifrig auf seinem Notizblock mit, was ihm Levine über den finanziellen Hintergrund eines der Unternehmen auf der SEC-Liste sagte. Pletscher erkannte, daß Levine für jede Aktie die Erklärungen diktierte, die Meier abgeben sollte, um die Anwälte und – falls erforderlich – die SEC davon zu überzeugen, daß er die Aktien aufgrund seiner eigenen Analysen gekauft hatte.

Sie hielten mit ihrer Arbeit inne. Pletscher schaute auf die Unterlagen der Diamond Holdings Inc., die auf dem Tisch lagen, und fragte: »Möchten Sie irgend etwas Bestimmtes durchsehen?« Levine wollte prüfen, ob in den Unterlagen etwas enthalten war, womit er identifiziert werden konnte. Doch zuerst wollte er wissen, wie das Gespräch mit den Anwälten zu Beginn der Woche verlaufen war.

»Was haben Sie Ihren Anwälten erzählt?«

»Wir haben gesagt, daß jeder Wertpapierauftrag, der in der Vorladung genannt ist, auf unserer eigenen Entscheidung beruht, und daß die Transaktionen dann den Depots zugeordnet wurden«, meinte Meier.

»Genauso ist es richtig. Sie werden sehen, mit Fried-Frank als Anwaltskanzlei sind Sie die SEC sofort los«, sagte Levine.

Dann wollte er seine Kontounterlagen sehen. Pletscher suchte die Stammkarte für Diamond Holdings Inc. heraus. Sie enthielt die Eröffnungsformulare, die Verpfändungsvereinbarung und andere Dokumente, die für die Kontoführung erforderlich sind und so lange bei der Akte bleiben, wie das Konto existiert.

Levine starrte wie gebannt auf die Fotokopie seines Passes, die einschließlich Paßfotos an die Stammakte geheftet war. Daneben prangte seine Unterschriftskarte, die er damals für die Eröffnung seines persönlichen Kontos auf den Codenamen »Diamond« ausgefüllt hatte. Auf der Karte stand sein richtiger Name mit seiner Unterschrift.

»Was machen diese Unterlagen hier?« fragte Levine aufgebracht, indem er den beiden die Akte vor die Nase hielt. »Dieser Paß gehört nicht hierein. Die Unterschriftskarte auch nicht. Das ist das Konto der Diamond Holdings. Name und Identität dürften in dieser Akte nirgendwo auftauchen. Das sind Sachen von meinem alten Konto auf den Namen Diamond. Die gehören hier nicht hin.«

Meier schwieg. Pletscher überlegte einige Sekunden und sagte dann: »Sie haben recht. Das ist ein Versehen. Das Diamond-Konto existiert nicht mehr, und deshalb brauchen diese Unterlagen nicht aufbewahrt zu werden. Allerdings haben wir keine vollständigen Firmenunterlagen für Diamond Holdings. Wir haben für das Konto keinen Begünstigten, wenn diese Unterlagen nicht da sind.«

Nachdem die panamaische Gesellschaft im Oktober 1981 gegründet worden war, hätten Levines Anwälte es versäumt, so Pletscher, der Bank alle erforderlichen Unterlagen zur Verfügung zu stellen.

»Das ist egal«, unterbrach ihn Levine. »Ich gründe sowieso eine neue Gesellschaft. Die wird alle erforderlichen Kontounterlagen beibringen, und die jetzige Gesellschaft wird geschlossen. Wir brauchen also diese Unterlagen gar nicht mehr.«

Er zeigte auf die Fotokopie des Passes und die Unterschriftskarte und sagte in barschem Ton: »Vergessen Sie ja nicht, die Sachen aus der Akte zu nehmen und zu vernichten! Diese Unterlagen haben mit der Gesellschaft nichts zu tun.«

Levine blätterte weiter in der Akte. Dabei stieß er auf die Quittungen, die er bei seinen Abhebungen unterschrieben hatte. Diese Quittungen stellen für die Bank den einzigen Nachweis für die Abhebungen eines Kunden dar. Zum Schutz für die Bank und für sich selbst muß der Kontoinhaber sie mit seinem richtigen Namen unterschreiben.

»Auf den Quittungen steht mein richtiger Name«, bemerkte Levine. »Die müssen ebenfalls vernichtet werden.«

Pletscher sträubte sich. Er könne die Abhebungsquittungen nicht vernichten, sagte er.

Pletscher war Buchhalter und glaubte als solcher zutiefst an die Bedeutung ordnungsgemäßer Unterlagen.

Außerdem war er Vice President der Bank Leu International und letztlich verantwortlich für die Unantastbarkeit des Rechnungswesens der Bank. Zu seinen Aufgaben gehörte es, den Wirtschaftsprüfern in der Zentrale Rede und Antwort zu stehen. Deren letzter Besuch war ihm noch sehr gut in Erinnerung.

Im übrigen wußte er, daß die Vernichtung der Entnahmequittungen in Levines Akte nicht viel brachte. Die Bank bewahrte nämlich noch jeweils zwei Kopien aller Quittungen auf, und zwar einen Satz in den Hauptbuchunterlagen und einen in den Unterlagen zum Konto »Kasse«. Doch in Levines Kontounterlagen befanden sich die Originale. Diese wollte Pletscher auf jeden Fall aufbewahren.

Die Quittungen waren in der ganzen Akte verstreut. Pletscher widersetzte sich Levines Wunsch, sie gesammelt abzulegen, denn er befürchtete, daß Levine den Stapel plötzlich herausnehmen und zerreißen würde, oder aber daß Meier ihn vielleicht später aus der Akte entfernen würde, wenn er sie mit einem Griff finden könnte.

Pletscher sah jedoch ein, daß es durchaus Sinn machte, die Fotokopie des Passes und die Unterschriftskarte vom Diamond-Konto zu vernichten. Beide Unterlagen waren, wie Levine bemerkte, überholt. Doch die Entnahmequittungen stellten einen wichtigen Bestandteil der Buchhaltung dar.

Levine akzeptierte, zumindest in dem Moment, Pletschers Entscheidung. Er sah die Akte vollständig durch und ging zum nächsten Punkt seiner Tagesordnung über. Er wollte eine neue panamaische Gesellschaft gründen, um einen weiteren Schutzwall um seine Wertpapiertransaktionen zu errichten, falls die SEC von der Bank irgendwelche Unterlagen erhalten sollte. Er hatte bereits seine Anwälte angewiesen, die erforderlichen Unterlagen vorzubereiten, um die Diamond Holdings Inc. zu schließen und eine neue Gesellschaft, die International Gold Inc., zu gründen. Auch diese sollte in Panama registriert sein, und der Eigentumsnachweis sollte wiederum durch anonyme Inhaberaktien erfolgen. Levine wollte die Vermögenswerte der Diamond Holdings auf die neue Gesellschaft übertragen, ohne daß zwischen beiden Einheiten irgendeine Verbindung entstünde. Er fragte die beiden Schweizer Banker, ob sie eine Idee hätten, wie dies am besten gemacht werden könnte.

Pletscher schlug vor, vorübergehend eine Zwischengesellschaft zu gründen. Das Geld könnte von der Diamond Holdings auf die Zwischengesellschaft überwiesen und in deren Namen in einen Geldmarktfonds bei einer anderen Bank in Europa angelegt werden. Dann könnte das Geld auf das neue, auf International Gold lautende Konto transferiert werden. Pletscher meinte, die Überweisungen aus dem Diamond Holdings-Konto sollten über unterschiedlich hohe Summen lauten, und später in verschieden großen Tranchen auf das International Gold-Konto disponiert werden. Außerdem könnte man die Überweisungen über mehrere Tage streuen, was einen zusätzlichen Sicherheitsabstand ergäbe. Pletscher war sicher, daß dies funktionieren würde. Er und Meier erklärten sich bereit, mit den Überweisungen zu beginnen, sobald sie von Levines Anwälten die Unterlagen über die neue Gesellschaft erhalten hätten.

Levine war mit dem Überweisungsmodus zufrieden, doch wollte er es dabei nicht bewenden lassen. Was er wünschte, war ein sicheres System, um von seinem Konto Geld abzuheben. Er hatte sich darüber bereits vor ihrem Gespräch Gedanken gemacht. Die Entdeckung der Abhebungsquittungen bestärkte ihn noch in seinem Vorhaben.

»In Zukunft werde ich keine Bankformulare mehr unterschreiben, wenn ich Geld abhebe«, erklärte er. »Das ist ein Schwachpunkt in unserer Geschäftsbeziehung. Ich wünsche keine weiteren Schwachpunkte, falls sich die SEC-Untersuchung in die Länge zieht.«

Statt Bankquittungen zu unterschreiben, wollte er Meier und Pletscher, als zwei leitenden Angestellten der Bank Leu International, Vollmacht erteilen, auf seine Anweisung hin bis zu 250 000 Dollar in bar von dem Konto abzuheben. Das Bargeld würde dann Levine ausgehändigt, der dies auf einem Blankopapier quittierte. Seine neue Gesellschaft würde dieses Procedere durch einen entsprechenden Beschluß absegnen.

Die Bankmanager willigten in diese Vorgehensweise ein, sofern ein Beschluß von International Gold vorläge.

Auf Levines Bitte zeigte ihm Meier die Kopien der SEC-Vorladungen. Levine las sie durch und zuckte gleichgültig mit den Schultern. Dies seien Standarddokumente, die nicht viel bedeuteten.

»Als Schweizer Bank auf den Bahamas sind Sie nicht verpflichtet, diesen Aufforderungen Folge zu leisten«, sagte er. »Sie brauchen der SEC lediglich die Sammelkonten der Bank zu zeigen, wo die Gesamtumsätze festgehalten sind. Sie brauchen nicht die Zuordnung der Transaktionen auf einzelne Konten nachzuweisen. Falls Sie dies trotzdem tun, geht das zu weit und verstößt gegen das bahamanische Bankgeheimnis-Gesetz.

Wenn Sie der SEC die Aufsplitterung der Transaktionen zeigen, wird diese mit Sicherheit darauf kommen, daß die Mehrzahl für ein Konto bestimmt war, und sich auf eben dieses Konto stürzen. Zeigen Sie denen nur das Sammelkonto! Die haben kein Recht, die einzelnen Konten einzusehen.«

Doch Meier wußte, daß Pitt und Rauch darauf bestanden, die Einzelkonten anzuschauen, selbst wenn diese Unterlagen der SEC vorenthalten werden konnten.

»Wenn Sie zehn Konten bei uns hätten, sähe das viel besser aus«, erklärte er Levine. »Wir könnten Ihr Konto in Unterkonten aufteilen und die Geschäfte jedem dieser Unterkonten zuordnen. Wir bräuchten lediglich die Namen von zehn Personen als Begünstigte dieser Konten. In den Firmenunterlagen würden diese Personen als Aktionäre namentlich aufgeführt. Wir würden dann das Konto in zehn Konten aufteilen.«

Pletscher stimmte dem Vorschlag zu. »Sie müssen Freunde oder Anwälte finden, die für Sie einspringen. Es müssen lebende Personen und echte Firmen sein.«

Aber Levine wies den Plan zurück. »Ich kann das nicht machen. Ich will auch nicht, daß es irgend jemand anders macht. Niemand soll darüber etwas erfahren. Das wäre zu riskant und zu teuer. Von meinem Konto weiß niemand. Wenn ich Begünstigte benennen würde, würden mehr Leute davon erfahren. Selbst meine Frau hat keine Ahnung. Außerdem müßte ich diesen Leuten auch etwas zahlen, und das wäre mir zu teuer. Ich möchte, daß Sie das tun, was wir beschlossen haben.«

»Nun ja«, meinte Pletscher, »wenn wir keine zehn Begünstigten haben, können wir keine Unterkonten errichten.«

»Machen Sie sich darüber keine Sorgen«, sagte Levine. »Den Anwälten brauchen Sie keine detaillierten Aufschlüsselungen vorzulegen.«

Wie Meier Sekunden vor ihm, erkannte auch Pletscher, daß Levines Behauptung nicht stimmte, denn Pitt hatte sehr wohl verlangt, die einzelnen Kontounterlagen einzusehen.

Einige Minuten später verließ Pletscher den Konferenzraum und ging in sein Büro, das am Ende des Ganges lag. Er versuchte, sich auf seine Arbeit zu konzentrieren, aber die SEC-Ermittlung wollte ihm nicht aus dem Kopf gehen. Irgendwie hatte er das Gefühl, daß die Sache immer gefährlicher wurde und daß es nicht einfach sein dürfte, die amerikanische Aufsichtsbehörde loszuwerden.

Wie war er in diesen Schlamassel hineingeraten? Wo lagen die Interessen der Bank? Wo endete die Loyalität der Bank gegenüber einem Kunden? Könnten sie den Anwälten tatsächlich weismachen, daß Meier die Transaktionen initiiert hatte? Hatte die amerikanische Behörde überhaupt das Recht, Bankunterlagen anzufordern? War »Diamond« so clever, wie er behauptete? Sollten sie die Fotokopie des Passes und die Unterschriftskarte wirklich vernichten?

Die letzte Frage brannte Pletscher am meisten unter den Nägeln, denn sie mußte sofort entschieden werden. Er stimmte mit Levine überein, daß die beiden Dokumente nicht in die Akte der Diamond Holdings gehörten. Er verstand auch, daß sie obsolet waren. Aber Pletscher war ein vorsichtiger Mensch und viel zu lange Buchhalter, als daß es ihm leicht gefallen wäre, irgendeine Unterlage zu vernichten.

Seine Gedanken wurden durch ein Klopfen unterbrochen. Meier trat ein. Für beide Männer war es eine lange, aufreibende Woche gewesen. Man konnte Meier die Anspannung anmerken. Bleich und mit herunterhängenden Schultern kam er in Pletschers Büro, legte die Diamond-Unterlagen auf Pletschers Schreibtisch und sank in einen Stuhl. Die Stammakte lag obenauf; Paß-Fotokopie und Unterschriftskarte waren an den Ordner geheftet.

»Sollen wir beides vernichten oder nicht?« fragte Pletscher.

»Ja, wie Diamond gesagt hat, diese Unterlagen gehören nicht in den Ordner und sie sind überholt«, erwiderte Meier.

Um die Anspannung etwas zu verringern, witzelte er: »Willst du sie vernichten, oder soll ich es machen?«

»Du nimmst einen Teil und ich nehme einen Teil«, antwortete Pletscher mit einem schwachen Lächeln.

Wie die meisten Unternehmen, in denen Mengen von Papier produziert werden, verfügte auch die Bank Leu International über mehrere Reißwölfe. Pletscher hatte einen in seinem Büro. Er öffnete ein Fach und zog ihn heraus. Während die Maschine bereits lief, löste er die Paß-Fotokopie von dem Ordner.

Mit einem kaum merklichen Achselzucken steckte er die Kopie in den Reißwolf. Meier stand auf, riß die Unterschriftskarte vom Ordner ab und ließ sie ebenfalls in den Reißwolf gleiten.

Weder Pletscher noch Meier waren sich der Tragweite dessen bewußt, was sie da gerade getan hatten. Schließlich waren sie Banker und keine Juristen, und überdies nicht einmal Amerikaner. Keiner von ihnen war mit dem amerikanischen Recht ausreichend vertraut, um zu wissen, daß die Vernichtung relevanter Unterlagen nach

Erhalt einer Vorladung als Verdunklung ausgelegt werden konnte, was einen schweren Verstoß gegen das Gesetz darstellte.

Pletscher und Meier konnten nicht ahnen, daß die Vernichtung von zwei Unterlagen, die sie für überholt hielten, einen nicht wieder rückgängig zu machenden Schritt bedeutete, der ihre Zukunft wesentlich stärker bedrohte als die Tatsache, daß sie fünfeinhalb Jahre lang Levines Insidergeschäfte ausgeführt hatten.

Hans Knopfli gehörte zu den ranghöchsten Managern in der Bank-Leu-Organisation. Er war Präsident der Generaldirektion des Mutterinstituts und Verwaltungsratsvorsitzender der Tochtergesellschaft Bank Leu International.

Am Montagmorgen, dem 30. September, betrat er das Bankgebäude in Nassau zu einem Besuch, der bereits vor einigen Wochen festgesetzt worden war. Die Unfreundlichkeit der amerikanischen Aufsichtsbehörde und ihre Ermittlung hatten für ihn nur marginale Bedeutung. Vielmehr mußte er sich um die Kündigung von Jean-Pierre Fraysse kümmern, der der Bank im Juni mitgeteilt hatte, daß er die Bank Leu verlassen wolle.

Knopfli verbrachte fast den ganzen Montag in Sitzungen mit Fraysse und einigen Direktoren der Bank. Zum Schluß bat er Pletscher in das Büro des Geschäftsführers, das er während seines Besuches benutzte.

Seit seiner Ankunft in Nassau, Ende 1979, hatte Pletscher in der Zentrale an Profil gewonnen. An der Qualität seiner finanztechnischen Arbeit hatte es niemals Zweifel gegeben, doch war man angenehm überrascht, daß er auch im Umgang mit Kunden mit zunehmender Erfahrung geschickter wurde. Er würde zwar niemals über die charmante und geschliffene Art eines Fraysse oder eines Meier verfügen, aber er war ein solider, hart arbeitender Manager.

Außerdem fühlte sich Pletscher auf den Bahamas wohl. Von seiner ersten Frau war er mittlerweile geschieden. Inzwischen hatte er Sherrill Caso, eine junge Bahamanerin, kennengelernt, die in einer örtlichen Treuhandgesellschaft arbeitete. Er wollte später in die Schweiz zurückkehren, hatte jedoch nichts dagegen, noch einige Jahre in Nassau zu bleiben, insbesondere wenn er Fraysses Position übernähme.

Fraysse hatte im Juni oder Juli 1985 Pletscher gegenüber erwähnt, daß er die Bank verlassen wolle. Als Pletscher an diesem Montag am späten Nachmittag Knopfli gegenüber Platz nahm, erhielt er die erste gute Nachricht seit einem Monat: Fraysse würde am 31. Dezember die Bank verlassen, und er, Pletscher, würde mit Wirkung vom 1. Januar 1986 zum General Manager befördert.

Knopfli bat Pletscher, noch nicht darüber zu sprechen, da man noch einige Wochen warten wolle, bis Fraysses Weggang bekanntgegeben würde, aber er gratulierte Pletscher und sagte ihm eine vielversprechende Zukunft bei der Bank Leu voraus.

Pletscher und Sherrill Caso feierten das Ereignis mit einem festlichen Abendessen und einer Flasche Wein. Pletscher wünschte sich inständig, daß die SEC-Untersuchung bald ihr Ende fände.

Am Dienstag nahm sich Knopfli Zeit, um mit Pletscher und Meier über die SEC-Ermittlung zu sprechen. Pletscher war erstaunt gewesen, daß Schaad nicht gekommen war, und befürchtete nun, daß die Zentrale nicht den Ernst der Lage erkannte. Seiner Meinung nach war es eine schwerwiegende Fehlentscheidung der Bank Leu in Zürich, nicht Schaad oder einen anderen Juristen herüberzuschicken. Pletscher war entschlossen, Knopfli die Fakten darzulegen und sich von seinem Vorgesetzten beraten zu lassen, wie man nun weiter vorgehen solle.

»Wie viel steht auf dem Spiel?« fragte Knopfli, als er von der Vorladung hörte.

»An den Käufen sind Kunden, ein großer Kunde, die Bank und Bankpersonal beteiligt«, erläuterte Pletscher.

»Schreiben Sie mir das auf ein Stück Papier, damit ich es nachvollziehen kann«, meinte Knopfli.

Meier hatte in der vorangegangenen Woche Daten über die Aktienkäufe zusammengesucht. Nun schaute er in seinen Unterlagen nach und machte eine kurze Zusammenstellung aller Transaktionen. Sie ging über die 28 Aktien hinaus und beinhaltete fast alle Orders, die Levine seit 1980 der Bank erteilt hatte. Darin waren die Käufe für Levines Konto enthalten, sowie Käufe für Anleger der Bank und verschiedene Bankangestellte.

Nach Meiers überschlägiger Kalkulation überstiegen Levines Gewinne 12 Millionen Dollar. Meiers Gewinne beliefen sich auf zirka 150 000 Dollar und Pletschers auf rund 46 000 Dollar.

Meier erläuterte, daß er auf Grund der Vorladung möglicherweise vor der SEC aussagen müsse und daß er, obwohl er damit nicht glücklich sei, bereit sei, zu lügen.

Bei dem Hinweis, gegenüber der SEC zu lügen, sprang Knopfli fast aus seinem Sessel: »Herr Meier, unter gar keinen Umständen können Sie gegenüber einer Behörde lügen«, erklärte er entschieden.

»Das ist der einzige Weg, wie wir die SEC loswerden und die Angelegenheit im Interesse der Bank regeln können«, sagte Meier.

Knopfli stimmte zu, daß die Angelegenheit so schnell wie möglich aus der Welt geschafft werden sollte, doch wiederholte er, daß Meier nicht lügen könne.

»Wir müssen einen anderen Weg finden, wie wir damit fertig werden«, sagte er.

»Es ist im Interesse der Bank, und wenn wir es nicht tun, laufen wir Gefahr, 40 Millionen Dollar Strafe zahlen zu müssen«, erklärte Meier.

Knopfli fragte Pletscher, was er von der Sache halte.

Pletscher antwortete, daß auch seiner Meinung nach der Bank am besten damit gedient sei, wenn man behauptete, die Aktien seien nach Meiers Anlageentscheidungen für verwaltete Depots gekauft worden.

Pletscher und Meier hatten den Eindruck, daß sich der Bankier aus Zürich bei der ganzen Angelegenheit ziemlich unwohl fühlte. Um die Diskussion möglichst schnell zu beenden, sagte er: »Dies ist eine kritische Angelegenheit. Ich möchte, daß Sie das tun, was am besten für die Bank ist. Aber gehen Sie nicht hin und lügen.«

Rauch und Pitt waren sich noch immer nicht im klaren darüber, ob die Bank verpflichtet war, der SEC Auskunft zu geben oder zu einem Verhör zu erscheinen. Trotzdem gingen Meier und Pletscher davon aus, daß Meier aussagen müsse. Allerdings erhielten die beiden in dem Gespräch mit Knopfli keine klare Aussage, was sie nach dessen Meinung nun tun sollten. Er hatte ihnen gesagt, sie sollten nicht lügen; er hatte ihnen aber ebenfalls gesagt, daß sie im besten Interesse der Bank handeln sollten. Wie die Wirtschaftsprüfer in der vorangegangenen Woche vermied es auch Knopfli, seinen Untergebenen klare Anweisungen zu geben, wie sie das bedrohlich werdende Problem bewältigen sollten. Sie waren auf ihre eigenen Interpretation dessen angewiesen, was Knopfli wohl gemeint haben könnte, was sie tun sollten.

»Ich glaube, Herr Knopfli versteht nicht, welche Konsequenzen das hat«, sagte Meier.

»Ich verstehe Herrn Knopflis Bemerkung und ich verstehe auch, daß Herr Knopfli zu dir nicht sagen kann, du sollst lügen«, bemerkte Pletscher. »Wenn er uns allerdings sagt, wir sollen tun, was wir für die Bank am besten halten, und das schließt lügen ein, dann meine ich, wir sollten es tun. Ich glaube, in dieser Hinsicht hast du Herrn Knopflis Segen.«

Später wird Knopfli bestreiten, daß er den beiden grünes Licht gegeben habe, mit der Vertuschung fortzufahren. Er wird darauf verweisen, daß er ausdrücklich angeordnet habe, gegenüber den Behörden nicht zu lügen; er wird von Pletscher eine schriftliche Bestätigung verlangen, daß dieser seine, Knopflis, Äußerung eigenmächtig dahingehend interpretiert habe, als hätte er gewollt, daß sie lügen. Wie dem auch sei, am 1. Oktober 1985 beschlossen Meier und Pletscher, daß sie vom Präsidenten der Generaldirektion der Bank die Erlaubnis erhalten hatten, mit dem Täuschungsmanöver fortzufahren.

Pletscher wollte am Ende der Woche einen einmonatigen Urlaub antreten. Nun konnte er mit einem Hochgefühl über die bevorstehende Beförderung und einem reineren Gewissen wegen des Täuschungsmanövers in die Schweiz fahren. Allerdings übte nun Meier auf ihn Druck aus, die Vertuschungskampagne noch ein kritisches Stück weiterzutreiben und ihm zu helfen, entgegen Levines Anweisung für dessen Transaktionen zehn frisierte Unterkonten einzurichten.

»Wir müssen die Unterlagen unbedingt jetzt produzieren, um unsere Aussagen gegenüber der SEC, einschließlich Unterkonten für Diamond, zu untermauern«, erklärte Meier beschwörend, als sie in Pletschers Büro zurückgekehrt waren.

»Bernie, wir haben keine Unterlagen zur Rechtfertigung von Unterkonten. Deshalb kann ich das nicht machen«, erwiderte Pletscher.

»Warum gehst du nicht an den Computer und gibst zehn Unterkonten ein?« fragte Meier.

»Bernie, ich werde nicht an den Computer gehen und irgendwelche Änderungen eingeben.«

Meier versuchte es mit einer anderen Taktik. Er brachte das

Gespräch auf sein eigenes Depot. Wie Pletscher wüßte, hätte die SEC auch die Unterlagen von diesem Konto verlangt, und darüber seien Käufe von mehr Übernahmeaktien gelaufen als die 28, die die SEC in der Vorladung aufgeführt hatte.

»Die anderen Aktien auf meinem Konto könnten die SEC zu weiteren Nachforschungen veranlassen«, erklärte Meier. »Ich möchte mein Konto gern in zwei Konten gesplittet haben. Auf dem einen sind nur die Aktien, über die jetzt ermittelt wird, und die anderen wären separat, wie auf einem Unterkonto. Kannst du das nicht im Computer ändern?«

»Bernie, unter keinen Umständen wird im Rechner der Bank irgend etwas geändert«, antwortete Pletscher mit Nachdruck.

Pletschers Unnachgiebigkeit entsprang seiner Ausbildung zum Buchhalter. Seiner Meinung nach hätte er zwar auf Levines Anweisung hin Unterkonten einrichten können, doch ohne eine solche Anweisung würde er dies nie tun, und er würde schon gar nicht im Zentralrechner der Bank etwas ändern.

Aber Pletscher merkte, unter welchem Druck Meier stand. Ihm war klar, daß Meier möglicherweise vor der SEC aussagen müßte, und er bot ihm deshalb eine Alternative an.

»Also gut, Bernie, wenn du dein eigenes Depot geteilt haben möchtest, können wir das machen. Wir lassen das Hauptkonto im Rechnungswesen und im Zentralrechner der Bank unverändert. Das ist der Originaleintrag. Aber was du der SEC gibst, ist im Grunde deine Sache.«

»Wenn wir aus deinem Konto zwei Konten machen und du gibst der SEC nur eins, ist das auch deine Sache. Um ein solches Kontoblatt zu produzieren, kann ich dir eine Art Textverarbeitungsprogramm für den PC schreiben. Du kannst dann reintippen, was du willst, und wir drucken das Ganze aus.«

Meiers Konto enthielt Transaktionen in wesentlich mehr Papieren als die von der SEC genannten Übernahmeaktien; er war ein ausgesprochen aktiver Anleger. Die Gefahr lag darin, daß er Levine auch bei Käufen von Übernahmeaktien kopiert hatte, die nicht auf der SEC-Liste standen. Pletscher erklärte sich bereit, Meier zu zeigen, wie dieser ein zweites Kontenblatt für die Anwälte erstellen konnte, auf dem nur die 28 Aktien der Vorladung sowie seine zahlreichen Käufe in »neutralen« Aktien, die nichts mit Levine zu tun hatten, aufgelistet waren. Die Unterlage sollte nicht die anderen Übernahme-aktien enthalten.

Seitdem Levine im Jahre 1980 sein Konto bei der Bank Leu eröffnet hatte, hatte er Aktien von mehr als hundert Unternehmen umgesetzt. Warum auf der SEC-Vorladung nur 28 standen, hatte mehrere Gründe. Erstens basierte die Vorladung ausschließlich auf den von Merrill Lynch zur Verfügung gestellten Unterlagen, bei der die Bank Leu erst am 31. Oktober 1983 ein Konto eröffnet hatte. Daher wurde bei der Ermittlung auch nur Einsicht in die Bankunterlagen ab 31. Oktober 1983 verlangt. Zweitens hatte Campbell nicht jede Transaktion der Bank kopiert, und die SEC war noch immer dabei, aus den Merrill Lynch-Unterlagen Informationen über weitere Aktien zusammenzutragen. Drittens war auch nach Eröffnung des Merrill Lynch-Kontos nicht jede Order über dieses Brokerhaus plaziert worden. Wenn Pletscher während Meiers Abwesenheit die Aufträge abwickelte, wandte er sich trotz dessen Anweisung nicht immer an Campbell.

Daher hatte die SEC Levines Insider Trading noch nicht in vollem Umfang aufgedeckt. Meier wollte sie nicht auf eine heiße Spur für Nachforschungen in weiteren Aktien bringen, indem er ihnen entsprechende Unterlagen seiner eigenen Handelsaktivitäten zur Verfügung stellte.

Aus diesem Grund drängte Meier, daß Pletscher das Programm umgehend schreiben sollte. Außerdem machte er nochmals einen Anlauf, Pletscher dazu zu überreden, Diamonds Unterkonten ohne entsprechende Anweisung zu errichten.

»Geh jetzt nicht in Urlaub«, beschwor er Pletscher. »Du solltest hierbleiben, so daß wir Diamonds Kontoblatt ändern können.«

Doch Pletscher blieb stur. Er würde lediglich auf dem PC in seinem Büro für Meier eine zweite Version des »Ascona«-Kontos einrichten. Ein Computerprogramm für Meiers getürktes Konto zu schreiben, würde viele Stunden dauern. Das könnte er erst nach seinem Urlaub machen.

Am Donnerstagabend stieg Pletscher trotz Meiers Protest in das Flugzeug nach Zürich, in dem auch Knopfli saß. Während seines vierwöchigen Urlaubs telefonierte er oft mit Maier, der ihn verfluchte, weil er weggefahren war, ohne die Unterkonten für das Diamond-Konto beziehungsweise Meiers eigenes Konto einzurichten.

Hätte Pletscher für Levines Konto getürkte Unterlagen erstellt, wäre das Täuschungsmanöver vielleicht erfolgreich gewesen. Levines Transaktionen auf zehn oder mehr Unterkonten zu verteilen, wäre zwar komplizierter und zeitraubender gewesen, als für Meier ein neues Konto einzurichten, doch hätte mit demselben Programm eine unbegrenzte Zahl von Konten errichtet werden können. Das wäre noch immer nicht hundertprozentig sicher gewesen, aber die Erfolgschancen wären wesentlich größer gewesen.

Die Plausibilität von Meiers Geschichte mit den verwalteten Depots hing entscheidend davon ab, daß die Wahrheit über Levines Konto verschleiert werden konnte. Pitt und Rauch mußten überzeugt werden, daß Meier die Aktien selbst ausgewählt und sie auf die Depots verteilt hatte, die er für Privatanleger und Institutionelle verwaltete. Wenn den Anwälten offenbar authentische Bankunterlagen gezeigt würden, gemäß denen die Transaktionen auf zehn, zwanzig oder mehr Konten gestreut wurden, würden sie sich vielleicht überzeugen lassen, daß die Geschichte der Wahrheit entsprach.

Selbst Levines Bedenken, Fremden Einblick in seine Aktivitäten zu gewähren, hätten überwunden werden können. Er hätte seiner Anwaltskanzlei ein Honorar gezahlt, daß sie zehn Firmen errichtet, bei denen Anwälte oder deren Sekretärinnen als Begünstigte fungieren. Im Grunde hatte er dasselbe bei der Errichtung seiner panamaischen Gesellschaften getan. Pro panamaisches Unternehmen zahlte er weniger als 2000 Dollar jährlich an Honoraren und Eintragungsgebühren.

Hätte Levine eingewilligt und die Namen von zehn Unternehmen als Eigentümer beigebracht, wäre Pletscher damit einverstanden gewesen, zehn neue Unterkonten einzurichten; er hätte die Hauptbestände der Bank unverändert gelassen, aber die Unterlagen hätten echt ausgesehen. Meier hätte sie Pitt und Rauch in der Hoffnung gezeigt, die Anwälte damit zu überzeugen. In gutem Glauben wären Pitt und Rauch mit den Unterlagen zur SEC gegangen und hätten argumentiert, daß die Ermittlung unbegründet sei. Zur allgemeinen Überraschung hätten sie nämlich vorbringen können, daß Meier die Aktien für die verwalteten Depots der Bank gekauft habe und daß es keine Anhaltspunkte für Insidergeschäfte gebe.

Wenn die SEC dies nicht geglaubt hätte, hätte sie notgedrungen versuchen müssen, Einsicht in die Unterlagen einer Schweizer Bank auf den Bahamas gerichtlich einzuklagen. Trotz der neuesten Entwicklungen wäre der Rechtsstreit vor Gerichten in den USA, auf den Bahamas und wahrscheinlich in der Schweiz ausgetragen worden. Selbst wenn die SEC gewonnen hätte, wäre erst in einigen Jahren bekannt geworden, wer wirklich hinter den Geschäften der Bank Leu gestanden hatte.

In der Zwischenzeit hätte Levine sein Geld aus der Bank Leu abgezogen und seinen Ring woanders aufgezogen. Er hätte mit seinen Millionengewinnen auch einfach verschwinden können. Denn es gibt eine Reihe von Ländern, die niemanden an die USA wegen eines Verbrechens wie Insider Trading ausliefern.

Der Plan hätte funktionieren können, wenn Dennis Levine es nicht für zu riskant gehalten hätte, Außenstehende einzuspannen und vielleicht 20 000 Dollar zusätzlich zu zahlen. Bruno Pletscher jedenfalls weigerte sich, die offiziellen Datenbestände der Bank Leu International ohne Zustimmung zu ändern.

14. Kapitel

Risiko-Jongleure

Mitte Oktober begegneten sich Harvey Pitt und Dennis Levine bei einem Abendessen. Es handelte sich um ein Treffen zur Förderung der geschäftlichen Beziehungen, die in Bereichen üblich sind, wo die Geschäfte zumindest teilweise auf persönlicher Bekanntschaft beruhen.

Fried-Frank und Drexel Burnham hatten im Laufe der Jahre relativ wenig Geschäfte miteinander gemacht. Das Abendessen sollte dazu dienen, die Möglichkeiten für weitere geschäftliche Anknüpfungspunkte auszuloten. Arthur Fleischer, der führende Mergers-Partner der Kanzlei in New York, hatte David Kay, Leiter von M & A bei Drexel, eingeladen und ihm vorgeschlagen, einige seiner Top-Leute mitzubringen. Da Fleischer die Reservierung machte, wählte er sein Lieblingsrestaurant aus, das Lutèce.

Außer Fleischer und Pitt kamen von Fried-Franks Seite Stephen Fraidin, Experte in Mergers und langjähriger Anwalt von Ivan Boesky, sowie Thomas Vartanian, Fachmann für Einlagen und Kredite aus dem Washingtoner Büro der Kanzlei. Kay brachte Stanley Stein mit, der früher als Anwalt bei Fried-Frank gearbeitet hatte und dann zu Drexel als Investmentbanker überwechselte. Außerdem war der neue Star seiner Abteilung, Dennis Levine, mit von der Partie.

Pitt kannte Kay von verschiedenen Geschäften und natürlich kannte er Stein von seiner Zeit in der Kanzlei. Er erinnerte sich nur dunkel an eine frühere Begegnung mit Levine, und auch an diesem Abend gewann er keinen nachhaltigen Eindruck.

Später würde man Pitt daran erinnern, daß Levine an der Wandseite gesessen und wenig gesagt hatte. Außerdem kam ihm in den Sinn, daß Levine etwas auffälliger gekleidet war als der durchschnittliche Investmentbanker.

Normalerweise war Levine ein guter Unterhalter bei solchen Einladungen, wo es um Geschäft und Vergnügen ging und die ein wichtiger Bestandteil im Leben eines jeden Investmentbankers sind. Er konnte geistreich und charmant sein. Doch an diesem Abend drückte die Tatsache auf seine Stimmung, daß er völlig unvorbereitet mit dem Mann am selben Tisch saß, der auf eine eigene Empfehlung hin sein Schicksal in der Hand hatte, auch wenn Pitt dies nicht ahnen konnte. Später erzählte Levine Wilkis, daß er während des Essens gebetet habe, Pitt möge bei der SEC erfolgreich sein.

Sofern Levine gehofft hatte, Pitts ungeschminkte Meinung zum Bank-Leu-Fall zu hören, sah er sich getäuscht. Diskretion ist Pitts oberstes Gebot, denn seine Arbeit besteht zum großen Teil aus sehr »empfindlichen« Übernahmeangelegenheiten. Wenn er geschäftlich verreist, sind seine Sekretärinnen strengstens angewiesen, einem Anrufer oder Besucher niemals seinen Aufenthaltsort mitzuteilen, damit nicht durch die pure Nennung einer bestimmten Stadt irgendein Hinweis über einen anhängigen Fall durchsickert.

Mitte Oktober führten Rauch und er das erste Vorgespräch mit der SEC. Sie suchten noch immer nach der richtigen Marschroute, wie sie auf die Vorladungen reagieren sollten. Sofern man sich darüber klar war, daß eine Antwort nach bahamanischem Recht zulässig war und die Bankvertreter eine Antwort genehmigten, mußten sich Pitt und Rauch noch immer überlegen, wieviel Informationen und welche Unterlagen weitergegeben werden sollten. Die Besprechungen galten selbst innerhalb der Kanzlei als geheim. Es war völlig undenkbar, daß Levine ein Sterbenswort darüber bei einem Geschäftsessen hören würde.

Nicht lange nachdem der Präsident von Drexel, Fred Joseph, Levine eingestellt hatte, nahm er mit verschiedenen anderen führenden Wall Street-Persönlichkeiten an einer Dinner Party teil. Als die Rede auf Drexels schnelles Wachstum kam, brüstete sich Joseph damit, daß er kürzlich Dennis Levine eingekauft habe.

»Dennis wie?« fragte ein Investmentbanker.

David Kay führte ein ähnliches Gespräch über Levine anläßlich des komplizierten, in der Presse breit ausgeschlachteten Versuches von Pantry Pride und ihrem Chief Executive, Ronald Perelman, Revlon Inc. zu übernehmen. Er war in Miami mit Peter Solomon, Levines früherem Vorgesetzten bei Shearson Lehman Brothers, die einen Teil der Transaktion bearbeiteten, zusammengetroffen. Solomon nahm kein Blatt vor den Mund und hatte gelegentlich eine spitze Zunge. Er erzählte Kay von den Problemen in seiner Firma seit der Fusion. Nur der M & A-Bereich schien immun gegen den Exodus wirklicher Stars zu sein, fügte er hinzu.

»Wir sind so stark, daß Dennis – er war gut, sicher, aber er war nicht imstande, bei uns in die erste Garnitur aufzurücken«, fuhr Solomon fort. Joseph und Kay waren sich von Anfang an darüber im klaren gewesen, daß es schwieriger ist, jemanden zum Star zu machen, als einen Star einzukaufen, doch sie hatten sich durchgesetzt. Levine wurde mit den wichtigsten Transaktionen betraut und sofort ins Rampenlicht gerückt. Er wurde auf jede erdenkliche Weise in den Vordergrund gestellt. Dazu gehörten auch Geschäftsessen wie das im Lutèce. Diese Strategie begann Früchte zu tragen.

Levines Vorgehen in den Coastal und Crown Zellerbach-Transaktionen, die sich im Lichte der Öffentlichkeit abspielten, vergrößerten seine Machtposition innerhalb Drexel Burnham und stärkten seinen Ruf außerhalb des Hauses. Seine lockere, hilfsbereite Art machten ihn bei den Firmenkunden beliebt. Als Levine jetzt, mit dem Rücken zur Wand, am Ecktisch im Lutèce saß, stand er kurz vor seinem großen Sieg, der ihn zur Spitze bringen würde.

Seitdem Ronald Perelman im Jahre 1978 zwei Millionen Dollar aufgebracht hatte, um 40 Prozent an einem Schmuckeinzelhandel zu erwerben, hatte er sich zu einem der gerissensten Übernahmejongleure an Wall Street gemausert. Seine Geschäftsinteressen reichten von Zigarren und Lakritze bis zu Videokassetten und Filmproduktionen. Zu Beginn waren seine Aufkäufe geschickt, aber im Interesse aller Beteiligten. Doch Anfang 1985 erwarb er nach einem erbitterten Kampf um Stimmvollmachten die Kapitalmehrheit an Pantry Pride Inc., einer Supermarkt- und Drogeriekette.

Perelman hatte als Unternehmensaufkäufer den Ruf, daß er die Gesellschaften, die er kaufte, auch tatsächlich managen wollte, statt sie auszuschlachten, um die Finanzierungskosten hereinzuholen und schnellen Gewinn zu machen. Doch in dem Moment, als er über die kontrollierende Mehrheit bei Pantry Pride verfügte, verkaufte er Vermögenswerte in Höhe von 200 Millionen Dollar, um für sein nächstes Ziel flüssig zu sein; das war die Revlon Inc.. Der Riese für Kosmetika und Schönheitspflege stellte aufgrund seiner schleppenden Ertragslage ein erstklassiges Übernahmeziel dar. Es bot Perelman die Möglichkeit, ein angeschlagenes Unternehmen wieder auf die Beine zu bringen. Seine Investmentbank war, wie konnte es anders sein, Drexel Burnham.

Seit August 1985 war Levine Perelmans Hauptberater bei dem 2,4 Milliarden Dollar teuren Versuch, Revlon zu übernehmen. Levine stellte dabei unter Beweis, daß er nicht nur charmant am Telefon plaudern, sondern auch über Wochen intensiv, ernsthaft und hart arbeitend komplexe Strategien verfolgen konnte, einschließlich der Abwehr der »poison-pill«-Verteidigung, die Revlon wählte.

Levine mußte der Transaktion außergewöhnlich viel Zeit widmen, wobei er einen Gutteil am Telefon verbrachte und mit seinen Informationsquellen in der Arbitrageszene plauderte, um herauszufinden, wo die großen Aktienpakete von Revlon lagen und wie hoch wohl der Kurs sein müßte, um Kontrolle über die Gesellschaft zu gewinnen. Nachdem das Angebot öffentlich bekannt gemacht worden war, wurde Levine nicht müde, mit Journalisten zu telefonieren, um ihnen das ganze Vorhaben zu erläutern und ihre Story so hinzubiegen, daß die Transaktion nicht an Dynamik verlor.

Bei einer erfolgreichen Übernahme den wahren Urheber dieses Erfolges zu finden, ist weitgehend subjektiv und daher Gegenstand von Manipulation. Dies gilt in besonderem Maß bei einer komplexen, publicity-trächtigen Transaktion, bei der Dutzende von Anwälten und Investmentbankern beteiligt sind. Welcher Anteil kommt dem Investmentbanker zugute, der die Übernahmestrategie ausgearbeitet hat? Wieviel kann der Banker für sich verbuchen, der herausgefunden hat, wie die »poison-pill« abgewehrt werden kann? Oder der Anwalt, der das ganze Geschäft durch eine verfahrensrechtliche Änderung in letzter Minute gerettet hat? Da die Reputation einer Investmentbank bei der Akquisition von Kunden eine überaus wichtige Rolle spielt und da die Bewertung des jeweiligen Erfolgsanteils an einer Transaktion eine Sache der Interpretation ist, konkurrieren Banker häufig um diesen Anteil.

Manche Beteiligte meinten später, daß das Hauptverdienst an Pantry Prides erfolgreicher Übernahme von Revlon Eric Gleacher zugestanden hätte, der von Lehman Brothers zu Morgan Stanley gegangen war, obwohl Morgan Stanley bei dem Geschäft nur eine untergeordnete Rolle spielte. Doch den Löwenanteil des Lobes und Beifalls heimste Levine ein. Seine Gespräche mit der Presse, die vielen Überstunden, die zutreffenden Informationen von den Arbitragehändlern, all dieses hatte die Aufmerksamkeit auf ihn gelenkt und ihn als neuen Star an Wall Street bestätigt.

In gewisser Hinsicht bedeutete der Pantry Pride-Sieg für Levine so etwas wie ein Einführungsritual, ein Symbol, daß er mit 33 Jahren in die lose Gemeinschaft der Stars unter den Investmentbankern aufgenommen worden war, der Macher an Wall Street, die bei allen millionenschweren Geschäften auf der einen oder anderen Seite des Geschäfts dabei waren. Levine hatte während der vergangenen Jahre versucht, in diese Gruppe vorzudringen. Nun hatte er es mit der Rückendeckung von Drexel Burnham geschafft. Als der Kauf von Revlon am 1. November besiegelt war, kaufte er für seine Kollegen eine Kiste Champagner. Er setzte sie auf seine Spesenabrechnung bei Drexel.

Wie geizig Levine war, zeigte sich, wenn er sich über die zehn Dollar Gebühren für seine R-Gespräche mit Bank Leu beschwerte oder wenn er seine Mittagessen mit Wilkis, Reich und Solomon über Drexel Burnham abrechnete. Doch trat dieser Geiz absolut nicht in der Art und Weise zutage, wie er sein illegal verdientes Geld ausgab.

Seine Großzügigkeit im Ausgeben, die gegen Ende 1983 begonnen hatte, verlief mittlerweile wie nach einem Schema: Im Anschluß an mehrere erfolgreiche Aktiengeschäfte hob Levine eine große Summe Bargeld, 150 000 oder 200 000 Dollar, ab. Ein beträchtlicher Teil ging in die Abzahlung und Renovierung der Wohnung. Aber er bezahlte damit auch Luxusurlaube, die er sich nach einer Periode harter Arbeit gönnte. Das Geldausgeben schien den doppelten Druck zu lindern, der durch seinen Job und seine geheimen Insidergeschäfte auf ihm lastete.

Nachdem Levine zig Überstunden mit den Coastal- und Crown Zellerbach-Transaktionen verbracht und den Rekordgewinn bei Nabisco eingestrichen hatte, meinte er im Juni 1985, daß er urlaubsreif sei. Er beschloß, seiner Frau eine Reise zu schenken, denn sie feierte am 21. Juni ihren 32. Geburtstag. Am 7. Juni flog er nach Nassau und hob 200 000 Dollar ab. Am 20. Juni saßen Laurie und Dennis Levine in einer Air France Concorde nach Paris. Während ihres dreitägigen Aufenthaltes in Paris wohnten sie im Royal-Monceau-Hotel und speisten in Luxusrestaurants. Am 23. Juni flogen sie nach Nizza und mieteten sich für die dreistündige Fahrt nach Antibes ein Auto. Dort verbrachten sie eine Woche im Hotel du Cap, bevor sie mit einem Pan-Am-Flug Erster Klasse in die Vereinigten Staaten zurückkehrten.

Anfang September war Levine wieder voll dabei, mit verstärktem Druck zwischen Ruhm und Befriedigung seiner Habgier zu jonglieren. Auf einen Vormittag voller Besprechungen mit Perelman und anderen an dem Pantry Pride-Geschäft beteiligten Personen folgte ein möglichst kurzes Arbeitsessen. Am Nachmittag standen weitere Sitzungen auf dem Programm. Falls er einmal nicht in einer Besprechung saß, hing er am Telefon, um aus seinem Informationsnetz etwas über die Revlon-Aktien in Erfahrung zu bringen. Abends waren häufig Strategiesitzungen angesagt, oder er mußte an einem Geschäftsessen teilnehmen.

In diesem Herbst war er auch viel auf Geschäftsreise, einige Male wegen des Pantry Pride-Geschäfts, aber auch, um potentielle Kunden zu besuchen. So mußte er nach St. Louis, Detroit und Washington. Am 26. September flog er zu einem Termin nach Minneapolis. Vor seiner Rückkehr nach New York, wo diverse Besprechungen am Wochenende auf ihn warteten, schob er einen Tag Nassau ein.

Levine hatte das Gefühl, daß er trotz seiner vielen Arbeit diesen Abstecher nach Nassau machen müsse. Denn er wollte sichergehen, daß das Täuschungsmanöver durchgeführt wurde. Außerdem wollte er die Kontounterlagen nach möglichem Belastungsmaterial durchschauen, falls die Bank doch beschließen würde, der SEC Akteneinsicht zu gewähren. Schließlich wollte er auch seinen Anwalt Hartis Pinder wegen der Gründung einer neuen panamaischen Gesellschaft konsultieren.

Zusätzlich sammelte er umfangreiches Material über die 28 Aktien auf der SEC-Vorladung. Er forstete seine eigenen Unterlagen nach Brokerberichten durch und ließ sich von Drexels Analyseabteilung weiteres veröffentlichtes Material heraussuchen. All dies sollte den Täuschungsplan untermauern. Im Gegensatz zu Pletscher hatte Levine weder Angst vor einer Entdeckung noch Gewissensbisse. Er blieb zuversichtlich, daß sich die SEC mit der Lügengeschichte abspeisen lassen würde. Man brauchte schließlich nur zu schuaen, wie es mit Textron gelaufen war. Er mußte sich lediglich die Zeit nehmen, alles in die richtigen Wege zu leiten.

Trotz aller Zuversicht über den Ausgang der Ermittlung hatte Levine mit Meier vereinbart, daß er seine Handelsaktivitäten zurückschrauben würde. Er hatte sogar völlig aufgehört. Diese Entscheidung entsprang allerdings mehr seinem Wunsch, die Schweizer Bankiers bei der Stange zu halten und sie mit großen Gewinnen nicht noch mehr zu ängstigen, als daß er wegen der SEC besonders vorsichtig geworden wäre. Immerhin hatte dies den Nebeneffekt, daß er selbst etwas weniger unter Druck stand.

Obwohl sich Levine so zermürbt fühlte wie Pletscher, lastete doch der Druck zweier anspruchsvoller Verpflichtungen auf ihm. Vielleicht wollte er diesen Druck lindern. Jedenfalls stürzte er sich in eine weitere Form des Luxus.

Schon zu der Zeit, als er sich gerade eben ein Motorrad leisten konnte, hatte er schnelle Autos bewundert. Je schneller, desto besser. Er fuhr einen BMW der teuersten Serie, doch hatte ihm schon immer etwas Aufregenderes vorgeschwebt. Im Herbst 1985 sah er keinen Grund, warum er sich diesen Wunsch nicht erfüllen sollte.

Steven Kessler Motor Cars an der East 34. Straße in Manhattan ist ein hochkarätiger Autohändler, der lediglich Ferraris, Maseratis und Alfa Romeos verkauft. Levine hatte sich die Sache einige Wochen durch den Kopf gehen lassen und nach dem günstigsten Angebot Ausschau gehalten, bevor er schließlich einen neuen, roten Ferrari Testarossa bestellte, einen der elegantesten, schnellsten und teuersten Serienwagen überhaupt. Der Testarossa wird nur in begrenzter Stückzahl hergestellt.

Am 8. Oktober fädelte er sich in einem 95 000-Dollar-Auto in den dichten Verkehr von Midtown Manhattan ein. Er hatte ein Drittel angezahlt und für den Rest eine Autofinanzierung abgeschlossen, ähnlich wie er es auch beim Kauf seiner Wohnung getan hatte. Es machte keinen Sinn, zuviel Kapital in einem Auto oder einer Wohnung zu binden.

Er mietete sich eine Garage und holte das Auto nur nachts oder an Wochenenden heraus. Dann raste er über eine der Brücken, die aus Manhattan herausführten. Sein Ziel waren die einsamen Landstraßen von Long Island, auf denen er sein Auto auf über hundert Meilen hochjagte. Der Geschwindigkeitsrausch ließ ihn den Druck vergessen, der von der hinter ihm aufragenden Skyline ausging.

Es war keineswegs so, daß Levine sein neuestes Statussymbol

geheimhielt. Er brüstete sich damit gegenüber Kollegen und ließ das Auto sogar von einem Berufsfotografen fotografieren.

Das Bild hängte er sich in sein Büro. Wenn Associates, die noch nicht einmal drei Jahre bei der Firma arbeiteten, BMWs und Porsches fuhren, konnte sich schließlich ein Managing Director von Drexel einen Ferrari leisten, ohne irgendwo Anstoß zu erregen.

Leo Wang fuhr mit der U-Bahn zur Arbeit. In diesem Herbst waren er und Peter Sonnenthal ebenfalls sehr beschäftigt. Unter Wangs Anleitung hatte Sonnenthal mehrere Wochen lang das von Merrill Lynch zur Verfügung gestellte Material gesichtet und mühselig das Beweismaterial zusammengestellt, das im Fall einer Gerichtsverhandlung benötigt würde. Dafür listete er für jede Aktie die Transaktionen der Bank und der Merrill Lynch Broker getrennt auf; er verglich dann die Daten der Käufe und Verkäufe mit den jeweiligen Daten der Bekanntgabe einer Übernahme oder eines anderen Unternehmensereignisses.

Auf Anfrage der SEC ist jede Maklerfirma, die eine Lizenz für Geschäftätigkeit auf den US-Finanzmärkten besitzt, verpflichtet, die Namen der Kontoinhaber und eine Aufstellung aller über diese Konten abgewickelten Transaktionen zu liefern. Die meisten Brokerhäuser halten sich an diese Vorschrift, doch kommt es auch vor, daß die Informationen mühselig zusammengesucht werden müssen, was zeitraubend und arbeitsaufwendig ist.

Sonnenthal bereitete Anfragen für jedes einzelne Brokerhaus in New York vor. Darin wurde gefragt, ob ein Konto für Bank Leu International oder Bernhard Meier existiere. Sollte dies der Fall sein, verlangte er eine Aufstellung aller Transaktionen seit Kontoeröffnung.

Darüber hinaus verschickte er Formulare, sogenannte Blaue Blätter, an die Brokerhäuser, auf denen die Transaktionen in sämtlichen 28 Übernahmeaktien aufzuführen waren. Bei der Sichtung der Ermittlungsakten der SEC stieß er auf Informationen, die bei früheren Untersuchungen über einige dieser Aktien, wie zum Beispiel Textron und Thiokol, ans Tageslicht gekommen waren. Als er die Akten zu diesen beiden Wertpapieren durchging, entdeckte er Unterlagen über die Untersuchung über EuroPartners, die im Sande verlaufen war. Dies eröffnete eine neue Querverbindung, denn interessanterweise saß ein Spitzenmanager der Bank Leu bis Mitte 1985 im Verwaltungsrat von EuroPartners.

Es war recht mühselig, die Informationen zu sichten, die nun von den Brokerhäusern hereinkamen. Bank Leu unterhielt Konten bei über einem Dutzend Firmen und handelte tausende von Aktien über diese Konten. Obwohl nicht nur Übernahmeaktien gehandelt wurden, mußte doch jede Transaktion untersucht werden.

Für Sonnenthal kristallisierte sich heraus, daß die Käufe der Bank über Merrill Lynch in den 28 Aktien nur die Spitze des Eisbergs waren. Orders für dieselben Aktien waren über Brokerhäuser wie E. F. Hutton, Dean Witter Reynolds und viele andere plaziert worden. Die Zahl der Übernahmeaktien wuchs.

Sonnenthal konzentrierte sich voll und ganz auf den Bank-Leu-Fall. Sechzig bis siebzig Stunden pro Woche sichtete er Unterlagen und machte Aufzeichnungen. Diesen Luxus konnte sich Wang nicht leisten. Er war im Februar zum Sektionschef in der Enforcement Division ernannt worden. Dies bedeutete, daß er nun für sieben bis acht Juristen verantwortlich war.

Trotzdem hielt er engen Kontakt zu Sonnenthal, denn zum einen arbeitete dieser erst seit knapp einem Jahr bei der SEC und brauchte noch ein wenig Hilfe, zum anderen war Wang an dem Fall äußerst interessiert.

Keiner der beiden wußte, wohin die Untersuchung führen würde. Vielleicht endete sie wieder einmal in einer Sackgasse. Allerdings gab es überzeugende Anzeichen, daß man einer heißen Sache auf der Spur war: Eine Offshore-Bank war beteiligt, und das Ausmaß der Handelsaktivitäten stieg mit jedem neuen Stapel an Unterlagen. Außerdem schälte sich heraus, daß die Käufe sorgfältig auf verschiedene Brokerhäuser gestreut wurden, anstatt sie ganz einfach über ein oder zwei Broker zu plazieren. Irgend jemand schien sehr besorgt gewesen zu sein, nur ja keine Turbulenzen am Markt zu erzeugen. Man mußte nur herausfinden, wer das war.

In John Shads Büro im Gebäude der SEC in Washington steht auf einem Regal ein Paar genagelter Stiefel, Größe 42½. Kurz nach seiner Ernennung zum Chairman der SEC im Jahre 1981 sagte er zu einem Journalisten, daß die SEC dem Insider Trading »mit genagelten Schuhen« beikommen werde.

Diese Bemerkung bedeutete eine kleinere Sensation an Wall Street. Kurz danach sollte Shad in einer Kongreß-Anhörung aussagen. Seine Mitarbeiter überreichten ihm als Geschenk die Schuhe und drängten ihn, er solle sie doch für den Weg zum Kapitol anziehen. Doch dazu hatte er nicht den Mut.

Shad begann nach seinem Studium an der Harvard Business School in den vierziger Jahren als Aktienanalyst in New York. Durch eine geschickte Anlagestrategie verdiente er am Aktienmarkt ein Vermögen. Er war Vice Chairman und Leiter Corporate Finance bei E. F. Hutton, als ihn Präsident Ronald Reagan 1981 zur SEC holte.

Wie die Reagan Administration legte auch er besonderes Gewicht auf Deregulierung. Unter seiner SEC-Präsidentschaft vollzogen sich bedeutsame Veränderungen in der Beziehung zwischen SEC und der Wirtschaft des Landes; so wurde zum Beispiel die SEC-Verordnung über die »shelf registration« beschlossen. Damit können Unternehmen mit einem einzigen Registrierungsantrag Wertpapiere genehmigen lassen, die sie im Laufe der folgenden zwei Jahre zu emittieren gedenken. Dieses Procedere spart der Wirtschaft ein Vermögen. Shad bemühte sich auch darum, das gespannte Verhältnis zwischen der SEC und Wall Street in eine funktionsfähige, kooperative Beziehung umzuwandeln. Doch war in diesem Arrangement absolut kein Platz für Insidergeschäfte. So manche Anhänger der freien Marktwirtschaft hätten es begrüßt, wenn Shad eine Laissez-Faire-Haltung zum Insider Trading eingenommen hätte. Ihrer Meinung nach bedeutet der Versuch, Insidergeschäften auf die Spur zu kommen, nichts weiter als die Verschwendung von staatlichen Mitteln. Sollen doch die Aktienkurse sämtliche Informationen – gleichviel ob Insider oder öffentlich bekanntgemachte – widerspiegeln, lautet ihre Argumentation. Im übrigen sei es unmöglich, Insider Trading unter Kontrolle zu bringen, da dies ungeheuer viel SEC-Mittel und Personal binde, das dann bei wesentlich wichtigeren und eher zu bewerkstelligenden Überwachungsaufgaben fehlte.

Andere vergleichen Insider Trading allerdings mit einem Falschspiel: Wenn man weiß, daß einige Mitspieler Asse im Ärmelaufschlag verstecken, ist man nicht unbedingt gewillt mitzuspielen.

Shad und seine Anhänger, zu denen die Vorstände der großen Börsen gehören, halten Insider Trading für eine ernste Bedrohung der Integrität der Märkte. Diese Integrität beruht sowohl auf dem

Image der Märkte wie auf der Wirklichkeit. Die Kleinanleger müssen die Vorstellung haben, daß sie dieselben Gewinnchancen haben wie die Großen.

Allerdings erwies es sich als schwierig, das Versprechen, auf den Aktienmärkten aufzuräumen, in die Tat umzusetzen.

Zum Teil beruhte dies auf der Informationsflut, die mit der Übernahmewelle der achtziger Jahre ausgebrochen war. Als Folge blieben vertrauliche Informationen über ein anhängiges Geschäft nicht mehr nur bei dem altgedienten Investmentbanker, dem Leiter der Rechtsabteilung und einer Handvoll Spitzenmanager im eigenen Haus. Zwischen 1981 und 1984 wurden 45 Übernahmen in der Größenordnung von jeweils mehr als einer Milliarde Dollar arrangiert – im Vergleich zu nur zwölf in den siebziger Jahren. Die Größenordnung dieser Transaktionen brachte eine Komplexität mit sich, die die Zahl der Personen mit Insiderwissen in die Höhe schnellen ließ. Nicht selten arbeiteten bis zu hundert Anwälte, Banker, Berater, Spitzenmanager der Unternehmen, PR-Experten, Sekretärinnen und Textkorrektoren an einer größeren Fusions- oder Aufkauftransaktion, hatten also ganz legal Einblick.

Um mit der Masse von Verdächtigen fertig zu werden, entwickelte die SEC ein Computerprogramm, womit die täglichen Aktienumsätze mit dem Datum der Bekanntgabe von Unternehmensnachrichten verglichen werden konnten. Die jeweiligen Aktienanleger wurden mit Name, Adresse und Broker erfaßt und mit den leitenden Angestellten, Vorständen und Verwaltungsratsmitgliedern der betreffenden Unternehmen abgeglichen. Doch da die Computerausdrucke teilweise einen halben Meter Papier oder mehr umfassen, kann die Analyse der Daten Monate dauern.

Ein weiteres Problem bei der Aufklärung war Levine schon lange klar: Die SEC konnte nur sehr schwer eine Lüge widerlegen.

Ira Lee Sorkin war Bundesstaatsanwalt in New York und hatte danach als Rechtsanwalt praktiziert, bevor er im Mai 1984 zum Leiter des SEC-Regionalbüros ernannt wurde. Sorkin war zwar an der Levine-Ermittlung nicht beteiligt, doch als inhaltlich engagierter Anwalt frustrierte ihn die Tatsache, daß Insider der Behörde Lügen auftischen konnten und mit großer Wahrscheinlichkeit damit durchkamen.

»Ich schau mir eine Vernehmung an, bei der ein junger Rechtsanwalt irgend jemanden unter Eid verhört. Ich hör mir das Ganze eine Weile an und weiß, daß der Kerl lügt«, meinte Sorkin, der mittlerweile wieder in einer Anwaltskanzlei in New York arbeitet. »Der junge Kollege weiß das auch. Dies sind ganz schwierige Fälle. Es gibt keine Blutflecken. Es gibt keine Zeugen bei diesem ›Bankeinbruch‹. Zwei Typen reden miteinander – und wenn sie beide bestreiten, miteinander gesprochen zu haben, wie soll man daraus einen Fall machen?

Man erzählt Ihnen, ›ich habe eine Zigeunerin als Freundin, die alles in einer Kristallkugel gesehen hat‹, und es fällt ihnen verdammt schwer, das Gegenteil zu beweisen.«

Die SEC beklagte sich immer wieder darüber, daß die Strafen für Insidergeschäfte nicht hoch genug waren. Bis 1984 mußte jemand, dem Insider Trading nachgewiesen wurde, seine unrechtmäßig erzielten Kursgewinne wieder zurückzahlen. Um Abhilfe zu schaffen, initiierte Timothy Wirth, damals demokratischer Kongreßabgeordneter aus Colorado und später Mitglied des Senats, ein 1984 verabschiedetes Gesetz gegen Insider Trading, den Insider Trading Sanctions Act. Damit konnte die SEC bei Insidergeschäften bis zum Dreifachen der illegal erworbenen Gewinne einklagen und obendrein die Kursgewinne selbst zurückfordern. Plötzlich hatten sich die Risiken dieses Geschäfts erheblich vergrößert.

Noch immer war die SEC nicht berechtigt, gegen jemanden wegen Insider Trading oder anderen Wertpapierbetrugs Anklage zu erheben. Strafprozesse waren Sache der Justizbehörden. Die Beziehungen zwischen den beiden Exekutivorganen sind mitunter gespannt gewesen. Doch zu Beginn der achtziger Jahre verbesserten sie sich allmählich. Als Ergebnis der neuen Kooperation begann die US-Staatsanwaltschaft in Manhattan, sich für Insider Trading zu interessieren. Ihr Fachwissen erwies sich in vielen Ermittlungen für die SEC als äußerst wertvoll.

Sobald die Justiz beteiligt war, mußte jemand, der vor der SEC die Unwahrheit sagte oder Beweismaterial zurückhielt, damit rechnen, wegen Meineides oder Verdunklungsgefahr angeklagt zu werden. Darauf stand Gefängnis. Darüber hinaus konnte die SEC Zivilstrafen verhängen, und die Staatsanwaltschaft konnte Anklage wegen Wertpapierbetrugs erheben – oder wegen Steuerhinterziehung, wenn die Gewinne nicht deklariert wurden.

Allmählich nahm die Zahl der von der SEC verfolgten Fälle von

Insider Trading zu: 1982 waren es 20 Fälle, 1983 24, 1984 13 und 1985 20 Fälle. Doch das Problem als solches blieb nicht nur bestehen, es schien sich sogar noch zu vergrößern. Der SEC wurde vorgeworfen, die meisten von ihr verfolgten Fälle von Insider Trading hätten sich gegen Leute gerichtet, die weit außerhalb der eigentlichen Wall Street-Akteure stünden. Der Paul-Thayer-Fall ließ diese Kritik teilweise verstummen, aber trotzdem herrschte auf dem Kapitol und in der Finanzwelt die Meinung vor, daß die SEC zu viele wirkliche Insider unbehelligt lasse.

Am 29. April 1985 veröffentlichte die Zeitschrift *Business Week* eine vielgelesene Titelgeschichte unter der Überschrift »Die Epidemie der Insidergeschäfte: Die SEC kämpft auf verlorenem Posten gegen den Mißbrauch des Aktienmarktes«. Die Zeitschrift hatte eine Analyse in Auftrag gegeben, in der der Kursverlauf in den Jahren 1983 und 1984 von sämtlichen Übernahmen, Fusionen und Leveraged Buy-outs untersucht wurde, an denen Unternehmen beteiligt waren, deren Aktien an der New York und der American Stock Exchange notiert waren. Ein Vergleich der Kurse jeweils einen Monat bzw. einen Tag vor der öffentlichen Bekanntgabe der Transaktion ergab, daß der Kurs in 72 Prozent der Fälle gestiegen war. Die Schlußfolgerung des Magazins entsprach einer an Wall Street weit verbreiteten Meinung: »Insider Trading nimmt überhand – trotz verstärkter Anstrengungen der Exekutive und Strafverschärfung.«

Über den Artikel ärgerte sich John Shad sehr. Die Enforcement Division und ihr neuer Leiter, Gary Lynch, wurden angewiesen, mit aller Härte vorzugehen. Wall Street mußte endlich klargemacht werden, daß sich Insider Trading nicht lohnte.

Häufig handelt es sich bei Insidern um Personen, die von Berufs wegen Risiken übernehmen und wissen, daß der Handel aufgrund vertraulicher Informationen ein kalkuliertes Risiko bedeutet. Wenn sie die Wahrscheinlichkeit, dabei erwischt zu werden, für gering erachten, insbesondere im Vergleich zu den möglichen Gewinnen, nehmen sie dieses Risiko gerne auf sich. Wenn sie aber das Risiko, erwischt zu werden, für sehr hoch halten, werden sie wahrscheinlich die Finger davon lassen. Ein weiteres Element, das in die Gleichung eingeführt werden muß, ist das Strafmaß. Vor 1984 brauchten Insider lediglich ihre illegalen Gewinne abzuführen. Mit dem Gesetz von 1984 erhielt die SEC das Recht, darüber hinaus noch das

Dreifache dieser Gewinne als Strafe zu verhängen. Seitdem SEC und Justiz stärker zusammenarbeiteten, erhielt ein Täter, der illegaler Insidergeschäfte überführt worden war, zusätzlich eine Gefängnisstrafe. Die Wahrscheinlichkeit dafür nahm zu.

In der SEC Enforcement Division arbeiteten etwa 110 Leute. Ihr Aufgabenbereich ging weit über Insider Trading hinaus und umfaßte sämtliche Verstöße gegen das Wertpapiergesetz. Das beinhaltete ausgesprochen personalintensive und zeitaufwendige Recherchen. Selbst als die Kampagne gegen Insider Trading auf vollen Touren lief, waren nur etwa zehn Prozent der Abteilung damit befaßt.

Es war nicht so sehr eine Frage, was die Abteilung tatsächlich ausrichten konnte. Wichtig war vor allem, nach außen hin den Eindruck zu erwecken, daß sie Insidergeschäfte unbarmherzig verfolgte. Ein Jurist nannte dies »die dreidimensionale Illusion«. Anwälte, Investmentbanker und Broker mußten glauben, daß Insider Trading nicht länger ein Verbrechen ohne Risiko war und daß das Risiko, erwischt zu werden, den Punkt erreicht hatte, wo sich das Spiel nicht mehr lohnte. Dieses Konzept wird von manchen Abschreckung, von manchen Panikmache genannt.

Selten erzeugen die Medien öffentliche Reaktionen, sie reagieren darauf. Insider Trading gilt nicht als ein kosmisches Ereignis, das förmlich nach der Aufmerksamkeit von Presse und Öffentlichkeit schreit. Damit die SEC den gewünschten Abschreckungseffekt erzielen konnte, brauchte sie einen Fall, der die Titelseiten und die Nachrichtensendungen beherrschen würde. Sie benötigte eine Story, die die Öffentlichkeit in Atem halten und die das Anliegen der SEC wochenlang in die Aufmacher von Zeitungen, Funk und Fernsehen bringen würde. Die Behörde konnte sich einen solchen Fall nicht aus den Rippen schneiden. Doch mit der richtigen Kombination von Glück und harter Arbeit war schließlich alles möglich

Pitt und Rauch erhielten einen kühlen Empfang von der Behörde, als sie am 1. Oktober zur ersten Besprechung mit Wang, Sonnenthal und Paul Fischer erschienen, den mit der Ermittlung beauftragten SEC-Juristen. Die drei drängten auf Informationen darüber, wie sich die Bank verhalten würde. Zwar wären sie bereit, der Bank mehr Zeit für ihre Antwort zu geben, doch wollten sie unbedingt wissen, welche Erklärung das Institut für die Aktienkäufe hatte. Pitt und Rauch meinten, man müßte bahamanisches Recht berücksichtigen. Sie lehnten es ab, offenzulegen, wie sie auf die Vorladungen zu antworten gedächten oder wie die Bank die Aktientransaktionen erklären würde. Sie weigerten sich sogar zuzugeben, daß sie die Bank vertraten.

Dies war ein kritischer Punkt, denn die Forderung nach Vorlage von Bankunterlagen, die Meier erhalten hatte, bezog sich nicht eindeutig auf die Bank und konnte gerichtlich angefochten werden, denn Meier war kein Direktor oder leitender Angestellter mit Zugang zu den Unterlagen. Ihm die an die Bank gerichtete Vorladung zuzustellen, mag zwar bequem gewesen sein, aber juristisch nicht einwandfrei: Die Bank erhielt damit einen großen Handlungsspielraum. Meier andererseits war aber die Forderung nach seinen persönlichen Unterlagen rechtmäßig zugestellt worden. Die beiden Anwälte erklärten der SEC, daß sie bei dieser Besprechung lediglich Meiers Interessen wahrnahmen. In Meiers Vorladung wurden die Unterlagen bis zum 1. Oktober angefordert, doch Pitt und Rauch erklärten, daß die Frist bis zum Monatsende verlängert werden müßte. Als die SEC-Juristen dies ablehnten, meinte Pitt, er würde trotzdem die Frist verlängern.

Nach der Besprechung in der SEC-Zentrale schrieben Rauch und Pitt einen Brief an die Behörde, in dem sie sich beklagten, daß ihnen keine Fristverlängerung gewährt worden sei, sie aber erst Ende Oktober etwas vorlegen könnten, da die Beschaffung der Unterlagen zu zeitaufwendig sei.

Während des ganzen Oktobers sammelte ein Team von Anwaltsgehilfen aus der Kanzlei Veröffentlichungen über die 28 Aktien. Damit sollte Meiers Geschichte an Glaubwürdigkeit gewinnen. In einer mühseligen Recherche, die sehr an Sonnenthals Vorgehensweise erinnerte, stellten die Mitarbeiter für jede Aktie eine Chronologie der Daten zusammen, an denen Übernahmetransaktionen und andere wichtige Unternehmensnachrichten veröffentlicht worden waren. Außerdem prüften sie, welche Informationen überhaupt öffentlich verfügbar waren. Sollten Pitt und Rauch Meiers Behauptung verteidigen, er habe die Käufe auf der Basis öffentlich zugänglicher Informationen getätigt, mußten sie wissen, was eigentlich tatsächlich über jede einzelne Aktie zum Zeitpunkt des Kaufes öffentlich bekannt war.

Die beiden Anwälte telefonierten häufig mit Coulson und Meier in Nassau. Als Pitt und Rauch im September von Nassau weggeflogen waren, hatten sie ein Grobkonzept im Sinn, das allerdings noch nicht von der Bank autorisiert worden war. Sie beabsichtigten, gegenüber der SEC anzugeben, daß man der Behörde aufgrund der bahamanischen Gesetzgebung keine Namen von Bankkunden offenlegen könne. Doch würden sie erklären, daß die Namen auch keine wesentliche Rolle spielten, weil sich die Kunden passiv verhalten hatten. Meier hatte die Transaktionen von sich aus durchgeführt und die Aufträge auf die verschiedenen Depots verteilt.

Sollte die SEC auf Namen bestehen, würden Pitt und Rauch der Behörde klarmachen, daß die Bank entschlossen sei, wegen dieser Forderung vor Gericht zu gehen. Ein Prozeß könnte den Fall jahrelang blockieren. Falls die SEC jedoch einwilligen sollte, auf die Namen der Kunden zu verzichten, würde die Bank einige Unterlagen ohne die Namen der Kunden zur Verfügung stellen und Meier würde vor der Behörde aussagen wie er die Aktien ausgewählt hatte.

Mitte Oktober stimmte Coulson dem Vorschlag endlich zu.

Die Geschichte wurde im November ihrem ersten Test unterzogen. Ein abergläubischer Mensch hätte für diesen Tag ein schlechtes Omen bemerkt. Pitt und Rauch hatten eine Besprechung bei der SEC, um denselben drei Juristen ihren Vorschlag zu unterbreiten. Die Besprechung war für 11.00 Uhr angesetzt. Rauch wollte mit dem 9.00 Uhr-Pendelflugzeug von New York kommen. Als Rauch gerade im Flugzeug Platz genommen hatte, verkündete allerdings der Pilot, daß sich der Abflug wegen des starken Flugverkehrs um mindestens eine Stunde verzögere. Damit würde Rauch zu spät kommen. Also stieg er wieder aus und rief Pitt an, ob dieser die Besprechung verschieben wolle. Angesichts der jüngsten Vorwürfe seitens der SEC, daß hier eine Verschleppungstaktik betrieben würde, lehnte Pitt ab und bat statt dessen einen anderen Partner, James Schropp, ihn zu begleiten.

Den drei SEC-Juristen Wang, Sonnenthal und Fischer, die ihm gegenüber saßen, erläuterte Pitt, daß die Käufe nach seinem Verständnis für von der Bank verwaltete Depots getätigt worden seien. Demzufolge schienen keine Kunden beteiligt gewesen zu sein, fuhr er fort. Er unterbreitete das Angebot, mit der SEC eine Vereinbarung auszuhandeln, wonach die Behörde Einblick in Teile der Bankunterlagen erhielte und Bernhard Meier, der Portfolio Manager der Bank, vor der Behörde über seine Anlagepolitik aussagen würde. Die Unterlagen würden »redigiert«, wie er sich ausdrückte, das bedeutet, gewisse kundenbezogene Angaben würden unkenntlich gemacht.

Aus SEC-Sicht würde durch eine solche Vereinbarung ein Rechtsstreit vermieden und die Ermittlung beschleunigt. Doch waren die Juristen der Behörde mißtrauisch, was die Geschichte mit den Depots anbetraf. Sie wollten wissen, wann sie die Unterlagen einsehen könnten. Pitt erklärte, er brauche noch Zeit. Er und Rauch waren von Nassau weggeflogen, ohne das Material anzuschauen, von dem Meier behauptete, es seien die Beweise für sein Verhalten. Pitt würde auf keinen Fall eine Vereinbarung unterzeichnen, wonach Unterlagen zu liefern waren, die er nicht inspiziert hatte.

Allerdings hatte die Bank Pitt und Rauch autorisiert, mit der SEC bis zu einem gewissen Grade zu kooperieren, um die Ermittlung zu Ende zu bringen. Die Bank hätte die Ermittlung gerichtlich anfechten können, doch hatte die Zustellung der Vorladung an Meier ihre Position ein wenig geschwächt. Im übrigen könnte die Publizität, die mit einem Gerichtsprozeß mit der SEC verbunden ist, das Image der Bank in Nassau und auch international schädigen. Wenn die Geschichte mit den Depotkonten und Meiers Aussage von der Behörde akzeptiert würden, wäre die Bank alle Sorgen über die Ermittlung ohne einen kostspieligen und möglicherweise peinlichen Gerichtsprozeß los.

15. Kapitel

Positionen werden liquidiert

Am 4. November kehrte Bruno Pletscher von seinem einmonatigen Urlaub in der Schweiz nach Nassau zurück. Er war sofort wieder voll in das Täuschungsmanöver eingespannt. Fast den ganzen Oktober hatte Meier damit verbracht, für die Anwälte die Erklärungen der einzelnen Aktienkaufentscheidungen zusammenzubasteln. Pitt hatte ihn wiederholt um die Unterlagen gebeten. Doch bis jetzt hatte er ihn damit vertrösten können, daß er zu beschäftigt sei und die gewünschten Unterlagen noch nicht habe heraussuchen können.

Als Pletscher nach seinem Urlaub wieder im Büro erschien, drückte ihm Meier sofort einen Stapel von mit Schreibmaschine geschriebenen Berichten in die Hand – lange Ausarbeitungen über die Finanzsituation der einzelnen Unternehmen, Tendenzen der verschiedenen Branchen, Hinweise auf Zeitungsartikel und Brokerberichte. Hier standen die Fakten, auf denen die Lügengeschichte basieren sollte. Meier erläuterte Pletscher, daß die Unterlagen, die er den Rechtsanwälten und – wenn nötig – später der SEC vorlegen wolle, etwa so aussehen sollten. Er habe sie aus dem von Diamond beigebrachten Material zusammengestellt, doch seien sie noch nicht vollständig. Diamond wolle im Laufe der Woche weiteres Material liefern.

Er hatte noch mehr Neuigkeiten: Mittlerweile waren die Unterlagen für Diamonds neue Gesellschaft, International Gold, eingetroffen. Pletscher konnte nun die zweite Unterschrift leisten, die benötigt wurde, um das Geld von Diamond Holdings abheben und auf die Zwischengesellschaft, Midu Enterprises, transferieren zu können. Die Gelder würden für kurze Zeit auf den Namen der Midu angelegt und dann auf das Konto der International Gold transferiert.

Doch zuallererst wollte Meier Pletscher dazu bewegen, daß er ihm bei der Einrichtung seines fingierten Kontos für die Anwälte half. Denn er war sich darüber im klaren, daß er aufgrund der Verhandlungeh zwischen der SEC und Pitt und Rauch unter Umständen bald aussagen und dann auch die Unterlagen zu seinem Depot vorlegen müßte. Die fingierten Unterlagen sollten in jedem Fall fertig sein.

»Bernie, ich muß das Computerprogramm zu Ende schreiben und dann kannst du eingeben, was du willst«, beruhigte ihn Pletscher.

Im Laufe der nächsten zwei Wochen setzte sich Pletscher immer wieder an seinen Personal Computer und entwarf ein Programm, mit dem für Meier ein neues Kontoblatt erstellt werden konnte. Meier markierte auf den Depotkonto-Unterlagen, welche Positionen nicht auf dem neuen Konto erscheinen sollten.

Als das Programm fertig war, setzte sich Meier vor einen Terminal, der in einem kleinen Büro stand. Pletscher sah ihm zu, als er Position für Position in den neuen Kontoauszug eingab. Dabei ließ er bestimmte Aktienkäufe aus, aber auch einige Überweisungen erschienen nicht auf dem neuen Auszug. Bei einer Überweisung vom August 1984 ging es um mehrere tausend Dollar an eine Bank in Delhi, New York. Meier erklärte, daß es sich um eine Immobilienspekulation handle, die mit der SEC-Ermittlung nichts zu tun habe. Er bat Pletscher, die Buchhaltungsunterlagen der Bank entsprechend zu ändern, wozu sich dieser nach einigem Zögern bereit erklärte. Meier gab keine weiteren Erklärungen ab, warum er diese Überweisung gelöscht haben wollte, doch stimmte das Datum mit dem 10 000-Dollar-Darlehen an Brian Campbell überein, den früheren Merrill Lynch-Makler.

Bis alles fertig war, speicherte Meier die geänderte Kontoaufstellung auf einer Diskette. Dann druckte sie Pletscher auf Bankpapier aus. Meiers ursprüngliche, unveränderte Kontoaufstellung wanderte in einem versiegelten Umschlag in einen Akt, der separat von den regulären Kontounterlagen aufbewahrt wurde.

Meier war angenehm überrascht, daß seine neue Kontoaufstellung so echt aussah. Dabei fiel ihm wieder ein, daß man ja auch für Levines Handelsaktivitäten einen ganzen Schwung neuer Konten errichten könnte. Pitt hatte ihm im Oktober berichtet, daß die Bank möglicherweise der SEC die Depot-Auszüge vorlegen müsse. Dabei würden die Namen der Depotinhaber höchstwahrscheinlich unkenntlich gemacht, damit die Bank nicht gegen das bahamanische Bankgeheimnis-Gesetz verstieße.

Es könnten also jede Menge neuer Konten errichtet werden, auf die Meier dann Levines Transaktionen verteilen würde. Am Terminal würde er zig neue Konten einrichten, und dann die Positionen aus Levines Konto darauf parken. Da die Namen ohnehin geschwärzt würden, könne niemand wissen, ob es sich um echte Kontoinhaber handelte. Auf diese Weise könnte man Levines Weigerung umgehen, natürliche oder juristische Personen als Begünstigte zu benennen. Im übrigen bräuchte auch im Zentralrechner der Bank nichts geändert zu werden, was Pletscher, wie er wußte, niemals zulassen würde.

»Du mußt eine ganze Reihe von Konten errichten«, beschwor er Pletscher. »Du kannst vierzig oder fünfzig Konten für die Diamond-Transaktionen aufmachen.«

Doch Pletscher weigerte sich. »Wenn hier mehr als ein Diamond-Konto auftauchen soll, muß Diamond das Ganze autorisieren.«

Meier schaute Pletscher ungläubig an. Die Lösung war so simpel, so leicht. Wie konnte er sie zurückweisen? Doch Pletscher blieb stur. Er glaubte noch immer, daß eine solche Änderung nur mit Genehmigung des Kunden durchgeführt werden konnte. Levine hatte die Errichtung von Unterkonten abgelehnt. Nach Pletschers Auffassung war damit ein für allemal der Weg verbaut, die Diamond-Transaktionen auf fiktive Unterkonten zu verteilen.

Den ganzen Herbst über arbeitete Levine an seiner Verteidigungsstrategie. Mit am meisten Sorgen bereitete ihm, wie er wohl seine vielen Reisen nach Nassau erklären könnte, falls die SEC durch den US-Zoll oder die bahamanischen Behörden davon Wind bekommen sollte. Er erzählte Wilkis, daß er sich zwei Erklärungen ausgedacht habe. Er könnte behaupten, er sei Spieler und deshalb regelmäßig nach Nassau ins Spielcasino gegangen. Um diese Version zu untermauern, überlege er ernsthaft, den »Anonymen Spielern« beizutreten. Nach seiner zweiten Version, so erzählte er Wilkis weiter, hätte er in Nassau intensiv nach einer Eigentumswohnung Ausschau gehalten. Vielleicht würde er sich in diesem Herbst tatsächlich eine Wohnung kaufen, um glaubwürdig zu erscheinen.

Es gab auch einen Fluchtplan. Levine erzählte Wilkis, daß er einiges »Fluchtgeld« weggesteckt habe, falls er plötzlich das Land verlassen müsse. Er würde nach Brasilien gehen, wo man – wie er erfahren hatte – niemanden wegen Insider Trading an die USA ausliefern würde.

Am Ende der ersten Novemberwoche tauchte Levine bei der Bank Leu auf. Er brachte eine Plastiktüte voller Unterlagen mit, die er zur Untermauerung von Meiers Version gesammelt hatte. Meier und er gingen in den großen Konferenzraum. Als Pletscher später vorbeischaute, waren die beiden Männer damit beschäftigt, dieses Material durchzusehen.

»Haben Sie etwas Neues über die SEC gehört?« fragte Pletscher den Gast.

»Die SEC macht einen Rundumschlag. Sie brauchen keine Sorge zu haben, daß die irgend etwas nachweisen können«, antwortete Levine.

Er versicherte Pletscher, daß er mit aller Sorgfalt vermieden habe, bei seinen Transaktionen irgendwelche Spuren zu hinterlassen, an denen man seine Identität nachweisen könne. So wäre er bei seinen Reisen nach und von Nassau über verschiedene Städte in die USA ein- bzw. ausgereist, er habe seine Flugkarten und andere Reisekosten bar bezahlt und habe nicht auf der Insel übernachtet.

Levine glaubte fest daran, daß er cleverer war als die anderen Insider, die die SEC in den vergangenen Jahren geschnappt hatte. »Die versuchen einen Rundumschlag«, wiederholte er. »Sie können für diese Aktien kein Kaufmuster finden. Nicht alle Aufträge haben sich auf Aktien bezogen, an denen meine Firma beteiligt war. Ich war nur bei einigen der 28 Übernahmen beteiligt, die sie prüfen.«

Wie immer strahlte Levine Selbstsicherheit aus, als er dies im Brustton der Überzeugung zu den beiden Schweizer Bankern sagte. Eben diese Selbstsicherheit und daß er stets den Eindruck erweckte, als wüßte er genau, was er tat, hatte sich als kritisch in der Zusammenarbeit mit Pletscher und Meier erwiesen.

Seitdem das Täuschungsmanöver lief, spürte Levine, daß Pletscher dem Ganzen skeptischer gegenüberstand als Meier. Levine und Meier hatten sich von Anfang an gut verstanden. Er war überzeugt, daß Meier mitziehen würde. Meier hatte ihn über die Verhandlungen mit der SEC auf dem laufenden gehalten, und er wußte, daß Meier vielleicht bald aussagen müßte. Ganz sicher würde der Schweizer die SEC überzeugen.

Allerdings hatte Levine gegenüber Wilkis schon oft geäußert, daß der Insiderring nur so stark sei wie sein schwächstes Glied. Nun, Anfang November, wollte er sichergehen, daß Pletscher, möglicherweise das schwächste Glied, nicht ausscherte. Er wollte außerdem sicherstellen, daß Meier genau wußte, wie er sich gegenüber der SEC zu verhalten hätte.

»Sie machen noch bei dem Plan mit?« fragte er Pletscher.

»Ja, ja«, meinte der Angesprochene, »wir bleiben dabei.«

»Gut. Wenn Sie dabei bleiben, haben Sie keine Probleme. Und Sie, Bernie, gehen zur SEC und sagen aus. Es geht reibungslos. Sie müssen nur ganz locker sein. Ich habe Ihnen ja schon gesagt, Sie erzählen der SEC eine Lügengeschichte und Sie kommen ungeschoren raus. Das Ganze ist dann zu Ende. Die SEC hat keinen einzigen Beweis für das Gegenteil.«

Wie schon in vorherigen Besprechungen, drängte Levine erneut, daß die beiden Banker die Abhebungsquittungen in seinen Kontounterlagen zerreißen sollten. Die Quittungen seien, so meinte er erneut, die Schwachstelle, die einzige Querverbindung, woraus man bei den Handelsaktivitäten auf ihn schließen könne. Doch angesichts Pletschers hartnäckiger Weigerung, die Quittungen zu zerreißen, gab Levine klein bei.

Selbst die Auseinandersetzung wegen der Abhebungsquittungen konnte Levines Glauben an seine Taktik nicht erschüttern. Der Plan, den er im September zurechtgelegt hatte, machte gute Fortschritte, so daß er keinen Grund sah, an dessen Erfolg zu zweifeln. Seine Überzeugung beruhte zu einem Gutteil darauf, daß er vor fast genau einem Jahr die Textron-Untersuchung problemlos abschmettern konnte. Der Erfolg dieser Lügengeschichte bestätigte Levine in seinem Glauben, daß er nicht nur cleverer als die Juristen und Bürokraten bei der SEC war, nein, er war cleverer als die ganze Wall Street. Er war der Kerl, der es bis zur Spitze geschafft hatte ohne Harvard-Examen und ohne die richtigen gesellschaftlichen Kontakte. Er hatte es mit Köpfchen und eigener Arbeit geschafft. Ihm gehörte eine Eine-Million-Dollar-Wohnung und ein neuer Ferrari, er verdiente eine Million Dollar pro Jahr bei Drexel Burnham und scheffelte insgeheim ein Vermögen, mit dessen Hilfe er sich bald von einem bezahlten Berater in einen Hauptakteur an Wall Street verwandeln würde.

Als Levine an diesem Tag in der Bank Leu saß, sah er keinen Grund, warum er nicht wieder Aufträge durchgeben sollte. »Ich hasse es, nichts zu tun und nur die Zinsen zu verdienen, wenn ich leicht 100 Prozent Gewinn machen könnte«, erklärte er den Bankern.

Als Levine seine Aufträge gestoppt hatte, fühlte sich Pletscher erleichtert und wollte eigentlich nicht, daß Levine den Aktienhandel wieder aufnahm. Für ihn bedeutete es eine Sorge weniger, wo sie doch mit der SEC-Ermittlung alle Hände voll zu tun hatten. Daher sagte er zu Levine, daß durch erneute Handelsaktivitäten möglicherweise die SEC noch genauer die Geschäfte der Bank beobachte. Aber Levine entkräftete dieses Argument mit dem Hinweis, daß die Aufsichtsbehörde die Tatsache, daß Bank Leu seit dem Beginn der Ermittlung keine Übernahmeaktien mehr gekauft hatte, vielleicht als Indiz dafür betrachte, die Bank habe etwas zu verbergen. Dieses Argument hatten Pletscher und Meier im Laufe der letzten Wochen des öfteren gehört. Trotzdem bestand Pletscher weiterhin darauf, daß Levine keine Aktienaufträge an sie gab.

Ende Oktober hätte Meier Unterlagen bei der SEC einreichen und seine Aussage machen sollen. Doch der Termin verstrich. Den ganzen November verhandelten Pitt und Rauch über den Wortlaut der Vereinbarung, aufgrund derer die Behörde die redigierten Bankunterlagen und Meiers Aussage entgegennehmen konnte. Die Anwälte hielten die Bankiers auf dem laufenden. Sie glaubten, Ende November oder Anfang Dezember würde man zu einer Übereinkunft kommen.

Im Oktober hatte Meier einen Entwurf seiner Erklärungen für die Aufträge an Pitt geschickt. Dieser teilte ihm mit, daß nach den Recherchen seiner Mitarbeiter bei den 28 Aktien weder ein einheitliches Muster noch eine einzige Informationsquelle existiere. So sei zum Beispiel nicht ein und dieselbe Investmentbank bei allen 28 Unternehmenstransaktionen beteiligt gewesen.

Doch je näher der Termin der möglichen Zeugenaussage vor der SEC rückte, desto beunruhigter wurde Meier. Er bekam Angst, daß er nach einem Meineid plötzlich vor der Behörde allein dastünde. Seine Arbeitserlaubnis für die Bahamas war bald abgelaufen. Vor Ende des Jahres sollte er nach Zürich zurückversetzt werden. Wenn er weg war, würden die anderen möglicherweise abstreiten, von seinen Lügen gewußt zu haben. Sie könnten behaupten, sie hätten geglaubt, er sei der clevere Portfolio Manager mit einem Riecher für die richtigen Aktien gewesen. Falls die anderen nicht hinter dem Plan stünden, würden sie ihm alle Schuld zuschieben, nachdem er die US-Behörde angelogen hatte. Als Absicherung gegen das Risiko, das er mit der Aussage vor der SEC auf sich nahm, wollte er eine schriftliche Bestätigung, daß seine Bankkollegen hinter ihm standen.

Er drängte Pletscher, ihm behilflich zu sein, Fraysse zu überzeugen, daß sie – im Interesse der Bank – Meiers Aussage schriftlich bestätigen sollten. Schließlich erklärte sich Pletscher bereit, und beide gingen zu Fraysse, um ihm die Sache zu erklären.

Der Zentralbank der Bahamas war am 12. November mitgeteilt worden, daß Fraysse die Bank Leu verlassen würde und daß Pletscher sein Nachfolger als General Manager der Bank würde. In dem Brief stand ferner, daß Meier wegen »anderer Aufgaben« in der Bank nach Zürich zurückkehren würde.

Fraysse war den ganzen Herbst über selten im Büro gewesen. Pletscher kam es vor, als ob er sich stärker denn je von seinen Aufgaben gelöst hätte.

Als Meier und Pletscher ihn baten, er möge Meiers Version schriftlich bestätigen, stimmte Fraysse ohne Umschweife zu. Er würde ihre allgemeine Vereinbarung kurz schriftlich fixieren, sagte er. Sie kamen überein, daß sie auch die Unterstützung von Richard Coulson benötigten, dem Berater der Bank, der zugleich auch Anwalt war. Sie luden ihn zu einer Besprechung für den folgenden Tag, Donnerstag, den 21. November, um 10.30 Uhr ein.

Die drei Bankprofis hatten sich in Levines illegale Aktienkäufe und das nachfolgende Täuschungsmanöver durch eigenes Zutun hineinziehen lassen. Fraysse und Meier waren gestandene Geschäftsleute. Dennoch hatten sie Levines Aufträge kopiert. Pletscher brauchte Geld und hatte sich deshalb ebenfalls an die Käufe angehängt, obwohl ihm bewußt war, daß er damit in einer »Grauzone« handelte. Der General Manager der Bank, Fraysse, hatte dem Plan, die SEC zu belügen, zugestimmt. Meier und Pletscher hatten Beweismittel zerstört. Coulson war am allerwenigsten beteiligt. Weder hatte er Levines Käufe kopiert, noch hatte er in irgendeiner anderen Art und Weise von den Insidergeschäften profitiert.

Fraysse war ein leidenschaftlicher Memo-Schreiber. Er hatte über Levines ersten Besuch bei der Bank eine Aktennotiz verfaßt und auch 1981 die Vormerkung über »jemanden, der zu hart am Wind segelt«, geschrieben. Nun faßte er die Besprechung vom 21. November in einer Notiz mit dem Hinweis »Geheim« und der Überschrift »S.E.C.-Fall« zusammen.

Das Memo war sehr geschickt geschrieben. Fraysse, Pletscher und Coulson standen voll hinter Meiers Geschichte; es gab keinerlei

Hinweis, daß Meiers Version der Ereignisse nicht den Tatsachen entsprach. Es erzeugte sogar den falschen Eindruck, daß Pitt und Rauch der ganzen Operation zugestimmt hätten.

Die Notiz enthielt sechs Punkte:

Punkt 1: Der Fall ist allen Anwesenden bekannt. Von Anbeginn hat Herr B. Meier die Anwesenden über den Fortgang und die von unseren Anwälten in Washington in den vergangenen Wochen unternommenen Schritte informiert. Unser Verwaltungsratsvorsitzender wurde bei seinem kürzlichen Besuch in Nassau umfassend unterrichtet.

Punkt 2: Herr B. Meier berichtete von einem Telefongespräch, das er am 8. November 1985 mit Herrn Harvey Pitt geführt hatte. Die von Herrn Pitt beauftragten Experten haben in unseren Aufträgen kein spezielles Schema, keine Beteiligung anderer Investmentbanken an Übernahmetransaktionen, kein Branchenmuster usw. entdeckt.

Punkt 3: Wir bleiben bei unserer Haltung als aggressive, einfallsreiche und erfolgreiche Investmentbank, die nach eigenem Gutdünken für ihre Kunden handelt. Unsere Investment-Abteilung hat eine besonders erfolgreiche Anlagepolitik verfolgt.

Punkt 4: Herr B. Meier hat für jeden der von der SEC genannten Fälle eine übersichtliche und gut belegte Erläuterung zusammengestellt. Diese verschiedenen Unterlagen wurden vorgelegt. Sie sind unseren Rechtsanwälten übermittelt worden.

Punkt 5: Herr B. Meier geht nach wie vor davon aus, entsprechend der Vorladung unter Eid auszusagen (die SEC hat nicht eingewilligt, die Vorladung zur Zeugenaussage aufzuheben). Damit ist die Vorlage verschiedener persönlicher Unterlagen, einschließlich Herrn Meiers eigenen Bankkontos, verbunden. Da über dieses Konto Herrn Meiers private Anlagegeschäfte einschließlich Immobilienbesitz in Europa abgewickelt wurden, an denen Europäer beteiligt waren, die u. U. von der SEC einbezogen werden könnten, sollten die vorgelegten Kontounterlagen deren Namen bzw. den Bestimmungsort der Gelder nicht enthalten. Die Unterlagen werden entsprechend »redigiert«.

Punkt 6: Alle Anwesenden nahmen von den jüngsten Entwicklungen Kenntnis und stimmten der unter Punkt 5 beschriebenen Vorgehensweise einstimmig zu. Damit kann Herr Meier aussagen, ohne unschuldige Dritte bloßzustellen, sofern unsere Anwälte noch immer der Auffassung sind, dies sei der richtige Weg.

Alle vier Männer unterzeichneten den Vermerk und jeder erhielt eine Kopie. Pletscher legte das Original zu den Bankakten. Meiers Anspannung ließ nach, und seine Zuversicht stieg.

Die SEC veranstaltet regelmäßig Podiumsdiskussionen über aktuelle Probleme und Themen, mit denen die Branche konfrontiert ist. Diese sogenannten Roundtable-Gespräche finden in der Zentrale in Washington tatt. Da es in den Diskussionsrunden häufig sehr lebhaft zugeht, genießen diese Veranstaltungen einen hervorragenden Ruf. Einige der führenden Köpfe in der Wertpapierbranche haben bereits daran teilgenommen.

Bei der Diskussionsrunde am 26. November 1985 ging es um die jüngsten Entwicklungen im Bereich der Unternehmensübernahmen. Als Gastgeber fungierten SEC-Chairman John Shad, sowie die zwei Kommissare Charles Cox und Aulana Peters. Zu den Diskussionsteilnehmern gehörten Berühmtheiten an Wall Street wie Rechtsanwalt Arthur Fleischer von Fried-Frank und Anwalt Martin Lipton von Wachtell-Lipton; ferner New York City Comptroller Harrison Goldin. Eric Gleacher, ehemals Partner bei Lehman Brothers und jetzt Leiter von M & A bei Morgan Stanley, nahm an der Diskussion teil – ebenso sein früherer Mitarbeiter Dennis Levine.

Usprünglich war David Kay, der Leiter des Mergers-Bereichs bei Drexel Burnham, zum Roundtable-Gespräch eingeladen worden, doch hatte er vor einigen Tagen abgesagt, und Levine war als sein Ersatz benannt worden. Als er an diesem Morgen Shad und die beiden leitenden SEC-Beamten begrüßte, war er sich darüber im klaren, daß er nicht hier sitzen würde, wenn die SEC auch nur den leisesten Verdacht über sein Engagement bei der Bank Leu gehabt hätte. Er genoß diese Ironie des Schicksals.

Die Diskussion begann um 10.00 Uhr. Als erstes Thema wurde die Frage behandelt, ob der Handel in Aktien von Übernahmekandidaten nach Bekanntgabe eines Tender Offer strengeren gesetzlichen Regelungen unterworfen werden sollte. Allerdings führte die Diskussion schließlich zu der umfassenderen Frage, ob die Welle von Übernahmen, die die Unternehmenslandschaft Amerikas umstrukturierte, gut für die Wirtschaft sei.

Es nimmt nicht wunder, daß Levine die Übernahmen vehement verteidigte; damit würde die amerikanische Wirtschaft modernisiert und die gesamtwirtschaftliche Wohlfahrt erhöht.

»Wir sind fest davon überzeugt, daß diese Aktivitäten Vermögen in der Wirtschaft schaffen«, sagte er. »Eindeutig geht neues Kapital in den Besitz von Aktionären und Institutionen über, das größtenteils im Sekundärmarkt wiederangelegt und wiederholt in Konsumgüter umgesetzt wird. Dies stimuliert Ausgaben und Produktion.«

Am Ende der Diskussion wurde erörtert, daß es bei den jüngsten Übernahmen Anzeichen für Aktienmanipulation gab und daß Firmenaufkäufer und Unternehmen versucht hätten, die SEC-Vorschrift zu unterlaufen, wonach ein Aktionär, der mehr als fünf Prozent des Aktienkapitals erwirbt, dies der SEC schriftlich mitteilen muß. Die Mitteilung muß innerhalb von zehn Tagen erfolgen, und es muß darin stehen, ob der betreffende Aktionär beabsichtigt, weitere Aktien und die Kontrolle über die Gesellschaft zu erlangen.

In den vergangenen Jahren kursierten immer wieder einmal Gerüchte über gemeinsame Anstrengungen verschiedener Parteien, Positionen in Zielunternehmen aufzubauen, die aber jeweils unter fünf Prozent blieben, um nicht die SEC benachrichtigen zu müssen. Shad erläuterte, daß die Aufsichtsbehörde verschiedene Fälle solcher Aktienmanipulationen »nachdrücklich verfolge«, doch Martin Lipton drängte darauf, daß sie noch viel schärfer vorgehen müßte.

»Ich glaube, es würde sich für die SEC lohnen, die Aufträge bei einigen Übernahmefällen der vergangenen zwei Jahre mal genauer unter die Lupe zu nehmen«, meinte Lipton. »Untersuchen Sie den Handel in den rund ein halbes Dutzend Unternehmen, wo es keine Fünf-Prozent-Benachrichtigungen gegeben hat, dafür aber eine Reihe von Gerüchten, riesige Umsätze in den Aktien des betreffenden Unternehmens und plötzlich Sendepause. Dann folgte eine weitere Kaufwelle und täglich neue Geschichten, daß das Unternehmen ein Übernahmekandidat sei. Nur die SEC hat die Macht, die Hintergründe aufzudecken, und ich glaube, es gibt genügend Anzeichen. Das Ganze ist ein ziemlich neues Phänomen. Ich würde sagen, seit den letzten zwölf bis achtzehn Monaten gibt es genügend Hinweise, denen nachzugehen sich bestimmt lohnen würde.«

An dieser Stelle griff Levine wieder in die Diskussion ein: »Außerdem glaube ich, Sie sollten Ihre Untersuchung dieses

Phänomens nicht auf die Unternehmen selbst beschränken. Schauen Sie sich einige der anderen großen Übernahmetransaktionen an, wie zum Beispiel Nabisco Brands oder General Foods. Bei beiden stiegen die Aktienumsätze beträchtlich, aber angeblich waren daran keine Firmenaufkäufer beteiligt. Dieses Kaufschema ist bei einigen Transaktionen erkennbar, und nicht immer wird es von Übernahmeinteressenten ausgelöst.«

Am selben Abend flog Levine mit dem New York Air Pendler zurück nach New York. Er fühlte sich auf der Höhe seines Ruhms und seiner Macht – und seiner Cleverness.

Drei Tage später, am Freitag nach Thanksgiving, stattete Levine der Bank Leu einen Besuch ab. Er war entschlossen, sich von der SEC-Ermittlung nicht länger nerven zu lassen. Gerade erst hatte er bestätigt gefunden, daß die SEC über seine Geschäfte nichts wußte. Nun war er es leid, zu warten, bis die Ermittlung beendet war. Er wollte handeln, Geld machen und Geld abheben.

Mit dem System, das im September abgesprochen worden war, hob Levine am 29. November 100 000 Dollar von seinem Konto ab. Meier unterzeichnete die offizielle Bankquittung und überreichte Levine das Geld. Levine bestätigte den Erhalt auf einem weißen Blatt Papier. Seit der SEC-Ermittlung war dies die erste Abhebung und auch die erste Entnahme von seinem neuen Konto.

Inzwischen waren mehr als zehn Millionen Dollar über den von Pletscher ausgeklügelten Umweg auf sein International-Gold-Konto transferiert worden. Levine wollte damit endlich wieder handeln. Seit August hatte er weder Aktien gekauft noch verkauft. Er konnte seine Frustration nicht mehr unterdrücken. Jeden Tag erhielt er neue Informationen, die er in gewinnträchtige Geschäfte hätte umwandeln können.

Mit der ihm typischen Selbstsicherheit bestand er darauf, daß er sofort wieder handeln könne. Er versprach, bei der Wahl der Aktien besonders vorsichtig zu sein und keine Großaufträge zu geben, die den Markt durcheinander bringen könnten. Doch wäre er es jetzt überdrüssig, durch die seiner Meinung nach völlig unnötige Vorsicht der beiden Banker an seinen Geschäften gehindert zu werden.

»Wir möchten nicht in die Lage versetzt werden, daß wir an Aktientransaktionen beteiligt sind, bei denen kurz nach dem Kauf eine Übernahme erfolgt«, sagte Pletscher warnend.

Levine erklärte, er könnte seine Käufe auf Übernahmeaktien beschränken, bei denen öffentlich zugängliche Informationen solche Käufe rechtfertigten. Er würde zwar aufgrund eigener vertraulicher Informationen handeln, doch würde er bei Auftragserteilung Meier sagen, wo dieser genügend öffentlich zugängliche Informationen finden konnte, um den Erwerb zu rechtfertigen, falls die SEC oder die Rechtsanwälte der Bank Einzelheiten zu der betreffenden Transaktion verlangten. Diese Vorgehensweise schien Pletscher und Meier vernünftig. Sie waren einverstanden, daß Levine selektiv handeln dürfe, wobei sich die Bank das Recht vorbehielt, das Volumen der Aufträge unter Umständen zu verringern.

Daraufhin versuchte Levine erneut, Pletscher zu überreden, die Abhebungsquittungen für sein Diamond-Konto und das Diamond International-Konto zu vernichten. Doch Pletscher lehnte auch dieses Mal ab. Aber Levine hatte einen weiteren Plan, wie er sich von seinen früheren Konten distanzieren konnte.

Er erklärte den beiden Bankiers, er wolle seinen Decknamen ändern. Er wäre nicht mehr länger Mr. Diamond. Von nun an würde er die Bank unter dem Namen »Mr. Gold« anrufen. Pletscher und Meier lehnten diesen Decknamen ab, weil ein Konto auf diesen Namen mit dem Goldhandel der Bank verwechselt werden könnte. Sie schlugen vor, Levine solle den Namen einer anderen Ware wählen; sie einigten sich auf »Mr. Wheat«.

Trotz aller Anstrengungen seitens Levines, den Decknamen auszurotten, der eine Verbindung zu dem früheren Konto herstellte, bürgerte sich »Mr. Wheat« niemals ein. Die Bankangestellten nannten ihn weiterhin »Diamond«.

Am 3. Dezember rief Levine aus New York an, um seinen ersten Auftrag seit Monaten zu plazieren. Drexel Burnham hatte von der GAF Corporation, einem großen Chemie- und Baustoffproduzenten, das Mandat erhalten, ein feindliches Übernahmeangebot für Union Carbide vorzubereiten, dem zehnmal so großen Chemiegiganten. Die Union Carbide Aktien waren besonders billig, da der Kurs nach dem Giftgasunglück im Dezember 1984 in der Carbide-Fabrik in Bhopal, Indien, bei dem mehr als 2000 Menschen starben, in den Keller gerutscht war. GAF hatte bereits zehn Prozent der Carbide Aktien aufgekauft. Drexel arbeitete eine Verlautbarung aus, daß die Firma »äußerst zuversichtlich« war, sie könne die 1,5 Milliarden

Dollar aufbringen, um die kontrollierende Mehrheit der Aktien zu erwerben.

Pletscher nahm Levines Anruf entgegen und hörte dessen Ausführungen aufmerksam zu: »Dies wird keinerlei Aufmerksamkeit auf das Konto der Bank ziehen, denn es gehen so viele Informationen in der Öffentlichkeit um, daß ein Portfolio Manager Aktien von Union Carbide auch selbst kaufen könnte. Ich weiß zwar mehr, aber die Sache ist hinreichend bekannt, so daß Sie keine Probleme mit der SEC bekommen. Wenn jemand wegen dieses Auftrags fragt, können Sie getrost auf die Informationen in den Medien verweisen.«

Levine kaufte 100 000 Union Carbide Aktien für insgesamt 6,3 Millionen Dollar. Pletscher kaufte 300 Stück für sein eigenes Konto, bloß Meier hielt sich zurück, weil er Nassau bald verlassen wollte. Als das Angebot an Carbide bekanntgegeben wurde, stieg der Kurs nicht so schnell, wie Levine erwartet hatte. Der Markt war der ganzen Sache überdrüssig,, teils wegen der enormen Schadensersatzforderungen an Carbide aus Bhopal und teils, weil das Unternehmen den Übernahmeversuch offensichtlich abzuwehren versuchte. Das Ganze würde einige Zeit dauern, doch Levine konnte warten.

In der Zwischenzeit kaufte er einen großen Block RCA Corporation, denn er hatte gehört, daß ein Übernahmeangebot für den Elektronikriesen in Vorbereitung war.

Am Montag, den 9. Dezember, rief Levine bei der Bank an, um einen Auftrag für den Kauf von Aktien der MidCon Corporation, einer Erdgas-Pipeline-Gesellschaft, zu plazieren. Da sein Kontobestand weitgehend in Carbide- und RCA Aktien festgelegt war, durfte es nur eine relativ kleine Position sein, aber Levine wollte auf jeden Fall etwas investieren, da er die Aktien für einen sicheren Gewinner hielt. MidCon war ein Kunde von Drexel und gerade dabei, ein anderes Energieunternehmen aufzukaufen. Levine hatte erfahren, daß MidCon am Dienstag eine Dividendenerhöhung bekanntgeben wolle. Dies würde den Aktienkurs ganz sicher nach oben treiben.

Meier nahm den Anruf entgegen, bat jedoch Levine, mit Pletscher zu sprechen. Dieser erklärte Levine, daß die Bank auf dringendes Anraten der Anwälte jedwede Transaktionen in Übernahmeaktien bis zum Abschluß der SEC-Ermittlung stoppen würde.

»Bitte liquidieren Sie Ihre Positionen in Union Carbide und RCA und hören Sie bis auf weiteres mit dem Handel auf«, sagte er zu

Levine. »Wir wollen Ihre Aktien verkaufen und den Betrag zunächst auf Einlagenbasis halten.«

Levine beschwerte sich, daß die Geschäfte noch nicht ins Rollen gekommen seien. Bei den RCA Aktien würde er verlieren und bei der Union Carbide-Position gerade mit Plus-Minus-Null herauskommen, wenn er jetzt verkaufen müßte. Doch da Pletscher nicht locker ließ, gab Levine nach, weil er es sich nicht leisten konnte, die Bank zu verärgern: »Es ist eine Schande, aber ich glaube, ich verstehe Sie. Verkaufen Sie die beiden Positionen.«

Doch um den RCA-Verlust wenigstens etwas auszugleichen, bestand er auf dem Kauf von MidCon Aktien, denn die seien ja keine Übernahmetransaktion. Die Bank könne MidCon am nächsten Tag nach der Bekanntgabe der Dividendenerhöhung abstoßen.

Die Union Carbide Aktien wurden verkauft. Levines Kursgewinn betrug ganze 127 062 Dollar. Pletscher verkaufte auch seine eigenen Carbide Aktien gerade noch ohne Verlust. Der zu frühe Verkauf von RCA kostete Levine 244 815 Dollar; es war der zweitgrößte Verlust während seiner Insider-Karriere. Am selben Tag kaufte die Bank für Levines Konto 10 000 MidCon Aktien und verkaufte sie am Dienstag mit einem Kursgewinn von 64 033 Dollar, einer recht ordentlichen Rendite für eine Kurzfristanlage über Nacht, aber zu wenig, um den RCA-Verlust zu kompensieren.

Obwohl Levine keine Ahnung hatte, daß MidCon sein letzter Auftrag sein würde, beunruhigte ihn die Entscheidung der Bank, daß er seine Aktivitäten wieder stoppen sollte. Er beschloß, über das Wochenende nach Nassau zu fliegen und die Lage an Ort und Stelle zu prüfen. Levine konnte natürlich nicht ahnen, daß die Liquidation seiner Aktienpositionen Teil der neuen Strategie im Zusammenhang mit der SEC-Ermittlung war. Sie stammte von Pitt und Rauch.

16. Kapitel

Nicht länger gültig

Der 2. Dezember war ein Montag. Als Michael Rauch in sein Büro in New York kam, sagte er zum Chef der Anwaltsgehilfen, er benötige jemanden, der ihn am Mittwoch nach Nassau zum Kopieren einiger Unterlagen begleiten könne. Er schlug vor, man solle eine intelligente, engagierte Mitarbeiterin auswählen, die in paar Tage Ausspannen auf den Bahamas verdient hätte. Wahrscheinlich wäre die Arbeit am Freitag beendet, und sie könnte vor der Rückreise nach New York noch ein sonniges Wochenende auf den Bahamas genießen. Zweihundert Meilen entfernt, im Washingtoner Büro von Fried-Frank, war Pitt dabei, ebenfalls eine Anwaltsgehilfin für diese Reise ausfindig zu machen.

Meier hatte Pitt erklärt, daß die 28 Aktien auf vierzig bis fünfzig Depots von Privatpersonen und Firmenkunden verteilt seien, die er verwaltete. Die Anwaltsgehilfinnen würden die Auszüge für jedes Konto »redigieren«, d. h., sie würden mit einem speziellen Klebeband die Informationen abdecken, an Hand deren die Behörde den Kundennamen identifizieren könnte. Danach würden die Unterlagen kopiert, damit sie die Anwälte überprüfen und schließlich bei der SEC einreichen konnten.

Nach wochenlangen Verhandlungen mit der SEC hatten Pitt und Rauch einen vorläufigen Kompromiß erzielt, womit der Fall vorangehen konnte, ohne daß von einer Seite ein Rechtsgrundsatz aufgegeben worden wäre. Bisher waren verschiedene Entwürfe einer Vereinbarung ausgetauscht worden, doch an der endgültigen Version wurde noch immer gefeilt. Die vorläufige Vereinbarung sah vor, daß die Bank redigierte Fassungen der Unterlagen einreichen würde, aus denen hervorgehe, daß die Transaktionen auf etliche Konten verteilt waren. Meier würde die Unterlagen seines persönlichen Depots einreichen und für eine Aussage zur Verfügung stehen, nachdem die SEC-Anwälte das Material überprüft hatten. Als Gegenleistung würde die SEC von ihrer Forderung nach den gesamten Bankunterlagen und den Namen der Depotkunden Abstand nehmen.

Paul Fischer und Leo Wang blieben weiterhin mißtrauisch, was die Version der Bank anbetraf. Sie bestanden darauf, sich das Recht auf volle Einsicht vorzubehalten, sofern die Unterlagen und Meiers Aussage nach ihrer Auffassung nicht die Depot-Theorie bestätigen würden. Rauch und Pitt beantworteten diese Forderung mit dem Hinweis, daß die SEC eine gerichtliche Verfügung benötige, um von der Bank weitere Informationen zu erhalten.

Die Anwälte in der Vollstreckungsabteilung der SEC haben häufig ein Dutzend oder mehr komplizierte Ermittlungen gleichzeitig auf dem Tisch. Jede einzelne kann sehr anspruchsvoll und zeitaufwendig sein. Die Tatsache, daß sich Sonnenthal ausschließlich mit der Bank-Leu-Ermittlung befaßte, bedeutete Mehrarbeit für die anderen Juristen der Abteilung. Fischer stand unter Druck, in dieser Angelegenheit Fortschritte vorweisen zu können.

»Wo ist die Vereinbarung?« fragte Fischer barsch, als er Pitt am Montagmorgen anrief. »Wo sind die Konto-Unterlagen? Jetzt wird es endlich Zeit. Das Ganze zieht sich schon ewig hin.«

Pitt versuchte, Fischer zu besänftigen. Er und die Bank würden die Dinge so schnell wie möglich erledigen, versicherte er. Rauch und er würden Mitte der Woche mit zwei Anwaltsgehilfinnen nach Nassau reisen. Er hoffe, die Unterlagen in der folgenden Woche vorlegen zu können.

Am Mittwoch flogen Pitt und Rauch nach Nassau. Zwei Anwaltsgehilfinnen begleiteten sie: Amy Jedlicka aus dem New Yorker Büro, und Dede Dunegan aus dem Washingtoner Büro. Sie wohnten im Cable Beach Hotel, einem nagelneuen Hundert-Millionen-Dollar-Komplex am Meer, zu dem auch ein knapp 2000 Quadratmeter großes Kasino gehörte.

Die beiden Frauen hatten Einzelzimmer, Rauch und Pitt wohnten in einer Suite mit zwei Schlafzimmern, von der man einen phantastischen Blick über das Meer hatte. Sie richteten sich im Salon der Suite ein kleines Büro ein und warteten auf die Ankunft von Bernie Meier. Er sollte ihnen die Unterlagen der Bank bringen, die er im Laufe der vergangenen Woche zusammengestellt hatte.

Meier hatte sich von Anfang an gesträubt, für die amerikanischen Anwälte Unterlagen zu produzieren. Mehrmals hatte er mit Pletscher und Coulson darüber eine Auseinandersetzung, daß diese Anwälte die Bank vertraten. Sie sollten gefälligst akzeptieren, was die

Bank ihnen erzählte, und dies der SEC weitergeben. Als Schweizer Bank auf den Bahamas, sagte er, hätte die Bank nicht das Recht, ihren Anwälten die Unterlagen irgendeines Kunden zu geben.

Die anderen Bankmanager teilten nicht Meiers Meinung, aber er bestand darauf, daß die Unterlagen über das Sammelkonto ausreichen müßten. Das Sammelkonto enthielt die Gesamtumsätze der Bank in den jeweiligen Aktien, zeigte aber nicht die Aufteilung der Käufe auf einzelne Depots. Angesichts der Möglichkeit, daß das ganze mühselig errichtete Gebäude zusammenbrechen könnte, wenn er sich weigerte, seine Version mit einigen Unterlagen zu untermauern, versuchte Meier nun, die Rechtsanwälte mit einer recht armseligen Zusammenstellung von Unterlagen zufriedenzustellen.

Kurz nach dem Mittagessen traf Meier im Hotel ein. Er hatte einige auffällige Aktendeckel unter den Arm geklemmt und erklärte Pitt und Rauch, daß sich in den Aktendeckeln seine persönlichen Unterlagen befänden – Reise- und Bewirtungsabrechnungen sowie sein Depotauszug. Pitt fand in jedem Aktendeckel nur drei oder vier Blatt Papier. Er schaute Meier erstaunt an, doch der lächelte und zuckte mit den Schultern.

»Wo sind die Unterlagen der verwalteten Depots?« frage Pitt. »Das hier ist nicht genug.«

Die Frage schien Meier zu verletzen. Er müsse mit Pletscher sprechen, bevor er ihnen weitere Unterlagen geben könne, sagte er und verließ das Hotel, um in die Bank zurückzugehen.

»Wo sind die anderen Unterlagen?« fragte Pitt, als Meier im Laufe des Nachmittags mit Pletscher ins Hotel kam.

»In der Bank«, erwiderte Pletscher. Allerdings sei er nicht berechtigt, den Anwälten die Depotunterlagen zu zeigen, denn sie würden die Kundennamen tragen. Preisgabe der Namen, selbst gegenüber den Anwälten, verstoße, so Pletscher, gegen die bahamanischen Gesetze zum Bankgeheimnis. Die beiden Schweizer wollten auf keinen Fall, daß die Anwälte in die Bank kämen.

Pitt und Rauch sahen die Hoffnung auf eine schnelle, unkomplizierte Dienstreise schwinden. Sie hatten geglaubt, sie würden mit den beiden Anwaltsgehilfinnen ein paar Unterlagen kopieren und umgehend wieder zurückfliegen. Damit war es nun vorbei. Da die SEC immer mehr Druck ausübte, mußten sie etwas präsentieren, um nicht die ganze Vereinbarung mit der Behörde aufs Spiel zu setzen.

Doch das setzte voraus, daß sie die Bankunterlagen einsehen durften. Rauch drängte Pletscher, einzuwilligen, daß die Fried-Frank Mitarbeiterinnen die Bank betreten dürften. Die beiden hätten ein Spezialklebeband mitgebracht, mit dem die kundenbezogenen Angaben abgedeckt werden könnten. Er schlug vor, daß Angestellte der Bank alle derartigen Angaben auf den Originalunterlagen mit dem Klebeband abdeckten. Dann könnte Pletscher den Anwaltsgehilfinnen die Unterlagen zum Kopieren geben. Auf diese Weise würden weder die Anwaltsgehilfinnen noch sie, die Anwälte, die Namen auf den Unterlagen sehen.

Pletscher und Meier zogen sich für eine kurze Beratung in eines der Schlafzimmer zurück. Sie beschlossen, daß die Anwaltsgehilfinnen die unkenntlich gemachten Depot-Unterlagen kopieren dürften, allerdings mit einer Ausnahme: Die Unterlagen zum Diamond- und International-Gold-Konto würden sie nicht herausgeben. Die beiden kehrten in den Salon zurück. Pletscher sagte den Anwälten, daß sie mit Rauchs Vorschlag einverstanden seien. Sie vereinbarten, die Anwaltsgehilfinnen in der Bank in Empfang zu nehmen, doch bestand Pletscher darauf, daß sie erst um 21.00 Uhr erscheinen sollten. Meier würde dann morgen früh ins Hotel kommen, um die Unterlagen mit den Anwälten durchzusehen.

»Wir gehen zum Essen und ins Kasino«, sagte Rauch zu Jedlicka und Dunegan. »Legt die Unterlagen auf den Tisch im Salon, wenn ihr fertig seid.«

Im Kasino des Cable Beach Hotel gibt es Spielautomaten und Würfeltische. Es wird auch Blackjack gespielt. Nach Nassau kommen nicht die Heerscharen eingefleischter Spielernaturen, die in die amerikanischen Spielparadiese Las Vegas und Atlantic City pilgern. Der normale Besucher des Cable Beach Casino ist eher ein braungebrannter Urlauber, für den es zu seinem Ferienvergnügen gehört, einen bestimmten Betrag im Kasino zu verspielen. Natürlich gibt es Ausnahmen. Jeden Nachmittag kann man ein halbes Dutzend Spieler an den Blackjack-Tischen finden, wo der Mindesteinsatz 100 Dollar beträgt.

Doch Pitt und Rauch gehörten eindeutig zur Kategorie der »Freizeit-Spieler«. Tagsüber waren sie von Besprechungen viel zu absorbiert, um den Strand zu genießen, von dem sie nur durch die großen Glastüren ihrer Suite getrennt waren. Wenigstens abends wollten sie sich amüsieren. Sie setzten sich an den Blackjack-Tisch mit dem niedrigsten Einsatz, fünf Dollar pro Spiel, und spielten bis kurz nach 23.00 Uhr. Sie hatten den Einsatz gerade eben hereingespielt. In den folgenden Monaten, in denen sich der Druck und der Einsatz des anderen Spiels erhöhte, sah man sie oft abends im Casino Blackjack spielen.

Als sie in ihre Suite zurückkehrten, lagen keine Unterlagen auf dem Tisch. Die Anwälte nahmen an, daß die beiden Anwaltsgehilfinnen noch daran arbeiteten, und gingen schlafen. Am nächsten Morgen lag ein kleiner Stapel Kopien auf dem Tisch. Pitt und Rauch nahmen jeder eine Hälfte und schauten sie durch.

Auf den ersten Blick sah es vielversprechend aus. Die Unterlagen waren Kopien der echten Auszüge von rund 25 Depots, die von der Bank für Anleger verwaltet wurden. Auf den Auszügen standen hunderte von Transaktionen. Die Kundennamen und andere kundenbezogene Angaben waren überklebt. Allerdings erkannten Pitt und Rauch innerhalb weniger Minuten, daß die Unterlagen die Verteidigungsstrategie der Bank nicht untermauerten. Unter den zig Transaktionen bezogen sich nur eine Handvoll auf die 28 Aktien auf der SEC-Liste. Die Unterlagen paßten nicht zu Meiers Geschichte. Ein wichtiger Bestandteil des Puzzle fehlte noch immer.

Im Grunde hatte Meier nie geglaubt, mit den Unterlagen die Amerikaner hinters Licht führen zu können. Deshalb verbrachte er in Erwartung der unvermeidlichen Konfrontation mit den Anwälten eine recht unruhige Nacht. Als er am nächsten Morgen Pitt und Rauch in ihrer Suite aufsuchte, waren diese äußerst erstaunt und konnten ihre Verärgerung kaum unterdrücken.

»Es gibt zwei Möglichkeiten«, erklärte Pitt. »Entweder sind das die falschen Unterlagen, oder die ganze Geschichte ist falsch.«

Angesichts dieser direkten Anschuldigung verlor Meier die Haltung. Er wurde ganz aufgeregt, das Blut schoß ihm in den Kopf und er blubberte etwas von Bankgeheimnis und blödsinnigen amerikanischen Gesetzen. Rot vor Ärger marschierte er zum Telefon, das in der Ecke des Salons stand, wählte und hatte Pletscher in der Leitung. Wie bei einigen anderen Gelegenheiten, in denen Meier die Kontrolle verlor, brüllte er plötzlich auf Schwyzertütsch in die Muschel. Obwohl Pitt und Rauch nichts verstanden, gewannen sie den Eindruck, daß Meier auf Pletscher einschimpfte. Das fanden sie etwas befremdlich, da Pletscher doch Meiers Vorgesetzter war.

Nach einigen Minuten lauten Wortgefechts knallte Meier den Hörer aufs Telefon und wandte sich zu den Anwälten. »Sie warten hier. Ich bin gleich wieder da.« Mit diesen Worten stürmte er aus der Suite.

Wie bereits einige Male zuvor während ihres Aufenthalts in Nassau hatten Pitt und Rauch den Eindruck, unter »Hausarrest« zu stehen. Sie sollten im Hotel bleiben und auf keinen Fall in die Bank gehen, wo ihre Anwesenheit Fragen bei den Angestellten auslösen könnte.

Als Pletscher Meiers erste Worte auf Schwyzertütsch hörte, wußte er sofort, daß Meier außer sich sein mußte. Allerdings beschimpfte Meier nicht Pletscher, sondern er war wütend auf die amerikanischen Anwälte und ihre permanenten Fragen nach Unterlagen.

»Ich denke gar nicht daran, denen noch irgendwelche Unterlagen zu geben«, brüllte er ins Telefon. »Als nächstes will Harvey Pitt wohl auch noch meine Unterhosen haben. Wir geben ihnen nur das Sammelkonto und sonst nichts. Keine Zuordnung der Aufträge.«

Pletscher versuchte, seinen Kollegen zu besänftigen: Sie würden schon einen Weg finden, wie sie mit den Anwälten zu Rande kämen.

»Bernie, wir müssen das in Ruhe besprechen. Den Anwälten Unterlagen vorzuenthalten, ist nicht gut. Es gibt Mörder, die sind mit lebenslänglich davongekommen, weil ihre Anwälte die richtige Verteidigungsstrategie anwenden konnten. Wir müssen ihnen die Wahrheit erzählen, damit sie uns verteidigen können.«

Pletscher glaubte nicht, berechtigt zu sein, über eine Änderung ihrer gemeinsam beschlossenen Strategie gegenüber den Anwälten zu entscheiden. Er wollte die Sache mit Fraysse besprechen und sich vom General Manager der Bank einen Rat über die weitere Vorgehensweise einholen. Doch Fraysse war nicht in Nassau. Daher rief Pletscher Coulson an. Der erklärte sich bereit, sofort zu einer Besprechung mit Meier und Pletscher in die Bank zu kommen.

»Das Ganze hat so weitreichende Folgen, daß wir die Zentrale entscheiden lassen sollten«, schlug Pletscher vor. »Ich glaube, wir müssen Zürich bitten, herüberzukommen und uns zu beraten.«

Coulson stimmte zu. Er sagte, Hans Peter Schaad, der Syndikus der Bank, käme am Sonntagabend wegen anderer Bankangelegenheiten nach Nassau. Der Sechs-Stunden-Zeitunterschied bedeutete, daß es für einen Anruf in Zürich bereits zu spät war. Doch versprach Coulson, er würde Schaad gleich am nächsten Morgen anrufen und ihn darüber informieren, daß es noch einen weiteren Punkt gäbe, über den sie bei seinem Besuch in Nassau sprechen müßten.

Meier war damit nicht einverstanden: »Warum willst du Zürich einbeziehen? Die können uns sowieso nicht helfen.«

»Diese Entscheidung übersteigt unsere Kompetenz«, erwiderte Pletscher.

Viel dringlicher war das Problem, was sie Pitt und Rauch sagen sollten, die auf eine Erklärung warteten. Man beschloß, zu dritt ins Hotel zu gehen, doch sollte Coulson für sie sprechen. Coulson benachrichtigte die Anwälte telefonisch, daß sie auf dem Weg ins Hotel seien. Gegen 15.00 Uhr betraten sie die Suite, in der Pitt und Rauch auf sie warteten.

»Lassen Sie mich eine Frage stellen«, begann Coulson. »Was passiert, wenn – rein hypothetisch – nur eine kleinere Zahl von Depots an den Aktienaufträgen beteiligt gewesen wären?«

»Das kommt darauf an, wieviel kleiner«, antwortete Pitt. »Wir dachten, es waren vierzig oder fünfzig. Wenn es nur 37 sind, macht es auch nichts. Doch je mehr die Zahl gegen eins geht, desto größere Probleme ergeben sich.«

»Die Bank verwaltet einige empfindliche Depots, über die wir Ihnen ohne Erlaubnis der Hauptverwaltung nichts sagen können«, erklärte Coulson.

Daraufhin meinte Rauch: »Wenn Sie uns sagen, es gibt 20 Depots, können wir vielleicht mit der SEC weiterarbeiten. Wenn Sie uns aber erklären, es sind fünf oder noch weniger, dann wird's schwierig. Um wie viele Depots handelt es sich denn?«

Coulson überlegte und schüttelte nachdenklich den Kopf: »Ich brauche eine Erlaubnis, um das zu sagen. Ich muß mit der Bankleitung in Zürich darüber sprechen.«

»Können Sie uns nicht einmal sagen, um wie viele Konten es geht?« fragte Rauch. »Wenn es nur wenige sind, entsprechen die Unterlagen, an denen wir gerade arbeiten, nicht dem, was wir der SEC erzählt haben, und die werden noch mehr Fragen stellen.«

»Am Wochenende kommt der Syndikus der Bank«, erwiderte Coulson. »Warum warten wir nicht bis dahin?«

Die amerikanischen Anwälte verspürten wenig Lust zu warten. Die Verteidigungsstrategie, an der sie nun seit mehr als zwei Monaten arbeiteten, schien alles andere als wasserdicht zu sein. Sie wußten nicht, was gespielt wurde, aber sie wußten, daß die SEC ausgesprochen verärgert sein würde, wenn sie als Anwälte nicht Unterlagen beibringen könnten, die die Geschichte mit den verwalteten Depots untermauerten. Es würde sehr schwierig, wenn nicht unmöglich werden, die Bank zu schützen. Weitere Verzögerungen würden die Sache nur noch verschlimmern, zumal Fischer fast jeden Tag in Pitts Büro angerufen hatte, ob denn nun endlich die Vereinbarung unterzeichnet worden sei.

»Wir fliegen sofort nach Zürich«, erklärte Pitt. »Das ist außerordentlich wichtig. Wir chartern heute abend einen Jet nach New York und nehmen die Concorde nach London. Am Freitag sind wir in Zürich.«

Die beiden Schweizer Banker und ihr Rechtsberater trauten ihren Ohren nicht, als sie diesen ausgefallenen Plan hörten. Coulson und Meier meinten, sie sollten lieber warten, bis Schaad am Sonntag auf die Bahamas käme. Keiner der drei wollte, daß eine Konfrontation mit der Zentrale in Zürich stattfände. Sie würden sich wesentlich sicherer fühlen, wenn die möglicherweise sehr unerfreuliche Besprechung in Nassau, in heimatlichen Gefilden, stattfände. Die Banker setzten sich durch, denn schließlich waren sie ja die Mandanten. Die Anwälte erklärten sich einverstanden, am Montag wiederzukommen, obwohl Coulson meinte, die Besprechung würde wahrscheinlich relativ kurz sein, weil er und Schaad im Laufe des Tages noch auf eine Geschäftsreise müßten.

Die kurze Aussprache hinterließ viele offene Fragen. Zum Beispiel, ob die Zahl der empfindlichen Depots und die Notwendigkeit der Absprache mit der Bankleitung in Zürich darauf schließen ließen, daß die Bank Leu Transaktionen vertuschen wollte, die von Spitzenmanagern der Schweizer Muttergesellschaft durchgeführt wurden. Eine Antwort auf diese offenen Fragen war im Moment nicht zu bekommen. Also packten die beiden Anwälte ihre Sachen und nahmen ein Taxi zum Flughafen, um zurück in die Vereinigten Staaten zu fliegen.

Auf der Fahrt zum Flughafen spekulierten sie bereits zum zweiten Mal, seitdem sie den Fall übernommen hatten, ob die Bank ihnen das Mandat entziehen würde. Sie unterhielten sich auch über die Tatsache, daß die Bankunterlagen nicht zu der Geschichte paßten, die sie bei der Behörde vorgebracht hatten.

Die rechtlichen Konsequenzen und die moralische Verpflichtung eines Anwalts, der weiß oder vermutet, daß ein Mandant lügt, sind komplex und können unterschiedlich interpretiert werden. Unter gar keinen Umständen kann ein Rechtsanwalt vor Gericht ungestraft lügen. Anwälte, die bei Gericht zugelassen werden, verpflichten sich unter Eid, zur Wahrheitsfindung vor Gericht beizutragen. Doch halten es manche Anwälte nicht für unmoralisch oder illegal, die Gegenspieler zu belügen, sei es in einem Zivilprozeß oder in einer behördlichen Ermittlung.

Pitt und Rauch mußten sich notgedrungen überlegen, inwieweit ihre Mandanten sie benutzten, um die SEC zu betrügen. Wenn sie zu dem Schluß kamen, daß die Geschichte mit den Depotverwaltungen nicht stimmte, konnten sie es nicht mit ihrem Berufsethos vereinbaren, weiterhin der SEC diese Geschichte zu erzählen. Andererseits konnten sie auch nicht ohne Erlaubnis ihres Mandanten zur SEC gehen und eingestehen, daß die Depot-Geschichte nicht stimmte. Eine Möglichkeit war, ohne ein weiteres Gespräch mit der SEC einfach das Mandat niederzulegen. Die andere Alternative bestand darin, vom Mandanten die Erlaubnis zu erhalten, der SEC die Wahrheit zu sagen.

Zum damaligen Zeitpunkt konnten Pitt und Rauch nicht wissen, wie die Wahrheit aussah. Sie wußten, daß irgend etwas faul war, und sie spürten, daß die Ereignisse eine kritische Wendung nahmen. Doch hatten sie keine Ahnung, wohin dies führen würde. Sie würden noch einige Tage abwarten und mit Schaad sprechen, bevor sie einen endgültigen Beschluß darüber fassen konnten, ob sie nun das Mandat niederlegten oder nicht.

In der Zwischenzeit türmten sich Fragen auf in bezug auf die 28 Aktien. Die Antworten darauf konnten nur die Mitarbeiter der Bank Leu geben, deren Motive und Absichten aber sehr unterschiedlich waren.

Pitt mußte am folgenden Donnerstag zu einer wichtigen mündlichen Verhandlung vor dem US-Appellationsgericht in Washington erscheinen und wollte sich in der ersten Wochenhälfte darauf vorbereiten. Daher sagte er zu Rauch, er glaube nicht, daß sie bei der Besprechung am Montag beide anwesend sein müßten. Wahrscheinlich würde es nur ein Treffen, um sich kennenzulernen, und im übrigen sei es ohnehin nur kurz, weil Schaad und Coulson wegfahren mußten. Daher fragte er seinen Partner, ob er etwas dagegen hätte, allein hinzufahren.

»Selbstverständlich spreche ich mit dem Syndikus auch allein«, erwiderte Rauch. »Das ist nicht das Problem. Aber ich habe das Gefühl, dieses Meeting bringt die große Wende. Und ich kenne dich, Harvey. Du wärst ganz schön sauer, wenn du das verpassen würdest. Aber tu, was du für richtig hältst.«

»Du hast recht«, sagte Pitt nach kurzem Überlegen. »Ich weiß nicht, was passiert, aber sicherlich will ich dabei sein, wenn es passiert.«

Allerdings rang Pitt seinem Partner Rauch ein Zugeständnis ab. Es ist fast unmöglich, mit einem Linienflugzeug abends von Nassau zurück nach Washington oder New York zu fliegen. Pitt erklärte sich zwar bereit, Montag früh nach Nassau zu fliegen, doch bestand er darauf, einen Privatjet zu chartern, der sie herunterbrächte und auf sie wartete, um sie abends wieder nach Washington bzw. New York zu fliegen. Auf diese Weise würde er Zeit sparen und könnte sich auf die mündliche Verhandlung vorbereiten. Rauch willigte recht zögerlich ein, weil er es haßte, in kleinen Privatflugzeugen zu fliegen.

Hans Peter Schaad kam am Sonntagabend pünktlich in Nassau an. Pletscher holte ihn am Flughafen ab und brachte ihn ins Royal Bahamian Hotel. Meier und Coulson warteten auf die beiden in der fast leeren Hotelbar.

Schaad, ein steifer, schweigsamer Mann, lauschte den drei Männern, die ihm die Dilemmasituation schilderten, kommentarlos und ohne erkennbare Regung in seinen Gesichtszügen. Die drei berichteten von der ursprünglichen Anfrage der SEC wegen 28 Aktien. Sie erzählten, daß die Aktienaufträge über ein einziges Konto gelaufen seien, doch daß sie beschlossen hätten zu erklären, die Bank hätte die Aktien selbst gekauft. Zwei amerikanische Anwälte seien eingeschaltet worden, um die Geschichte an die US-Behörde weiterzuleiten.

Schaad war mit dem Mandat an die amerikanischen Anwälte nicht einverstanden: »Fragen Sie immer die Rechtsabteilung in Zürich«, erklärte er.

»Wir haben um Hilfe gebeten und keine bekommen«, antwortete Pletscher.

Diese Antwort kam für Schaad überraschend. Er überlegte einen Augenblick und sagte dann: »Erzählen Sie mir jetzt alles.«

Sie erläuterten, wie der Kontoinhaber sie überredet hatte, das Täuschungsmanöver in die Tat umzusetzen, und daß er ihnen sogar einen der Anwälte, Harvey Pitt, empfohlen hatte. Die Anwälte hätten die Unterlagen über die echten, von der Bank verwalteten Depots erhalten, aber sofort erkannt, daß die fraglichen Aktien auf diesen Konten kaum erschienen.

Meier äußerte daraufhin seine Bedenken, den Anwälten die Wahrheit zu sagen. »Wenn wir es den Anwälten sagen, können wir auch gleich mit der SEC sprechen«, meinte er. »Wenn sie die Geschichte kennen, müssen sie diese möglicherweise vor Gericht oder vor einer US-Behörde offenlegen. Wahrscheinlich gehen sie direkt zur SEC.«

Wenige Minuten später fragte Meier Pletscher im Flüsterton: »Woher weißt du, daß Harvey nicht immer noch für die SEC arbeitet?«

»Warum würde Diamond ihn empfehlen?« fragte Pletscher. Die Logik dieser Antwort verblüffte Meier. Er erwähnte gegenüber Pletscher keine Silbe mehr über Pitts Integrität.

Schaad hörte sich die ganze Geschichte an, einschließlich der Tatsache, daß Bankangestellte Käufe kopiert hatten. Jetzt verstand er zum ersten Mal das Problem in seiner ganzen Tragweite. Am meisten ärgerten ihn nicht etwa die Existenz des Diamond-Kontos oder die Aktienaufträge der Bankangestellten. Er war entrüstet, daß die Bankmanager ihre Anwälte belogen hatten. Seine Entscheidung darüber, was als nächstes zu tun sei, um aus diesem Dilemma herauszukommen, war schnell gefällt.

»Selbstverständlich müssen Sie Herrn Pitt und Herrn Rauch die Wahrheit sagen«, erklärte er. »Sie können nicht mit Rechtsanwälten verhandeln, ohne ihnen die Wahrheit zu sagen. Mir ist es unverständlich, daß Sie gegenüber Ihren Anwälten gelogen haben. Das ist das Schlimmste, was Sie tun konnten.«

Pletschers Ängste, daß das Täuschungsmanöver auffliegen würde, hatten sich bewahrheitet. Er hatte von Anfang an befürchtet, daß es nicht funktionieren würde, und es funktionierte tatsächlich nicht. Im stillen dachte er, daß sie dieses Manöver gar nicht begonnen hätten, wenn Schaad sie von Anfang an intensiv beraten hätte. Er dachte an seine früheren Versuche, den Syndikus davon zu überzeugen, nach

Nassau zu kommen: der Anruf Ende September; seine dringende Bitte an die Revision, den Syndikus zu verständigen; die Besprechung mit Knopfli. Wenn jemand aus Zürich mit juristischer Erfahrung ihnen von Anfang an gesagt hätte, was sie am besten tun sollten wäre eine ganz andere Marschroute im Umgang mit der amerikanischen Bundesbehörde gewählt worden.

Das gecharterte Flugzeug mit Pitt und Rauch an Bord landete am Montag, den 9. Dezember, vormittags auf dem Nassau International Airport. Die zwei Männer fuhren mit dem Taxi ins Hotel, um sich mit Schaad und den anderen in ihrer Suite zu treffen. Die Bank war für sie immer noch Sperrgebiet.

Die gegenseitige Vorstellung verlief sehr steif. Dann kam Schaad sofort zur Sache.

»Man kann nur mit Anwälten zu tun haben, wenn man ihnen die Wahrheit erzählt«, meinte er. »Ihnen ist nicht die Wahrheit gesagt worden. Meines Wissens nach liefen sämtliche Transaktionen über ein Konto. Was machen wir jetzt?«

Pitt und Rauch hatten bereits den Verdacht gehabt, daß es sich um Insider Trading handeln könnte. Dieser Verdacht hatte sich über das Wochenende noch verstärkt. Doch einen solchen Verdacht zu haben, oder aber in einer Hotelsuite zu sitzen und diesen Verdacht bestätigt zu finden, sind zwei Paar Stiefel. Sicherlich war damit die Vereinbarung gestorben, die Pitt und Rauch ausgehandelt hatten. Aber es gab noch andere Möglichkeiten. Vielleicht würde man eine Lösung finden können, um die Bank zu schützen.

Die vielen Stunden am Bank-Leu-Fall hatten Pitt und Rauch enge Freunde und gute Partner werden lassen. Teilweise beruhte diese Entwicklung darauf, daß sie sich persönlich und beruflich sehr gut ergänzten. Pitt ist hartnäckig und aggressiv, Rauch lässig und nicht aus der Ruhe zu bringen. Pitt verfügt über umfassende Kenntnisse des Wertpapierrechts und der Arbeitsweise der SEC. Er ist ein hervorragender Verhandler, der die Akteure in der Behörde kennt und ihre Sprache spricht. Außerdem ist er ein Perfektionist. Rauch hat viel Prozeßerfahrung, er kennt sich in Verhandlungsstrategien vor Gericht aus und hat ein scharfes Urteilsvermögen bezüglich Menschen und rechtstheoretischer Probleme. Er kann einen Schritt zurücktreten, um sich nicht in Einzelheiten zu verlieren. Wie viele erstklassige Anwälte empfanden die beiden Männer Genugtuung über die intellektuelle Herausforderung eines schwierigen Rechtsproblems, dessen Lösung ihrer vereinten Anstrengungen bedurfte.

Die Lösung hing von vielen Faktoren ab. Wichtigste Voraussetzung war, daß ihnen die Bank und ihre Angestellten umgehend die Wahrheit erzählten. Um eine vernünftige Verteidigung ausarbeiten zu können, mußten sie wissen, womit sie es zu tun hatten. Die Zeit der Zurückhaltung von Informationen war vorbei.

»Alles, was Sie für Ihre Arbeit brauchen, werden Sie bekommen«, versicherte Schaad. »Wir werden in dieser Sache voll mit Ihnen zusammenarbeiten.«

Weiterhin war es unumgänglich, daß Pitt und Rauch der SEC mitteilten, daß die Geschichte mit den verwalteten Depots nicht stimmte. Sollte die Bank eine solche Mitteilung nicht genehmigen, würden sie sofort das Mandat zurückgeben. Schaads Entschlossenheit hatte die amerikanischen Anwälte beeindruckt. Der Syndikus zeigte Verständnis für das Ansinnen der amerikanischen Anwälte, die SEC darüber zu informieren, daß die zuvor mitgeteilten Fakten nicht länger zuträfen.

Ferner stimmte Schaad zu, daß die Anwälte einen Brief aufsetzten, in dem die Bank-Manager mit ihrer Unterschrift bestätigten, daß das Täuschungsmanöver von ihnen – und ohne Wissen der amerikanischen Anwälte – vorbereitet und durchgeführt worden war.

Pitt und Rauch wußten noch immer nicht so ganz, womit sie es eigentlich zu tun hatten, doch hatten sie den starken Verdacht, daß es sich bei dem Fall um Insidergeschäfte in großem Stil handelte. Damit die Bank nicht noch weiteren Schaden erlitt, bestanden sie nun auf einem absoluten Stop aller Transaktionen. »Das Ganze könnte illegal sein«, erklärte Pitt. »Wenn dem so ist, muß es sofort aufhören. Wir können Sie nicht vertreten, wenn der Betrug fortgesetzt wird. Deshalb müssen Sie sofort die Aufträge Ihres Kunden stoppen. Außerdem muß das Geld sofort gesperrt werden. Ihr Kunde darf es nicht in die Hände bekommen.«

Auch dem stimmte Schaad zu.

Schaad und Coulson mußten nachmittags eine bereits früher festgesetzte Geschäftsreise antreten, die sie nicht verschieben konnten. Schaad und die Anwälte vereinbarten, sich im Laufe der Woche nochmals zu treffen, um über die weitere Vorgehensweise zu sprechen. Pletscher und Meier sollten auf Schaads Anweisung den Anwälten in der Zwischenzeit einen vollständigen Abriß über das Konto liefern.

Während des restlichen Nachmittags und bis in den Abend hinein sprachen Pitt und Rauch mit Pletscher und Meier. Für die Anwälte war es ein langer, aufschlußreicher Tag. Sie befragten die beiden Schweizer getrennt und sprachen dann gemeinsam mit ihnen. Sie lauschten angespannt den beiden Bankern, die in allen Einzelheiten schilderten, wie das Konto eröffnet wurde und der Handel losging, bis zur Planung und Ausführung der versuchten Vertuschung, auf die der Kunde, den Sie »Mr. X« nannten, allergrößten Wert legte. Die Anwälte erfuhren auch, daß der Kunde zwischen 1981 und 1985 fast zwei Millionen Dollar in bar abgehoben hatte.

Diese Beträge waren gewaltig. Sie ließen die Schlußfolgerung zu, daß es sich um einen spektakulären Fall von Insider Trading handelte. Aber die Anwälte wußten noch immer nicht, wer dahinter steckte, und konnten deshalb nicht mit hundertprozentiger Sicherheit sagen, ob die Geschäfte illegal waren. Die Wahrscheinlichkeit, daß dies nicht der Fall war, schwand jedoch von Minute zu Minute. Sie ging gegen Null, als die Banker erklärten, daß der Kunde ein Investmentbanker im New Yorker Institut Drexel Burnham Lambert sei.

Pitt und Rauch waren sich nicht sicher, ob sie die Identität des »Mr. X« tatsächlich wissen wollten, bevor sie sich entschieden hatten, ob sie die Bank in dem Fall vertreten würden oder nicht. Nahezu alles, was zwischen Anwalt und Mandant gesprochen oder geschrieben wird, fällt unter die Schweigepflicht, und der Anwalt kann nicht gezwungen werden, den Justizbehörden darüber Auskunft zu geben. Aber dennoch war es sicherer, wenn sie sich nicht darauf verlassen würden, daß sich bei diesem Fall die Schweigepflicht auch auf den Namen des Bankkunden bezieht.

Als Meier und Pletscher berichteten, daß der Kunde in der vergangenen Woche telefonisch zwei große Kauforder für Anteile von Übernahmekandidaten durchgegeben habe, wurden sie von den Anwälten darauf hingewiesen, daß der Kunde die Aktien unbedingt verkaufen müsse und sein Geld auf Einlagenbasis in der Bank zu halten habe. Sie sollten dem Kunden erklären, die Anwälte bestünden darauf, daß sich die Bank in ihren Aktienkäufen bis zum Abschluß der SEC-Ermittlung absolut bedeckt halte.

Erst am späten Montagabend kletteren die beiden Anwälte schließlich wieder in das Privatflugzeug, das am Flughafen auf sie wartete. Sie waren durch die Ereignisse des Tages zu müde und zu benommen, als daß sie den Fall nun diskutiert hätten. Beide brauchten erst einmal Ruhe, um das Ganze zu verdauen.

Doch es gab keine Ruhe. Am Dienstag erhielt Rauch einen Telefonanruf von Meier. Mr. X habe angerufen und wolle nach Nassau kommen, um sich von Meier und Pletscher über den Stand der Ermittlung informieren zu lassen. Meier befürchtete, der Kunde sei mißtrauisch geworden, weil er auf Verlangen der Bank seine Aktien verkaufen sollte.

Meier sah sich vor einem Dilemma. Als Schweizer Banker glaubte er fest, der Kunde habe ein legitimes Recht zu wissen, daß die Bank gerade dabei war, ihre Taktik gegenüber der SEC zu ändern. Er persönlich lehnte den Strategiewandel der Bank ab. Aber ihm war buchstäblich befohlen worden, dem Kunden gegenüber kein Wort von diesem Wandel zu erzählen. Ihm war ebenfalls gesagt worden, die Handelsaktivitäten des Kunden zu stoppen. Wie sollte er Levine derartig bedeutsame Informationen vorenthalten? Wie konnte er dem Order-Stopp Nachdruck verleihen, ohne den Kunden auf die geänderte Vorgehensweise aufmerksam zu machen? Auf diese Fragen meinte Rauch, Meier sollte das Treffen mit dem Kunden auf jeden Fall hinausschieben und keine weiteren Aufträge für ihn durchführen. Er wies nochmals darauf hin, daß Meier erklären solle, die Anwälte hätten von weiteren Transaktionen dringend abgeraten. Unter gar keinen Umständen dürfe er erzählen, daß die Anwälte von dem Täuschungsmanöver wußten.

Am Mittwoch diskutierten Pitt und Rauch mehrere Stunden über die Alternativen für die Bank Leu. Die erste Option war, im Namen des Bankgeheimnisses einen Rechtsstreit bis aufs Messer zu führen. Die Bank könnte die Vorladungen zur Einsicht in ihre Unterlagen sowie Meiers Unterlagen und Aussage anfechten und verlangen, daß die SEC jedes bißchen Information gerichtlich einklagen müsse. Die Bank konnte sich auf das Schweizer und das bahamanische Bankgeheimnis berufen. Sollte sie den Prozeß verlieren, könnte sie sich noch immer weigern, Unterlagen herauszugeben und dafür riskieren, daß ihre US-Vermögenswerte gesperrt würden.

Die zweite Alternative basierte ebenfalls auf einem harten Rechtsstreit. Doch würden bei dieser Option die Anwälte der Bank davon
ausgehen, daß die Kundenunterlagen der SEC übergeben würden,
falls die Bank den US-Gerichtsprozeß verlöre.

Die dritte Alternative sah ebenfalls einen Prozeß vor, allerdings
einen gemäßigten, bei dem zwar die Fahne des Bankgeheimnisses
hochgehalten, aber zugleich eine Vereinbarung ausgehandelt werden
sollte, wonach der SEC in begrenztem Umfang Unterlagen zur
Verfügung gestellt werden.

Schließlich könnte die Bank versuchen, sich mit der SEC zu
arrangieren: Die Bank würde die Wahrheit über die Handelsaktivitäten sagen und die entsprechenden Unterlagen zur Verfügung stellen.
Dafür, daß sie den Namen des Kunden preisgibt, würden im Gegenzug weder die Bank noch ihre Angestellten zivil- oder strafrechtlich
belangt werden.

Anwälte erhalten viel Geld, um ihre Mandanten zu beraten,
welcher Weg sinnvoll ist; doch mitunter können sie lediglich die
Alternativen aufzeigen und darauf bestehen, daß der Mandant sich
selbst für eine entscheidet. Vorsichtige Anwälte wollen auf jeden Fall
vermeiden, daß sich der Mandant sechs Monate später beschwert,
ihm wäre die falsche Strategie oktroyiert worden.

Das soll nun nicht heißen, daß Anwälte nicht eine bestimmte
Vorgehenssweise bevorzugen würden. Die beiden amerikanischen
Anwälte glaubten, sich mit der SEC zu arrangieren, böte die besten
Chancen, um die Bank zu schützen. Hätten Pitt und Rauch gleich zu
Beginn die Wahrheit erfahren, hätten sie vielleicht die Forderung
nach Informationspreisgabe wesentlich besser abwehren können.
Doch nachdem sie die SEC nun wochenlang belogen hatten, war ihre
Rechtsposition einigermaßen geschwächt. Ein Arrangement mit der
Behörde würde angesichts der Lügen äußerst schwierig werden, aber
es bot immer noch die beste Möglichkeit, die Bank aus dem Schlamassel herauszuhalten.

Pitts Ehefrau, Saree, kam mit dem Flugzeug von Washington nach
New York. Zusammen mit Rauch und dessen Frau Betty nahm sie mit
ihrem Mann an der Party teil, die Fried-Frank jedes Jahr für alle
Partner ausrichtete. Weil es so festlich zuging und Abendtoilette
vorgeschrieben war, wurde die Veranstaltung »Abschlußball« genannt. Normalerweise machte Pitt dieses Fest ungeheuren Spaß.

Doch an diesem Abend war er kein guter Gesellschafter. Seine Gedanken kreisten um die Alternativen, die die Bank Leu hatte. Waren das wirklich die richtigen? Hatten sie vielleicht irgend etwas vergessen oder die Vor- und Nachteile nicht richtig eingeschätzt?

Als er und seine Frau in ihre Suite im Westbury Hotel zurückkehrten, lag auf dem Tisch ein Manuskript mit den Entscheidungsalternativen. Er verbrachte den Rest der Nacht damit, den Entwurf durchzuarbeiten und seine Änderungen und Fragen auf das Blatt zu schreiben.

Früh am nächsten Morgen flog Pitt zurück nach Washington. Er brachte die mündliche Verhandlung hinter sich. Von dem reichverzierten Gerichtssaal eilte er zu dem Wagen, der vor dem Gerichtsgebäude auf ihn wartete und ihn zum Flughafen brachte. Auf dem Flug nach Nassau las er nochmals seine Änderungsvorschläge zu den vier Alternativen durch, die allerdings im Grundsatz unverändert blieben.

Am späten Nachmittag des 12. Dezember trafen sich Pitt und Rauch in ihrer Cable Beach Hotel-Suite erneut mit Schaad und den anderen Bankleuten. Pitt und Rauch skizzierten die Handlungsmöglichkeiten und erläuterten Schaad die Vor- und Nachteile jeder Alternative.

»Keine der Alternativen klingt sehr verlockend«, meinte der Schweizer Jurist trocken.

»Die ganze Situation ist nicht sehr verlockend«, antwortete Rauch. »Vor drei Monaten hätte es vielleicht noch andere Möglichkeiten gegeben, aber jetzt müssen wir mit diesen vorliebnehmen.«

»Wir werden tun, was immer Sie uns empfehlen«, sagte daraufhin Schaad.

Rauch erläuterte Schaad, daß es sich um eine spezielle Situation handele. Er und Rauch hätten beschlossen, daß die Bank selbst die Alternative wählen müsse. Der Banker verstand dies. Er plädierte dafür, daß man sich mit der SEC zu arrangieren versuche und den Namen des Kunden preisgäbe, um als Gegenleistung Immunität für die Bank und die Angestellten zu erhalten.

Die Besprechung dauerte bis weit in den Abend hinein. Sie kamen überein, daß Meier und Pletscher den Anwälten am nächsten Tag weitere Einzelheiten über den mysteriösen Mr. X erzählen würden.

Meier war über die Entscheidung, das Täuschungsmanöver aufzugeben, ziemlich wütend. »Wir haben uns schriftlich verpflichtet, den Plan durchzuführen«, äußerte er verärgert zu Pletscher. »Du hast gesagt, du würdest mitmachen und jetzt drehst du dich um 180 Grad.« Am selben Abend telefonierte Pletscher mit Fraysse, der geschäftlich verreist war, um ihn über die neuen Entwicklungen zu unterrichten.

»Ich dachte, wir hatten einen Plan«, sagte Fraysse. »Warum jetzt diese Änderung?«

»Was wir unseren Anwälten gegeben haben, war zuwenig«, erklärte Pletscher. »Ich bin überzeugt, daß wir die Marschroute ändern mußten.«

Das Bankgeheimnis ist der Grundpfeiler der siebenhundert Jahre alten Schweizer Banktradition. Auch auf den Bahamas ist es gesetzlich verboten, den Namen eines Kunden irgendeiner Stelle außerhalb der Bank preiszugeben, sofern nicht eine gerichtliche Verfügung oder die Anweisung einer gleichgestellten Behörde bzw. die ausdrückliche Erlaubnis des Kunden vorliegt. Gesetz und Tradition machten es Bruno Pletscher und Bernie Meier unmöglich, den Namen des Kunden zu nennen. Sie konnten sich einfach nicht dazu durchringen. Aber die Anwälte hatten an diesem Donnerstagabend eine Idee, wie sie diese Barriere überwinden konnten.

Meier hatte Pitt und Rauch zum Abendessen im Lyford Cay Club eingeladen. Bisher hatte Meier einen Besuch der Rechtsanwälte in der Bank strikt abgelehnt; er wollte auch nicht mit ihnen gesehen werden. Die Einladung zum Abendessen in seinem Club kam daher überraschend.

Meier sagte, daß er seiner Frau von der Ermittlung nichts erzählt hatte. Da aber jetzt die Strategie geändert worden war und er ohnehin bald die Bahamas verlassen würde, hatte er ihr über den Stand der Dinge berichtet, und sie wollte nun wissen, welche Folgen das Ganze haben könnte. Ob Pitt und Rauch wohl einem gemeinsamen Abendessen zustimmen würden, bei dem sie seiner Frau die ganze Sache erklären könnten. Pitt und Rauch stimmten zu. Zusammen mit Meier fuhren sie in den fünfzehn Autominuten entfernten Lyford Cay Club, der in einem Privatareal am Meer lag.

Unterwegs versuchte Meier, den Anwälten seine Position zu

erklären. »Sie müssen wissen, daß wir alle in der Bank dem ersten Plan zugestimmt haben, nicht nur ich. Ich möchte nicht, daß Sie mich für schlechter halten. Wir sind alle auf derselben Linie gewesen.«

Pitt nutzte die Gelegenheit, um Meier nach dem Namen des Kunden zu fragen.

»Sie müssen ihn sagen«, meinte Pitt nachdrücklich. »Wir wissen, daß niemand von Ihnen den Namen preisgeben will, aber wir müssen ihn wissen.«

»Sie wissen, um welches Institut es sich handelt«, antwortete Meier. »Kennen Sie irgend jemanden dort?«

Die Anwälte bestätigten, daß sie den Namen des Instituts wüßten, nämlich Drexel Burnham. Meier fragte nochmals: »Wen kennen Sie dort?«

Die beiden ließen sich auf das Ratespiel ein. Pitt nannte einen Namen und Meier schüttelte den Kopf. Rauch nannte einen zweiten Namen und wieder verneinte Meier.

»Wie steht es mit Dennis Levine?« fragte Pitt.

»Der ist es«, antwortete Meier. Ohne daß er den Namen selbst ausgesprochen hatte, bestätigte er nun den Anwälten, wer sich hinter »Diamond« verbarg.

Pitt mußte an das Abendessen im vergangenen Oktober denken. Einen ganzen Abend lang hatte Levine ihm gegenüber gesessen und genau gewußt, was los war. Dabei hatte Levine ihn noch zufrieden angelächelt. Pitt versuchte, sich vorzustellen, wie Levine aussah und was er gesagt hatte. Doch war seine Erinnerung recht schwach. Der Kerl hatte auf ihn keinen nachhaltigen Eindruck gemacht.

Erstaunlich, dachte er, einfach erstaunlich.

Meier und die Anwälte gingen in das Club-Restaurant, wo Helene Meier auf sie wartete. Sie setzten sich an einen Tisch am Fenster mit Blick aufs Meer. Pitt und Rauch erklärten, daß sie nicht genau wüßten, wie die Behörde auf die neue Lage der Dinge reagieren würde. Zwar erwarteten sie, daß man eine Strafe für die Bank und deren Angestellte verhindern könne, doch müßte man realistischerweise davon ausgehen, daß dies nicht sicher sei. Meiers Ehefrau sagte kaum etwas. Sie schien entschlossen zu sein, ihrem Mann beizustehen, was auch immer geschehen würde.

Den ganzen Abend lang ging etwas durch Pitts Kopf, was einem anderen Anwalt vielleicht nie in den Sinn gekommen wäre. Wenn die

Bank von Anfang an beabsichtigt hatte, das Täuschungsmanöver durchzuziehen, was ja offensichtlich der Fall gewesen war, warum hatte sie dann Pitt das Mandat erteilt, sie zu vertreten? Sicherlich verhandelte er häufig mit SEC über heikle Angelegenheiten, doch war er stolz auf seinen Ruf, von seinen Mandanten stets die volle Wahrheit wissen zu wollen. Er gehörte nicht zu den Anwälten, die eine Lüge schlucken und sie dann der SEC weitergeben würden. Warum hatte die Bank nicht jemanden beauftragt, der den ganzen Vertuschungsplan eher abgekauft hätte?

Im Laufe des Abends wurde diese Frage für Pitt immer gewichtiger. Auf der Rückfahrt ins Hotel konnte er sich nicht mehr zurückhalten.

»Warum haben Sie mich mit dem Fall beauftragt?« fragte er Meier.

»Levine hat Sie empfohlen«, lautet die kurze Antwort.

Am Freitag, den 13. Dezember, kamen Meier und Pletscher erneut in die Hotel-Suite. Die Anwälte baten Pletscher, die Identität des Kunden zu bestätigen, doch Pletscher konnte sich nicht mehr an Levines Vornamen erinnern, da er gewöhnt war, den Codenamen »Diamond« zu benutzen.

Den ganzen Tag lang berichteten die Banker detailliert über die Geschäfte in Übernahmeaktien. Die Liste war zu lang, um jede einzelne Transaktion zu behandeln, doch kommentierte Meier die größeren Aufträge und die Höhe der Kursgewinne: Nabisco 2,7 Millionen Dollar, American Natural Ressources 1,4 Millionen Dollar, Jewel Companies 1,2 Millionen Dollar. Die Banker berichteten auch über ihre eigenen Käufe, mit denen sie Levines Geschäfte kopiert hatten, und erklärten den beiden erstaunten Anwälten, daß Levine auf seinem Konto bei der Bank Leu Kursgewinne in Höhe von über zehn Millionen Dollar stehen habe. Bei derartig hohen Beträgen mußte Levine zweifellos Zugang zu einer überreich sprudelnden Informationsquelle gehabt haben.

Um die Mittagszeit ging Pitt in sein Schlafzimmer, schloß die Tür hinter sich und rief Paul Fischer in Washington an. Der SEC-Anwalt hatte jeden Tag in Pitts Büro angerufen, ohne daß dieser sich gerührt hätte. Warum sollte er zurückrufen, bevor er dem SEC-Juristen wirklich etwas Neues mitteilen konnte.

»Wo sind Sie?« fragte Fischer barsch. Seine Geduld war am Ende. »Wir haben auf die Vereinbarung und die Unterlagen gewartet.«

»Wir wollen mit Ihnen über die Vereinbarung und die Unterlagen reden«, meinte Pitt. »Wir haben eine Menge zu besprechen. Ich möchte, daß Gary dabei ist.«

Fischer fragte, warum Gary Lynch, der Enforcement Director, dabei sein solle.

»Er sollte dabei sein, glauben Sie mir«, erwiderte Pitt knapp.

»Ich muß in seinen Terminkalender schauen und rufe Sie wieder an.«

»Nein, ich rufe später zurück.«

Im Laufe des Nachmittags telefonierte Pitt nochmals mit Fischer. Sie vereinbarten einen Termin in der SEC-Zentrale in Washington am Dienstag, den 17. Dezember, um 10.00 Uhr.

Am Wochenende flogen Pitt und Rauch zurück in die USA. Auf dem Weg zum Flughafen sinnierten sie darüber, wie anders die Bank jetzt dastünde, wenn Levine Meier und Pletscher nicht zu dem Täuschungsmanöver überredet hätte. Hätten die beiden gleich im September die Wahrheit über den amerikanischen Kunden gesagt, wären die Anwälte vor Gericht gegangen, um die Interessen der Bank zu schützen. Dabei hätten sie sich auf das im bahamanischen Recht verankerte Verbot gestützt, Kundeninformationen preiszugeben. Selbst wenn die SEC vor Gericht gewonnen hätte und die Bank angewiesen worden wäre, den Namen zu nennen, wäre es ein rechtmäßiger Prozeß gewesen. Das Risiko für die Bank und die Manager war durch die Lügen gegenüber der SEC enorm gestiegen.

Pitt wandte sich kopfschüttelnd zu Rauch: »Weißt du, Michael, Levine hat ihnen wirklich den schlechtesten Weg gewiesen.«

17. Kapitel

Moby Dick

Warum Levine als Investmentbanker so erfolgreich war, lag zum Teil an seinem ausgeprägten Gespür dafür, welche Fortschritte eine Transaktion machte. Dieses Talent bezeichnete sein Chef bei Drexel Burnham, David Kay, als einen »guten Riecher für das Geschäft«.

Anfang Dezember begann Levine, bei der Bank Leu eine Klimaveränderung zu spüren. Als Pletscher den Verkauf der RCA-Aktien verlangte, obwohl dies einen Verlust bedeutete, läutete bei Levine die Alarmglocke. Außerdem fiel ihm auf, daß Meier und Pletscher ihn recht kühl behandelten und ihm sogar abrieten, nach Nassau zu kommen. Doch Levine konnte nicht tatenlos in New York sitzen. Am 14. Dezember flog er nach Nassau und marschierte zur Bank. Er forderte von Pletscher und Meier einen Bericht über den Stand der Ermittlungen.

Gegen ihr Berufsethos und ihr eigenes Gefühl belogen die beiden Banker ihren Kunden. Sie versicherten ihm, daß das Täuschungsmanöver planmäßig abliefe und daß er sich keine Sorgen zu machen brauche. Die amerikanischen Anwälte hätten gewünscht, daß die Bank nicht in Übernahmeaktien handle, bis die Ermittlung abgeschlossen sei, um die SEC nicht auf den Plan zu bringen. Dies sei jedoch eine reine Vorsichtsmaßnahme und bedeute keine Änderung ihrer Strategie.

Bernie Meier mißfiel die Lügerei. Er war froh, Nassau in zwei Tagen für immer verlassen zu können. Bis zum Schluß blieb er gespalten, was seine Rolle in der ganzen Sache betraf. Er hatte sich schon früher eine sehr bequeme Erklärung zurechtgelegt. Vielleicht war Levine gar kein Insider, denn schließlich hatte Diamond nicht nur Gewinner ausgewählt.

»Diamond lag nicht in allen Fällen richtig«, äußerte sich Meier später. »Er verlor etwa zwei Millionen Dollar. Es war nicht eindeutig, daß es sich immer um Insiderinformationen handelte. Hätte er immer richtig gelegen, dann vielleicht. Aber selbst dann schwirrten immer Gerüchte über die Aktien im Markt herum.«

Selbst nachdem das Täuschungsmanöver aufgegeben worden war und die Anwälte versuchten, mit der SEC einen Kompromiß auszuhandeln, war Meier noch immer überzeugt, daß Levines Vorhaben Erfolg gehabt hätte. Die Geschichten über seine angeblichen Käufe waren nahezu fertig; in den Unterlagen, die Levine und er zusammengetragen hatten, fehlten lediglich noch die Belege für fünf Aktien. An diesem Tage brachte Levine weiteres Material nach Nassau.

Außerdem war sich Meier darüber im klaren, daß die Bank Leu Maklerprovision aus den für Levine durchgeführten Aktienaufträgen erwirtschaftet hatte, die in die Millionen Schweizer Franken gingen. In der Zeit als Levine aufgetaucht war, kämpfte die Bank noch darum, in die Gewinnzone zu gelangen. Monatelang lebte sie von den Provisionseinnahmen aus Levines Aufträgen: Im Jahre 1984 stieg der Provionsertrag der Bank Leu International um 71 Prozent; dies lag vor allem an Levines intensiven Handelsaktivitäten.

Meier kam es vor, als ob die Bank jetzt, da sich die Lage zuspitzte, Levine fallenließ. Am schlimmsten empfand Meier, daß dies geschah, ohne dem Kunden die Chance zu geben, sich zu verteidigen. Sie gaben Levine preis, um selbst in Ruhe gelassen zu werden.

Als Levine am 14. Dezember wissen wollte, welche Unterlagen die Rechtsanwälte erhalten hatten, gab Meier zu, daß ihnen einige Unterlagen überlassen worden wären, auf denen Käufe verschiedenen verwalteten Depots zugeordnet worden waren. Nur so hätte man sie von dieser Version überzeugen können.

»Das ist das Dümmste, was Sie hätten tun können«, fuhr ihn Levine an. »Wissen die Anwälte meinen Namen?«

Pletscher und Meier versicherten, daß sie weder seinen Namen genannt noch den Anwälten irgendwelche Unterlagen zu seinem Konto gezeigt hätten. Doch wäre Levines Name als einer von vielen im Zusammenhang mit potentiellen Informationsquellen über die Aktien genannt worden.

»Das ist keine Überraschung«, sagte Levine. »Mein Name taucht regelmäßig unter den top 30 Leuten auf, die mit Übernahmen zu tun haben.«

Allerdings war Levine äußerst verärgert und beunruhigt, daß den Anwälten Unterlagen über einzelne Depots zur Verfügung gestellt worden waren. Denn beim nächsten Mal waren es vielleicht Auszüge seines Kontos. Er wies die Banker darauf hin, daß seine bahamanischen Anwälte ihm erklärt hätten, daß die Bank gegen das auf den Bahamas geltende Bankgeheimnis verstoßen würde, wenn sie den Anwälten oder der amerikanischen Aufsichtsbehörde irgendwelche Informationen über individuelle Konten zur Verfügung stellten. Pletscher und Meier sollten sich die Unterlagen auf jeden Fall zurückgeben lassen und sicherstellen, daß die Informationen nicht an die SEC weitergeleitet würden.

»Sie haben die besten Anwälte«, sagte er. »Sie haben die beiden beauftragt und Sie sollten ihnen sagen, was zu tun ist. Lassen Sie sich doch nicht von Ihren Anwälten vorschreiben, was Sie machen sollen.«

Wenn sie sich an den Plan hielten, beschwichtigte Levine die Banker, brauchten sie keine Angst zu haben. Die SEC habe auf gut Glück die Netze ausgeworfen. Er verstünde, daß er einige Wochen lang keine Aufträge über sein Konto laufen lassen solle, aber er hätte dadurch Millionverluste wie bereits im Herbst, als er auch keine Aufträge plaziert hatte.

Bevor Levine ging, eröffnete ihm Meier, daß er in die Schweiz zurückkehre, weil seine Arbeitserlaubnis abgelaufen sei. Richard Coulson würde Meiers Aufgaben übernehmen, bis ein Ersatz gefunden sei. Was er Levine verschwieg, war die Tatsache, daß Coulson auf Wunsch von Pitt und Rauch einspringen würde, damit bei jedem zukünftigen Treffen zwei Zeugen anwesend seien.

In einem Zivil- oder Strafprozeß werden die Weichen häufig nicht erst bei der Vernehmung durch den Richter, den Staatsanwalt und vor den Geschworenen, sondern bereits unter den Anwälten der Parteien gestellt. Daher werden diese entscheidenden außergerichtlichen Vorbesprechungen ebenso sorgfältig vorbereitet wie die Auseinandersetzung vor Gericht.

Harvey Pitt beherrscht solche Situationen meisterhaft. Den Ruf eines außerordentlich geschickten Verhandlungspartners hat er sich weniger durch sein Auftreten vor Gericht erworben, was ohnehin selten vorkam, als vielmehr in den außergerichtlichen Verhandlungen. Mit seiner schnellen Auffassungsgabe und Kreativität bereitet es ihm keinerlei Schwierigkeit, von Detailbeobachtungen auf umfassende Strategien umzuschalten. Außerdem hat er derartige Verhandlungen auch bereits auf der Gegenseite, nämlich für die SEC, geführt.

Pitt und Rauch hatten sich regelmäßig mit SEC-Mitarbeitern der mittleren Ebene getroffen. Daß Pitt nun auf einer Besprechung mit Gary Lynch bestand, sollte für die Behörde ein Wink mit dem Zaunpfahl sein: Diese Besprechung würde keine der üblichen Routinesitzungen sein, um zu einer Übereinkunft wegen der Bankunterlagen zu kommen, nein, es würde etwas Außergewöhnliches passieren. Pitt hatte die Erwartungen der SEC noch gesteigert, indem er die Möglichkeit einer dramatischen Wendung in der Ermittlung ankündigte.

Über das Wochenende bereiteten sich Pitt und Rauch sorgfältig auf diese Besprechung vor, fast so, als wenn es sich um das Plädoyer in einem Mordfall handelte. Sie legten sich für die Besprechung ein genaues Konzept zurecht. Es enthielt die Themen, die sie ansprechen wollten, die Reihenfolge und die Art und Weise, wie die schwierigsten Punkte artikuliert werden sollten. Denn der Stil ist ebenso wichtig wie der Inhalt. Die Sprache sollte präzise, aber nicht zu offen sein. Sie wollten das Ganze zurückhaltend und unbefangen vorbringen, um nicht zuviel Aufmerksamkeit zu erregen, aber auch nicht so zurückhaltend, daß die Behörde vielleicht ihr Angebot überhören könnte.

Gary Lynchs Stellung als höherer Staatsbeamter spiegelt sich in seinem Büro wider, einem Eckzimmer im vierten Stock der SEC-Zentrale in Washington. Es ist geräumig und großzügig ausgestattet und hat Fensterfronten an zwei Seiten, so daß man die Gerichtsgebäude des District of Columbia sowie andere Verwaltungsgebäude sehen kann. Das Büro bietet genügend Platz für einen Besprechungstisch mit mehreren Stühlen und eine Couch zusätzlich zu Lynchs Schreibtisch.

Als Pitt und Rauch am 17. Dezember, Punkt 10.00 Uhr, in dieses Büro geführt wurden, warteten sechs SEC-Anwälte auf sie. Pitt hatte für seinen Auftritt hochkarätige Zuhörer.

John Sturc, einer der stellvertretenden Direktoren, war anwesend und ebenso die drei Anwälte, die sich mit der Bank-Leu-Ermittlung intensiv beschäftigten, nämlich Fischer, Wang und Sonnenthal. Außerdem war Michael Mann dabei. Er leitete die SEC-Abteilung für Internationales Recht; sein Spezialgebiet war ausländisches Bankrecht.

Seit Fischer Sturc am Freitag von Pitts Telefonanruf erzählt hatte, rätselte dieser, was wohl bei dem Gespräch am Dienstag ans Tageslicht kommen würde. Sturc war der für die Bank-Leu-Ermittlung verantwortliche Abteilungsleiter und als solcher wurde er über den bisher schleppenden Fortgang der Ermittlungen regelmäßig unterrichtet. Daß sich die Gegenseite nun mit Lynch treffen wollte, deutete auf etwas Besonderes hin.

In seiner achtjährigen Tätigkeit als SEC-Jurist hatte Sturc gelernt, niemals vorschnelle Schlußfolgerungen aus dem Beweismaterial zu ziehen. Aus den Maklerunterlagen, die der Behörde vorlagen, hatte sich ein interessantes Kaufmuster herauskristallisiert, das vielleicht den Schlüssel für weitere Erkenntnisse bedeutete. Die Geschichte mit den verwalteten Depots stellte nicht unbedingt eine Erklärung dar, die die Behörde so ohne weiteres akzeptieren würde. Dennoch könnte es die Wahrheit sein. Die SEC-Anwälte müßten die entsprechenden Unterlagen prüfen und sich dann ihr Urteil bilden.

Lynch und Pitt waren früher Kollegen und jetzt Gegenspieler, die sich Anerkennung und Respekt entgegenbrachten. Andere Anwälte wären vielleicht auf die Couch komplimentiert worden, wo man in den Kissen versinkt und notgedrungen zu den auf den höheren Stühlen sitzenden SEC-Juristen aufschauen muß. Doch Rauch und Pitt durften an dem Konferenztisch vor einem der großen Fenster Platz nehmen.

Pitt schlug das Heft auf, in das er das Konzept für den Ablauf und die von ihm und Rauch erarbeiteten Notizen geschrieben hatte. Sie hatten sich darauf geeinigt, daß es am besten wäre, die Enthüllungen mit dem Tenor »wir sitzen alle in einem Boot« zu beginnen.

»Schauen Sie«, begann Pitt seine Ausführungen, »wir haben mit Ihnen schon ziemlich lange an dieser Sache gearbeitet. Die Verzögerungen der letzten Woche, die für Sie ziemlich frustrierend waren, sind unsere Schuld. Wir hatten die Möglichkeit, die redigierten Unterlagen einzusehen, und glauben deshalb, daß wir uns jetzt darüber unterhalten sollten, und zwar mehr Ihret- als unseretwegen, bevor wir irgendeine Vereinbarung treffen können. Zunächst möchten wir die Dinge auf den Tisch legen, die zu besprechen wir uns moralisch verpflichtet fühlen. Dann sollten wir einige Dinge off-the record diskutieren.«

Der hagere Lynch hatte bisher keine Miene verzogen. Nun fragte er etwas verwundert: »Was meinen Sie mit ›off-the record‹?«

»Im Grunde wird das klar, wenn wir zum Thema kommen«, antwortete Pitt. »Ich kann Sie natürlich nicht daran hindern, daß Sie wissen, was ich Ihnen erzählt habe, wenn es einmal gesagt ist. Aber ich möchte nicht, daß Sie sich gegenüber meinen Mandanten oder deren Anwälten jemals darauf berufen. Mit anderen Worten, Sie können alles, was ich Ihnen erzähle, für Ihre eigenen Zwecke verwenden. Das meine ich mit ›off-the record‹.«

Pitt wollte seine Ausführungen fortsetzen und nicht durch weitere Unterbrechungen aus dem Konzept gebracht werden. Deshalb fuhr er umgehend fort.

»Die moralischen Verpflichtungen bestehen darin, daß wir, wie Sie wissen, mit Ihnen vereinbart haben, eine Auseinandersetzung zu vermeiden. Dies war unser aller Wunsch. Unter anderem haben wir Ihnen eine Darstellung der Fakten gegeben, die auf dem beruhten, was nach Aussagen unserer Mandanten den Tatsachen entsprach. In der Zwischenzeit haben wir die Unterlagen selbst überprüft. Nach den jüngsten Gesprächen mit unseren Mandanten sind wir nun verpflichtet, Ihnen mitzuteilen, daß Sie sich nicht mehr auf unsere frühere Darstellung der Fakten stützen sollten.«

Paul Fischer brüllte los: »Was sagen Sie da? Wir haben diese Vereinbarungen auf der Grundlage Ihrer Aussagen getroffen, wonach sämtliche Transaktionen für die verwalteten Depots durchgeführt worden sind.«

»Genau deshalb sind wir hier«, antwortete Pitt in ruhigem Ton. »Ohne im einzelnen darauf einzugehen, auf welche Darstellung der Tatsachen Sie sich verlassen oder nicht verlassen können, haben wir es für nicht sinnvoll erachtet, weiter über unsere Vereinbarung zu verhandeln, bevor wir Ihnen nicht diese Mitteilung gemacht haben. Jetzt möchten wir gern off-the-record sprechen.«

Die Stimmung im Raum war von einer gewissen Neugierde in gespannte Erwartung umgeschlagen, auch wenn Fischer als einziger heftig auf Pitts Neuigkeiten reagiert hatte. Pitt war nun am schwierigsten Teil angelangt. Er mußte die neuen Fakten offenlegen, ohne zu viel über die tatsächlichen Vorgänge bei der Bank Leu zu berichten. Das Ganze klang schließlich ausgesprochen kompliziert.

»Wenn Sie annehmen, daß die Transaktionen, welche der Kommission aufgefallen sind, von ihren Mitarbeitern untersucht werden sollen, wenn Sie ferner annehmen, daß die Mitarbeiter der Behörde sinnvollerweise prüfen sollten, für wen die Aufträge ausgeführt worden sind, und wenn Sie schließlich annehmen, daß die Bank einverstanden wäre, die Behörden bei der Wahrheitsfindung mit allen ihren Kräften zu unterstützen, wäre die Behörde dann bereit, ihre Vollstreckungsbemühungen – sofern überhaupt erforderlich – ausschließlich auf die Person oder Personen zu konzentrieren, die die Auftraggeber waren, insbesondere dann, wenn die Bank und alle anderen, die möglicherweise diese Aufträge kopiert haben, willens wären, sämtliche Kursgewinne zurückzugeben, die sie dabei aufgrund der Vergehen der Auftraggeber erzielt haben?«

Trotz der absichtlich sehr verklausulierten Sprache hatte Pitt das Angebot deutlich auf den Tisch gelegt: Wenn Bank Leu die Namen der Person oder Personen hinter den Aufträgen preisgibt, wäre dann die SEC bereit, auf einen Zivilprozeß gegen die Bank und deren Angestellte zu verzichten?

Der Vorteil für die SEC wäre Kooperation mit der Bank und Beschleunigung des Falles. Bisher hatte die SEC noch keinen Fall im Ausland erlebt, bei dem der Auftraggeber so schnell ausfindig gemacht werden konnte. Der Santa Fe- und der St. Joe Minerals-Fall hatten Jahre gedauert. Mit der verklausulierten Vereinbarung ließe sich alles auf wenige Wochen reduzieren.

Außerdem brauchte die Behörde dann nicht mehr das Risiko einzugehen, bei einer langwierigen gerichtlichen Auseinandersetzung möglicherweise als Verlierer dazustehen, was nicht nur den Fall verzögern oder beenden könnte, sondern auch einen schrecklichen Präzedenzfall schaffen würde. Schließlich gab es den Hinweis, daß sie möglicherweise in großem Stil gegen jemanden vorgehen könnte, den Pitt als einen »hochkarätigen Akteur« an Wall Street bezeichnete.

Ungeachtet der SEC-Entscheidung wäre die Vereinbarung – wie Rauch hinzufügte – nichtig, wenn sich das Justizministerium weigerte, der Bank und ihren Angestellten strafrechtliche Immunität zu gewähren.

Auch Lynch war ein gewiefter Verhandler. Statt sich zu dem Angebot zu äußern, bat er Pitt und Rauch, im Nebenzimmer zu warten, damit er den interessanten Vorschlag mit seinen Kollegen besprechen könne.

Nach nicht einmal einer halben Stunde wurden die beiden Anwälte wieder hereingebeten. Lynch eröffnete ihnen, daß das Angebot annehmbar sein könnte, allerdings passe es ihm nicht, daß Bernhard Meier, der Portfolio Manager der Bank, in die Vereinbarung einbezogen sei.

Meier war im Grunde der einzige Bankangestellte, den die SEC-Juristen namentlich kannten. Auf seine Aktivitäten hatte sich ihre Ermittlung konzentriert. Brian Campbell hatte ihn genannt, und sie wußten, daß er die Aufträge plaziert hatte. Da sich Meier gut im amerikanischen Wertpapierrecht auskannte, würde er angesichts des Vorwurfs von Insider Trading kaum Unwissenheit geltend machen können.

Rauch und Pitt bestanden darauf, daß entweder sämtliche Bankangestellten einschließlich Meier gedeckt werden müßten, oder der Kompromiß käme nicht zustande. Lynch willigte ein. Damit wurde Meier plötzlich nicht mehr potentieller Angeklagter, sondern als potentieller Kronzeuge betrachtet. Er hatte die Aufträge entgegengenommen und ausgeführt und konnte daher entscheidende Aussagen über den oder die unbekannten Auftraggeber machen. Er könnte auch über Besprechungen mit dem Kunden berichten und Informationen über die Gründe liefern, die der Kunde möglicherweise zu dem Kauf der einen oder anderen Aktie angegeben hat.

»Natürlich kann ich mich jetzt nicht für die Kommission festlegen«, erklärte Lynch den beiden Anwälten. »Ich muß noch mit ihnen reden. Aber ich werde empfehlen, das Angebot anzunehmen.«

Lynch schlug vor, daß Pitt und Rauch sich wegen strafrechtlicher Schritte an die US-Bezirksstaatsanwaltschaft in Manhatten wenden sollten. Die SEC würde den Großteil der Strafrechtsfälle, die sich aus ihren Ermittlungen in Fällen von Insider Trading ergeben, dorthin verweisen. Er wolle empfehlen, das Angebot anzunehmen. Im übrigen würden er und Sturc bei der Besprechung mit den Staatsanwälten in New York dabeisein.

Nachdem die Karten nun auf dem Tisch lagen, wollten Wang und Fischer unbedingt den Namen des Auftraggebers der Insidergeschäfte wissen. Doch da sie bei Pitt und Rauch auf Granit bissen, was sie erwartet hatten, fragten sie nach seiner Position oder wenigstens nach dem Namen seines Instituts. Aber auch damit kamen sie nicht durch; allerdings äußerte Pitt oder Rauch im Laufe der Unterredung, daß es sich um »einen großen Fisch« handle.

»Für das, was Sie verlangen, muß es schon Moby Dick sein«, äußerte Sturc trocken.

Der Chairman und die vier Kommissare der SEC halten regelmäßig öffentliche Sitzungen ab. Allerdings werden die Tagesordnungspunkte der Vollstreckungsabteilung wegen ihres empfindlichen Charakters hinter verschlossenen Türen behandelt. Im Verlauf der Woche erläuterten Lynch und Sturc den Kommissaren das Angebot der Bank Leu und erhielten grünes Licht, mit den Verhandlungen fortzufahren. Die endgültige Vereinbarung sollte der SEC-Kommission nochmals zur Genehmigung vorgelegt werden, was aber eher eine Formalität war. Es blieb Lynch und der Vollstreckungsabteilung überlassen, den bestmöglichen Kompromiß auszuhandeln.

Am Freitag rief Fischer bei Pitt an, um ihm mitzuteilen, daß Lynch möglichst bald ein Gespräch wünsche. Pitt wollte die Weihnachtsfeiertage mit seiner Frau und deren Familie in Winston-Salem, North Carolina, verbringen, doch erklärte er sich bereit, schon am 26. Dezember wieder in Washington zu sein. Mit Rauch vereinbarte er, daß sie zusammen zu dem Treffen gehen würden.

Pitt hatte bereits mehrere Tage lang versucht, Meier dazu zu bewegen, mit der SEC zu kooperieren. Die letzte Gelegenheit vor der Besprechung in Washington war der 24. Dezember. Pitt rief Meier in dessen Wohnung in einem Luxusvorort in Zürich an. Es war 20.00 Uhr. Meier wollte gerade mit seiner Frau zum Abendessen zu seinen Schwiegerelten fahren. Der Anruf ärgerte ihn, denn dieses schreckliche Problem mit der amerikanischen Behörde war das letzte, woran er jetzt erinnert werden wollte. Doch Pitt sagte, es sei äußerst dringend. Er müsse Meier die Vereinbarung, die gerade mit der SEC ausgehandelt würde, erläutern und brauche sein Einverständnis, daß er, Meier, aussagen würde.

Meier wollte sich auf nichts einlassen. Da er jetzt wieder in der Schweiz sei, habe er einen Schweizer Anwalt beauftragt, den Fall zu überprüfen. Pitt erklärte nochmals, wie dringend die Sache sei und daß er am 26. Dezember eine wichtige Besprechung mit der SEC habe, zu der er Meiers Einverständnis unbedingt brauche. Meier antwortete, er würde sich die Sache nochmals überlegen, worauf Pitt meinte, er würde im Laufe des Abends wieder anrufen. Um 23.00 Uhr klingelte bei Meier das Telefon. Es war Pitt. Meier sagte, er hätte sich noch nicht endgültig entschieden, würde aber wahrscheinlich mitmachen und aussagen. Pitt hielt diese Äußerung für ausreichend, um die Verhandlungen mit der SEC am 26. Dezember fortzusetzen.

Am 26. Dezember war es in Washington bitterkalt. Das Thermometer zeigte auf minus zehn Grad, und um die fast ausgestorbenen Regierungsgebäude fegte ein eisiger Wind, als sich Pitt und Rauch auf den Weg zur SEC machten. Mit Ausnahme von Wang waren alle vorherigen Teilnehmer in Lynchs Büro versammelt. Lynch erläuterte, daß die Kommission eingewilligt habe, die Verhandlungen entsprechend Pitts Ausführungen in der Woche vor Weihnachten fortzusetzen. Der Leiter der Vollstreckungsabteilung schlug vor, daß das Treffen mit der US-Bezirksstaatsanwaltschaft in New York möglichst bald stattfinden solle. Pitt und Rauch meinten, ihre Anwaltsgehilfinnen würden in der Bank bereits Unterlagen kopieren, die man später vielleicht der SEC übergeben würde.

Selbstverständlich wären die Kundenangaben auf den Unterlagen unkenntlich gemacht. Denn die Bank und ihre Anwälte stünden noch vor einem enormen Hindernis – nämlich die bahamanischen Behörden dazu zu bringen, daß sie der Bank Erlaubnis erteilen, den Namen des Kunden preiszugeben. Der erste Schritt, ein grundsätzliches Einverständnis mit der SEC zu erzielen, war nun getan. Es war keine leichte Aufgabe gewesen. Der zweite Schritt bestand jetzt darin, mit den Justizbehörden strafrechtliche Immunität auszuhandeln. Da Lynch seine Hilfe zugesagt hatte, erschien den beiden Anwälten diese Hürde weniger schwierig als die erste, aber trotzdem war sie kein Kinderspiel.

Der dritte Schritt war allerdings nicht weniger bedeutsam als die beiden ersten, denn Lynch hatte erklärt, daß der ganze Kompromiß nicht mehr gelte, wenn die Bank nicht den Namen des Auftraggebers preisgeben würde. Und das könnte weit schwieriger sein. Denn die Preisgabe des Namens hing davon ab, daß man die unberechenbaren bahamanischen Behörden davon überzeugte, daß es in ihrem eigenen Interesse läge, der Bank Leu zu erlauben, das Bankgeheimnis zu brechen, das aus dem winzigen Staat ein Offshore-Finanzzentrum gemacht hatte. Jeder Angriff auf die Unverletzlichkeit dieser Gesetze könnte das Vertrauen der Finanzinstitute und Investoren erschüttern, die sich darauf verlassen hatten. Dies könnte eine gefährliche

Bedrohung für den zweitwichtigsten Industriezweig des Landes bedeuten.

Zu Beginn des neuen Jahres übernahm Bruno Pletscher offiziell den Posten des General Manager der Bank Leu International. Er hatte die damit verbundenen Aufgaben bereits seit mehreren Monaten ausgeübt und bekam nun auch den Titel. Doch was ihm früher so erstrebenswert vorgekommen war, schien mittlerweile nur noch eine weitere Belastung. Die Aktivitäten zur Täuschung der Anwälte und der amerikanischen Behörde hatten von Pletscher ihren Preis gefordert. Seine gute Laune war dahin, sein Selbstwertgefühl angeknackst. Was im vergangenen Sommer ein Problem darstellte, hatte sich inzwischen zu einer Krise ausgewachsen, die auch in das neue Jahr hineinreichen sollte.

Nachdem Levines Täuschungsplan aufgegeben worden war, kamen nun neue Belastungen auf ihn zu, zum Beispiel einen Kunden anlügen zu müssen, was ihm sehr schwer fiel. Er konnte nicht einmal seine Ängste mit Meier teilen, denn der war nicht mehr in Nassau. Hans Schaad, der Syndikus der Bank, und Pitt hatten ihm versichert, daß die neue Strategie richtig sei. Die Bank würde hinter ihm stehen. Doch in dunklen Augenblicken schien es Pletscher, als ob er einen Satz Lügen gegen einen anderen getauscht hätte. Was eigentlich den Höhepunkt von neunzehn Jahren engagierter, harter Arbeit bei der Bank darstellen sollte, war nun durch Lügen und Ängste kaputtgemacht.

Am 2. Januar kurz vor 12.00 Uhr rief die Empfangsdame bei Pletscher an und sagte, »Mr. Diamond« sei da und wolle ihn sprechen. Pletscher stutzte. Er hatte Levine nicht erwartet. Er konnte sich nicht einmal erinnern, ob ihm Levine gesagt hatte, daß er käme. Coulson machte irgendwo Ferien. Die Anwälte hatten Pletscher eingeschärft, auf keinen Fall allein mit Levine zu sprechen. Wen könnte er zu der Besprechung hinzuziehen? Niemanden. Wenn Levine nun Geld abheben wollte? Am 30. Dezember hatte Schaad die Genehmigung erteilt, in Levines International Gold-Kontounterlagen offiziell zu vermerken, daß Barabhebungen verboten und Kontoauskünfte an Pletscher zu richten seien.

Was konnte Levine wollen? Es war sein zweiter Besuch innerhalb von zwei Wochen, der dritte, seit die Bank den Anwälten reinen Wein eingeschenkt hatte. Jedes Treffen mit Levine machte die Situation für Pletscher immer unerträglicher und schwieriger, gegenüber Levine den Schein aufrecht zu erhalten.

Auch Levine mißfielen die häufigen Reisen nach Nassau. Sie waren zeitraubend und riskant. Doch er machte sich Sorgen, daß das Täuschungsmanöver auffliegen könnte, wenn er sich nicht persönlich darum kümmerte. Obwohl ihm die SEC-Ermittlung allmählich gefährlich erschien, war er frustriert, daß er bei der Bank Leu keine Aktienaufträge plazieren konnte. Dieses Nebeneinander, nämlich wachsende Gefahr und zunehmende Frustration über das Handelsverbot, sollte für Levine noch Monate so weitergehen.

Zwei Wochen zuvor, am 20. Dezember, hatte er die Bank besucht, um seine Überzeugung zu untermauern, daß die SEC unfähig war. Dies könne er mit einem Brief beweisen. Als Richard Coulson, Pletscher und er am Konferenztisch Platz genommen hatten, zog er ein Blatt Papier aus der Tasche, faltete es auseinander und hielt es den beiden hin. Es war ein Brief, aus dem Levines Name herausgeschnitten war. Dies entsprach seinem Hang für theatralisches Auftreten; als ob die beiden Männer nicht seinen wirklichen Namen kannten.

»Dieser Brief wurde an mich geschickt«, sagte er. »Sie müssen verstehen, daß ich aus naheliegenden Gründen meinen Namen entfernt habe. Aber dies sollte Sie beruhigen. Die SEC hat keine Ahnung, daß ich an dieser Geschichte beteiligt bin. Die Ermittlung hat mit mir nichts zu tun. Sie haben nicht den geringsten Hinweis, sonst hätten sie mir nicht den Brief geschickt.«

Levine gab Coulson und Pletscher den Brief. Er stammte von John Shad, Chairman der SEC, in dem sich dieser bei Levine für dessen Teilnahme am Roundtable-Gespräch der Kommission vom 26. November 1985 bedankte, bei dem es um die jüngsten Entwicklungen bei Unternehmensübernahmen ging. Coulson und Pletscher nickten, als Levine den Brief zurücknahm, ihn wieder zusammenfaltete und in seine Tasche steckte.

Am ersten Arbeitstag im neuen Jahr begrüßte Pletscher Levine in der Eingangshalle und ging mit ihm in den Konferenzraum. Wenn er schon keinen Zeugen hatte, würde er sich zumindest über das Gespräch Notizen für die Anwälte machen. Daher legte er einen Notizblock vor sich auf den Tisch.

Levine fragte, ob die Anwälte noch immer im Besitz der Unterlagen über die verwalteten Depots seien. Pletscher bejahte die Frage. Darauf meinte Levine, daß die Anwälte unter Umständen durch eine Vorladung gezwungen werden könnten, diese Unterlagen vorzulegen. Aufgrund der Schweigepflicht des Anwalts war es zwar äußerst unwahrscheinlich, daß die SEC von Pitt und Rauch Unterlagen erzwingen könnten, doch verstand Pletscher zu wenig vom amerikanischen Recht, um dies zu wissen. Er nickte nur stumm, als Levine meinte, er würde »wärmstens empfehlen«, daß die Anwälte von der Bank aufgefordert werden sollten, die Unterlagen zurückzugeben.

Was Levine allerdings wirklich beunruhigte, waren seine Abhebungsquittungen, die er im Laufe der Jahre unterzeichnet hatte. Seiner Meinung nach waren sie der einzige Beweis, der ihn mit den Geschäften in Verbindung bringen konnte.

»Könnte der Bank rein hypothetisch eine Akte abhanden kommen, eine ganze Akte oder Teile davon?« fragte er.

»Theoretisch ist das denkbar«, antwortete Pletscher.

»Die Abhebungsquittungen mit meiner Unterschrift«, meinte Levine. »Ich finde wirklich, daß wir sie vernichten oder verlieren sollten. Sie sind die einzigen Unterlagen, die auf meine Spur führen könnten. Nach der Vernichtung dieser alten Unterschriftskarten wäre dann nichts mehr in den Unterlagen, womit eine Verbindung zu mir hergestellt werden könnte.«

»Ich verstehe, worauf Sie hinaus wollen und ich werde darüber nachdenken«, erklärte Pletscher.

»Was die Aufträge anbetrifft, wissen nur vier Leute von meiner Existenz«, fuhr Levine fort. »Sie, Bernie, Jean-Pierre Fraysse und Coulson. Im Ernstfall könnte nicht nachgewiesen werden, daß ich irgendeine Beziehung zur Bank oder zu den Geschäften habe. Der Besitz von Inhaberaktien der panamaischen Gesellschaft läßt keine Rückschlüsse auf meine Identität zu. Ich bestimme über die Aktien und verfüge außerdem über einen Plan für den Notfall, falls die SEC irgend etwas über das International Gold-Depot in Erfahrung bringt.«

Levine erläuterte seinen Plan: »Ich würde jede Verbindung zu dem Depot oder den Aktienaufträgen abstreiten. Und ich habe jemanden, der bezeugen würde, daß er der Begünstigte der Gesellschaft ist und die Inhaberaktien hält. Es ist kein amerikanischer Staatsbürger, er braucht sich also wegen der SEC und der amerikanischen Gesetzgebung keine Sorgen zu machen. Außerdem habe ich eine Gesellschaft in Liechtenstein, die eine Rolle spielen wird.«

Levine sah keine Veranlassung, weitere Details zu erzählen. Pletscher brauchte nicht den Namen der betreffenden Person oder der Gesellschaft in Liechtenstein zu kennen. Er sollte lediglich die richtige Antwort für den unwahrscheinlichen Fall parat haben, daß die Behörde fragte, wer hinter International Gold steckte.

»Sie sollten sagen, daß der letztendlich Begünstigte kein Amerikaner ist«, instruierte Levine Pletscher. »Die Bank sollte bereit sein, diese Strategie mitzumachen. Das ist der schwierige Weg. Es wäre viel einfacher, wenn Sie den Anwälten keine Unterlagen über Transaktionen auf meinem Konto geben würden. Das verstößt gegen das bahamanische Gesetz über das Bankgeheimnis.«

Levine zuckte mit den Schultern und lächelte. Wahrscheinlich ist das alles sowieso überflüssig, meinte er zu Pletscher. Die SEC hätte keine Ahnung über seine Beteiligung, und er hätte völlig unnötigerweise gute Gelegenheiten für Aktienaufträge verpaßt.

»Verdammt«, fluchte er. »In den vergangenen vier Monaten habe ich Informationen ungenutzt gelassen, die mir vielleicht 15 Millionen Dollar eingebracht hätten.«

Pitt war ziemlich außer sich. Da versuchte er, mit den Bundesstaatsanwälten in New York eine Vereinbarung auszuhandeln, und plötzlich wußte er nicht mehr, was er eigentlich anzubieten hatte. Wenn der Inside Trader nun gar nicht Levine war? Wenn nun irgend jemand anders den Namen des Investmentbankers gegenüber der Bank Leu benutzt hatte? Irgendein junger Analyst oder einer, der nur Kopiermaschinen bediente? Oder sogar ein anderer Investmentbanker? Meier und Pletscher hatten den Paß nur einmal gesehen und die Fotokopie war vernichtet worden. Der Mann behauptete, unter falschem Namen und mit falschen Papieren zu reisen. Meier und Pletscher hatten niemals versucht, ihn anzurufen. Der Kunde hatte sich geweigert, eine Telefonnummer zu hinterlassen, und sie waren nie auf die Idee gekommen, die New Yorker Auskunft nach seiner Nummer zu fragen, um sich mit ihm in Verbindung zu setzen. Es waren stets Barabhebungen gemacht worden. Die Bank hatte folglich auch niemals einen Scheck ausgestellt, zu dessen Einlösung ein Identitätsnachweis erforderlich gewesen wäre.

Pitt erzählte Rauch am Telefon von seinen Befürchtungen. Was sollten sie tun? Die ganze Vereinbarung wäre zum Teufel, wenn die Bank Dennis Levine preisgäbe und sich herausstellte, daß es jemand anders war. Rauch fand eine Lösung: Sie würden ganz einfach ein Foto von Levine ausfindig machen und es Pletscher und anderen Bankangestellten zeigen, die den Kunden regelmäßig gesehen hatten. Sie konnten sogar eine Kopie an Meier in die Schweiz mit Telefax senden. Allerdings war es gar nicht so einfach, ein Foto zu finden. Aus naheliegenden Gründen konnten sie Levine nicht um ein Foto bitten. Die Zeitung oder Fotoagenturen zu kontaktieren, würde vielleicht auch unnötiges Aufsehen erregen.

Schließlich fanden sie das Ei des Kolumbus. Die Investmentbanken geben Jahrbücher heraus, in denen sie ihre Erfolge darstellen. Ähnlich wie High School-Jahrbücher enthalten sie Schnappschüsse der Hauptakteure. Pitt und Rauch brauchten sich also nur ein Buch mit Levines Foto zu besorgen. Allerdings wollten die Anwälte aus den oben genannten Gründen nicht Drexel Burnham kontaktieren. Schließlich meinte ein Anwaltsgehilfe im Washingtoner Büro von Fried-Frank, er habe einen Freund bei Shearson Lehman Brothers. Er besorgte sich das Jahrbuch von 1983. Ein Berufsfotograf wurde beauftragt, verschiedene Schnappschüsse von Levine allein und mit anderen Personen abzufotografieren.

Von den Aufnahmen wurden mehrere Abzüge gemacht und nach Nassau gebracht. Ähnlich wie bei der Polizei wurde den Bankangestellten, die mit dem Kunden Kontakt gehabt hatten, zuerst ein Gruppenfoto gezeigt, auf dem sie »Mr. Diamond« identifizieren sollten. Danach wurden ihnen Einzelfotos vorgelegt, um die Identität zu bestätigen. Pitts Ängste waren zerstreut. Der Kunde war Dennis Levine.

Peter Romatowski leitete in der US-Bezirksstaatsanwaltschaft in Manhattan das Dezernat Wertpapierbetrug. Er war Erster Staatsanwalt im Fall R. Foster Winans gewesen, einem ehemaligen Reporter des *Wall Street Journal*, der des Wertpapierbetruges und anderer Anklagepunkte für schuldig befunden wurde. Dies war ein in den Medien aufmerksam verfolgter und äußerst kontroverser Insiderfall. 1983 und Anfang 1984 war Winans einer der beiden Hauptautoren der Kolumne »Heard on the Street«, einer vielbeachteten Quelle von Tips und Gerüchten über Aktien und die Börse. Häufig wirkten sich Neuigkeiten über eine Gesellschaft in der Kolumne unmittelbar auf den Aktienkurs aus. Gegen eine kleine Gewinnbeteiligung hatte Winans vertrauliche Informationen, die demnächst in der Kolumne erscheinen sollten, an zwei Aktienmakler weitergegeben, die dann darauf handelten. Es war kein klassischer Fall von Insider Trading, aber Romatowski setzte den Schuldspruch für Winans und zwei weitere Beteiligte unter anderem damit durch, daß Winans seiner Meinung nach Informationen mißbräuchlich verwendet habe, die seinem Arbeitgeber gehörten.

Am 16. Januar 1986, um 14.30 Uhr, begrüßte Romatowski eine illustre Gruppe von Juristen. In seinem winzigen Büro saßen Harvey Pitt, Michael Rauch, Richard Sauber – ein Anwalt aus der Kanzlei Fried-Frank und früherer Bundesstaatsanwalt – sowie Amy Jedlicka, eine Anwaltsgehilfin der Kanzlei. Die Justiz vertraten außer Romatowski John Sturc, Michael Mann und Gary Lynch von der SEC und Charles Carberry, ein Bundesstaatsanwalt, der viele berühmte Prozesse von Wirtschaftskriminalität geführt hatte.

Bis zu dieser Besprechung wußten nur ein gutes Dutzend Juristen der Vollstreckungsabteilung der SEC sowie die Kommissare der Behörde von der Ermittlung wegen Insider Trading bei der Bank Leu. Ehe es um einen Kompromiß mit der Bank ging, hatte keine Notwendigkeit bestanden, das Justizministerium oder die US-Bezirksstaatsanwaltschaft einzuschalten. Aber die SEC ist nicht befugt, einem Zeugen Immunität zuzusichern und kann nicht über mögliche Strafanzeigen entscheiden, die aus den von ihr aufgedeckten Informationen resultieren. Daher brauchte es unbedingt die Absegnung durch die US-Bezirksstaatsanwaltschaft in Manhattan, um die Vereinbarung mit der Bank Leu überhaupt möglich zu machen.

Die Schlüsselentscheidung, ob nämlich die Staatsanwälte die Vereinbarung akzeptieren würden, hing von ihrer subjektiven Beurteilung der Lage ab. Es war zwar unwahrscheinlich, daß sie sich über Lynchs Empfehlung hinwegsetzen würden, aber der Chef der SEC-Vollstreckungsabteilung hatte kein offizielles Mitspracherecht im Justizministerum. Romatowski und Carberry mußten davon überzeugt werden, daß die Vereinbarung nicht zu milde war und daß die US-Behörden ausreichend dafür entschädigt würden, wenn sie der

Bank einen Freipaß gaben. Wenn die Staatsanwälte dafür waren, mußten sie noch ihren Chef, den US-Bundesanwalt Rudolph Giuliani, überzeugen, der Vereinbarung zuzustimmen.

Es hatte keinen Zweck, sich über das Problem der Milde oder Nicht-Milde auszulassen. Daher konzentrierten sich Pitt und Rauch darauf, die Vorteile für die Justiz darzulegen. Sie wiederholten die Argumente, die sie einen Monat zuvor bei der SEC vorgebracht hatten – Beschleunigung, volle Kooperation der Bank, Zeugenaussage von Meier und die Identität des Auftraggebers.

Sturcs Bemerkung bei der Besprechung im Dezember über »Moby Dick« war den Anwälten der Bank im Gedächtnis geblieben. Weil die Identität des Auftraggebers noch immer geheim war, hatten sie begonnen, ihn in Gesprächen untereinander und gegenüber den Bankanstellten mit »Moby Dick« zu bezeichnen. Im übrigen gefiel ihnen auch die mit diesem Namen verbundene Unterstellung von Größe. In ihrer Darstellung gegenüber den Staatsanwälten benutzten sie jedenfalls wiederholt diesen Namen.

Romatowski lauschte aufmerksam Pitt und Rauchs Ausführungen über die Vereinbarung, die unter anderem strafrechtliche Immunität der Bank und sämtlicher Angestellten beinhalten sollte. Mit strengem Gesichtsausdruck wandte er sich nun an die beiden Anwälte.

»Wissen Sie«, sagte er, »mir scheint, es gibt zwei Dinge, die Sie für Ihre Mandantin nicht gefordert haben.«

Pitt, der sich absoluter Gründlichkeit rühmt, war erstaunt. »Oh, wenn wir etwas vergessen hätten, wäre das peinlich. Sagen Sie mir doch, was Sie meinen.«

»Sie haben keine Belohnung in Form von Bargeld und keine Entschuldigung gefordert«, erklärte Romatowski mit einem Grinsen.

18. Kapitel

Manöver

Aus einem Zimmer am anderen Ende des Ganges hörte man, wie sich zwei kleine Kinder um ein Spielzeug stritten. Der Lärm lenkte Ilan Reich für kurze Zeit ab, doch richtete er seine Aufmerksamkeit schnell wieder auf den Mann, der neben ihm saß.

Es war ein Sonntag im Februar 1986. Dennis Levine, seine Frau und ihr vierjähriger Sohn waren zum Brunch bei Reichs eingeladen. Die Reichs wohnten in einem der Häuser aus braunem Sandstein in der Upper West Side. Reichs Frau, Diane, und Laurie Levine räumten in der Küche die Überreste von geräuchertem Lachs auf, den es zum Brunch gegeben hatte. Reichs dreijähriger Sohn balgte sich mit Levines Sprößling.

Obwohl sich Reich seit mehr als eineinhalb Jahren standhaft weigerte, Levine mit Informationen zu versorgen, blieben sie weiter in freundschaftlichem Kontakt und trafen sich manchmal zum Mittagessen. Dies war allerdings das erste Mal, daß Reich Levine in seine Wohnung eingeladen hatte und daß sich die Familien kennenlernten.

Als die beiden im Wohnzimmer saßen, erzählte Levine dem jungen Anwalt, wie clever es von ihm gewesen sei, aus dem Ring auszusteigen, und daß er, Levine, »es eigentlich auch nicht mehr tue«.

»Ich verdiene so viel bei Drexel«, sagte er lachend, »es reicht, um aus mir einen ehrlichen Mann zu machen. Bei all diesen Insiderermittlungen der SEC müßte man ja verrückt sein, weiterzumachen. Es gibt wirklich keinen Grund, etwas so Riskantes zu tun.«

Vorsicht hatte noch nie zu Levines hervorstechenden Eigenschaften gehört. Reich war über diese Bemerkungen sehr erstaunt. Er dachte daran, welche Ängste er ausgestanden hatte, wann immer er von einer SEC-Ermittlung oder einem Haftbefehl wegen Insider Trading hörte. Besonders stark hatte die Verhaftung von Carlo Florentino im Jahre 1982 an seinen Nerven gezehrt. Er kannte ihn flüchtig, da er einer der jungen Partner bei Wachtell-Lipton war.

Damals sagte Reich zu Levine: »Ich werde bestimmt kein Carlo Florentino.«

Wie üblich, war es Levine damals gelungen, Reichs Ängste zu zerstreuen. Mit dem Brustton der Überzeugung hatte er dargelegt, in welchen Punkten die Leute, die geschnappt wurden, fahrlässig oder dumm gehandelt hatten.

Derartige Ängste waren für Reich im Februar 1986 längst vergessen. Im November 1984 war er bei Wachtell-Lipton zum Partner aufgerückt. Er bearbeitete hochkarätige Fälle und machte Präsentationen vor Vorständen und Verwaltungsräten. Zwischen ihm und Marty Lipton hatte sich eine Vater-Sohn-Beziehung entwickelt. Gemeinsam ersannen sie neue Strategien zur Abwehr von Unternehmensaufkäufern, die sich mit Drexels Junk Bonds die nötigen Finanzmittel verschafften. Sie hatten dieselbe Art zu denken, und beide hatten sie die Angewohnheit, in Besprechungen auf ihren gelben Notizblöcken herumzumalen. Das Verhältnis zu seiner Frau hatte sich im Verlauf der letzten eineinhalb Jahre sehr verbessert. Die Beteiligung an Levines Insidergeschäften bedeutete für ihn eine Leiche im Keller, die gut versteckt war und von der niemand etwas wußte – mit Ausnahme des Mannes, der an diesem Sonntag in seinem Wohnzimmer saß.

Als Levine in einer Art und Weise über die Verworfenheit von Insidergeschäften sprach, als wäre ihm all dies total fremd, hatte Reich das Gefühl, daß sein Freund zwar unbeholfen, aber doch unmißverständlich versuchte, seine Spuren zu verwischen.

Diesen Eindruck hatte auch Richard Coulson gewonnen, der in den vergangenen Wochen bemüht war, möglichst viele Anrufe von Levine entgegenzunehmen, um Pletscher herauszuhalten.

Am 16. Januar wollte Levine per R-Gespräch Pletscher sprechen. Die Bank-Leu-Telefonzentrale gab den Anruf an Coulson weiter, der erklärte, daß Pletscher im Moment keine Zeit habe. Levine erzählte Coulson, er habe einen Schweizer Anwalt und seine Anwälte in Nassau befragt, ob die Bank Kontounterlagen selbst ohne Nennung der Kundennamen an die amerikanische Aufsichtsbehörde weitergeben dürfe. Die Anwälte aus beiden Ländern hätten übereinstimmend erklärt, daß bereits die Weitergabe anonymer Depotunterlagen an die Behörde gesetzwidrig sei, sofern dies ohne Einwilligung des Kunden geschähe.

»Andere Kontoinhaber könnten die Bank gerichtlich belangen«, warnte Levine und empfahl Coulson dringend, daß die Bank die Unterlagen zurückverlangen sollte. »Sie sollten mit meinem Anwalt in Nassau, Hartis Pinder, sprechen. Vielleicht kann er Ihnen ein Rechtsgutachten anfertigen, mit dem Sie die Unterlagen zurückbekommen. Ich werde versuchen, Ihnen dabei zu helfen.«

In den Gesprächen zwischen Levine und den Bankleuten drehte es sich unter anderem immer wieder um die Gefahr eines Gerichtsprozesses. Damit wollte Levine natürlich ganz gezielt untermauern, wie wichtig es sei, das Täuschungsmanöver aufrechtzuerhalten und den Anwälten der Bank und der SEC keinen Einblick in die Unterlagen zu gewähren. Coulson kamen Levines Hinweise auf andere Kontoinhaber wie eine schlecht getarnte Warnung vor. Er notierte über dieses Gespräch: »Will uns helfen!! Haha.«

Levine wandte eine weitere Taktik an. Er behauptete, durch hochangesiedelte Quellen informiert zu sein, was in der SEC vor sich ging. Damit glaubte er, den Bankern einerseits die Sicherheit zu geben, daß er genau wußte, wovon er sprach, wenn er den Fortgang der Ermittlung herunterspielte, zum anderen würden sie ihm wahrheitsgemäß alles berichten, was sie in dieser Sache unternahmen, denn er könnte es ja auch über seine Quellen bei der SEC erfahren.

Am 27. Januar kam erneut ein R-Gespräch von Levine, das ebenfalls zu Coulson durchgestellt wurde.

»Gibt's was Neues?« fragte Levine.

»Unsere Anwälte verhandeln noch immer mit der SEC«, antwortete Coulson.

»Zu Ihrer Information, als ich kürzlich in Washington war, habe ich wieder einmal mit meinen Top-Kontakten bei der SEC geredet. Ich habe den Eindruck, daß alle Aktienermittlungen, die im vergangenen Sommer und Herbst aufgenommen wurden, versickern und jetzt ruhen.«

»Das ist interessant«, sagte Coulson.

»Ich möchte gern nächste Woche nach Nassau fliegen und mit Ihnen und Bruno besprechen, wie ich wieder handeln kann. Ich weiß jetzt eine sicherere Art, die Aufträge zu plazieren. Und außerdem könnte ich mit Ihrer Bank weiter Geschäfte machen.«

»Ach ja«, antwortete Coulson.

Coulson war auf der Hut. Als Anwalt und früherer Investmentbanker konnte er gut verhandeln. Am allerwenigsten wollte er eine Konfrontation mit Levine heraufbeschwören, indem er ihn aufschreckte. Erneut warnte er ihn davor, wieder Aufträge zu plazieren. Denn die Anwälte der Bank bestünden auf dem Handelsstopp, solange sie dabei waren, die SEC-Ermittlung mit der Geschichte von den verwalteten Depots abzuschmettern.

Coulson hatte ein Gebäude von Ausflüchten und Halbwahrheiten errichtet, um Levine von der Bank fernzuhalten. Seit dem Weggang von Fraysse und Meiers Rückkehr nach Zürich seien er und Pletscher total überlastet, die Bank am Laufen zu halten. Außerdem würde Levine mit jeder Reise nach Nassau ein Risiko eingehen. Deshalb würde er, Coulson, Levine empfehlen, seine Reise wenn irgend möglich zu verschieben. Zögernd willigte Levine ein.

Trotz Coulsons Warnungen wollte Levine wieder handeln. Es war noch keinen Monat vergangen, da rief er Coulson an und sagte ihm, daß er unbedingt Aktienaufträge plazieren wolle. Sein Anwalt in Nassau würde im helfen, eine neue, rechtlich zulässige Methode zu entwickeln, wie er über die Bank Leu Aktien kaufen und verkaufen könne. Levine erzählte jedoch keine Einzelheiten über diese Methode. Coulson war klar, daß er Levine nur schwer vom Handel abhalten könnte, wenn dieser irgendeinen neuen Weg ausfindig machen würde, um seine Insiderinformationen umzusetzen.

Auch bei diesem Telefongespräch wies Levine darauf hin, seine Kontakte in der Aufsichtsbehörde hätten ihm gesagt, die SEC-Ermittlung würde im Sande verlaufen. Weder die Bank-Leu-Manager noch Pitt und Rauch wußten, ob Levine wirklich Quellen bei der SEC besaß. Sollte dies tatsächlich der Fall sein, waren sie nicht besonders präzise, da er keinen Hinweis auf eine Änderung der Strategie erhalten hatte. Wesentlich wahrscheinlicher war jedoch, daß die Wall Street-Gerüchteküche, die Levine jahrelang so erfolgreich angezapft hatte, nun in den verschiedenen Brokerhäusern alle möglichen Versionen über die SEC-Ermittlungen produzierte. Allerdings mußten die Anwälte und die Bankmanager sehr wohl auch die Möglichkeit ins Kalkül ziehen, daß Levine einen Informanten innerhalb der Behörde hatte, der aber über die Bank-Leu-Ermittlung nicht auf dem neuesten Stand war.

Am 26. Februar um 10.30 Uhr hatte Dennis Levine einen Termin bei Ivan Boesky in dessen Büro im 35. Stockwerk des Gebäudes 650 Fifth Avenue. Die Bank Leu hatte Levine einen Handelsstopp oktroyiert, doch der Investmentbanker wollte auf keinen Fall alle seine wertvollen Informationen brachliegen lassen. Sein Insiderring funktionierte nach wie vor; einige Hinweise hatte er an Boesky weitergegeben. Zuletzt hatte er ihm über Pläne zu einer kapitalmäßigen Neustrukturierung der FMC Corporation berichtet, des riesigen Maschinen- und Rüstungszulieferers mit Hauptsitz in Chicago.

Das FMC-Management hatte sich Ende 1985 mehrmals mit seinen Investmentbankern von Goldman, Sachs & Co. getroffen. Bei diesen Besprechungen ging es um die Möglichkeit einer Umstrukturierung der Eigenmittel. Dadurch sollte verhindert werden, daß das Unternehmen Ziel eines feindlichen Übernahmeangebotes würde. Durch seinen Job bei der Investmentbank erfuhr David Brown im Januar vertrauliche Einzelheiten des Plans, den FMC möglicherweise verfolgen würde, nämlich Aufkauf eigener Aktien von externen Aktionären zum Marktkurs plus Agio und Aufstockung des Anteils an Belegschaftsaktien. Brown gab die Information an seinen Freund bei Shearson Lehman Brothers, Ira Sokolow, weiter, der sie Levine zuspielte.

Mitte Februar war dieser Plan so ausgereift, daß Levine die Information an Boesky weiterleitete. Er sagte ihm, FMC beabsichtige, Aktien im Markt mit Agio aufzukaufen. Zwischen dem 18. und 21. Februar kaufte Boesky 95 300 FMC Aktien; am 21. gab der Verwaltungsrat des Unternehmens bekannt, daß das Unternehmen sein Eigenkapital umstrukturieren wolle. Als Boesky sein Aktienpaket am selben Tag verkaufte, war der Kurs pro Aktie um fast 11 Dollar gestiegen. Sein Kursgewinn betrug 975 000 Dollar.

Der Kursanstieg innerhalb dieser drei Tage resultierte nicht ausschließlich aus Boeskys Käufen. Auch andere Käufer hatten sich auf die Aktien gestürzt, so daß FMC die Konditionen des Aktienaufkaufs verbessern mußte: Den externen Aktionären wurden 80 Dollar je Stammaktie statt der beabsichtigten 70 Dollar angeboten. Im Laufe des Frühjahrs gab das Unternehmen bekannt, daß es zur Bezahlung des höheren Übernahmekurses weitere 225 Millionen Dollar aufnehmen müsse.

Gemäß ihrer Abmachung schuldete Boesky Levine fünf Prozent

seines Kursgewinns aus dem FMC-Geschäft, also knapp 50 000 Dollar. Für Levine bedeutete das nicht viel mehr als ein Taschengeld, von dem er auch noch einen Teil an Sokolow weitergeben mußte, der davon Brown zu bezahlen hatte. Levine wußte, daß er über sein Konto bei Bank Leu zwanzigmal soviel gemacht hätte. Je mehr Levine darüber nachdachte, desto fester wurde seine Entschlossenheit, erneut einzusteigen, auch wenn er gegenüber Reich von der Verworfenheit von Insider Trading gesprochen hatte. Levine hatte sich zwei neue Strategien ausgedacht, um wieder ins Geschäft zu kommen. Bei der einen war Bank Leu im Spiel, bei der zweiten Ivan Boesky.

Der unwiderstehliche Drang, Aktiengeschäfte zu machen, war stärker als das Gefühl der Vorsicht. Levine hatte in diesem Winter allen Grund zur Vorsicht. Im Februar erzählte er Wilkis, daß Pletscher einmal das Wort »Immunität« herausgerutscht sei. Levine vermutete, daß die Bank einen für sie günstigen Kompromiß mit der SEC auszuhandeln versuchte oder daß eine solche Möglichkeit zumindest von den Anwälten erwähnt worden sei. Levine unterstrich gegenüber Wilkis erneut die Notwendigkeit von »Fluchtgeld«. Es gäbe noch eine weitere Möglichkeit, wie man mit dem Problem fertigwerden könnte.

»Vielleicht fahre ich in die Schweiz, um sicherzustellen, daß Bernie Meier den Mund hält«, erklärte er Wilkis an einem Februarabend. »Ich hab mir überlegt, wie ich ihn zum Schweigen bringen kann.«

Wilkis wurde bleich. Obwohl er sicher war, daß sein Freund einen Witz machte, erschreckten ihn derartige Äußerungen über Gewaltanwendung. Er sagte in scharfem Ton: »Ich will nichts mehr davon hören. Sag so was nicht noch einmal.«

Obwohl die SEC-Ermittlung Levine sehr beunruhigte, konnte er seinen Drang, Aktiengeschäfte zu machen, nicht unterdrücken. Geldgier bestimmte sein Leben. Mittlerweile hatte er sich angewöhnt, in den teuersten Restaurants zu speisen und Unsummen für seine Wohnung auszugeben. Sein Sohn Adam besuchte den besten Kindergarten von ganz New York. Aber er hatte auch eine gute Portion Arroganz entwickelt. Levine hielt sich für klüger als die SEC-Anwälte, die ihm seit Ende August auf der Spur waren. Die Genugtuung, die ihm heimliche Triumphe bereiteten und die Aussicht, die SEC auszutricksen, konnten vielleicht das ständige Gefühl der Angst kompensieren, es in der harten Wirklichkeit nicht zu schaffen. Trotz seiner spektakulären Erfolge zeigte Levine nämlich keine schöpferische Kraft im Investmentbanking. Sein Status als Star stand auf wackligen Beinen. Anfang Februar erhielt sein Selbstwertgefühl einen schweren Schlag: Martin Siegel, einer der Hauptarchitekten moderner Übernahmestrategien, würde bei Drexel Burnham einsteigen. Diese Nachricht erschütterte Levine zutiefst. Siegel besaß alle Voraussetzungen, um erfolgreich zu sein – viele Eigenschaften, die ihn zu einem geborenen Star machten. Im Sommer 1984 hatte Siegel tatsächlich auf Drexels Liste von »Stars« gestanden; damals hatten sie statt dessen Levine eingestellt. Man hielt es bei Drexel für einen gelungenen Coup, Siegel von Kidder, Peabody & Co. wegzulocken. Levine empfand es als eine echte Bedrohung.

Levine hatte seinen Arbeitgeber nicht etwa enttäuscht. Die Unternehmensleitung bei Drexel hielt nach wie vor große Stücke auf seinen Beitrag zum Wohlergehen des Unternehmens. Doch die Chance, Siegels Ruf als Dealmaker zu koppeln mit Drexels außerordentlichen Fähigkeiten, Finanzierungsmittel aufzubringen, übte auf Fred Joseph und seine Kollegen in der Unternehmensleitung von Drexel einen unwiderstehlichen Reiz aus.

Während seiner fünfzehn Jahre bei Kidder-Peabody hatte sich Siegel den Ruf eines äußerst fähigen Beschützers von Unternehmen erworben, die nicht übernommen werden wollten. Diesen Bereich betrachtete Dennis Levine bei Drexel als seine Domäne. Was aus Levines Sicht das Ganze noch verschlimmerte, war die Tatsache, daß Siegel als Mitleiter des M&A-Bereichs eintrat, was bedeutete, daß er gleichberechtigt neben David Kay und Leon Black rangierte. Man erzählte sich bei Drexel, daß Siegels Gehalt und Bonus im ersten Jahr mehr als zwei Millionen Dollar betragen würden.

Seitdem Levine vor einem Jahr bei Drexel angefangen hatte, fühlte er sich auf gleicher Ebene mit den bekannten Namen im M&A-Bereich an Wall Street. Als Bestätigung seines Standings sollte er im März an einem zweitägigen Seminar zusammen mit Siegel und Bruce Wasserstein, dem Mergers-Chef von First Boston, teilnehmen. Nun würde Siegel nicht gleichberechtigt, sondern als sein Boß auftreten. So wie Levine bereits bei Lehman Brothers befürchtet hatte, von Tom Hill in den Schatten gestellt zu werden, erzählte er nun Wilkis und

Reich von seinen Ängsten, daß sich Siegel bei Drexel in den Vordergrund schieben und auch alle wichtigen Kunden an sich reißen würde.

Der Februar brachte auch für Harvey Pitt und Michael Rauch Frustrationen. Die Verhandlungen über eine schriftliche Vereinbarung mit der SEC erwiesen sich als schwierig. Die wichtigste Frage blieb offen: Würde es die bahamanische Regierung zulassen, daß die Bank den Namen ihres Kunden preisgibt?

Die Bank hatte zwei Anwälten aus Nassau, Michael Barnett und Claire Hepburn, den Auftrag erteilt, bahamanisches Recht zu prüfen und zusammen mit Pitt und Rauch eine Strategie auszuarbeiten, wie die Regierung in Nassau zur Frage der Preisgabe eines Kundennamens am besten anzusprechen sei. Das Gesetz über das Bankgeheimnis schien eine solche Preisgabe zu verbieten, doch eine der Aufgaben eines cleveren Anwalts besteht darin, Ausnahmen zum Gesetz zu konzipieren.

Das SEC-Team bestand auf einer Klausel in der schriftlichen Vereinbarung, wonach die Behörde das ganze Arrangement platzen lassen könne, wenn die Bank nicht den Namen des Kunden preisgebe. Pitt und Rauch argumentierten, daß die Bank wegen der Unsicherheit der Rechtslage in Nassau Immunität erhalten sollte, sofern sie sich in gutem Glauben um die Zustimmung der bahamanischen Regierung bemüht habe. Ende Januar und Anfang Februar wurden mehrere Entwürfe der Vereinbarung geschrieben, von denen einige die oben genannte Klausel enthielten, andere nicht.

Ende Januar war die Prüfung der Unterlagen zu Levines drei Konten abgeschlossen und die Ergebnisse in einem bemerkenswerten achtseitigen Papier zusammengetragen. Es enthielt die Namen, Anzahl und Anschaffungskosten aller von ihm gekauften Aktien, den Verkaufskurs, Kursgewinne und Kursverluste.

Aus Sicherheitsgründen bezeichneten die Banker, Anwälte und Mitarbeiter Levine noch immer nicht mit seinem richtigen Namen. Seit der Besprechung mit der SEC am 17. Dezember sprachen diejenigen, die nun Levines geheimes Leben auseinandernahmen, von ihm nicht mehr als Diamond oder Mr. X, sondern als Moby Dick. Die Auflistung seiner Aufträge trug die Überschrift PROFITS MOBY DICK.

Alles in allem hatte Levine Aktien und Optionen von 114 verschiedenen Unternehmen gekauft – angefangen mit Dart Industries am 5. Juni 1980 bis MidCon Corporation am 9. Dezember 1985. Er hatte bei 71 Unternehmen Kursgewinne in Höhe von 13 610 897,49 Dollar erzielt. Den Löwenanteil hatte er dabei in den letzten zwölf Monaten seiner Handelsaktivitäten verdient, der größte Kursgewinn war Nabisco Brands mit 2 694 421,26 Dollar.

Er verlor Geld bei 43 Aktien, weil geplante Transaktionen nicht durchgeführt wurden oder seine Informationen unvollständig waren. Die Kursverluste betrugen insgesamt lediglich 2 052 300,52 Dollar. Den größten Verlust, nämlich 274 718,74 Dollar, verzeichnete er, als 1984 ein Angebot zum Kauf der Southland Corporation fallengelassen wurde. Sein Nettokursgewinn auf die 114 Aktien betrug 11 558 596,97 Dollar.

Zusammen mit den üblichen Bankzinsen war aus den ursprünglich bei Bank Leu eingezahlten 168 900 Dollar die gewaltige Summe von 12,6 Millionen Dollar geworden.

Aus den Kontounterlagen die Aufträge herauszusuchen und aufzulisten, war vergleichsweise einfach. Doch danach mußte der Name auf sämtlichen Auftragsformularen und Bestätigungen jedes einzelnen Kaufes und Verkaufes unkenntlich gemacht und die Unterlagen kopiert werden. Ein einziger Aktienauftrag konnte zehn oder mehr Formulare bedeuten, da Meier ihn auf viele verschiedene Makler verteilt hatte. Außerdem mußten die Depotunterlagen von Pletscher, Meier und Fraysse kopiert und Bankakten über einen Zeitraum von nahezu sechs Jahren nach Unterlagen durchforstet werden, die für die Ermittlung relevant waren.

Mittlerweile arbeiteten vier Anwaltsgehilfinnen von Fried-Frank in Nassau. Außer den beiden früheren gehörten nun Erna Bongers aus dem New Yorker Büro und Allison Fraser aus dem Washingtoner Büro zum Team. David Hardison, ein aufgeweckter junger Anwalt, der noch kein volles Jahr in der Kanzlei arbeitete, überwachte die Arbeit. Der Salon der für Pitt und Rauch reservierten Suite mit zwei Schlafzimmern war in ein Büro umfunktioniert worden. Es gab einen Kopierer, und überall standen Kartons mit Unterlagen herum.

Pitt und Rauch versuchten noch immer, wobei ihnen Schaad und andere leitende Angestellte der Bank Leu behilflich waren, Meier dazu zu bringen, schriftlich zu bestätigen, daß er vor der SEC aussagen würde. Die Aussage war ein wichtiger Bestandteil der Vereinbarung, aber Meier zögerte nach wie vor, wobei er sich auf den Rat seines Schweizer Anwalts berief.

Meier stand den Verhandlungen mit der amerikanischen Aufsichtsbehörde äußerst skeptisch gegenüber. Er glaubte nicht, daß er von der SEC oder der Bank fair behandelt werden würde, selbst wenn er sich zur Aussage bereit erklärte. Außerdem lehnte er es nach wie vor ab, einen Kunden fallenzulassen.

Mitte Januar rief er Pletscher in Nassau an und redete auf ihn ein, er solle sich einen eigenen Anwalt nehmen: »Du wirst deinen Job und deine Karriere verlieren. Bank Leu International wird dich rausschmeißen. Du solltest dir Rechtsbeistand von außen holen, von jemandem, der dich vertritt.«

»Die Hauptverwaltung hat mir zugesichert, daß ich gut behandelt werde und man mich nicht fallenläßt«, erklärte Pletscher. Sie hätten ihm gesagt, führte er weiter aus, daß sie ihn unterstützen würden, wenn er kooperierte.

»Du bist dumm«, fuhr ihn Meier an. »Du mußt dir einen eigenen Anwalt nehmen und ein schriftliches Versprechen der Bank verlangen.«

»Nach neunzehn Jahren glaube ich, was die Hauptverwaltung sagt«, erwiderte Pletscher.

Mitte Februar war der Punkt erreicht, wo ein Fortschritt in den Gesprächen mit der SEC entscheidend davon abhing, daß Meiers schriftliche Bereitschaft zur Ausssage vorlag. Mitglieder der Unternehmensleitung der Bank in Zürich versprachen Meier, daß sein Arbeitsplatz und seine Karriere gesichert seien, wenn er kooperieren würde. Wenn nicht, würde es die amerikanische Aufsichtsbehörde ablehnen, so wurde Meier gesagt, ihm Immunität zu gewähren, und er würde wahrscheinlich von der SEC wegen Insider Trading verklagt. Es nutzte nichts: Meier weigerte sich, zu kooperieren.

Die Handelsunterlagen und der Name des Kunden würden für das von der SEC und der US-Bezirksanwaltschaft gewünschte Verfahren nicht ausreichen. Die Behörde brauchte einen Zeugen mit gutem Gedächtnis, der erklären könnte, wie der Kunde die Aufträge plaziert hatte und welche Anzeichen es gegeben haben könnte, daß die Aufträge auf Insiderinformationen beruhten. Man benötigte einen Zeugen, der aus den nüchternen Fakten eine den Richter und die Jury überzeugende Geschichte machen konnte, falls dies erforderlich würde. Meier wäre genau der richtige, doch nun mußte man jemand anderen finden.

Ein naheliegender Ersatz war Bruno Pletscher. Jean-Pierre Fraysse arbeitete nicht länger für die Bank, und außerdem hatte er ohnehin nur wenig persönlichen Kontakt mit Levine gehabt. Richard Coulson wußte über Levines Handelsaktivitäten nur indirekt Bescheid. Dagegen hatte Pletscher Levine bei der Depoteröffnung betreut und anfänglich auch seine Aufträge ausgeführt. In den letzten Jahren war er häufig für Meier eingesprungen und außerdem an der Ausarbeitung des Täuschungsmanövers intensiv beteiligt gewesen.

Doch da Pletscher sich bei den Gesprächen mit den Anwälten stets im Hintergrund gehalten hatte, wußte niemand so recht, was für einen Zeugen er wohl abgeben würde und ob er zur Aussage überhaupt überredet werden könnte. Pletscher war ohne Zweifel intelligent, hatte aber nicht Meiers sicheres Auftreten und dessen Ausstrahlung. Gary Lynch hatte sich stets dagegen gewehrt, daß Meier in das Arrangement einbezogen würde, er nannte dies eine »bittere Pille«. Jetzt stimmte es ihn zufrieden, daß die SEC nach dessen Ausstieg gegen ihn vorgehen konnte. Andererseits beunruhigte ihn die Tatsache, daß er einen Kronzeugen verloren hatte, und es war fraglich, ob Pletscher diese Aufgabe übernehmen würde.

Am 16. Februar flog Pletscher nach Zürich, um eine Woche lang mit einigen Freunden in Davos Skiferien zu machen. Dort kontaktierte ihn Bank Leu. Pletscher erfuhr, daß ihn die Anwälte der Bank, einschließlich Hans Peter Schaad sowie Harvey Pitt, sofort in London sprechen müßten. Bernie Meier sei ausgestiegen, und Pletscher müsse für ihn als Kronzeuge einspringen.

Davos liegt etwa zwei Autostunden von Zürich entfernt. Einer von Pletschers Freunden willigte ein, ihn nach Zürich zu fahren, damit er dort ein Flugzeug nach London nehmen konnte. Als sie aus Davos abfuhren, schneite es bereits heftig. Auf halber Strecke nach Zürich gerieten sie in einen Schneesturm, bei dem innerhalb von zwei Stunden 15 Zentimeter Schnee fielen und der Verkehr total zum Erliegen kam. Selbst für Schweizer Verhältnisse war dies ein außerordentlich starker Schneesturm. Pletscher und sein Freund brauchten für die Fahrt nach Zürich sechseinhalb Stunden.

Da Pletscher das letzte Flugzeug nach London verpaßt hatte,

mietete er sich in einem Hotel ein, um dann die erste Maschine am nächsten Morgen zu nehmen. Er rief Meier in dessen Wohnung an.

»Ich habe gehört, du bist ausgestiegen«, sagte Pletscher.

»Sie haben mich dazu gezwungen«, erklärte Meier.

»Was meinst du damit?«

»Ich hatte nicht genügend Zeit, um mich zu entscheiden. Sie haben mir gesagt, ich müßte eine Einwilligung unterschreiben, daß ich aussagen würde. Harvey hat das verlangt. Aber ich will nicht hineingedrängt werden, deshalb habe ich nein gesagt.«

Pletscher erzählte Meier, daß die Bank wünsche, er solle die Abmachung an Meiers Stelle unterschreiben. Wie bereits einen Monat zuvor warnte Meier Pletscher, daß er einen Fehler mache und seine Karriere auf Anraten von Anwälten riskiere, die an seiner Zukunft keinerlei Interesse hätten. Aufgrund der Publicity würde seine Karriere auf den Bahamas und wahrscheinlich im Bankfach überhaupt zu Ende sein, fuhr Meier fort. Aber Pletscher erklärte erneut, daß er an die Versprechungen glaube, die ihm die Bank hinsichtlich der Sicherheit seines Jobs gemacht habe.

Im Gegensatz zu Meier, der gerade seine Rückkehr nach Zürich vorbereitete, als die Ermittlung losging, wollte Pletscher noch einige Jahre in Nassau bleiben. Er hatte schließlich den langersehnten Posten erhalten und brauchte nun Zeit, um sich in der neuen Aufgabe zu entwickeln. Außerdem war aus dem Verhältnis mit Sherrill Caso tiefe gegenseitige Zuneigung geworden; die beiden wollten heiraten, und Sherrill, die von den Bahamas stammte, zögerte, von dort wegzugehen.

Es gab noch weitere Unterschiede. Pletschers Aufstieg innerhalb der Bank vom Lehrling zum Manager hatte ihm ein tiefes Gefühl der Dankbarkeit und Loyalität eingeflößt. Er hatte keinen Grund für die Annahme, das System, das ihn getragen hatte, solange er Anordnungen gehorsam ausführte, würde ihn nicht beschützen. Als die Hauptverwaltung ihm versicherte, daß sein Arbeitsplatz sicher sei, wenn er kooperiere, glaubte er dies.

Doch das Telefongespräch mit Meier ließ bei Pletscher Zweifel aufkommen. Er hatte Angst, benutzt und dann geopfert zu werden, wenn nicht der SEC, dann der bahamanischen Bankaufsicht oder der Eidgenössischen Bankenkommission.

Der am Vortag gefallene Schnee lag am nächsten Morgen noch

immer. Pletscher fuhr mit dem Bus von der Zürcher Innenstadt zum Flughafen und stieg in das Flugzeug. In London traf er Pitt, Rauch und Michael Barnett, den bahamanischen Anwalt. Es stellte sich als schwieriges Unterfangen heraus, Pletschers Einwilligung zur Zeugenaussage zu bekommen. Den Anwälten kam Pletschers Neigung zugute, sich an die Äußerungen seiner Vorgesetzten zu halten, sowie seine grundsätzliche Ehrlichkeit. Schwierigkeiten bereitete ihnen Pletschers Abneigung, irgendwelche Einzelheiten über ein Kundenkonto preiszugeben, sowie seine Angst, daß er aufgrund der Publicity des Falles vielleicht nicht in Nassau bleiben könnte.

Pitt war der Wortführer. Geduldig versicherte er dem Schweizer Banker immer wieder, daß es für die Bank und für Pletscher am besten sei, die Wahrheit zu sagen. Dabei wies er erneut darauf hin, daß die Bank versprochen habe, was auch immer im Anschluß an den Fall geschehen sollte, die Zentrale würde ihm helfen, wieder auf die Beine zu kommen. In dem Versprechen der Bank, Pletscher zu helfen, wenn er kooperierte, lag die versteckte Drohung, daß er seinen Job verlieren würde, sollte er sich weigern, auszusagen.

»Die Publicity kann furchtbar werden«, erklärte Pitt. »Aber wir werden unser Bestes tun, um sie in Grenzen zu halten.«

Letztendlich wurde Bruno Pletscher von Harvey Pitt überzeugt, daß die beste Chance, aus der Ermittlung ohne Schaden für seine Karriere oder sein Selbstwertgefühl herauszukommen, darin bestand, mit den Anwälten der Bank, mit der Unternehmensleitung in Zürich und den amerikanischen Behörden zusammenzuarbeiten.

Pletscher sollte einen wesentlich besseren Zeugen abgeben, als sich irgend jemand damals in London erträumt hätte. Seine Entscheidung an diesem Tag hatte nachhaltige Auswirkungen auf viele Bereiche.

19. Kapitel

»Ein genialer Plan«

»Offensichtlich verläuft die SEC-Ermittlung doch nicht so im Sande, wie ich gedacht habe. Ich bin hergeflogen, um Ihnen dies mitzuteilen.«

Levine saß vornübergebeugt im Sessel, seine Ellbogen auf den Konferenztisch gestützt. Sein Gesicht war ernst. Pletscher und Coulson schauten sich bei dieser Äußerung erstaunt an. Monatelang hatte Levine erklärt, die Ermittlung wäre bald abgeschlossen, die SEC würde das Lügengebäude ohnehin nicht durchschauen, und es bestünde eigentlich gar keine Gefahr. Er schien keinerlei Bedrohung zu spüren. Doch nun, am 7. März, spät am Freitagnachmittag, äußerte Levine plötzlich Bedenken wegen der Ermittlung.

Noch in einem Telefongespräch drei Tage zuvor hatte Levine berichtet, daß die Ermittlung stagniere. »Keine Nachrichten sind gute Nachrichten,« erklärte er damals fröhlich. Jetzt waren die Banker durch die plötzliche Sinneswandlung beunruhigt. Warum änderte Levine nach all diesen Monaten seine Taktik? Verfügte er wirklich über einen Kontakt in der SEC, von dem er erfuhr, was gespielt wurde. Wie würde er wohl reagieren, wenn er wüßte, daß die SEC kurz davor stand, ihn zu schnappen?

Levines Alarmzustand gefährdete den Status quo. Solange Levine glaubte, die SEC stellte keine echte Bedrohung dar, gab er sich mit den Lügen und Halbwahrheiten zufrieden und wollte nicht sein Geld abziehen. Solange er sich von der Ermittlung nicht bedroht fühlte, war dieser Schritt nicht erforderlich.

Aus Banksicht war ein Auszahlungsverlangen das einzige, was ihr Arrangement mit der SEC gefährden konnte, obwohl das Konto nicht offiziell gesperrt war. Doch wenn die Bank sich weigerte, Levines Wunsch auf Auszahlung einer beträchtlichen Summe nachzukommen, würde dies mit großer Wahrscheinlichkeit offenlegen, daß sie mit der US-Aufsichtsbehörde kooperierte. Levine mit der Geschichte abzuspeisen, daß die Rechtsanwälte wünschten, die Bank solle sich bedeckt halten, solange sie versuchten, die Ermittlung abzuschmettern, war die eine Sache, doch ihm den Zugang zu seinem eigenen Konto zu verwehren, war wesentlich gravierender und konnte die ganze Geschichte in ein gänzlich anderes Fahrwasser bringen.

Levine hatte bereits unter Beweis gestellt, daß er sich seinen eigenen Rechtsbeistand suchte, und es war nicht ausgeschlossen, daß er vor einem bahamanischen Gericht um sein Geld prozessieren würde. Nach bahamanischem Bankgeheimnis-Gesetz war es denkbar, daß Levines Anwälte ohne Nennung des Kundennamens eine Klage anstrengen könnten. Um diese Klage abzuwehren, müßte Bank Leu darlegen, warum sie die Auszahlung des Geldes verweigerte. Damit würde die für das Arrangement mit der SEC essentielle Geheimhaltung verletzt, und zugleich wäre jede Möglichkeit zum Teufel, die bahamanischen Behörden inoffiziell um Erlaubnis zu bitten, den Namen des Kunden gegen die Gewährung von Immunität einzutauschen.

Als Levine am Dienstag anrief, um den Termin am Freitag auszumachen, erzählte er, er wolle einen neuen Plan zur Reaktivierung seines Kontos erläutern. Am Telefon bezeichnete er diesen Plan als »sehr clever«. Pletscher äußerte erneut Bedenken und mahnte zur Vorsicht.

Als sich Levine dann nach dem Fortgang der Ermittlungen erkundigte und fragte, ob der Termin für Meiers Zeugenaussage bereits feststünde, antwortete Pletscher: »Die Anwälte verhandeln noch mit der SEC. Alles ist ruhig. Vielleicht verhandeln sie noch eine Ewigkeit. Der ganze Fall könnte eines natürlichen Todes sterben.«

»Keine Nachrichten sind gute Nachrichten«, meinte daraufhin Levine. »Erwarten Sie demnächst irgendeine Antwort von der SEC?«

»Unsere Anwälte haben uns nichts dergleichen angedeutet.«

»Sprechen Sie häufig mit den Anwälten? Reden die häufig mit der SEC?«

»Es ist kein Termin ausgemacht worden«, sagte Pletscher.

»Ich weiß nicht, wann die Anwälte das letzte Mal mit der SEC gesprochen haben. Aber wir werden ganz sicherlich Ende dieser oder Anfang nächster Woche die Anwälte anrufen, um zu fragen, wo wir stehen. Uns mißfällt die ganze Angelegenheit. Wir hoffen, dann ein klareres Bild von der Situation zu erhalten.«

»Ich halte es wirklich für eine Schande, nicht handeln zu dürfen, doch ich respektiere Ihre Ansichten. Wie ich bereits sagte, keine Nachrichten sind gute Nachrichten. Soweit ich das von hier aus in New York überblicken kann, ist alles absolut ruhig.«

Pletschers Ängste hatten sich durch seine Entscheidung, an Meiers Stelle vor der SEC auszusagen, noch verstärkt. Seitdem er wußte, daß er der amerikanischen Aufsichtsbehörde die ganze Geschichte vom Diamond-Depot erzählen würde, fiel es ihm noch schwerer, den Kunden zu belügen.

Coulson hatte das Gespräch an einem anderen Apparat mitgehört. Nach Beendigung des Gesprächs sagte Pletscher zu ihm: »Das ist sehr unangenehm. Es widerspricht völlig unserem Geschäftsgebaren, einem Kunden solchen Unsinn aufzutischen und ihn dermaßen anzulügen.« Coulson nickte zustimmend.

Als Pletscher noch am selben Tag Pitt von dem Gespräch berichtete, ließ er seinem Unbehagen freien Lauf: »Sie sollten sich beeilen. Ich bin es wirklich leid, den Puffer zwischen Ihnen und Diamond zu spielen.«

Drei Tage später, als er Levine im Konferenzraum gegenübersaß, verstärkte sich Pletschers Unbehagen, da er von Levine hörte, was dieser seit ihrem Telefongespräch am Dienstag über die SEC-Ermittlung erfahren hatte.

»Meine Quellen bei der SEC erzählen mir, daß die Ermittler die Liste der Übernahmeaktien auf etwa vierzig erweitert haben«, erzählte Levine. Er zog ein Papier aus seiner Tasche und las die Namen verschiedener Aktien vor, die dazugekommen waren. Es handelte sich um Aktien, die Levine in großem Umfang über Bank Leu gekauft hatte.

»Außer der Erweiterung der Liste haben sie auch den Zeitraum ihrer Ermittlung ausgedehnt. Sie untersuchen jetzt Transaktionen, die Jahre zurückliegen. Die SEC hat mit Anwälten, Investmentbankern und Maklern gesprochen, um etwas über diese Aktien in Erfahrung zu bringen. In dieser Woche haben sie begonnen, bei den Maklerfirmen nachzuforschen, wer diese vierzig Aktien gekauft hat.

Ich weiß, daß einer der Makler, mit denen sie gesprochen haben, Brian Campbell ist«, fuhr Levine fort. »Dieser Kerl war so dumm und hat Aufträge der Bank Leu in großem Stil kopiert. Wenn die SEC bei Maklern und Anwälten nachfragt, heißt das, sie hat keinen blassen Schimmer, wer dahintersteckt.

Jetzt ist es Zeit, all dies zu beenden«, rief Levine emphatisch aus. »Sie sollten mit Ihren Anwälten ausmachen, daß Bernie möglichst bald über die verwalteten Depots aussagt. Und die Bank sollte sich in Schweigen hüllen, um nicht gegen das Bankgeheimnis-Gesetz zu verstoßen. Ihre Anwälte sollten die SEC auflaufen lassen. Geben Sie ihnen ja keine Unterlagen. Bernie soll einfach, wie besprochen, aussagen.«

Pletscher und Coulson versicherten Levine, daß die Anwälte der Bank ihr Bestes täten, um bei der SEC so schnell wie nur irgend möglich voranzukommen. Sie hofften, daß die Aussage innerhalb der nächsten Wochen stattfinden könne.

Pletscher glaubte, daß Levine nun vorsichtig genug wäre, seine Handelsaktivitäten nicht wieder aufzunehmen. Doch da täuschte er sich. Denn obwohl Levine spürte, daß die SEC-Ermittlung eine Bedrohung darstellte, wurde seine Lust, wieder zu handeln, immer größer, bis er dieser Gier nicht mehr widerstehen konnte. Gerade jetzt, wo er auf einem schmalen Grat wanderte und in Gefahr schwebte, spürte er um so mehr Befriedigung, wenn er wieder im Geschäft war. Dies würde beweisen, daß er cleverer, schneller und kreativer als die SEC-Juristen war, die er gegenüber Pletscher und Wilkis als »dumme kleine Angestellte« bezeichnete. Dasselbe tiefsitzende Verlangen nach Anerkennung, das Antrieb seiner Wall Street-Karriere war, motivierte ihn auch in seinen illegalen Geschäften. Je höher die Risiken, desto größer der Gewinn.

Nichts zeigte Levines Psychologie besser als der Name, den er seinem Plan zur Wiederaufnahme der Handelsaktivitäten gegeben hatte. Er nannte ihn »den genialen Plan«.

»Es gibt viele Arten, Geld zu machen, und Sie können ebenfalls Geld machen«, dozierte er gegenüber Pletscher und Coulson. »Ich werde über einen Investmentfonds handeln. Die Bank wird ihn errichten und sich auch daran beteiligen.«

Auch wenn die Einzelheiten noch ausgearbeitet werden müßten, ähnelt der Plan, so erläuterte Levine, im Grunde der Geschichte mit den verwalteten Depots, die für die SEC zusammengereimt worden war. Seine Beschreibung blieb allerdings ziemlich vage, und Pletscher hatte das Gefühl, daß Levine selbst nicht so genau wußte, wie das Konzept funktionieren sollte.

Nach Levines Vorstellungen sollte Bank Leu einen Investmentfonds gründen und in diesen Mittel der Bank zusammen mit Levines Kontobestand einbringen. Die Bank würde ihre Großkunden auffordern, sich an dem Fonds zu beteiligen, doch Levine wäre der größte Anleger und Hauptbegünstigter. Er würde Informationen beschaffen, welche Aktien gekauft werden sollten. Anstatt diese Käufe für Levines panamaisches Unternehmen auszuführen, würden sie über den Investmentfonds getätigt. Die Kursgewinne würden auf die Investoren verteilt, wobei Levine allerdings den Löwenanteil erhalten sollte.

»Je mehr Kunden Sie in den Fonds bringen können, desto breitgestreuter wird das Ganze«, erklärte Levine.

Coulson erkannte, daß der Plan für die Bank viele Gefahren mit sich brächte, und versuchte, Levine hinzuhalten. »Jetzt ist nicht die Zeit, um ein neues System für Aktienaufträge zu installieren. Die SEC beobachtet alle Aktivitäten viel zu genau. Wir wollen uns auf den US-Märkten bedeckt halten.«

Levine blieb hart. Er habe 10 Millionen Dollar auf seinem Konto, doch würde er niemals zwanzig Millionen Dollar sehen, wenn er nicht wieder auf die vertraulichen Informationen handeln könne, die täglich über seinen Schreibtisch liefen. Falls Bank Leu sich weigern sollte, seinen genialen Plan zu akzeptieren, würde er einen Teil seines Geldes, vielleicht sogar alles, abheben und zu einer anderen Bank gehen, zumindest so lange, bis sich die Aufregung bei der Bank Leu gelegt habe.

Als wohlüberlegten Beweis, daß er es mit seiner Drohung ernst meinte, verlangte Levine den Auszug seines International Gold-Depots, dem Nachfolger des Diamond- und des Diamond International-Depots. Als Pletscher ihm eine Kopie des Kontoblattes überreichte, stellte er zu seinem Erstaunen fest, daß Levine das Blatt sorgfältig zusammenfaltete und es in seine Tasche steckte. In fast sechs Jahren war dies das erste Mal, daß Levine irgend etwas von der Bank Leu mitnahm außer 100-Dollar-Scheinen. Er sagte, er würde in ein paar Wochen wiederkommen.

Pletscher und Coulson riefen Michael Rauch in New York an und erzählten ihm, was vorgefallen war. Rauch stimmte mit ihnen überein, daß sich die Lage zuspitzte. Nach Rauchs Auffassung könnte Levine gewinnen, wenn er sein Geld durch Gerichtsbeschluß abheben wollte. Allerdings glaubte er, daß es der Bank erlaubt würde, Levines

Namen als Teil ihrer Verteidigung preiszugeben, und daß Levine aufgrund der Umstände gezwungen sein könnte, die Drohung mit einem Prozeß nochmals zu überdenken. Doch eine solche Konfrontation wünschte niemand bei der Bank. Pletscher und Coulson müßten sich wohl etwas einfallen lassen, um Levine hinzuhalten, ohne eine Auseinandersetzung vom Zaun zu brechen, die vor einem bahamanischen Gericht enden würde.

Meiers Weigerung, zu kooperieren, und die Tatsache, daß Pletscher statt dessen für die Bank aussagen würde, hatten den ganzen Ablauf verlangsamt. Die schriftlichen Entwürfe der Vereinbarung mußten geändert werden: Als Zeuge wurde nun Pletschers Name eingefügt, und Meier wurde von der SEC unter Beschuß genommen. Die Staatsanwälte in New York mußten von der Änderung informiert und eine neue Vereinbarung mit ihnen ausgehandelt werden. Unter der Last dieser mühseligen Kleinarbeit kamen die Verhandlungen, die ohnehin langsam vorangegangen waren, fast völlig zum Erliegen.

Am 10. oder 11. März rief Gary Lynch Pitt an. Lynch war in die Detailgespräche nicht eingeschaltet, aber maßgeblich an der Lösung der wichtigen Fragen beteiligt gewesen. Am Telefon erklärte er nun Pitt, daß die Kommission darauf bestehe, bis zum Sonntag eine Vereinbarung in Händen zu haben. Er hätte seine Leute davon in Kenntnis gesetzt und erwarte nun, daß die Gespräche umgehend abgeschlossen würden, damit man in dem Fall vorankäme.

»Meine Mitarbeiter sind viel zu sehr mit den Verhandlungen beschäftigt, statt sich darauf zu konzentrieren, daß das Arrangement auch zustandekommt«, sagte Lynch zu Pitt. »Ich möchte, daß die Verhandlungen jetzt beendet werden und die Vereinbarung am Sonntag steht.«

Auch vor dem Hintergrund der Neuigkeiten aus Nassau hatte Lynchs Ansinnen die gewünschte Wirkung. Die Anwälte auf beiden Seiten konzentrierten sich auf die wenigen substantiellen Punkte, behandelten sie getrennt und einigten sich innerhalb weniger Tage.

Am Mittwoch, den 19. März, kam Pitt mit den SEC-Anwälten zu einer endgültigen Aussprache zusammen, die bis 22.00 Uhr dauerte. Die Vereinbarung wurde in mehreren Ausfertigungen unterschrieben. Pitt nahm die SEC-Vorladungen im Namen der Bank entgegen. Die »Moby Dick«-Ertragsanalyse war der SEC nicht überreicht worden, doch die SEC-Juristen wußten aus ihren eigenen Recherchen und aus den Gesprächen mit Pitt und Rauch im Verlauf der letzten Wochen, daß der Umfang der Ermittlung gewaltig zunehmen würde, sobald die Bankunterlagen eingereicht wären.

Im Rahmen der Vereinbarung würde Bank Leu sämtliche Unterlagen über den Kunden einreichen, der hinter den Handelsaktivitäten stand, und zwar angefangen von den Auftragszetteln bis zu den bankinternen Depotunterlagen. Die Unterlagen, auf denen sämtliche Angaben unkenntlich gemacht sind, womit der Kunde identifiziert werden könnte, mußten der SEC bis spätestens 7. April zur Verfügung stehen.

Die Vereinbarung sah ferner vor, daß Pletscher eine Woche nach diesem Datum vor den SEC-Anwälten unter Eid aussagen müsse. Dabei hatte er sämtliche Fragen zu beantworten, mit Ausnahme von Fragen nach der Identität des Kunden.

Pletschers Aussage sollte auf den Bahamas, in Kanada oder in Großbritannien stattfinden. Auf diese Weise würde sich die Bank nur beschränkt dem amerikanischen Recht stellen, falls das Arrangement platzen sollte, und die bahamanischen Behörden würden nicht dadurch verärgert, daß die Bank unter die US-Rechtshoheit gestellt würde.

Die SEC ihrerseits willigte ein, gegen die Bank oder ihre früheren und jetzigen Mitarbeiter, mit Ausnahme von Bernie Meier, keine zivilrechtlichen Schritte einzuleiten. Pitts Vorhersage vom Februar hatte sich bestätigt. Die SEC ging gegen Meier als Komplize im Insider Trading-Ring vor.

Die Bank und die durch die Vereinbarung gedeckten Angestellten verpflichteten sich, sämtliche Kursgewinne, die sie durch das Kopieren von Aufträgen dieses Kunden erzielt hatten, dem amerikanischen Staat zurückzuzahlen. Doch willigte die SEC ein, von einer Forderung bis zum Dreifachen der Schadenssumme entsprechend dem Insider Trading Sanctions Act von 1984 abzusehen.

Damit das Arrangement geheim blieb, bis die SEC alles vorbereitet hatte, um auf den Kunden loszugehen, willigte die Bank Leu ein, den Kunden nicht von dem Kompromiß zu informieren und auch ihre Angestellten entsprechend zu instruieren.

Bei der wichtigen Frage, ob die Bank Immunität behalten würde, falls sie nicht den Namen des Kunden preisgeben könnte, setzte sich letztendlich die SEC durch. Allerdings war der Wortlaut in diesem Punkt nach wochenlangen, zähen Verhandlungen eher verschwommen.

In der Vereinbarung hieß es, das »Versäumnis, die Bedingungen zu erfüllen«, mache das Arrangement »null und nichtig«. Die Vereinbarung spezifizierte, daß es als ein Versäumnis auf seiten der Banken angesehen würde, wenn sie sich weigerte, den Kunden zu identifizieren, nachdem sie von einem US-Gericht dazu aufgefordert oder von den zuständigen bahamanischen Behörden Erlaubnis erhalten hatte.

Ob die bahamanische Regierung einwilligen würde, daß der Name des Kunden preisgegeben werden dürfe, war noch immer fraglich. Doch die Wortwahl erfüllte die SEC mit Zuversicht, da es ihr nicht schwierig erschien, von einem US-Gericht einen Gerichtsbeschluß zu erwirken, wonach die Bank den Namen des Kunden offenlegen müsse. Die SEC verfügte über ausreichendes Beweismaterial, daß ein US-Bürger auf den US-Finanzmärkten gegen die Insider Trading-Gesetze verstoßen hatte. Außerdem konnte man sich auf die Präzedenzfälle Santa Fe und St. Joe Mineral stützen. Sollte sich Bank Leu weigern, einem US-Gerichtsbeschluß Folge zu leisten, würde das Arrangement platzen.

Sofern die Behörden in Nassau das inoffizielle Verlangen akzeptierten, würde dies den ganzen Identifizierungsprozeß des Kunden beschleunigen. Sollte Nassau den Vorschlag ablehnen, könnte sich die SEC an ein Gericht in den Vereinigten Staaten wenden und einen Gerichtsbeschluß auf Herausgabe des Namens erwirken. Dies würde zwar länger dauern, aber die jüngsten Präzedenzfälle begünstigten die SEC. Bei Vorlage eines amerikanischen Gerichtsbeschlusses auf Herausgabe des Namens müßte Bank Leu entscheiden, ob sie gegen bahamanisches Gesetz verstoßen und den Kunden identifizieren oder die Vereinbarung platzen lassen und ihre Immunität nach US-Recht verlieren wollte. Beides konnte für Bank Leu International ernsthafte Folgen haben.

Obwohl der Wortlaut der endgültigen Vereinbarung dem entsprach, was Pitt und Rauch von Anfang an erwartet hatten, hing das Ganze nun entscheidend davon ab, daß die Regierung in Nassau zur Mitarbeit überredet werden konnte, damit die Bank rechtliche Auseinandersetzungen in beiden Jurisdiktionen vermeiden konnte.

Ein altes Sprichwort unter Juristen besagt, daß man ein Schriftstück von hinten lesen solle, da das Wichtigste häufig am Ende steht.

Im Fall der Vereinbarung vom 19. März hieß es in einer Anlage zu dem Dokument, daß am 27. Mai 1980 bei Bank Leu ein Konto eröffnet worden sei von »einem amerikanischen Kunden, der zur Zeit als Managing Director bei einer großen Investmentbank mit Sitz in den USA arbeitet. Vermutlich wohnt und arbeitet der Kunde im Southern District of New York«. Der Anhang enthielt Angaben über neun Barabhebungen des Kunden, in Beträgen von 30 000 bis 200 000 Dollar, mit einer Gesamtsumme von 1,3 Millionen Dollar. Levine hatte noch mehr abgehoben, aber bisher waren in den Unterlagen noch nicht alle Abhebungsquittungen aufgetaucht. Allerdings reichten die Beträge aus, um das Interesse der SEC zu bestätigen.

Leo Wang hatte den Namen »Dennis Levine« seit der Textron-Untersuchung vom Herbst 1984 in seinem Gedächtnis unter der Rubrik »Verdächtige Personen« gespeichert. Seit Pitt und Rauch am 17. Dezember mitgeteilt hatten, daß hinter den Aktivitäten einer der Hauptakteure an Wall Street stünde, hatten sich die an der Bank-Leu-Ermittlung beteiligten SEC-Juristen bereits auf zig Namen gestürzt. Die Tatsache, daß im Handel der 28 Aktien nicht immer dieselbe Investmentbank oder Anwaltskanzlei auftauchte, wirkte recht verwirrend.

Wangs Verdacht gegenüber Levine verstärkte sich, als er las, was im Anhang zur Vereinbarung vom 19. März stand. Schließlich arbeitete er als Managing Director bei Drexel Burnham. Eine kurze Überprüfung der SEC-Registrierungsunterlagen ergab, daß Levine in dieser Branche bereits vor dem 27. Mai 1980 tätig war. Nun ist es von einer solchen Nachricht noch weit bis zur Bestätigung eines Verdachts, und ein guter Anwalt würde so etwas nicht bei Gericht vorbringen. Aber immerhin bestand die Möglichkeit, daß Wangs Skepsis aus der Textron-Untersuchung besser begründet war, als er damals vermutet hätte.

Mit diesem Verdacht im Hinterkopf bat er Stuart Allen, Sonderfahnder für die SEC, bei den US-Zollbehörden nachzuforschen, ob Levine jemals deklariert hatte, daß er in die USA mit einer beträchtlichen Summe an Bargeld einreise. Allen ist das Bindeglied der SEC zu Behörden, die strafrechtliche Fahndungen durchführen. Er setzte sich mit der Finanzfahndungsabteilung der Grenzpolizei in Verbindung und bat um Überprüfung von Dennis Levines Computerdaten. Im Anschluß an diese inoffizielle Anfrage schrieb er am 1. April einen offiziellen Brief an Bonnie Tischler, Direktor dieses Bereiches.

Einige Tage später antwortete Tischler mit wenig überzeugenden Ergebnissen. Levine, »der die Person sein könnte, die Ihre Behörde zu identifizieren sucht«, habe auf einem Zollformular im Jahre 1979 angegeben, daß er mehr als 10 000 Dollar auf einem Girokonto in Paris liegen habe. Doch die EDV-Überprüfung ergab keinen Hinweis, daß Levine jemals mit mehr als 10 000 Dollar Bargeld eingereist war.

Wangs Enttäuschung über diese Nachricht hielt sich in Grenzen. Schließlich hatte er auch nicht erwartet, daß jemand, der illegale Insidergeschäfte betreibt, sein Bargeld deklarieren würde. Die Ergebnisse der Nachforschung ließen nach wie vor die Möglichkeit offen, daß Moby Dick Dennis Levine war.

Am 24. März, also gut zwei Wochen nachdem Levine den Bankern zum ersten Mal von seinem genialen Plan erzählt hatte, besuchte er erneut die Bank Leu. Er hatte das Wochenende vor Ostern mit seiner Familie in Florida verbracht und kam nun auf einen kurzen Sprung nach Nassau, um mit den Bankern zu sprechen.

Pletscher und Coulson gingen in den Konferenzraum. Auf dem Weg dahin zuckte der Schweizer Banker vor lauter Anspannung, denn er wußte noch immer nicht, wie er reagieren sollte, wenn Levine die Überweisung seines Geldes auf eine andere Bank verlangte. Ausgerechnet er mußte mit dem wütenden Levine fertig werden. Im Laufe der Jahre hatte er einige kurze Temperamentsausbrüche des Investmentbankers erlebt. Obwohl rational nicht begründbar, hatte Pletscher zunehmend Angst vor Levine. Es waren emotional aufgeladene Zeiten, und unter solchem Streß wird rationales Denken oft durch irrationale Ängste überlagert. Pletscher haßte diesen Zustand, doch bedeutete dies nicht, daß er ihn unter Kontrolle hatte.

Levines erste Forderung warf Pletscher fast um. Levine erklärte, daß er bald eine zweiwöchige Geschäftsreise nach Europa antreten würde und daß er mit Bernie Meier Kontakt aufnehmen wolle.

»Vielleicht habe ich auf meiner Reise etwas Zeit; ich möchte ihn einfach treffen und sehen, wie es ihm so geht«, sagte Levine salopp.

Pletscher lehnte höflich ab. Er erkannte blitzschnell, welch katastrophale Folgen es haben könnte, wenn Levine und Meier zusammenträfen, wo doch Meier ausgestiegen war und kein Hehl aus seiner Unzufriedenheit über die Entscheidung machte, der amerikanischen Behörde die Wahrheit zu sagen. Da Meier zur Zeit auf Reisen sei und bei Freunden und Verwandten wohne, könne er, Pletscher, Levine leider nicht behilflich sein. Der Amerikaner insistierte nicht weiter.

Der zweite Grund für sein Kommen sei die Frage des Bankgeheimnisses. Bereits seit mehreren Wochen hatte er die Bank gedrängt, sich mit seinem Anwalt in Nassau, Hartis Pinder, in Verbindung zu setzen. Levine meinte, die Bank solle Pinder ein Mandat erteilen, daß er die Gesetze zum Bankgeheimnis prüfe, damit einerseits weitere Forderungen der amerikanischen Anwälte nach Unterlagen abgeschmettert werden könnten und sie zum zweiten überhaupt gehindert würden, irgendwelche Unterlagen an die SEC weiterzugeben. Coulson hatte dieses Angebot mehrfach abgelehnt. Daraufhin hatte Levine Pinder gebeten, daß er seine Interpretation der Gesetze schriftlich fixieren solle.

Auf dem Weg zur Bank hatte Levine in Pinders zwei Straßen entferntem Büro vorbeigeschaut, um ein Exemplar des an die Bank Leu adressierten Gutachtens abzuholen. Die Bankmanager kannten sich mit den Vorschriften zum Bankgeheimnis bestens aus. Als Levine nun Coulson und Pletscher Pinders Schreiben überreichte, kam ihnen dieses eher wie eine Drohung vor, als daß sie es als Hilfestellung aufgefaßt hätten.

Wie um die Bedeutung der Geheimhaltung zu unterstützen, kam in dem ganzen Schreiben der Name Levine nicht einmal vor. Statt dessen erklärte Pinder, er würde im Auftrag eines nichtidentifizierten Mandanten schreiben, und zwar wegen einer »hypothetischen Anfrage« einer US-Behörde nach Bankunterlagen, die einen Kunden identifizieren würden. Pinder berief sich auf englisches Common Law und das bahamenische Bankstatut von 1965, um die Ablehnung, irgendwelche Informationen an irgendeine ausländische Behörde ohne Einwilligung des Kunden oder der zuständigen bahamanischen Behörden weiterzugeben, zu begründen.

In dem Schreiben wurde auch Bezug genommen auf ein Gutachten zu einem Bankgeheimnis-Fall aus dem Jahre 1975. Das Gutachten stammte von Sir Leonard Knowles, Oberster Richter des höchsten Gerichts des Landes: »Das Bankgeheimnis ist eine der Säulen dieses Bereiches unserer Wirtschaftsstruktur, deren Zerstörung zum Zusammenbruch der von ihr gestützten Gesamtstruktur führen könnte.«

Das Schreiben endete mit dem Hinweis auf verschiedene strafrechtliche Folgen und Schadensersatzforderungen, mit der eine Bank auf den Bahamas möglicherweise zu rechnen hätte, wenn sie unrechtmäßigerweise Informationen über einen »hypothetischen« Kunden oder dessen Konto weitergeben würde. Als Pletscher und Coulson das Schreiben gelesen hatten, meinte Levine: »Das Ganze soll Ihnen natürlich nur helfen. Falls die Bank irgendwelche Kontounterlagen herausgegeben hat, könnten Sie verklagt werden.« Er machte eine kleine Pause, bevor er hinzufügte: »Ich müßte Sie wahrscheinlich auch verklagen.«

Noch Unheilvolleres als die Angst vor einem Gerichtsprozeß lag drohend über Bruno Pletscher und Sherrill Caso, als sie händehaltend im Wohnzimmer ihres Hauses standen, das in einem ruhigen Außenbezirk von Nassau lag, in dem der Mittelstand wohnte.

Noch vor einigen Tagen war es ein Haus wie viele andere in dieser tropischen Gegend gewesen: Offen für die Sonne, die das ganze Jahr scheint; sie schien durch eine riesige, dreiteilige Schiebetür aus Glas im Wohnzimmer und eine geräumige Sonnenloggia, bekannt als Bahamas-Zimmer, deren Wände aus Screens bestanden und die zwei Glasschiebetüren hatte. Bevor Pletscher vor einigen Monaten eingezogen war, hatte Caso hier allein gewohnt. Sie hatte keine Angst. Als gebürtige Bahamanerin wußte sie, daß Nassau ein Problem mit Eigentumsdelikten hatte, doch wußte sie auch, daß Gewaltverbrechen selten vorkamen. Sie hatte niemals Angst gehabt, jemand könnte durch die Screens oder durch die Glastüren einsteigen, um ihr Gewalt anzutun.

Als sie an diesem Tag Ende März stumm im Wohnzimmer standen, sah das Haus total anders aus. Eine Gruppe von Zimmerleuten hatte gerade die dreiteilige Glastür im Wohnzimmer durch eine gemauerte Wand mit zwei kleinen Fenstern ersetzt. Screens und Schiebetüren in der Loggia waren ebenfalls verschwunden. Das Bahamas-Zimmer hatte nun ganz normale Steinwände, Fenster und eine einzige Tür.

Der Umbau des Hauses in eine Festung spiegelte den fundamentalen Wandel wider, den sie in den vergangenen Monaten am eigenen Leib gespürt hatten. Die dunklen Kräfte, die Pletscher zum ersten

Mal Ende August und September schmerzlich ins Bewußtsein gedrungen waren, berührten mittlerweile jede Facette seines Lebens und, da sie so eng beieinander waren, auch Casos Lebens. Vorbei waren die heiteren Tage auf der Insel, auf der die Hitze den Lebensrhythmus auf ein angenehmeres Tempo herunterschraubt und wo Arbeit, die heute nicht getan wird, eben morgen erledigt wird. Statt dessen kam Druck von allen Seiten; ausländische Gesetze und Rechtsanwälte bestimmten die Regeln; Lügen und Täuschungen schienen ein endloses Labyrinth zu bilden, aus dem es keinen Ausweg gab. Die Anspannungen, Frustrationen und Ängste bildeten ein mächtiges Geflecht von Paranoia, dem sie nun beide ausgesetzt waren.

Damit sich zwei vollkommen rational denkende, intelligente Menschen von irrationalen Ängsten beherrschen lassen, bedarf es einiger wichtiger Elemente. Das ausschlaggebende Element war in diesem Fall, wie übrigens meistens, eine beträchtliche Portion Wahrheit. Tatsächlich stellte Pletscher das kritische Verbindungsglied zwischen Levine und den Handelsaktivitäten dar. Levine selbst hatte in verschiedenen Besprechungen darauf hingewiesen, daß nur vier Leute bei der Bank ihn mit den Geschäften in Verbindung bringen könnten. Ob er es wußte oder nicht, zwei von ihnen – Meier und Fraysse – waren von der Bildfläche verschwunden, und der dritte – Coulson – kannte Levine nur begrenzt. Damit blieb Pletscher übrig. Nachdem Levine permanent mit seinen Quellen innerhalb der SEC angegeben hatte, fürchtete Pletscher, daß diese nun erfahren könnten, was in Nassau vor sich ging, und dies Levine zutragen würden. Wenn er sogar in der Behörde Quellen hatte, wohin würde sein Einfluß noch reichen?

Ein weiteres Element, das Angst erzeugte, war der Druck, der die Wahrheit zu einer dunklen Bedrohung hochstilisierte und verkrüppeln ließ. Pletscher kam es so vor, als hätte er eine Menge Lügen gegen eine andere eingetauscht und im Laufe der Monate Unaufrichtigkeit auf Unaufrichtigkeit gestapelt. Er hatte seine emotionale Orientierung verloren und war daher kaum noch imstande, Reales von Irrealem oder Surrealem zu unterscheiden.

Diese Ängste entwickelten sich langsam, in einem wochenlangen Prozeß, doch beschleunigten sie sich nun durch ein drittes Element – ein bestimmtes Ereignis, das alles Vorhergegangene ins Überdimensionale steigerte. Wie ein Katalysator wirkte auf Pletscher der Tag der Aussage vor der SEC, der näher und näher rückte.

Nachdem Bruno Pletscher zugestimmt hatte, daß er über Levine aussagen würde, waren er und Sherrill Caso überzeugt, daß er sich in Lebensgefahr befände, weil er der einzige Mensch war, der Dennis Levine mit den illegalen Insidergeschäften bei der Bank Leu in Zusammenhang bringen konnte. Wenn Bruno umgebracht wird, so ihre Überlegung, könnte die amerikanische Justiz nicht mehr an Levine herankommen.

Pletscher fing an, ängstlich hinter sich zu schauen, wenn er durch die belebten Straßen im Zentrum von Nassau ging. Er schlief schlecht, warf sich im Bett mit Alpträumen hin und her und wachte beim kleinsten Geräusch auf. Die Angst übertrug sich auf Caso und ihre Sicherheit, und schließlich gestand sie Pletscher, daß sie sich in ihrem eigenen Haus nicht mehr sicher fühle.

»Ich fühle mich äußerst unwohl mit all diesen Screens und Glastüren«, eröffnete sie ihm. »Die vielen Lügen, ich habe Angst, wohin das alles führen soll. Keiner von uns beiden fühlt sich sicher, bis du deine Aussage gemacht hast.«

Also bestellten sie einige Zimmerleute, verbarrikadierten ihr Haus und warteten auf Pletschers Treffen mit der SEC, das für den 14. April in London angesetzt war. Sie hofften, dies würde der erste Schritt aus dem Labyrinth und zurück in ein normales Leben sein.

20. Kapitel

Eine schmutzige Geschichte

Bruno Pletscher kam am Dienstag, den 8. April, in London an und traf sich mit Pitt und Rauch im Savoy Hotel. Bis zur Aussage vor den SEC-Anwälten hatten sie noch eine ganze Woche. Doch diese Zeit der Vorbereitung auf die Konfrontation mit der amerikanischen Aufsichtsbehörde sollte für Pletscher die strapaziösesten und wichtigsten Tage seines Lebens werden.

Zwar war seine Aussage Teil einer Vereinbarung, die in mehrwöchigen, insgesamt freundlich verlaufenden Verhandlungen erarbeitet worden war. Dennoch handelte es sich um ein Verhör, und das Verhältnis zwischen Pletscher und den SEC-Anwälten mußte von Natur aus gespannt sein. Pitt und Rauch erklärten Pletscher, daß eine unbedachte Äußerung gravierende Folgen haben könnte. Unter solchen Umständen auf herausfordernde Fragen antworten zu müssen, ist in jedem Fall beängstigend. Bei Pletscher kam noch hinzu, daß er Mißtrauen gegen das ihm fremde Rechtssystem hegte.

Um ihm zu helfen, die psychologischen Schranken abzubauen, bevor er den bohrenden Fragen der SEC ausgesetzt sein würde, hatten Pitt und Rauch beschlossen, daß Pletscher einige Tage früher nach London kommen solle, damit sie ihn auf das Verhör vorbereiten konnten. Fern von den Ablenkungen in Nassau könnten sie ihn für seine Aussage in der Umgebung präparieren, wo das Ereignis auch tatsächlich stattfinden sollte.

Außerdem gab dies Pitt und Rauch die Gelegenheit, Pletscher als Zeugen kennenzulernen. Da sie ihn bisher noch nicht intensiv befragen konnten, weil sich die Ereignisse dermaßen überstürzt hatten, wußten sie nicht so recht, wie er sich als Zeuge machen und was er sagen würde. Ein guter Prozeßanwalt zeichnet sich dadurch aus, daß er vor Gericht nur solche Fragen stellt, auf die er die Antworten kennt. Michael Rauch hatte sich fest vorgenommen, daß die SEC ihrem Mandanten nur solche Fragen stellen sollte, deren Antworten ihm und Pitt klar waren. Die beiden Bankanwälte verfügten über genügend SEC-Kenntnisse und Prozeßerfahrung, daß sie sich genau vorstellen konnten, welche Richtung die SEC bei ihrer Befragung einschlagen, ja sogar, welche Fragen sie wohl stellen würde.

Darüber hinaus wollten die beiden Anwälte auch unbedingt sicherstellen, daß Pletscher nicht etwa irgendwelche Fakten preisgeben würde, die auf die Identität des Kunden schließen lassen könnten. Denn dies würde die Verhandlungen mit den bahamanischen Behörden gefährden, dem nächsten Schritt in der Auseinandersetzung. Es handelte sich also nicht darum, Pletscher zu ausweichendem oder unaufrichtigem Verhalten zu raten, sondern es ging darum, ihm die Gefahren einer unbeabsichtigten Preisgabe der Kundenidentität klarzumachen.

Nach dem Frühstück, um 7.00 Uhr, fuhren Pletscher, Rauch und Pitt in Fried-Franks Londoner Büro im King's Arms Yard, Nr. 3 im Bankviertel von London. Die Sitzung sollte im Konferenzraum stattfinden, in dem in der folgenden Woche auch das SEC-Verhör durchgeführt werden würde. Diese einfache, aber wirksame Methode praktizierte Rauch häufig, wenn er Zeugen auf das Verhör vorbereitete. Auf diese Weise sollte sich Pletscher mit der Umgebung vertraut machen. Das würde ihm helfen, auch gegenüber den SEC-Anwälten entspannter zu sein. Die SEC-Anwälte verwenden mitunter eine ähnliche Methode für ihre Zwecke: Sie versprechen sich einen Vorteil, wenn sie einen nicht-kooperationsbereiten Zeugen in einer Umgebung verhören, die dem betreffenden fremd und unheimlich ist.

Pletscher war von den schlaflosen Nächten und permanenten Ängsten völlig fertig. Außerdem beschäftigte ihn noch immer die Frage, ob es richtig war, sich zur Aussage bereitzuerklären; und er wußte nicht, ob er die Erwartungen seiner eigenen Anwälte, geschweige denn die der SEC, tatsächlich würde erfüllen können. Bevor die Befragung begann, wollte ihm eine Frage, auf die er noch immer keine Antwort wußte, nicht aus dem Kopf gehen: »Warum mache ich das hier alles?«

Die drei Männer saßen an dem großen rechteckigen Tisch, der in der Mitte des Konferenzraumes stand. Pitt und Rauch hatten beschlossen, daß sie Pletscher in chronologischer Reihenfolge durch

311

seine Aussagen führen wollten. Daher befragten sie ihn zunächst über die verschiedenen Unterlagen, die Levine unterschrieben hatte, als er das Diamond-Konto bei der Bank Leu eröffnete. Sie wollten von Pletscher ganz genau wissen, wie Levine sich bei seinem ersten Besuch in der Bank ausgewiesen hatte, was seiner Meinung nach Levines Position in New York gewesen war, warum Levine sich weigerte, eine Telefonnummer anzugeben, unter der er hätte erreicht werden können.

Während der gesamten Sitzung wurde Levine kein einziges Mal mit seinem wirklichen Namen erwähnt. Pletscher hatte ihn länger als fünf Jahre »Diamond« genannt; diese Angewohnheit war schwer zu ändern. Allerdings wollten die Anwälte dies auch gar nicht, um nicht zu riskieren, daß Pletscher während des SEC-Verhörs plötzlich versehentlich den Namen »Levine« benutzte. In jüngster Zeit hatte Pletscher von Levine gelegentlich auch als »Moby Dick« gesprochen, so daß in ihren Sitzungen beide Pseudonyme verwendet wurden.

Pitt und Rauch gingen nun einen langen Fragenkatalog durch, angefangen mit Levines Verhalten bis zur Frage, was er bei bestimmten Aktienaufträgen gesagt hatte. Wie setzte sich Levine mit der Bank in Verbindung? Welchen Grund gab er an für seinen Kauf von Dart-Aktien? Warum hob er sein Geld immer bar ab? Was veranlaßte Pletscher, Levines Aufträge zu kopieren?

Sofern Pletschers Aussage nicht mit den Bankunterlagen oder einer früheren Aussage übereinstimmte, mußte diese Diskrepanz ausgemerzt werden. Falls Pletscher etwas Wichtiges auslassen würde, könnte dies später seine Glaubwürdigkeit gefährden. Die beiden Anwälte redeten Pletscher gut zu, sich nur ja an jede Einzelheit seiner Geschäftsaktivitäten mit Levine zu erinnern. Besprechungen und Telefonate, die teilweise sechs Jahre zurücklagen, mußten in allen Einzelheiten rekonstruiert werden. Dabei war es außerordentlich wichtig, daß sich Pletscher genau an Levines Worte erinnerte, warum seine Post zur Abholung aufbewahrt werden sollte und warum er sich weigerte, den Bankern eine Telefonnummer zu hinterlassen.

Zusammen mit den von der Bank eingereichten Unterlagen würde die Aussage die Grundlage der SEC-Klage gegen Levine und Meier bilden. Ferner würde sie vom US-Bezirksstaatsanwalt in New York verwendet, um eine Strafanzeige gegen Levine wegen Verdunkelung vorzubereiten – als Konsequenz des versuchten Täuschungsmanövers. Jeder Fehler in Pletschers Aussage würde von Levines Verteidigern zerpflückt und der Staatsanwaltschaft, Pletscher und der Bank um die Ohren geschleudert werden. Dies könnte sowohl in vorgerichtlichen Anhörungen als auch in einem eventuellen Prozeß passieren, bei dem Pletscher als Zeuge auftreten und seine Sicht der Dinge wiederholen müßte. Sollte Pletscher während der unter Eid gemachten Aussage lügen, könnte dies eine Meineidklage gegen ihn zur Folge haben, die durch die Vereinbarung mit der Justizbehörde nicht gedeckt wäre.

Am Abend des ersten Tages hatte Pletscher eine unerbittliche und sehr anstrengende Feuerprobe überstanden. Obwohl es die eigenen Anwälte waren, die ihre Gründe für dieses Vorgehen erläutert hatten, hatte er doch das Gefühl, sehr hart angefaßt worden zu sein. Sie hatten noch nicht einmal ein Viertel der Unterlagen durchgearbeitet. Als Pletscher in sein Hotelzimmer zurückkehrte, fühlte er sich so erschöpft, daß er sofort einschlief und erst beim Weckruf am nächsten Morgen wieder aufwachte. Zum ersten Mal seit mehr als einem Monat schlief er die ganze Nacht durch.

Am Donnerstag stießen Michael Barnett und Claire Hepburn zu ihnen. Sie sollten ihre amerikanischen Kollegen darüber beraten, wie viel Pletscher über die Aktivitäten des Kunden bei der Bank sagen durfte, ohne gegen bahamanisches Recht zu verstoßen. Sherrill Caso kam ebenfalls mit nach London, um Pletscher moralische Unterstützung zu geben. Allerdings durfte sie nicht an den Sitzungen teilnehmen.

Als Pletscher im Januar die Akten der Bank nach relevanten Unterlagen durchforstete, stieß er auf das Memo vom 21. November, das von ihm, Meier, Coulson und Fraysse unterzeichnet war und in dem sie versprachen, Meiers Aussage über die frisierte Version zu untermauern. Trotz der vorsichtigen Wortwahl erschien es wie ein schriftlicher Beweis des Komplotts, Meiers Depotunterlagen zu ändern und der SEC eine Lügengeschichte aufzutischen. Im übrigen wurde impliziert, daß Pitt und Rauch diesem Täuschungsmanöver zugestimmt hätten, was eindeutig nicht den Tatsachen entsprach. Das Memo gehörte zu den Unterlagen, die der SEC ausgehändigt worden waren; ganz sicher würde es bei dem Verhör durch die SEC-Anwälte auf den Tisch kommen. Pletscher wurde von seinen Anwälten intensiv befragt, wie dieses Memo zustande gekommen war.

313

Pletscher fiel es schwer, sich an die früheren Ereignisse zu erinnern, doch die Einzelheiten des Täuschungsplans hatte er noch lebhaft im Gedächtnis, weil die Geschichte gerade erst passiert war und weil sie ihn so stark mitgenommen hatte. Er sah ganz deutlich vor sich, wie er die Fotokopie des Passes in den Reißwolf gleiten ließ und wie Meier dasselbe mit der Unterschriftskarte machte. Doch diesen Sachverhalt Rauch und Pitt zu erzählen, stand auf einem anderen Blatt. Die Hinweise in bezug auf Meier beunruhigten ihn, weil er wußte, daß seine Aussage als Grundlage für einen SEC-Fall gegen seinen Freund und gegen Levine dienen würde.

Doch seit seiner im Februar gegebenen Zustimmung, an Meiers Stelle auszusagen, hatte Pletscher zu Pitt und Rauch Vertrauen gefaßt – wenn auch nicht zu dem System, das sie vertraten. Seine Vorbehalte gegenüber der Aussage entstammten seiner persönlichen Einstellung und spiegelten nicht das Verhältnis zu seinen Anwälten wider. Während der zwei Tage dauernden Befragung nahm sein Vertrauen zu, obwohl er sich verletzt fühlte. Er redete sich ein, daß es für ihn und für die Bank am besten sei, die volle Wahrheit zu sagen. Trotzdem nagten weiterhin Zweifel an ihm, wenn er an die Auswirkungen auf andere dachte und daran, ob er der näherrückenden Konfrontation mit den SEC-Anwälten wohl gewachsen sein würde.

Nach diesem zweiten langen Tag der Befragung gingen Pletscher und Sherrill Caso zusammen zum Abendessen. Dabei redete sich Pletscher seine Sorgen von der Seele.

»Ich komme mir vor wie beim Langstreckenlauf; es ist dermaßen anstrengend, und mein Gedächtnis wird total überstrapaziert«, sagte er zu Caso. »Gestern war ich so müde, daß ich die ganze Nacht durchgeschlafen habe. Stell dir vor, manchmal bin ich mir vollkommen idiotisch vorgekommen, weil ich mich an irgend etwas nicht mehr erinnern konnte. Mir ist gesagt worden, ich darf mir keine Ungereimtheiten leisten, ich muß Dinge sagen, die anderen weh tun werden. Aber ich will niemandem weh tun.«

Caso hat einen starken Willen und den Drang, andere zu beschützen. Im Laufe der letzten Wochen hatte sie Pletscher Stärke gegeben. Das einzige, worauf er sich im Moment freute, war die für Mai geplante Hochzeit. Auch Caso stand der Aussage vor der SEC skeptisch gegenüber. Wie Pletscher war sie keine amerikanische Staatsbürgerin und konnte an Insidergeschäften nichts Illegales finden. Allerdings machte sie sich große Sorgen darüber, welche Auswirkungen die ganze Sache auf die persönlichen und beruflichen Aussichten ihres zukünftigen Ehemannes haben könnte.

»Vielleicht hatte Bernie recht, die Aussage zu verweigern«, sagte sie. »Vielleicht ist das nicht das Richtige, und es wird dir am Ende schaden.«

»Ich habe mich schon oft gefragt, warum ich das mache«, meinte Pletscher. »Aber Harvey und Michael haben mich davon überzeugt, daß es richtig ist. Am besten ist, zu kooperieren und die Wahrheit zu sagen. Das hält mich bei der Stange.«

Als die beiden Anwälte die Sitzungen am Samstag beendeten, hatte Pletscher langwierige und anstrengende vier Tage Verhör hinter sich, in denen annähernd sechs Jahre und einige der fragwürdigsten Dinge seines Lebens behandelt wurden. Der Banker war jetzt nicht nur für seine Begegnung mit der SEC präpariert, er hatte sich darüber hinaus auch als exzellenter Zeuge erwiesen. Mit Hilfe der beiden Anwälte und der Unterlagen über den Aktienhandel sowie Aktennotizen als Gedächtnisstützen hatte sich Pletscher an kleinste Einzelheiten und Gespräche erinnern können, die die SEC davon überzeugen würden, daß sie es mit einem bedeutenden Fall von Insidergeschäften zu tun hatten. Sogar die Tatsache, daß er offensichtlich emotionale Schwierigkeiten mit seiner Aussage hatte, würde zu seinen Gunsten wirken. Zeigte dies doch, daß Bruno Pletscher ein Mann mit Gewissen ist, der ernste Befürchtungen überwinden mußte, um diese schmutzige Geschichte ohne Vorbehalte aufzudecken.

Die SEC-Anwälte sollten am nächsten Tag ankommen. Damit würde für Pletscher die zweite Runde inoffizieller Befragungen beginnen. Es war nämlich vereinbart worden, daß die Anwälte der Behörden Pletscher zwei Tage lang off-record befragen konnten, das heißt, nicht unter Eid und ohne Gerichtsstenograph. Möglicherweise würde die Behörde während der inoffiziellen Sitzung bereits genügend Informationen erhalten, so daß die Aussage unter Eid überflüssig würde oder beschränkt werden könnte. Die Vorgespräche boten die Möglichkeit, den Verlauf der offiziellen Aussage festzulegen. Über diese Art von Geheimsitzung gibt es keine Unterlagen in den Gerichtsakten oder in der Presse, doch sind sie der Schlüssel dafür, daß die tatsächliche Aussage unter Eid reibungslos vonstatten geht und ein übersichtliches Protokoll ergibt.

Am Sonntagnachmittag kamen Paul Fischer, Leo Wang und Peter Sonnenthal in Fried-Franks Londoner Büro. Vierter im Bunde war Charles Carberry, stellvertretender US-Staatsanwalt, der Beweismaterial für strafrechtliche Schritte gegen Levine sammelte.

Die Vereinbarung zwischen Bank Leu und der SEC sah vor, daß die Behörde keine Fragen stellen durfte, aus deren Beantwortung sich die Identität des Kunden ergeben könnte. Die Vorbesprechung diente weitgehend dazu, den Verlauf der offiziellen Aussage zu erleichtern.

Inzwischen hatten die SEC-Juristen die Tausende von Unterlagen der Bank Leu geprüft und erkannt, daß sie es mit einem bedeutenden Fall zu tun hatten, vielleicht dem größten Insiderskandal, der jemals aufgedeckt wurde. Außer wegen des Umfangs der Insidergeschäfte war dieser Fall auch deshalb für die Behörde von außerordentlicher Bedeutung, weil sie hiermit zeigen konnte, daß sie dem Fall trotz raffinierter Täuschungsmanöver und versuchter Verdunkelung auf die Spur gekommen war. Darüber hinaus wußten die Juristen, daß es sich bei dem Insider um eine bedeutende Persönlichkeit an Wall Street handelte, dessen Festnahme die ganze Branche erschüttern würde. Es waren alle Elemente für einen sensationellen, bedeutsamen Fall vorhanden. Nun brannten sie darauf, vorhandene Lücken durch Pletschers Aussagen zu füllen.

Wie sich herausstellte, waren die SEC-Anwälte gar nicht imstande, mit dem Fragenkatalog, den sie an Hand der Unterlagen vorbereitet hatten, alle Lücken zu füllen. Sie wußten einfach nicht genügend, um die richtigen Fragen zu stellen. Nachdem die Bankanwälte Pletscher vier Tage lang befragt hatten, wußten sie Einzelheiten, nach denen die SEC niemals gefragt hätte; dabei handelte es sich um bedeutsame Dinge, die aber ohne ihre Hilfe verborgen geblieben wären. Da es sich jedoch um eine informelle Sitzung handelte, konnten Pitt und Rauch Fragen stellen, um Informationslücken ihrer Gegenüber zu füllen, zum Beispiel über den Brief von John Shad, SEC-Chairman, an den Kunden.

Levine hatte im Dezember Coulson und Pletscher den Brief gezeigt, ihnen aber keine Kopie gegeben. Damit konnte der Brief auch nicht in den Unterlagen enthalten sein, welche die Bank der SEC überlassen hatte. Die Behörde konnte von der Existenz des Briefes also auch nichts wissen, sofern sie nicht bei der Befragung darauf aufmerksam gemacht wurde. Damit war allerdings auch das Risiko verbunden, daß der Brief einen zu starken Hinweis auf die Identität des Kunden enthielt, doch konnte die SEC damit sicherlich überzeugt werden, daß sie es mit einem wichtigen Akteur zu tun hatte – der noch dazu damit prahlte, die SEC an der Nase herumzuführen.

Als Pletscher über verschiedene Einzelheiten des Täuschungsmanövers berichtete und erzählte, wie der Kunde damit angegeben habe, daß er die SEC hereingelegt habe, sagte Rauch: »Bruno, erzählen Sie von dem Brief.« Die Anwälte erfuhren, daß der Chairman ihrer Behörde Moby Dick auf dem Höhepunkt der Ermittlungen einen höflichen Dankesbrief geschrieben hatte.

Bei der Befragung fühlte sich Pletscher durch Leo Wangs Verhalten ausgesprochen irritiert. Es war das einzige Problem während der zweitägigen informellen Gespräche, doch schien es, als könnte dies den reibungslosen Fortgang der Veranstaltung ernsthaft gefährden.

Paul Fischer, Ranghöchster unter den SEC-Anwälten, stellte die meisten Fragen. Pletscher erschien er als ein fairer, vernünftiger Mann, der unter Beachtung der festgesetzten Spielregeln möglichst viele Informationen zu bekommen versuchte. Peter Sonnenthal war zurückhaltend. Die wenigen Fragen, die er stellte, waren höflich und intelligent. Überraschenderweise reagierte Pletscher am positivsten auf Charles Carberry, den wohlbeleibten Staatsanwalt, der erst vor kurzem zum Leiter des Dezernats Wertpapierbetrug in der US-Bezirksstaatsanwaltschaft ernannt worden war, nachdem Peter Romatowski in eine Anwaltskanzlei übergewechselt hatte. Wie Sonnenthal sagte auch Carberry wenig. Aber wenn er den Mund aufmachte, empfand Pletscher seine Frage als klar und direkt. Außerdem war er in Pletschers Augen der humanste und verständnisvollste auf Seiten der Behörden-Anwälte.

Leo Wang war unnachgiebig und hartnäckig, was durchaus im Rahmen der Spielregeln lag. Was Pletscher jedoch störte, war, daß Wang seiner Meinung nach permanent versuchte, ihn entgegen der vereinbarten Spielregeln dazu zu bringen, die Identität des Kunden preiszugeben. Ihm schien es, als drehte ihm der Anwalt die Antworten im Munde herum, wobei er versuchte, aus Pletscher mehr Informationen herauszukitzeln, als dieser bereit war preiszugeben. Obwohl Pletscher nach außen hin ruhig blieb, merkten Pitt und Rauch, daß sich ihr Mandant in die Enge gedrängt fühlte.

Am Montag, dem zweiten Tag der inoffiziellen Sitzung und Pletschers sechstem aufeinanderfolgenden Befragungstag, wurde Pletscher bei Wangs Fragen von Minute zu Minute ärgerlicher. Ihn störte nicht, was er an Information auf die Fragen herausließ, sondern vielmehr der Ton und die Art der Fragen. Pitt bemerkte Pletschers wachsende Verärgerung und ging mit ihm aus dem Konferenzraum. »Bruno«, sagte er beschwichtigend zu seinem Mandanten, »das waren für Sie verdammt schwere Tage, und Wang bedrängt Sie mächtig. Schnappen Sie doch mal ein wenig Luft und beruhigen Sie sich.«

Pletscher befolgte diesen Rat. Draußen überlegte er, ob er in sein Hotel gehen sollte. In der Zwischenzeit erklärten Pitt und Rauch den Anwälten mit beredten Worten, daß sie es weder in der inoffiziellen Befragung noch bei dem Verhör unter Eid, welches am folgenden Tag beginnen sollte, zulassen würden, daß ihr Mandant permanent in die Enge getrieben würde. Pletscher hatte sich durch den Spaziergang etwas beruhigt, doch hielt die gespannte Atmosphäre an, so daß die Sitzung frühzeitig beendet wurde.

Wie Pitt und Rauch erwartet hatten, bestand die SEC auf einem offiziellen Verhör. Im Grunde waren sie durch das, was sie von Pletscher am Sonntag und Montag erfahren hatten, noch viel mehr darauf erpicht, das Ganze als offizielle Aussage unter Eid zu erhalten, denn dies konnte als Beweismaterial verwendet werden.

Am Dienstagmorgen, den 15. April, war der Konferenzraum in Fried-Franks Londoner Büro nahezu voll. Carberry war nach New York zurückgekehrt, zurück blieben Fischer, Sonnenthal und Wang. Die Bank vertraten außer Pitt und Rauch noch Claire Hepburn und David Hardison, der junge Fried-Frank-Anwalt, der die Kopierarbeit in Nassau überwacht und der bei den Vorbereitungen für Pletschers Aussage mitgeholfen hatte. Schließlich gehörte zu der Runde noch die Anwaltsgehilfin Amy Jedlicka.

Um 9.17 Uhr richtete Fischer die erste offizielle Frage an Pletscher: »Schwören Sie, die Wahrheit zu sagen, die ganze Wahrheit und nichts als die Wahrheit?«

»Ich schwöre«, antwortete Pletscher mit fester Stimme.

Am ersten Tag dauerte die Sitzung bis kurz vor 17.00 Uhr. Sie wurde lediglich von einer kurzen Mittagspause und einigen kleinen

Pausen unterbrochen, in denen sich die beiden Antwaltsgruppen jeweils in eine Ecke des Konferenzraums zur Beratung zurückzogen. Die zweite Sitzung begann am Mittwoch um 9.25 Uhr und endete etwa um 18.00 Uhr. Es handelte sich um ein offizielles Verhör. Dieses Mal unterbrachen Pitt und Rauch lediglich, wenn sie Pletscher darauf hinweisen wollten, eine Frage nicht zu beantworten, bzw. um zusätzliche Erklärungen zu diesem oder jenem Punkt zu liefern. Der Kunde wurde stets korrekt als »Mr. X« bezeichnet; die Decknamen wurden nur in Besprechungen verwendet, die nicht mitstenografiert und dem Gericht als Beweismittel vorgelegt wurden.

Fischer übernahm den größten Teil der Befragung. Dies war eine kluge Strategie, da Wangs Verhalten Pletscher nach wie vor irritierte. Die Befragung fand in Englisch statt, so daß Pletscher aufmerksam zuhören mußte, um die Fragen zu verstehen und sie korrekt zu beantworten. Sobald er von Wang befragt wurde, beeinträchtigte seine Verärgerung die Konzentrationsfähigkeit, so daß er seine Antworten mehrfach wiederholen mußte.

Während der zwei Tage erläuterte Pletscher, wie der Kunde das Konto mit Decknamen eröffnete und wie die Fotokopie des Passes sowie die Unterschriftskarte an die erste Akte geheftet wurde. Er sagte, er wisse, daß der Kunde ein amerikanischer Investmentbanker sei, der in New York City lebe. Er skizzierte, wie der Kunde seine Kauf- und Verkaufsaufträge bei der Bank plazierte und wie er Bargeld abhob und es für den Transport in Plastiktüten steckte.

Selbst so dramatische Einzelheiten wie Levines heimliche Reisen nach Nassau wurden in nüchternem, gesetztem Ton abgehandelt.

»Hat Mr. X Ihnen gegenüber erwähnt, wie er von und nach Nassau reiste, um Bargeld abzuheben?« fragte Wang.

»Mr. X erwähnte mir gegenüber, daß er von und nach Nassau häufig auf Umwegen fliegt, und er erzählte uns, daß er verschiedene Fluglinien benutze, umsteige, niemals direkt nach Nassau fliege, immer über andere Routen. Einmal meinte er, daß er erst nach Freeport geflogen sei und von da nach Nassau. Manchmal flöge er sogar erst nach Kanada, um von dort nach Nassau zu gelangen, und für Teilstrecken würde er sich auch schon mal ein Privatflugzeug mieten.«

Pletscher beschrieb seine eigenen Aktivitäten in elf Übernahmeaktien und erwähnte dabei, wie Meier ihm diese Geschäfte angeboten hatte, nachdem er 3700 Dollar bei einem Optionsgeschäft verloren hatte. Schließlich gab er einen detaillierten chronologischen Abriß über das versuchte Täuschungsmanöver: Er erzählte, wie sie die beiden Dokumente in den Reißwolf steckten und den Anwälten Lügengeschichten auftischten, wie der Kunde immer wieder prahlte, daß er mit Leichtigkeit die SEC angelogen und damit frühere Ermittlungen abgewehrt hatte und daß seine Informanten in der SEC ihn über den Stand der jetzigen Ermittlung auf dem laufenden hielten.

Am Mittwochabend schien alles zusammengefügt – die Ermittlung, die durch einen anonymen Brief vor elf Monaten ausgelöst worden war, neigte sich ihrem Ende zu. Der »Kunde ohne Namen« war als Verbrecher entlarvt, der unter Ausnutzung seiner Position 11,6 Millionen Dollar illegale Kursgewinne und eine weitere Million Dollar Zinsen kassiert hatte.

Am nächsten Tag flog Pitt nach Washington zurück. Leo Wang blieb noch einige Tage, um sich London anzusehen. Pletscher und Caso begleiteten Rauch nach Zürich, damit er und der Anwalt der Geschäftsleitung in der Zentrale einen ausführlichen Bericht über die Aussage geben konnten.

Am ersten Abend in Zürich lud Pletscher Caso, Rauch und einige Freunde ein, um das Ende des Fegefeuers, durch das er gegangen war, zu feiern. Sie gingen in sein Lieblingsrestaurant, ein kleines Feinschmeckerlokal mit Namen »Jacky's Stapferstube« und aßen dort, was Pletscher als das beste Kalbsgeschnetzelte in der ganzen Schweiz anpries. Allmählich kehrte Pletschers Lebensfreude zurück. Die Angst um das eigene und Casos Leben schwand. Es wäre ziemlich sinnlos, wenn Levine jetzt noch versuchen sollte, ihn zurückzuhalten, wo doch nun eine Aussage bei den US-Behörden vorlag. Zum ersten Mal seit Monaten brannte Pletscher darauf, wieder an seinen Arbeitsplatz zurückzukehren und weiter an seiner Karriere zu arbeiten, die durch seine Kooperation – dessen war er sicher – nur noch hoffnungsvoller aussah. Er war fest davon überzeugt, daß er die furchtbarste Zeit seines Lebens nun überwunden hatte. Die einzige Unruhe, die er im Moment verspürte, drehte sich um etwas Schönes, nämlich um die zu treffenden Vorbereitungen für die Hochzeit, die in knapp einem Monat stattfinden sollte, und für die Hochzeitsreise, eine Kreuzfahrt in der Karibik.

Fischer und Sonnenthal waren mit Pletschers Aussage hochzufrieden. In Washington unterrichteten sie Sturc und Lynch über das positive Ergebnis ihrer Reise. Das 201 Seiten umfassende Protokoll der Aussage würde erst in einigen Tagen vorliegen. Doch bereits als die beiden Anwälte ihren Vorgesetzten mündlich von der Zeugenaussage berichteten, erkannten Lynch und Sturc, daß die Sitzung ein voller Erfolg gewesen war. Die Einzelheiten waren so spektakulär und schändlich, daß der Fall bestimmt ein wichtiger Schritt im Kampf gegen Insider Trading werden würde.

Während sich drei SEC-Anwälte in London der Aussage unter Eid widmeten, hatte ein vierter SEC-Anwalt, Edward Harrington, weiter an den von Bank Leu eingereichten Handelsunterlagen gesessen. Die von der Bank zur Verfügung gestellte »Moby Dick«-Aufstellung bedeutete zwar eine enorme Hilfe, doch durfte sich Harrington nicht auf die Zahlen verlassen. In tagelanger Kleinarbeit suchte er sich die Händlerzettel für Käufe in bestimmten Übernahmeaktien zusammen, verglich die Daten mit den öffentlichen Bekanntgaben von Übernahmen oder anderen wichtigen Unternehmensereignissen und errechnete daraus schließlich die Gewinne des Kunden. Die ursprüngliche Liste von 28 Aktien war mittlerweile auf 40, dann 50 und letztlich auf 54 oder 55 angestiegen. Diese würden Teil der SEC-Anklage gegen den Kunden sein, obwohl der in insgesamt 114 Aktien gehandelt hatte.

Es machte keinen Sinn, die 43 Verlierer mit auf die Liste zu setzen, die der Kunde gekauft hatte. Ferner gab es da 16 oder 17 Aktien, bei denen der Kunde zwar Gewinne erzielt hatte, doch konnten die Käufe nicht mit einem bestimmten Unternehmensereignis in Verbindung gebracht werden, einer notwendigen Voraussetzung für den Verstoß gegen das Insidergesetz. Der Erfolg des Falles würde jedoch nicht daran gemessen, ob die Zahl der Aktien auf der SEC-Liste nun 54 oder 71 betrug. Die Größenordnung der Geschäfte und der vereinnahmten Kursgewinne von 11,6 Millionen Dollar reichten vollkommen, um an Wall Street eine dramatische Reaktion auszulösen.

Doch zum jetzigen Zeitpunkt war es noch zu früh, um das Ereignis in der SEC-Hauptverwaltung gebührend zu feiern. Die SEC mußte nun alles zusammentragen, damit sie gegen den Kunden ein absolut wasserdichtes Verfahren anstrengen konnte, das auf den Handelsunterlagen und Pletschers unschätzbaren Informationen beruhte. Außerdem mußte die Bank Leu noch von den bahamanischen Behörden die Erlaubnis erhalten, den Namen des Kunden preiszugeben. Dieser Punkt war genauso wichtig, aber weit schwieriger. Sollte dies der Bank nicht gelingen und die SEC gezwungen sein, vor Gericht zu gehen, könnte die Lösung in weite Ferne rücken, und der nichtgenannte Kunde würde inzwischen von der Sache Wind bekommen.

»Es gibt noch eine Menge zu tun. Haupthindernis wird sein, die Bank Leu dazu zu bewegen, offiziell den Namen des Kunden bekanntzugeben«, warnte Sturc.

Aber es gab ein Stück in dem Puzzle, das nicht warten konnte. Als Wang und Sonnenthal vor Pletschers Aussage in London die von Bank Leu zur Verfügung gestellten Aktienhandelsunterlagen sichteten, erhärtete sich Wangs früherer Verdacht, daß es sich bei dem Insider um Dennis Levine handeln könnte. Sein Institut war nämlich in zahlreichen Transaktionen mit von der Partie. Die Art und Weise, wie die Käufe getätigt wurden, schien ihnen ferner dafür zu sprechen daß er – wer auch immer der Kunde war – Informationen von mindestens einer weiteren Person bzw. möglicherweise mehreren erhielt. Damit könnte sich der Fall auf mehrere Personen ausdehnen.

Wang hatte seinen Verdacht bezüglich Levine Sturc und Fischer mitgeteilt. Gleich nach ihrer Rückkehr aus London schickte Fischer einen jungen Bürogehilfen in die SEC-Dokumentation im Keller des Gebäudes. Er sollte die Diskussionsthemen der Roundtable-Gespräche der letzten sechs Monate überprüfen. Falls eines mit Übernahmen zu tun hatte – und dies war der Fall –, sollte er heraussuchen, welche Investmentbanker daran teilgenommen hatten.

Der Bürogehilfe kehrte bald mit einer Liste von Investmentbankern zurück, die an einem Roundtable-Gespräch über »Die jüngsten Entwicklungen im Übernahmebereich« am 26. November 1985 teilgenommen hatten. Einer der Namen auf der Liste war Dennis Levine, Managing Director, Drexel Burnham Lambert.

21. Kapitel

Eine »bankgeschäftliche Beziehung«

Der Water Club ist ein exklusives Fischrestaurant. Es befindet sich auf zwei Hausbooten, die im East River in Manhattan am Ende der 30. Straße liegen. Als Levine Ilan Reich am 24. April anrief, um ihn dort zum Mittagessen einzuladen, meinte er, er brauche unbedingt Reichs Rat zu einem attraktiven Angebot.

Sie saßen an einem Tisch mit Blick über den Fluß. »Ich habe ein Angebot von Ivan Boesky«, erzählte Levine seinem ehemaligen Komplizen. »Ich soll seinen Merchantbank-Bereich leiten. Bei Vertragsabschluß will er mir fünf Millionen Dollar zahlen. Das ist der größte Abschlußbonus, der je an Wall Street gezahlt wurde. Was hältst du davon?«

Als Merchantbanker würde Levine nicht nur Unternehmen in Übernahmefragen und bei Beteiligungserwerb beraten, er würde auch mithelfen, die Finanzmittel für solche Transaktionen aufzubringen. Das würde noch höhere Provisionen mit sich bringen. Vor allem aber faszinierte Levine der Gedanke, daß er mit dem Abschlußbonus von fünf Millionen Dollar an Wall Street Geschichte machen würde. Wenn das bekannt würde, so glaubte er, würde ihn dies an die Spitze der Investmentbanker katapultieren, höher als solche Größen wie Tom Hill und Marty Siegel. Wie er Reich anvertraute, war tatsächlich einer der Gründe, warum er das Angebot ernsthaft prüfte, daß er damit aus Siegels Schatten bei Drexel treten könnte.

Wie Levine im Februar befürchtet hatte, war Siegel umgehend an die Spitze der M & A-Einheit bei Drexel gelangt. Die Spitzenaufträge, die einst Levine vorbehalten waren, wanderten nun auf Siegels Schreibtisch. Levine fühlte sich betrogen und dachte daran, seine Sachen zu packen und woanders hinzugehen, so wie er es seinerzeit angesichts der Enttäuschungen bei Smith Barney und Shearson Lehman Brothers getan hatte.

»Ich werde der Größte in der ganzen Branche sein«, meinte er aufgeregt zu Reich. »Du bist einer der wenigen, denen ich dieses

Geheimnis anvertraue. Ich schätze dein Urteil. Sag, was denkst du darüber?«

Reichs erster Gedanke war, daß zwei ausgeprägte Egozentriker wie Ivan Boesky und Dennis Levine nicht lange in derselben Firma arbeiten könnten. Es bestand wohl kein Zweifel, wer von den beiden gehen würde, wenn es zu dem unvermeidlichen Krach kam. Doch Reich behielt diese Überlegung für sich. Statt dessen riet er Levine, Chancen und Risiken abzuwägen, denn schließlich würde er den sicheren Posten als einer von fünf Managing Directors bei Drexel Burnham aufgeben.

»Gut, es ist noch nichts beschlossen«, erkärte Levine. »Wir verhandeln noch, und das Ganze kann sich auch zerschlagen.«

Obwohl Levine gegenüber Reich nichts erwähnte, hatte er Boeskys Angebot auch mit Wilkis bei einem Lunch im selben Lokal besprochen und diesem ebenfalls die Geschichte mit dem Fünf-Millionen-Bonus erzählt. Er hatte Wilkis gesagt, daß er sich nicht entscheiden könnte, das Angebot anzunehmen, und daß ihn sein Vater gewarnt habe, für Boesky zu arbeiten. »Mein Vater meint, er sei kein anständiger Mensch«, meinte Levine zu Wilkis. »Er sagt, er habe einen schlechten Ruf.«

Levine erzählte weder Reich noch Wilkis, was sich hinter dem enormen Abschlußbonus verbarg: Darin war Levines Gewinnanteil dafür enthalten, daß er die letzten vierzehn Monatte vertrauliche Informationen an Boesky weitergegeben hatte.

Boeskys Firmen hatten mit Hilfe der Insiderinformationen seit Februar 1985 über 50 Millionen Dollar verdient. Levine standen nach ihrer Vereinbarung davon 2,4 Millionen zu, aber er hatte bisher noch keinen Cent kassiert.

Da Boesky die Arbitragegeschäfte mit Anlegegeldern betrieb, unterlag das Ganze strengen Rechnungslegungsvorschriften. Die Bücher wurden regelmäßig von einer externen Wirtschaftsprüfungs-firma geprüft. Unter keinen Umständen hätte er 2,4 Millionen Dollar für Levines Hinweise entnehmen können, andererseits wollte er diese beträchtliche Summer aber auch nicht aus seiner eigenen Tasche zahlen. Daher waren er und Levine auf den Gedanken mit dem Abschlußbonus verfallen. Auf diese Weise konnte der Betrag aus Unternehmensmitteln finanziert und die Gewinnbeteiligung ver-schleiert werden. Allerdings verhandelten sie noch über die Höhe des

Betrages. Levine bestand auf fünf Millionen Dollar, da ihm bereits die Hälfte ohnehin zustand und es darüber hinaus einen echten Anreiz geben müsse, das Stellenangebot anzunehmen. Dagegen wollte Boesky insgesamt nur zwei Millionen zahlen.

Wenn der Betrag in Levines Sinne festgesetzt werden konnte, war das Angebot für ihn ideal. Nicht nur, daß er den ihm zustehenden Anteil tatsächlich ausbezahlt erhielt, sondern er könnte von seinen vertraulichen Informationen auf zweierlei Weise profitieren. Erstens würden die Hinweise auf direktem Weg Boeskys Arbitragegeschäfte zugute kommen; der ihm daraus zustehende Anteil würde Levine in der Rolle eines geschätzten Mitarbeiters des Hauses als rechtmäßige Gewinnbeteiligung zufließen. Mit Boeskys enormem Kapital und Levines goldenen Informationsquellen gäbe es praktisch keine Begrenzung mehr für die Kursgewinne, die sie an Übernahmeaktien verdienen könnten. Die 10,5 Millionen Dollar auf Levines Bank-Leu-Depot würden sich dagegen wie Taschengeld ausnehmen. Der zweite Vorteil lag darin, daß Levine weiter auf eigene Rechnung handeln konnte.

Um das zweite Ziel zu verwirklichen, mußte er sein Geld aus der Bank Leu herausbekommen. Mehrmals rief er Pletscher an, um endlich einen Besprechungstermin zu erhalten, bei dem er dann seinen Vorschlag erläutern würde, sein Geld vorübergehend woanders einzulegen. Pletscher versuchte weiterhin, Zeit herauszuholen, indem er Levine beschwor, bis zum Abschluß der SEC-Ermittlung zu warten.

Im letzten Wintermonat und im Frühjahr 1986 fiel Bob Wilkis auf, daß sich Levines Einschätzung der SEC-Ermittlung fast täglich grundsätzlich änderte. An einem Tag war er voller Zuversicht und prahlte damit, daß er der Bank mit aller Deutlichkeit klargemacht habe, sich an das vereinbarte Täuschungsmanöver zu halten: Sonst würde er sein Geld abziehen und mit einer anderen Bank zusammenarbeiten. Am nächsten Tag war er ganz geknickt und nervös.

Einmal, an einem Aprilabend, holte Levine in seinem Ferrari Wilkis nach der Arbeit ab, und sie fuhren in Richtung Long Island. Als sie mit 225 Stundenkilometern die Long Island Expressway entlangbrausten, schaute Levine zu Wilkis hinüber und meinte: »Bobby, ich habe solche Angst wegen der SEC-Sache.« Wilkis dachte einen Augenblick lang, daß Levine jetzt einen Unfall bauen würde und sie beide tot wären, doch Levine faßte sich wieder und fing an zu erläutern, daß es notwendig sei, einen Plan für den Notfall auszuarbeiten.

Anfang Mai 1986 hatte Levine die Nase voll, immer wieder vertröstet zu werden. Er war fest entschlossen, sein Geld abzuheben. Am 6. Mai flog er auf die Cayman Inseln, wo Wilkis sein Depot unterhielt, und ging in die Filiale von Morgan Grenfell Ltd., der englischen Merchant Bank. Er stellte sich dem Managing Director der Bank, Brian Kieran, als »Robert Gold« vor und sagte, er wollte für seine panamaische Gesellschaft ein Wertpapierdepot eröffnen.

Ähnlich wie er es sechs Jahre zuvor der Bank Leu erläutert hatte, fügte er erklärend hinzu, daß er auf den amerikanischen Aktienmärkten aktiv handeln wolle und daß er seine Aufträge gern per R-Gespräch durchgeben möchte. Er drückte Kieran 5000 Dollar in bar als Anfangsbestand in die Hand und wies darauf hin, sein Anwalt in Nassau werde dafür sorgen, daß in wenigen Tagen mehrere Millionen Dollar überwiesen würden.

Doch fiel die Antwort der Bank anders aus als damals bei Bank Leu. Kieran verlangte Referenzen für Mr. Gold und seine Firma, die International Gold Inc. Dies würde die Bank vor der Eröffnung eines Firmenkontos immer verlangen. Das Ansinnen überraschte Levine, aber er versprach, daß seine Anwälte sich melden und jede gewünschte Auskunft geben würden. Er nannte Kieran Namen und Telefonnummer seiner Anwälte und verließ die Bank. Die 5000 Dollar Einzahlung ließ er da.

Den Tag, an dem Levine auf die Cayman Inseln flog, verbrachten Michael Rauch und Harvey Pitt in Nassau, um die letzten Vorbereitungen für eine Besprechung zu treffen, die den endgültigen Verlauf der SEC-Ermittlung bestimmen und das Schicksal ihres Opfers besiegeln sollte. Am Mittwoch, den 7. Mai, um 15.00 Uhr sollten die Anwälte der Bank und der amerikanischen Aufsichtsbehörde ihren Fall Paul Adderly darlegen, dem einfallsreichen Generalstaatsanwalt der Bahamas.

In der Woche zuvor war den Behörden in Nassau zum ersten Mal etwas von der Bank-Leu-Untersuchung mitgeteilt worden. Die Bank hatte Adderly ein vorsichtig formuliertes Schreiben übermittelt, worin der Hintergrund des Falles erläutert und die Gründe dargelegt wurden, warum die Bank Adderly um die Genehmigung ersuchte, den Namen des betreffenden Kunden der SEC und der Justizbehörde mitteilen zu dürfen. Weil man äußerst darauf bedacht war, Adderly nur ja nicht zu nahe zu treten, trug der Brief Michael Barnetts Unterschrift, also des Anwalts der Bank in Nassau. Dieser bat um einen Termin für ein inoffizielles Gespräch, bei dem die Situation weiter erläutert werden sollte. An diesem Gespräch sollten neben den Anwälten der Bank Gary Lynch teilnehmen, sowie Michael Mann, der SEC-Experte für internationale Angelegenheiten, ferner Lev Dobriansky, der US-Botschafter auf den Bahamas, und ein Anwalt der Justizbehörden.

Am Morgen des 7. Mai trafen sich die SEC-Anwälte und die Bank-Anwälte in Barnetts Kanzlei, um sich über den Ablauf des Gesprächs mit Adderly abzustimmen. Sie besprachen die Argumente, die sie vorbringen, und die Reihenfolge, die sie einhalten wollten. Auch versuchten sie, sich die Antworten auf möglicherweise diffiziele Fragen zurechtzulegen, die Adderly stellen könnte. Kurz vor 12.00 Uhr legten sie eine Mittagspause ein und vereinbarten, sich um 15.00 Uhr in Adderlys Büro zu treffen.

Das Büro des Staatsanwalts befindet sich in dem sieben Stockwerke hohen Postgebäude, einem schmucklosen Beton- und Glasbau, der auf einem Hügel oberhalb von Nassaus geschäftigem Hafen liegt. In den Gängen riecht es stark nach Desinfektionsmittel. Mit einem quietschenden Aufzug fährt man in den dritten Stock zu Adderlys Büro. Im Gang befindet sich ein kleiner, mit einer Holzwand abgetrennter Wartebereich.

Paul Adderly ist ein kleiner, adretter Mann mit angegrautem Haar und sonorer Stimme. Als Mitglied von Premierminister Lynden Pindlings Unabhängigkeitsbewegung wurde er Ende der sechziger, Anfang der siebziger Jahre relativ berühmt. Er ist der erste und einzige Generalstaatsanwalt seit der Unabhängigkeit von Großbritannien im Jahre 1973.

Als Pitt und Rauch kurz vor 15.00 Uhr den Gang entlang kamen, lief Barnett auf sie zu. »Ich habe Sie schon überall gesucht«, stieß er hervor. »Wir haben ein Problem.«

Einer von Adderlys Mitarbeitern habe ihnen soeben klargemacht, daß der Generalstaatsanwalt Pitt und Rauch nicht zur Besprechung zulassen werde, meinte Barnett. Adderly hatte verfügt, daß er nur solche amerikanische Juristen empfangen würde, die für die US-

Aufsichtsbehörde arbeiteten. Auch der Anwalt der Justiz durfte an der Besprechung nicht teilnehmen. Als wenige Minuten später Lynch und Mann, noch nichts ahnend, eintrafen, begegneten sie Pitt, der – fahl im Gesicht – den mit Linoleum ausgelegten Gang auf und ab ging.

»Der Generalstaatsanwalt läßt uns nicht an der Besprechung teilnehmen«, sagte Pitt zu Lynch. »Es wäre ein Bruch unserer Abmachung, wenn Sie ohne uns gehen. Sie müssen uns mit hineinbringen.«

Lynch gelang es jedoch nicht, den Staatsanwalt zu einer Meinungsänderung zu bewegen. Also erklärte er Pitt, seiner Meinung nach müßten Pitt und Rauch dabei sein, aber jetzt müsse es wohl ohne sie gehen.

Daraufhin versuchte es Pitt bei Barnett; der sollte nun Adderly zu einer Meinungsänderung bewegen. Doch auch der bahamanische Anwalt hatte kein Glück. Pitt meinte daraufhin, daß auch Barnett nicht an der Besprechung teilnehmen sollte.

»Ich kann nicht fernbleiben«, meinte Barnett. »Schließlich habe ich den Brief geschrieben und um das Treffen gebeten. Und außerdem muß ich auf dieser Insel weiter als Anwalt arbeiten.«

Den amerikanischen Anwälten bereitete Sorge, wie wohl die Sache der Bank ohne sie dargestellt würde, doch stimmten sie zu, daß Barnett teilnahm. Als die anderen in Adderlys Büro gingen, saßen die beiden Fried-Frank-Anwälte im Wartebereich auf dem Gang.

Nach einigen Minuten stand Pitt auf und erklärte Rauch: »Ich warte hier keine Minute mehr. Der will uns nicht sehen, deshalb gehe ich jetzt in die Bank zurück.« Er packte seine Unterlagen in die Aktentasche und marschierte, zögerlich gefolgt von Rauch, zum Fahrstuhl.

Als sie auf der Freitreppe vor dem Gebäude standen, legte Rauch seinen Arm auf Pitts Schulter und sagte beschwichtigend: »Schau Harvey. Ich weiß, du bist wütend und ich auch. Ich bin wütend über den Generalstaatsanwalt und über Barnett und Lynch. Aber wenn sich irgend etwas ergibt und die beiden herauskommen und uns sprechen wollen, sollten wir zur Stelle sein. Vom Standpunkt der Bank aus ist das das wichtigste Ereignis in der ganzen Ermittlung. Wir sollten über unseren Schatten springen und zurückgehen.«

Genau dies taten sie dann auch. Kaum waren sie zurück, erschien

Barnett mit einem breiten Grinsen in der Tür zu Adderlys Büro. »Ich habe eine tolle Nachricht. Er hat zugestimmt. Wir können den Namen preisgeben. Der Generalstaatsanwalt möchte sich jetzt noch mit Ihnen unterhalten.«

Sie gingen in Adderlys Büro. Adderly erklärte ihnen, daß er sie nicht zu der Besprechung zugelassen habe, weil er keine Einflußmöglichkeit auf ihr Handeln habe. Sie seien weder ihm gegenüber noch dem amerikanischen Staat verantwortlich. Rauch erwiderte, sie seien persönlich enttäuscht über diesen Ausschluß. Pitt schwieg.

Lynch und Mann warteten auf die beiden Anwälte vor dem Gebäude. Die SEC-Anwälte waren außer sich vor Freude über diesen Sieg. Die Mühe hatte sich gelohnt. Ohne einen Tag vor einem amerikanischen oder einem bahamanischen Gericht verbringen zu müssen, erhielt die Behörde den Namen des Kunden. Doch bevor sie den Fried-Frank-Anwälten die Einzelheiten berichten konnten, beschwerte sich Rauch, daß sie allein an der Besprechung teilgenommen hatten.

»Moment mal«, warf Lynch ein. »Ist Ihnen klar, was wir erreicht haben? Wir haben jetzt alles, was wir brauchen, und zwar wir und damit auch Sie. Das ist ein Sieg auf der ganzen Linie.«

Lynch fuhr fort, Adderly habe zugestimmt, daß die Bank den Namen nennen könne, ohne Furcht vor dem Bankgeheimnis-Gesetz. Der Staatsanwalt hätte argumentiert, weil es sich bei den Aktivitäten um Wertpapierhandel, und nicht um traditionelles Bankgeschäft handle, wären diese nicht durch das Bankgeheimnis-Gesetz gedeckt. Im Grunde stellten die Wertpapier-Aktivitäten keine bankgeschäftliche Beziehung dar. Diesen Gedanken hatte Mann am Vormittag vor der Besprechung einmal anklingen lassen. Jetzt brauchte Adderly, nach Aussage von Lynch, nur noch ein kurzes Schreiben, in dem ein unwesentlicher Punkt klargestellt wurde, und sie konnten erleichtert nach Hause fahren.

Als Lynch Pitt und Rauch vorschlug, mit in Barnetts Kanzlei zu gehen, um das Schreiben aufzusetzen, lehnten die beiden ab: »Wir können nichts dazu beitragen«, meinte Rauch. »Wir waren nicht bei der Besprechung, wissen Sie.«

Zwei Stunden später rief Barnett an und bat Rauch und Pitt, das Schreiben durchzulesen, bevor es an Adderly gesandt würde. Die beiden stimmten zu, und er brachte es zur Bank.

Pitt hatte darauf bestanden, Adderly müsse der Bank Leu schriftlich darlegen, daß die Bank ohne Furcht vor einem Gesetzesverstoß
den Namen nennen dürfe. Erst dann sollte Bank Leu der SEC den
Namen preisgeben. Barnett übergab das Schreiben der Bank einem
stellvertretenden Staatsanwalt und erhielt die Mitteilung, daß das
offizielle Genehmigungsschreiben an die Bank Leu am Freitag, den
9. Mai, verfügbar sei. Pitt erklärte Lynch und Mann, daß sie bis zu
diesem Tag auf den Namen warten müßten.

Am nächsten Morgen rief Dennis Levine bei der Bank an. Die
Gefahr, daß er alles vereiteln könnte, nahm damit bedenklich zu.
    Er wollte Pletscher sprechen, doch wurde er statt dessen mit
Andrew Sweeting verbunden, einem aufgeweckten Bankangestellten auf mittlerer Ebene. Er hatte mit Levine in den vergangenen
Wochen bereits mehrfach telefoniert, denn in jedem Fall sollte
verhindert werden, daß Levine einen Entscheidungsträger der Bank
in die Enge treiben konnte.
    »Ich will zehn Millionen auf ein Konto bei der Bank auf den
Cayman Inseln transferieren«, erklärte Levine Sweeting.
    Sweeting notierte, was Levine sagte. Pitt und Rauch standen
neben ihm und bedeuteten ihm, er solle Levine hinhalten. Daraufhin erklärte Sweeting dem Anrufer, er wisse nicht, wie man Geld
auf eine andere Bank transferiere. Levine antwortete, er würde mit
genauen Anweisungen zurückrufen, oder aber seine Anwälte würden der Bank mitteilen, was zu tun sei.
    Nun hatte der Wettlauf mit Levine von neuem begonnen. Sein
Überweisungsauftrag mußte hinausgezögert werden, ohne daß er
etwas merken durfte. Rauch und Pitt warteten noch immer auf
Adderlys Schreiben. Levine mußte auf jeden Fall so lange hingehal-
ten werden, bis sie den Brief erhalten hatten und der SEC den
Namen nennen konnten. Danach war es Sache der Behörde, umgehend zu reagieren. Der in Nassau geborene Sweeting, ein eloquen-
ter junger Mann, wurde genauestens instruiert, wie er Levine
hinhalten sollte, wenn dieser sich mit den Überweisungsinstruktio-
nen meldete.
    Im Laufe des Tages rief Levine wieder an: »Hier sind die Anwei-
sungen. Ich habe den Namen der Bank und die Kontonummer.«
    »Einen derartig hohen Überweisungsauftrag an eine ausländische

Bank können wir nur aufgrund einer schriftlichen Anweisung ausführen«, erklärte Sweeting.

Levine schien äußerst verärgert, hatte aber keine andere Wahl. »Gut, ich werde dafür sorgen, daß Sie einen schriftlichen Auftrag von meinen bahamanischen Anwälten erhalten.«

Nun war die Frage, was wohl zuerst kommen würde, der Überweisungsauftrag oder Adderlys Brief.

Am Freitagvormittag stand den Anwälten und den Managern der Bank eine weitere delikate Aufgabe bevor. Sie mußten nämlich die Situation William Allen erklären, dem bahamanischen Zentralbankgouverneur, dem alle Finanzinstitute der Insel unterstanden. Mit Adderlys Erlaubnis durfte jetzt zwar der Name preisgegeben werden, doch war es für die Zukunft der Bank ausgesprochen wichtig, daß Allen nicht darüber verärgert war.

Adolph Brändle, Vorstandsmitglied der Bank Leu in der Schweiz, war für dieses Gespräch nach Nassau gekommen. Er ging also am Freitagmorgen mit Pitt, Rauch, Barnett und Bruno Pletscher zur Zentralbank. Sie erläuterten Allen den Fall und sagten ihm, daß Adderly eine Vorabgenehmigung gegeben habe, den Namen des Kunden preiszugeben.

Allen erwiderte, daß er die Entscheidung des Generalstaatsanwalts in bezug auf die Rechtmäßigkeit der Preisgabe des Kundennamens natürlich nicht anzweifelte. Doch sei er sehr beunruhigt, daß die Bank mit einem Kriminellen Geschäfte gemacht habe. Wenn Banken die Sicherheit und Bequemlichkeit des Bankgeheimnisses gewährt werde, so fuhr er fort, dann müßten diese ein gewisses Maß an Integrität und Professionalität an den Tag legen. Allen war besorgt, daß Bank Leu dieses Maß nicht eingehalten hatte.

»Die Bank muß gut geleitet werden, und wir müssen sicher gehen können, daß derselbe Fehler nicht noch einmal passiert«, erläuterte er den Vertretern der Bank.

Brändle, der zehn Jahre lang in New York bei einer anderen Schweizer Bank als Manager tätig gewesen war, versicherte Allen, daß Bank Leu sämtliche Vorschriften strikt einzuhalten gedenke. Ferner wies er darauf hin, daß die finanzielle Vereinbarung mit der SEC, wonach die Bank und einige ihrer Mitarbeiter Geld zurückzahlen müßten, keinerlei Auswirkungen auf die Kunden oder die

Liquidität der Bank haben würde. Außerdem habe der Portfolio Manager Bernhard Meier, der den größten Teil der Aufträge abgewickelt hatte, Nassau verlassen. Im übrigen würde der Verwaltungsrat der Bank zusammentreten, um der Bank striktere Direktiven zu geben. Brändle erklärte außerdem, daß die Bank Pletscher als General Manager zu behalten gedenke.

Die Büros der Bank Leu befinden sich direkt neben der Zentralbank. Auf dem Rückweg in die Bank äußerten Anwälte und Bankmanager ihre Zufriedenheit darüber, daß die Forderungen der bahamanischen Behörden nun erfüllt waren. Sie brauchten jetzt nur noch auf den offiziellen Brief von Adderly zu warten – und mußten eine Auseinandersetzung mit Levine oder dessen Anwälten wegen der Überweisung verhindern.

Als sie beim Mittagessen saßen, rief Levine erneut an und erklärte Sweeting, daß seine Anwälte die schriftliche Anweisung umgehend herüberschicken würden. Sollte die Anweisung eintreffen und die Bank sich weigern, das Geld zu überweisen, könnten Levines Anwälte noch am selben Tag vor Gericht gehen und die Überweisung erzwingen. Pitt und Rauch wußten dies.

Gegen 17.30 Uhr brachte ein Bote Adderlys Brief in die Bank. Das Schreiben bestand aus vier Absätzen und ermächtige die Bank, die Identität des Kunden preiszugeben, weil die Wertpapieraktivitäten keine »bankgeschäftliche Beziehung« darstellten und das Gesetz über das Bankgeheimnis keine Anwendung fand.

Nun kam es auf jede Minute an, und zum Feiern dieses Sieges, der noch vor einigen Monaten unerreichbar schien, war jetzt absolut keine Zeit. Pitt rief umgehend Gary Lynch in Washington an.

»Wir haben den Brief«, sagte er. »Moby Dick ist Dennis Levine, ein Managing Director bei Drexel Burnham Lambert.«

Pitt wies Lynch eindringlich darauf hin, daß die SEC sofort handeln müsse, da Levine versuchte, sein Geld von der Bank abzuziehen. Er versicherte Lynch, daß die Bank freiwillig keinen einzigen Cent herausrücken würde, doch könnte die Angelegenheit bereits am Montag vor einem bahamanischen Gericht landen.

Eine halbe Stunde später kam die schriftliche Anweisung, zehn Millionen Dollar vom International Gold-Konto auf ein Konto bei Morgan Grenfell auf den Cayman Inseln zu überweisen. An diesem Tag konnten Levines Anwälte nichts mehr unternehmen, da bereits

Feierabend war. Pitt rief die SEC an und übermittelte den Namen der Bank und die Nummer des Kontos, auf das Levine das Geld überweisen wollte.

Etwa zu der Zeit, als Pitt das zweite Mal bei der SEC anrief, stieg Levine vor dem Gulf & Western-Gebäude am Columbus Circle aus einem Taxi. Er war zu einem exklusiven Abendessen und der Vorabaufführung des neuen Films *Top Gun* eingeladen; Produzent war Paramount Pictures, die Gulf & Western gehörte. Levine hatte eine Einladung zu dieser vornehmen Veranstaltung erhalten, weil er an der Übernahme-Transaktion von Esquire Inc. durch Gulf & Western im Herbst 1983 beteiligt gewesen war.

Zu dem Zeitpunkt, als Tom Cruise in *Top Gun* sein Kampfflugzeug durch die Lüfte über Kalifornien steuerte, waren die SEC-Anwälte in Washington dabei, die Unterlagen zusammenzustellen, die für eine umgehend einberufene gerichtliche Anhörung am Montagmorgen benötigt würden. Da Levine sein Geld abzuheben versuchte, durften die SEC-Mitarbeiter keine Minute mit Feiern verlieren. Sie arbeiteten das ganze Wochenende bis spät in die Nacht, da sie am Montag früh gegen Levine und Bernie Meier gerichtlich vorgehen wollten.

Die Anwälte beschlossen, in ihrem Beweismaterial zum Fall Levine als ein Beispiel seiner Insidergeschäfte den Kauf von 15 200 Aktien der Esquire Inc. anzugeben, den er im Oktober 1983, vor der Bekanntgabe von Gulf & Westerns Übernahmeversuch, getätigt hatte. Levine verkaufte die Aktien später mit einem Gewinn von 121 728 Dollar.

Bruno Pletscher glaubte, daß mit der Bekanntgabe von Levines Namen gegenüber der SEC nun für ihn ein Schlußstrich unter diese schmutzige Angelegenheit gezogen sei. Konnte dies schöner gefeiert werden, als mit seiner Vermählung mit Sherrill Caso am Samstag, den 10. Mai? Pitt und Rauch nahmen an der Feier teil. Unter anderem schenkten sie dem Brautpaar ein Exemplar von Herman Melvilles *Moby Dick*.

Am Montag früh, den 12. Mai, erwirkte die SEC mit John Sturc als maßgeblichem Anwalt einen Beschluß von US-Bezirksrichter Richard Owen in New York, aufgrund dessen die 10,5 Millionen Dollar in Levines Bankkonto sowie sämtliche anderen Vermögenswerte gesperrt wurden. Der Beschluß erfolgte in einem Eilverfahren ohne Levines Wissen.

In der SEC-Zivilklage stand, daß Levine durch illegale Insidergeschäfte in der Zeit von 1980 bis Ende 1985 über ein Finanzinstitut auf den Bahamas 12,6 Millionen Dollar an Kursgewinnen und Zinszahlungen vereinnahmt habe. Die Klage nannte 54 Aktien, bei denen Levine laut Kommission einen Gewinn durch Insiderinformationen erzielt habe. Außerdem wurde Bernhard Meier beschuldigt, die Wertpapiergesetze der Vereinigten Staaten verletzt zu haben. Der Schweizer Banker hätte durch Kopieren von Levines Aufträgen bei neunzehn Aktien- und Optionsgeschäften 152 000 Dollar Gewinn erzielt.

In der Klage wurde ferner Levines Versuch skizziert, seine Geschäfte zu vertuschen, indem er Meier überredete, die Kommission anzulügen und wichtige Dokumente, die zu seinen Kontounterlagen gehörten, zu vernichten. In der Klage stand allerdings nicht der Name der Bank, bei der Levine seine Konten unterhielt; auch wurde der Name Bruno Pletscher nicht erwähnt.

Am Montag gegen Mittag rief die SEC bei Frederick Joseph an, Präsident und CEO (Chief Executive Officer) von Drexel Burnham, und teilte diesem mit, daß die Behörde nach Dennis Levine fahnde, um ihm eine Vorladung im Zusammenhang mit einem Fall masiver Insidergeschäfte zuzustellen. Joseph rief sofort David Kay an und sagte ihm: »Sie wollen Dennis verhaften.«

Levine wollte mit Ronald Perelman in den Revlon-Büros in Midtown Manhattan über Perelmans jüngste Übernahmebemühungen sprechen. Doch als der aufgebrachte Kay dort anrief, wurde ihm mitgeteilt, daß Levine nicht zu dem Termin erschienen sei. Etwa eine Stunde später meldete sich Levine aus einer Telefonzelle. Er war ziemlich aufgebracht; seine Stimme überschlug sich, als er seiner Wut über die Behörde freien Lauf ließ.

»Ja, ja«, brüllte er. »Ich habe gehört, daß die SEC nach mir sucht. Das ist ja alles Quatsch. Seit Monaten sind sie hinter mir her. Sie wollen mich ruinieren und meine Karriere kaputtmachen, ohne überhaupt mit mir zu reden. Ich habe mir nichts zuschulden kommen lassen.«

Kay gelang es, ruhig zu bleiben und Levine einen guten Rat zu geben: »Hören Sie zu, Dennis, sagen Sie jetzt nichts weiter, sondern suchen Sie sich einen Anwalt. Ich meine, Sie sollten mit Joe Flom, Marty Lipton oder Art Liman reden und einen von ihnen anheuern. Sie müssen einen Anwalt nehmen.«

Kay war zutiefst erschüttert, als er auflegte. Hatte er doch intensiv dafür plädiert, Levine einzustellen. Und nun war Levine plötzlich in ernsten Schwierigkeiten.

Ursprünglich wollte Dennis Levine an diesem Abend an einem Wohltätigkeitsball für das Mount-Sinai-Krankenhaus im Waldorf-Astoria teilnehmen. Zu diesem einmal jährlich stattfindenden Schwarz-Weiß-Ball kam alles, was in der M&A-Branche Rang und Namen hatte, einschließlich Investmentbanker und Anwälte.

Statt dessen erschien er gegen 19.30 Uhr beim US-Staatsanwalt in Lower Manhattan, um eine Vorladung und ein Exemplar der SEC-Klage gegen ihn entgegenzunehmen. Bei seiner Ankunft wurden ihm Handschellen angelegt. Man verhaftete ihn wegen Verdunkelung, Verstößen gegen das Wertpapiergesetz und Steuerhinterziehung. Er verbrachte die Nacht in der Strafanstalt Metropolitan Correctional Center.

Am frühen Nachmittag des nächsten Tages erschien Levine vor Gericht. Er trug einen marineblauen Anzug, weißes Hemd, gelbe Krawatte und schwarze Gucci-Schuhe. Seine Frau saß neben ihm. Sie hielt seine Hand und flüsterte ihm gelegentlich etwas zu, während sie darauf warteten, daß sein Fall aufgerufen würde. An der anderen Seite von Levine saß sein Anwalt, Arthur Liman, der bekannt ist als Verteidiger in Fällen von Wirtschaftskriminalität. Bundesrichterin Kathleen Roberts lehnte gerade die Freilassung zweier Angeklagter gegen Kaution in einem Drogenfall ab, der unmittelbar vor Levines Fall behandelt wurde.

Nach einer genau siebenminütigen Anhörung ließ Roberts Levine gegen eine Kaution von fünf Millionen Dollar frei. Als Sicherheit akzeptierte sie 100 000 Dollar in bar, seine Wohnung in 1185 Park Avenue und seine Drexel Burnham Aktien. Als Levine das Gerichtsgebäude verließ, bemerkte ein Reporter, daß etwas fehlte: Die französischen Manschetten an seinem weißen Hemd wurden nicht durch Manschettenknöpfe zusammengehalten.

22. Kapitel

Die Abrechnung

Die Festnahme konnte Levine nicht davon abhalten, weiterhin Ränke zu schmieden. Vielmehr bedeutete sie den Ausgangspunkt für das größte Geschäft seines Lebens.

Levines Festnahme machte enorme Schlagzeilen. Die Zeitungen brachten die Geschichte nicht im Wirtschaftsteil, sondern auf der ersten Seite; auch im Fernsehen wurde darüber berichtet. Der Junge aus Queens, der eine Million Dollar pro Jahr eingeschoben hatte und trotzdem nicht genug kriegen konnte, sorgte für Millionenauflagen. Die Schlagzeilen überschlugen sich, als die SEC eine 201 Seiten lange Niederschrift von Bruno Pletschers Aussage herausgab. Diese Geschichte schien alles zu enthalten: von 100-Dollar-Scheinen in Plastiktüten und ausländischen Deckfirmen bis zu Dokumenten, die vernichtet wurden, und der unnachgiebigen Verfolgung des Falles durch die SEC. Sie schien die weitverbreitete Meinung zu bestätigen, daß an Wall Street allein das Geld die Moral bestimmt.

In den Vorstandsetagen von Manhattans Investmentbanken löste der Skandal ungläubiges Staunen und Beklemmung aus. Praktisch jeder fragte sich, ob daran noch andere beteiligt waren.

Am 5. Juni, also gut drei Wochen nach seiner Verhaftung, stand Levine erneut vor Gericht und bekannte sich bezüglich der Anklage der US-Staatsanwaltschaft für schuldig. Die Anklagepunkte bezogen sich auf vier schwere Delikte, nämlich Wertpapierbetrug, den Kauf und Verkauf von Aktien der Jewel Companies auf der Basis von Insiderinformationen, zwei Punkte wegen Steuerhinterziehung, da er die Kursgewinne nicht in seiner Steuererklärung angegeben hatte, und schließlich Meineid im Zusammenhang mit der Aussage vor der SEC und gegenüber Leo Wang wegen Textron Inc. im Herbst 1984. Die Anklagepunkte ließen eine Gefängnisstrafe von maximal zwanzig Jahren und eine Geldstrafe bis zu 610 000 Dollar zu. Das Urteil sollte im Laufe des Jahres gefällt werden.

Was die SEC-Anschuldigungen anbetraf, so willigte Levine ein,

11,6 Millionen Dollar, einschließlich der gesperrten 10,5 Millionen auf seinem Bank-Leu-Konto, zu zahlen. Ferner erklärte er sich mit dem lebenslangen Ausschluß vom Wertpapiergeschäft einverstanden. Die SEC hätte ihn mit einer Strafe bis zu 35 Millionen Dollar belegen können. Man nahm ihm seinen Ferrari, der ganze 3847 Kilometer auf dem Tacho hatte. Doch gelang es Levine, seine Park Avenue-Wohnung zu behalten, die einen Wert von annähernd einer Million Dollar hatte und auf die eine Hypothek von weniger als 250 000 Dollar eingetragen war; außerdem blieb ihm sein BMW, Baujahr 1983, und rund 100 000 Dollar auf zwei Konten bei der Citibank.

Vor seinem Schuldbekenntnis erklärte Levine Richter Gerard Goettel, daß er die Informationen über das Übernahmeangebot der Chicago Pacific Corporation an Textron Inc. im Jahre 1984 von einem Dritten erhalten habe; allerdings nannte er keinen Namen. Mit diesem Hinweis bestätigte sich, was viele befürchtet hatten, daß nämlich Levine im Zuge seiner Verteidigungsstrategie andere mit hineinziehen würde.

Mit klarer Stimme sagte Levine zum Richter: »Wollte ich die gegen mich erhobenen Anklagepunkte formaljuristisch anfechten, so würde dies nur die Leidenszeit meiner Familie verlängern. Außerdem würde ich damit auch einen falschen Eindruck erwecken. Ich habe gegen das Gesetz verstoßen und ich bereue mein Verhalten, ohne es zu entschuldigen.«

Auf der anschließenden Pressekonferenz erklärte US-Staatsanwalt Rudolph Giuliani: »Wir glauben, Herrn Levines Kooperationsbereitschaft wird sehr fruchtbar und sehr wertvoll für die Justiz sein.«

In Washington erklärte Gary Lynch, der Leiter der SEC-Vollstreckungsabteilung: »Ein integraler Bestandteil unserer Vereinbarung war seine Bereitschaft, mit uns zusammenzuarbeiten. Wir haben das hervorragend gemacht.«

Robert Wilkis

Am 12. Mai wartete Robert Wilkis am Flughafen La Guardia auf einen Flug nach Omaha, Nebraska, als er vom Verfahren der SEC gegen Levine hörte. Wilkis war auf dem Weg nach Omaha, um eine

Präsentation zu leiten, die E. F. Hutton & Company dem Vorstand eines Unternehmens gab. Er erfuhr von der SEC-Klage gegen Levine von einem Headhunter, der auf der Suche nach einer besseren Stelle für Wilkis war. Zu dieser Zeit hatte Wilkis zwei nahezu gleichwertige Angebote von Wall Street-Unternehmen, geschäftsführender Direktor einer M&A-Abteilung zu werden.

Wilkis setzte seine Reise nach Nebraska fort. Aber am nächsten Tag, als er aus der Zeitung von Levines Verhaftung erfuhr, verließ er vorzeitig die Besprechung und kehrte nach New York zurück. Gleich nach seiner Ankunft in der Nacht rief er Levine an. Dieser bat ihn dringend, sofort in seine Wohnung zu kommen. Als Wilkis dort ankam, fand er Levines Frau Laurie völlig fertig und übernächtigt. Dennis Levine, mit T-Shirt und Trainingshose bekleidet, saß gelassen in einem Sessel und sagte zu Wilkis: »Ich muß mich darauf konzentrieren, was wichtig ist.«

Er müßte jemanden vorschieben, fuhr Levine fort, der behauptete, der Begünstigte seines Schweizer Bankkontos zu sein. Er fragte, ob Wilkis auf die Cayman Inseln fliegen und einen Rechtsanwalt anheuern würde, der die Inhaberschaft über das Konto beanspruchen würde.

»Dennis, es ist zu spät«, sagte Wilkis, »es ist zu spät.«

Am 20. Mai trafen sich Levine und Wilkis am unauffälligsten Ort, den sie sich vorstellen konnten – in der Garage, wo Wilkis seinen Wagen stehen hatte, mitten in Hell's Kitchen, dem Gangsterviertel von Manhattan. Sie fuhren einfach los. Wilkis wunderte sich über Levines Kaltblütigkeit, als sich dieser brüstete: »Das ist der größte Insider Trading-Skandal der Geschichte, und alles meinetwegen.« In der Nähe eines Zeitungsstandes bat Levine Wilkis, rechts ranzufahren, damit er *Newsweek* kaufen könne. »Ich habe gehört, daß ich auf der Titelseite bin«, erklärte er. Levine war enttäuscht; das Titelbild zeigte mehrere Hände, die nach einem Bündel von Geldscheinen griffen, und darüber in dicken Lettern »Geldgier an der Wall Street«. Erst auf Seite 45 kam ein Foto von Levine.

Wilkis hatte in der vergangenen Woche kaum geschlafen. Seine Nerven waren überstrapaziert. Um ihn zu beruhigen, versicherte ihm Levine, daß die SEC und die Justizbehörde nie von seiner Beteiligung erfahren würden.

»Man wird nie auf dich kommen«, erklärte Levine beschwörend. »Ich meine es ehrlich mit dir. Ich werde diese Sache schon durchkämpfen und dich niemals opfern. Bleib ruhig, und dir kann nichts passieren.«

Für den Fall, daß die Behörden bei der Verfolgung einer Spur doch auf Wilkis stießen, hatte Levine einen Vorschlag. »Meinst du, du schaffst das?« fragte er. »Wir werden uns eine Geschichte zurechtlegen.«

Falls die Behörden ihn zur Rede stellten, sollte er einfach behaupten, er habe von Levine als Gegenleistung für Insiderinformationen Geld angenommen. Wilkis' eigener Handel und sein Geheimdepot auf den Cayman Inseln sollten unerwähnt bleiben. Wilkis sollte den Behörden erzählen, er hätte das Geld von Levine zur Bezahlung der Wohnung an der Park Avenue, die er kürzlich gekauft hatte, und anderer Extravaganzen ausgegeben.

»Du und ich gehen zusammen ins Gefängnis«, sagte Levine. »Wir lassen uns von der Sonne bräunen, spielen Tennis und nehmen Urlaub von unseren Frauen. Wenn wir wieder rauskommen, teilen wir das Geld auf deinem Cayman-Konto.«

»Weißt du nie, wann das Spiel aus ist«, fragte Wilkis, der über diesen Plan höchst verwundert war. »Ich nehme mir einen Anwalt und stelle mich.«

»Mach das nicht«, sagte Levine scharf. »Du brauchst keinen Anwalt. Wenn du doch einen nimmst, dann sag ihm nicht die Wahrheit. Sag deinen Rechtsanwälten nie die Wahrheit.«

Am nächsten Tag rief Wilkis einen Anwalt in Washington an, der ihm von einem Cousin empfohlen worden war. Der Anwalt nannte ihm mehrere New Yorker Rechtsanwälte, die Wilkis vertreten könnten, und er gab auch noch einen Rat. »Sprechen Sie nicht mehr mit Dennis Levine. Er wird beschattet.«

Wilkis engagierte Gary Naftalis, der früher Chef des Strafdezernats der US-Staatsanwaltschaft in New York war. Naftalis empfahl Wilkis, sich umgehend zu stellen und der Behörde alles zu erzählen, was er wußte. Aber Wilkis weigerte sich: »Ich kann niemanden verpfeifen.«

Während der nächsten Tage sprach Wilkis weiterhin mit Levine am Telefon, und sie trafen sich auch. Am 2. Juni um 21.30 Uhr rief Levine Wilkis zu Hause an. Mit Hilfe seines ausgeprägten Charmes verwickelte er Wilkis in ein Gespräch über dessen Beteiligung am Insiderring. Wilkis vertraute Levine immer noch. Außerdem war kein Anlaß zur Sorge, da Wilkis aufgrund des Klingelns der Münzen und der Stimme der Telefonistin, die mehr Geld forderte, schloß, daß sein Freund vorsichtig war und von einer Telefonzelle aus sprach.

Wilkis konnte nicht wissen, daß das Telefon im Büro der US-Staatsanwaltschaft stand und der Klang der Münzen und die auf Tonband gesprochenen Hinweise Teil einer sorgfältig ausgeklügelten Falle waren: Wilkis sollte genug ausplaudern, um verschiedene Behauptungen Levines zu bestätigen. Das Telefongespräch wurde von der Justizbehörde aufgezeichnet. Wilkis konnte auch nicht wissen, daß Levine nach einer für ihn negativen richterlichen Verfügung in der Vorwoche beschlossen hatte, mit den Behörden zusammenzuarbeiten.

Dennis Levine hatte das größte Geschäft seines Lebens gemacht: Er erklärte sich bereit, die Leute zu verraten, die an seinem Insider Trading-Ring beteiligt waren, in der Hoffnung, mildernde Umstände für sich zu erlangen. Levine würde nicht nur die Namen seiner Komplizen nennen, sondern er würde der Staatsanwaltschaft auch aktiv helfen, indem er seine Mittäter dazu brachte, sich selber in Telefongesprächen, die von der Behörde aufgezeichnet wurden, zu belasten. Was würde sich besser dazu eignen, den Fall abzuschließen, als ein Telefon – jenes Instrument, das in Levines Karriere als Investmentbanker und als Verbrecher eine so große Rolle gespielt hatte.

Drei Tage nach dem Telefongespräch erklärte sich Levine bezüglich vier schwerer Delikte für schuldig. Robert Wilkis und sein Anwalt gingen zum Büro des US-Staatsanwalts, um zu retten, was noch zu retten war. Doch die Staatsanwaltschaft verfolgte eine harte Linie, denn Wilkis hatte sich nicht frühzeitig gestellt. Außerdem hatten die Staatsanwälte mehrere Tage zugehört, wie Levine Wilkis als das ältere, gerissenere Mitglied des Rings beschrieb.

Im Juli wurde die Zivilklage abgehandelt, welche die SEC gegen Wilkis erhoben hatte und die darauf beruhte, daß er von 1980 bis gegen Ende 1985 mehr als drei Millionen Dollar Gewinn im illegalen Handel von mehr als fünfzig Übernahmepapieren erzielt hatte. Wilkis stimmte zu, Vermögenswerte in Höhe von 3,3 Millionen Dollar an die SEC auszuhändigen: Dazu gehörte der gesamte Bestand auf seinem Geheimkonto sowie 50 000 Dollar, die er in seiner Wohnung aufbewahrte, und praktisch sein ganzes sonstiges Vermögen mit Ausnahme von 60 000 Dollar Bargeld.

Nachdem sich Wilkis vierer schwerwiegender Straftaten für schuldig erklärt hatte, erschien er am 9. Februar 1987 zur Urteilsverkündung vor dem US-Bezirksrichter Peter Leisure in New York. Zwanzig Jahre Gefängnis war die Höchststrafe, die ihm drohte.

»Ich verspreche Ihnen, ich werde niemals wieder gegen das Gesetz verstoßen«, sagte er, gegen Tränen ankämpfend. »Ich bitte dieses Gericht, mir eine zweite Chance zu geben, die Dinge richtig zu machen.«

Bei der Urteilsverkündigung erklärte Leisure, daß er Wilkis' emotionale Probleme berücksichtigt habe, die es Levine, einem Mann mit »der ausgeprägten Fähigkeit, Unsicherheiten auszubeuten«, ermöglicht hatten, ihn für den Insiderring zu gewinnen. Dann verurteilte er Wilkis zu einer Gefängnisstrafe von einem Jahr und einem Tag und sprach eine Bewährung von fünf Jahren aus.

Ilan Reich

Am Nachmittag des 12. Mai rief ein Freund Ilan Reich in seinem Anwaltsbüro an und fragte, ob er die Neuigkeiten über Dennis Levine gehört hätte. Als Reich fragte, welche Neuigkeiten, erfuhr er, daß die SEC gegen Levine wegen Insider Trading Klage erhoben hatte. An diesem Abend ging Reich auf ein Wohltätigkeitsfest ins Waldorf-Astoria – auf jenes Fest, das auch Levine besuchen wollte. Starr vor Schrecken lauschte er den Gerüchten über die Anklage gegen den geschäftsführenden Direktor von Drexel Burnham, die durch den Raum schwirrten.

In den folgenden Wochen verschlimmerten sich Reichs Angstgefühle und Depressionen, denn es hieß, daß Levine Namen nannte. Als ihn Levine Anfang Juli anrief und versuchte, mit ihm über ihre Insidergeschäfte zu sprechen, sagte Reich »Ich weiß nicht, wovon du sprichst« und hängte auf.

Einige Tage vorher hatte Reich auf einem Nachtflug zurück von Los Angeles Trost darin gefunden, die Fakten, die gegen ihn sprachen, auf einen gelben Block zu notieren, wie ihn Anwälte benützen. Es gab keine Fakten, die seine Beteiligung erhärtet hätten. Er hatte nie Geld genommen, deshalb tauchte sein Name auf keinem Abhebungs- oder Buchungsbeleg auf. Er hatte nie selbst gekauft oder verkauft. Niemand kannte seinen Namen außer Levine. Falls sein Wort gegen Levines stand, sollte seines überzeugen.

Die Illusion zerbrach, als die SEC Wachtell-Lipton eine Vorladung zustellte, die Einsicht in Dokumente zahlreicher M & A-Geschäfte der letzten sechs Jahre forderte. Zunächst dachten die Senior Partner, daß diese Vorladung nur eine Routineuntersuchung im Kielwasser des Levine-Falls wäre; Reich half, die Dokumente im Sinne der Vorladung zusammenzustellen. Aber am Freitag erklärte Gary Lynch gegenüber Herbert Wachtell, daß die Firma einen externen Anwalt für Reich bestellen solle, denn die Nachforschungen konzentrierten sich auf ihn. Als Beweis, daß nicht nur Levines Wort gegen das Wort des brillanten jungen Juristen stand, führte Lynch an, daß Robert Wilkis der Behörde gesagt habe, daß er von Levine über Reichs Beteiligung informiert worden sei.

Montagmorgen wurde Reich von vier Partnern der Kanzlei mit den Anschuldigungen der SEC konfrontiert. Zwei Stunden leugnete er alles, dabei kritzelte er nervös auf seinem Notizblock herum. Dann sagte einer der Anwälte, ein Komplize habe Levines Aussage bestätigt, daß dieser eine Informationsquelle bei Wachtell-Lipton hätte. Mit dieser Eröffnung hatte Reich nicht gerechnet, sie ließ seinen Widerstand zerbrechen. Unter Tränen gestand er seine Beteiligung und erzählte seinen Partnern, wie er von Levine verführt worden sei, in dem Ring mitzumachen, und diesem Informationen über ein Dutzend Aktien gegeben habe, ohne selbst je einen Cent dafür zu nehmen. Dies war eine Aussage, die vor Gericht gegen ihn verwendet werden konnte, da ihm seine Partner klargemacht hatten, daß sie ihn nicht vertreten würden.

Die Kanzlei bestellte Robert Morvillo, einen sehr angesehenen ehemaligen Bundesstaatsanwalt, der bereits einen anderen Anwalt von Wachtell-Lipton, Carlo Florentino, in einem früheren Insiderfall vertreten hatte. Morvillo hörte sich Reichs Geschichte an und sagte zu, daß er das Beste für seinen jungen Mandanten herauszuholen versuche. Er wollte Reich auch wegen Selbstmordgefahr überwachen lassen. Morvillo sagte, daß er niemals einen so verzweifelten Menschen gesehen habe.

Am 9. Oktober erschien Reich vor dem US-Distriktgericht von New York und erklärte sich in zwei schweren Fällen von Betrug im Zusammenhang mit Insiderinformationen, die er an Levine weitergegeben hatte, für schuldig. Auf jedes Delikt stand eine Höchststrafe von fünf Jahren Gefängnis. Bei der Schwere der Fälle beinhaltete eine Verurteilung, daß er automatisch von der Ausübung einer anwaltschaftlichen Tätigkeit ausgeschlossen wäre.

Noch am selben Tag unterzeichnete er eine Vereinbarung mit der SEC, in der stand, daß Reich vertrauliche Informationen über mindestens zwölf unabhängige Wertpapiertransaktionen an Levine weitergegeben hatte, aus denen dieser einen Gesamtgewinn von 1,7 Millionen Dollar erzielte. Obwohl die Behörde anerkannte, daß Reich kein Geld für diese Hinweise erhalten hatte, erklärte sich Reich bereit, der Behörde 485 000 Dollar zu zahlen; praktisch sein gesamtes Vermögen.

Am 23. Januar 1987 erschien Reich zur Urteilsverkündung vor Richter Robert Sweet, der die Gelegenheit wahrnahm, Gefängnisstrafen für Wirtschaftskriminalität zu verteidigen. Er sagte zu Reich: »Würde dieses Urteil nur Sie und Ihre Familie betreffen, so wäre das Ergebnis, daß Sie bereits ausreichend für Ihre Straftaten gelitten haben. Aber unglücklicherweise betrifft dieses Urteil uns alle und auch die Kraft der Gesetze, die in unserer Gesellschaft gelten. Einfach gesagt, ein Vertrauensbruch auf dieser Ebene mit derartigen Auswirkungen erfordert eine Gefängnisstrafe als Abschreckung – als Ausdruck unserer Gesellschaft, daß ihre Regeln befolgt werden müssen, und damit die persönliche Glaubwürdigkeit als ein wesentlicher Bestandteil unserer Gesellschaftsordnung erhalten bleibt. Sie sind, so traurig es ist, ein Symbol der Krankheit unserer Gesellschaft und des Verlustes an Integrität geworden, der nicht hingenommen werden kann, was immer auch die Kosten dafür sind.«

Sweet ging dann auf Reichs Handlungsmotive ein. Er erkannte an, daß Reich nicht von Besitzgier oder Ehrgeiz getrieben wurde, sondern von dem Wunsch nach einer besonderen Freundschaft mit Levine. »Dennis Levine hat Sie ausgenutzt. Er gab Ihnen das Gefühl einer Freundschaft, gleichzeitig aber auch ein Gefühl der Schuld, da Sie wußten, daß das, was Sie taten, nicht richtig war, sondern falsch.«

Sweet sagte, daß er hoffe, Reich würde eines Tages wieder als Anwalt zugelassen werden, und schloß mit den Worten: »Indem ich dieses Urteil verhänge, möchte ich auch klar machen, wenn jemals eine Wiederzulassung zur Ausübung des Anwaltsberufs nach einer Verurteilung in einem schweren Delikt möglich erscheinen sollte – dies ist ein derartiger Fall. Ich bin absolut davon überzeugt, daß Sie nie wieder das Vertrauen Ihres Landes oder die Gesetze mißbrauchen werden.«

Reich wurde zu einer Gefängnisstrafe von einem Jahr und einem Tag verurteilt und unter eine Bewährungsfrist von fünf Jahren gestellt. Ihm wurden sechzig Tage bis zum Strafantritt gewährt, so daß er zur Geburt seines dritten Kindes zu Hause sein konnte.

Bruno Pletscher

Zwei Tage nach Levines Verhaftung saß Bruno Pletscher in seinem Büro bei der Bank Leu und traf letzte Vorkehrungen für den nächsten Samstag, an dem es auf eine zweiwöchige Kreuzfahrt in die Karibik, seine Flitterwochen, gehen sollte. Gegen Mittag rief ihn Adolph Brändle an; der Stellvertretende Generaldirektor der Bank teilte Pletscher mit, daß er möglicherweise in der nächsten Woche nach New York fliegen müsse, um im Fall Levine vor Gericht als Zeuge auszusagen, da sich dieser gegen den SEC-Fall in unerwarteter Weise zur Wehr setze. Pletscher wurde bei dem Gedanken, seine Flitterwochen unterbrechen zu müssen, wütend; aber im Grunde ärgerte er sich über die anhaltende Einmischung, die Dennis Levine auf sein Leben ausübte.

Brändle sagte, daß die Zeugenaussage wichtig sein könnte, und sie schlossen einen Kompromiß: Pletscher sollte, wie vereinbart, seine Kreuzfahrt am Samstag beginnen und die Bank am Montag anrufen, um zu hören, ob seine Zeugenaussage benötigt werde.

Sonntagnacht erhielt Pletscher an Bord des Schiffes die Nachricht, David Hardison anzurufen, den jungen Anwalt von Fried-Frank, der Pitt und Rauch assistiert hatte. Als er Hardison in Washington erreichte, erfuhr er zu seiner Erleichterung, daß die Staatsanwaltschaft damit zufrieden wäre, wenn Pletscher nur eine Reihe weiterer Aussagen über den Fall durch seine Unterschrift bestätigte. Am Montag kam ein Anwaltsgehilfe von Fried-Frank per Charterflugzeug, um das Schiff in einem Hafen der Karibik zu erreichen. Pletscher unterzeichnete die vorgelegten Papiere und setzte seine Flitterwochen in der Erwartung fort, daß damit der Levine-Fall für ihn abgeschlossen sei.

Die Regierung der Bahamas allerdings ließ die Sache damit nicht auf sich beruhen. Insbesondere wegen der außergewöhnlichen Publizität des Levine-Falles und wegen des möglichen Schadens für das offshore banking in Nassau mußte die Zentralbank reagieren. Sie tat dies, indem sie Druck auf die Bank Leu International ausübte, Bruno Pletscher als ihren General Manager und den gesamten Verwaltungsrat auszutauschen. Die Bank gab nach. Gleichzeitig sickerte aus dem Büro des Generalstaatsanwalts durch – und dies wurde von einer Regionalzeitung veröffentlicht –, daß strafrechtliche Untersuchungen gegen Pletscher und andere Bankangestellte liefen.

Plötzlich arbeitslos, von Strafverfolgung bedroht und durch die Zahlung von 46 000 Dollar an die SEC – jenem Gewinn, den er durch das Kopieren von Levines Käufen erzielt hatte – nahezu ruiniert, mußte Pletscher die Bahamas verlassen. Im August kehrte er mit seiner Frau nach Zürich zurück. Dort wurde ihm zu verstehen gegeben, daß es besser sei, wenn er nicht in die Bank Leu zurückkehre. Mehrere Wochen suchte Pletscher vergebens nach einem Job im Bankgeschäft. Schließlich nahm er eine Stelle im Vertrieb eines Computerherstellers an und begann eine neue Karriere.

Bernhard Meier

Bernie Meier war bereits seit mehreren Monaten zurück in der Schweiz, als der Fall eröffnet wurde. Er reagierte nie offiziell auf das Gerichtsverfahren, das die SEC gegen ihn angestrengt hatte. Ihm wurde vorgeworfen, das Wertpapiergesetz der Vereinigten Staaten in mindestens achtzehn Fällen verletzt zu haben, indem er aufgrund vertraulicher Informationen von Levine Aktien gekauft und verkauft hatte. Meiers illegale Gewinne wurden von der SEC auf 152 000 Dollar festgesetzt. Ein Versäumnisurteil wurde gegen ihn im Sommer 1986 ausgesprochen; zum Zeitpunkt der Drucklegung dieses Buches war sein Rechtsanwalt in Verhandlungen mit der Staatsanwaltschaft mit dem Ziel, den Fall abzuschließen. Wie Pletscher, arbeitet auch Meier nicht mehr bei der Bank Leu, und auch er konnte in der Schweiz keine Anstellung mehr auf dem Bankensektor finden.

Ira Sokolow erhielt ebenfalls einen Anruf von Levine über den getürkten Münzfernsprecher; aber noch ehe Levine sich für schuldig erkärte, wandte sich Sokolow selbst an die Staatsanwaltschaft und vereinbarte, mit ihr zusammenzuarbeiten. Sokolow arbeitete damals als Vice President in der M & A-Abteilung von Shearson Lehman Brothers und konnte der Untersuchungsbehörde einen wertvollen Baustein zum Puzzle anbieten, den Levine nicht liefern konnte: den Namen der Informationsquelle bei Goldman-Sachs. Er gab an, vertrauliche Informationen von seinem befreundeten Kollegen David Brown bekommen und an Levine weitergegeben zu haben.

Die Justizbehörde stellte fest, daß Sokolow Levine in mehr als fünfzehn Fällen vertrauliche Informationen gegeben hatte – die von Brown mitgerechnet. Die damit verbundenen Geschäfte, einschließlich Nabisco, zählten zu Levines ertragreichsten Transaktionen. Levines Gewinn aus diesen Aufträgen betrug insgesamt 7 Millionen Dollar. Als Gegenleistung zahlte Levine ungefähr 125 000 Dollar in bar an Sokolow, und dieser gab 27 500 Dollar an Brown weiter.

Am 4. September erschienen die beiden College-Freunde vor Richter John Keenan. Beide bekannten sich im Sinne zweier schwerer Fälle von Wertpapierbetrug und Einkommensteuerhinterziehung für schuldig. Beide konnten dafür zu einer Höchststrafe von zehn Jahren verurteilt werden. Sokolow unterzeichnete eine Vereinbarung, die vorsah, eine Gesamtsumme von 210 000 Dollar an illegalen Gewinnen plus Geldstrafe an die SEC zu zahlen. Brown erklärte sich bereit, an die SEC einen Betrag von 145 790 Dollar an Gewinnen und Geldstrafen zu zahlen.

Der Stellvertretende US-Staatsanwalt Charles Carberry sandte Richter Keenan einen Brief, der diesem bei der Urteilsfindung helfen sollte. Darin schrieb er über die Möglichkeit, vor Insider Trading abzuschrecken: »Wie im Fall Sokolow zu ersehen, handeln die Straffälligen selten aus wirtschaftlichen Bedürfnissen. Die Leute im Investmentbanking und im Wertpapiergeschäft sind gewohnt, mit Risiko umzugehen. Sie vergleichen das Risiko der Entdeckung der Straftat und deren Folgen mit der Möglichkeit, leichtes Geld zu verdienen.«

Im November verurteilte Richter Keenan Sokolow zu einem Jahr und einem Tag Gefängnis. Einige Tage später ordnete er an, daß Brown so lange über das Wochenende im Gefängnis einzusitzen habe, bis eine Gesamtstrafe von dreißig Tagen abgetragen sei.

Randall Cecola

Als Levine verhaftet wurde, schloß Randy Cecola gerade sein erstes Studienjahr an der Harvard Business School ab. Nachdem Levine seine Mittäterschaft gegenüber der Untersuchungsbehörde angegeben hatte und dies auch von Wilkis bestätigt wurde, erklärte sich Cecola bereit, sich gegenüber dem Vorwurf der Steuerhinterziehung für schuldig zu bekennen, die daraus resultierte, daß er seine Gewinne aus dem Wertpapierhandel nicht den Steuerbehörden meldete. Er unterschrieb auch ein Übereinkommen mit der SEC, in dem er sich zu einer Zahlung von 21 800 Dollar für illegale Gewinne und Strafgebühren verpflichtete. Die Verwaltung von Harvard suspendierte Cecola, aber sie räumte ihm die Möglichkeit ein, sich zu einem späteren Zeitpunkt wieder zu bewerben. Am 10. Februar 1987 verhängte ein Bundesrichter eine Bewährungszeit von sechs Jahren über ihn.

Ivan Boesky

Dennis Levine warf den Köder aus und zog für die Justizbehörde die kleinen Fische an Land. Auf den ganz großen Fang mußte er noch längere Zeit warten.

Im Juli begannen die Bundesstaatsanwaltschaft und die SEC-Anwälte, Robert Wilkis zu verhören. Mit wachsendem Interesse registrierten sie dabei Einzelheiten über Levines Beziehungen zu Ivan Boesky. Es schien Wilkis und dessen Anwalt, Gary Naftalis, als hätte Levine den Arbitrageur gedeckt. Während der drei Vernehmungen im Juli quetschten die Vertreter der Behörden jeden noch so kleinen Hinweis aus Wilkis heraus, den er über Levines Umgang mit Boesky liefern konnte. Wilkis beschrieb, wie Levine ihm davon erzählte, auf welche Weise Boesky wertvolle Informationen über Houston Natural Gas und Nabisco erhalten hatte. Er erinnerte sich auch, daß sich

Levine überlegt hatte, als Präsident von Boeskys Merchant Bank-Einheit zu arbeiten. Dann hörten die Anwälte plötzlich auf, über Boesky weitere Fragen zu stellen; sein Name wurde in späteren Sitzungen nicht mehr erwähnt.

Wilkis Informationen hatten den Untersuchungsbehörden ausreichend Material geliefert, die Levines Angaben über seine vertraulichen Beziehungen zu Boesky bestätigten. Dank der Unterstützung von Wilkis hatten die Behörden genügend Hinweise, um Boesky von der Notwendigkeit der Mitarbeit zu überzeugen, mit der er sich vor dem vollständigen finanziellen Ruin retten und seine Gefängnisstrafe verringern konnte.

Im Herbst 1986 erlaubte Boesky den Behörden, seine Telefongespräche mit etlichen Finanzgrößen der Wall Street zu überwachen. Er lieferte den Untersuchungsbehörden detailliertes Material über seine Kontakte zu Investmentbanken, insbesondere zu Drexel Burnham und deren Junk Bond-Abteilung. Unter den Betroffenen war auch Martin Siegel.

Am 14. November schreckte die SEC die Finanzwelt mit dem Hinweis auf, daß Boesky in den Levine-Fall verwickelt sei. Einer der reichsten und prominentesten Vertreter der Wall Street habe sich bereit erklärt, 100 Millionen Dollar an Strafen und rückgeforderten Gewinnen zu zahlen, den lebenslangen Ausschluß aus dem Wertpapiergeschäft zu akzeptieren und sich bezüglich eines einzigen, noch nicht spezifizierten Anklagepunkts schuldig zu erklären, dem eine Höchststrafe von fünf Jahren Gefängnis entsprach.

Der Anwalt, der den Großteil der Vereinbarung mit der SEC und der Staatsanwaltschaft aushandelte, war einer von Boeskys langjährigen Firmenanwälten, Harvey Pitt. Einer der Partner in den Verhandlungen war Michael Rauch.

In der SEC-Vereinbarung wurde Boesky beschuldigt, mehr als 50 Millionen Dollar Gewinne erzielt zu haben, indem er aufgrund von Levines Hinweisen über seine verbundenen Unternehmen Aktien gekauft und verkauft hätte. Weiterhin hieß es, Levine habe ihre Beziehung »gefördert«, indem er zunächst kostenlose Informationen weitergab und erst später Geld verlangte.

Boeskys Vereinbarung mit den Behörden wurde von einigen Mitgliedern der Finanzwelt und des Kongresses als zu nachsichtig beurteilt. Gerade aber diese Nachsicht ließ die amerikanische Finanz-

welt bis ins Innerste erzittern, denn sie signalisierte Boeskys unein-
geschränkte Unterstützung der sich immer mehr ausweitenden
Nachforschungen der Behörden – eines Skandals, den *Time Magazine*
als »Wall Street's Watergate« bezeichnete.

Die Ängste schienen in den Tagen nach dem Bekanntwerden der
Boesky-Vereinbarung gerechtfertigt. Es verbreitete sich nämlich die
Nachricht, daß die Wall Street in Vorladungen der Untersuchungsbehörden zu ertrinken drohte, obwohl eine Vorladung an sich weder
eine Behauptung noch einen Hinweis auf schuldhaftes Verhalten
beinhaltet. Unter den Betroffenen waren Drexel Burnham Lambert
und deren König der Junk Bonds, Michael Milken, zusammen mit
einigen der führenden Unternehmensaufkäufern der Vereinigten
Staaten.

Die Aufdeckung von Levines Machenschaften hatte das massive
Vorgehen der SEC gegen Insider Trading auf die Titelseiten gebracht.
Aber erst die Tatsache, daß die Spur zu Boesky führte, löste den
größten Wall Street-Skandal seit dem Schwarzen Freitag 1929 aus.
Sieht man von den kritischen Kommentaren zu den Bedingungen der
Vereinbarung der SEC mit Boesky ab, so wurde die SEC mit Lob
überschüttet. Dank ihrer neugewonnenen Stärke würde die Behörde
monatelang Druck auf die Finanzwelt ausüben können.

Das Lob allerdings verwandelte sich in bittere Klagen, als einige
Tage später bekannt wurde, daß Boesky noch Bestände im Wert von
440 Millionen Dollar, die meisten in Übernahmepapieren, verkaufen
konnte, ehe seine Bereitschaft zur Zusammenarbeit mit der SEC
verkündet wurde. Dies ließ den Preis der meisten Übernahmepapiere
in den Keller sinken – zumindest für einige Tage. John Shad, der
Vorsitzende der SEC, mußte dem Kongreß gegenüber erklären, daß
man Boesky erlaubt hatte, vor der Bekanntgabe zu verkaufen, um
eine Börsenpanik zu vermeiden. Viele Kritiker aber sahen diese
Transaktion als Insiderhandel par excellence an.

Boeskys Kooperationsbereitschaft trug den Skandal über den
Atlantik. Er erzählte nämlich der SEC, welche Rolle er hinter den
Kulissen bei der Manipulation der Aktienkurse durch Guiness PLC
gespielt habe, dem englischen Brauerei- und Spirituosengiganten, als
es um das Übernahmeangebot für Distillers zu Beginn des Jahres
1986 ging. Die SEC gab diese Informationen an ihr Pendant in
Großbritannien weiter. Am 1. Dezember gaben die britischen Regie-

rungsbehörden eine großangelegte Überprüfung von Guiness und Mitgliedern der Wertpapierbranche in London bekannt.

Im Rahmen der Überprüfungen erklärte der Vorstand von Guiness im Januar 1987, daß die Bank Leu in Zürich eine zentrale Rolle bei illegalen Aktienkäufen gespielt habe, die in der Absicht verfolgt worden seien, den Kurs der Guiness-Aktien während der 3,8-Milliarden-Dollar-Schlacht um die Kontrolle von Distillers hochzutreiben.

Martin Siegel

Marty Siegel verbrachte den Nachmittag des 14. Novembers 1986 im Büro von Martin Lipton, dem prominenten Anwalt für Übernahmefälle, das an der Park Avenue gelegen ist. Neben der Tatsache, daß unter ihrer Leitung zahlreiche Übernahmeversuche erfolgreich abgewehrt werden konnten, verband die beiden Männer auch eine enge persönliche Freundschaft. Gegen 16.00 Uhr stand plötzlich ein Bundespolizist im Büro und übergab dem verdutzten Siegel eine Vorladung. Als Siegel das Dokument öffnete und las, daß es sich auf seine Geschäfte mit Ivan Boesky bezog, bekam er es mit der Angst zu tun. Er begann zu schluchzen.

Siegel beschloß umgehend, sich für schuldig zu erklären. Obwohl er weiterhin für Drexel Burnham arbeitete, spielte er dort keine aktive Rolle mehr. Er verkaufte seine Villa aus Zedernholz und Glas an der Küste von Connecticut, und seine Familie zog aus der Umgebung von New York weg.

Am 13. Februar 1987, einem Freitag, wurde das inoffizielle Ende von Siegels Laufbahn öffentlich gemacht. Begleitet von zwei Anwälten und in einen teuren grauen Anzug gekleidet, erschien er vor dem Bundesgericht und erklärte sich schuldig, erstens an einer Konspiration zur Verletzung des Wertpapiergesetzes teilgenommen und zum zweiten Steuern hinterzogen zu haben, die auf die Zahlungen von Boesky fällig gewesen wären. Entsprechend der Vereinbarung mit der SEC, die sich auf zivilrechtliche Forderungen bezog, zahlte Siegel neun Millionen Dollar, obwohl er von Boesky nur 700 000 Dollar erhalten hatte. Siegel gab den Behörden auch die Namen von weiteren drei Akteuren der Wall Street und behauptete, daß sie mit ihm zusammengearbeitet hatten, um illegale Gewinne aus Wertpapiergeschäften zu erzielen.

Es ging gegen Mittag, als an einem kalten, klaren Freitag ein dunkelblauer Wagen mit Dennis Levine und seiner Frau an dem winzigen Haus des Bundesgerichts in White Plains, New York, vorfuhr. Mehr als 75 Reporter, Fotografen und Fernsehleute umschwärmten den Wagen. Zehn Minuten lang mußten die Levines im Auto sitzen bleiben, denn die aufgeregte Menge hinderte sie, die Türen zu öffnen. Schließlich schafften es Levine und seine Frau doch, den Wagen zu verlassen und sich ihren Weg durch das Gedränge zum Gerichtsgebäude zu bahnen. Sie schauten finster drein und sprachen kein Wort.

Richter Goettel war im Januar von Manhattan in die kleine Außenstelle 45 Minuten nördlich von New York City versetzt worden. Am 20. Februar 1987 kamen Scharen von Reportern dorthin, um der Urteilsverkündung beizuwohnen. Bundespolizisten verwehrten den Journalisten bis wenige Augenblicke vor der Urteilsverkündung den Zutritt zum Gebäude. Die Presseleute warteten draußen, stampften mit ihren frierenden Füßen auf den Boden, tranken Kaffee und ärgerten sich über Dennis Levines letzte Rache. Gemessen an dem Drama von der Macht des Geldes und der Korruption, das die Bühne für diesen Nachmittag bereitete, war das Verfahren selbst ein milder Anti-Höhepunkt. Keine Stimme rief nach Verzeihung oder Gerechtigkeit. Niemand zeigte Gefühle. Es hätte die Verurteilung eines kleinen Diebes sein können, wenn da nicht die Reporter gewesen wären, die mit Stiften und Notizblöcken bewaffnet auf den Bänken aus hellem Holz saßen, und einige Zeichner für das Fernsehen auf den Geschworenenbänken.

Levines Frau, Laurie, hatte mit ihrem Schwiegervater und anderen Familienmitgliedern in der zweiten Reihe Platz genommen. Sie trug ein teures graues Kostüm. Levine saß neben seinen Anwälten Arthur Liman und Martin Flumenbaum am Tisch der angeklagten Partei.

Liman eröffnete die Sitzung, indem er Goettel um Nachsicht für seinen Mandanten bat, als Anerkennung für die »offene« Zusammenarbeit, bei der dieser trotz des Stigmas des Verräters und trotz einer Morddrohung (die sich als schlechter Witz entpuppt hatte) geblieben sei. Liman las die Namen derjenigen vor, deren Verurteilung oder Schuldgeständnis gegenüber den Behörden das Ergebnis dieser Zusammenarbeit war: »Boesky, Wilkis, Sokolow, Reich, Brown und Cecola.« Ferner appellierte er an Goettel, jene Bestrafung zu berücksichtigen, unter der Levine bereits litt: »Er ist pleite. Er ist bankrott. Alles ist weg. Das ist noch das wenigste. Er muß eine Art von Verbannung erleiden. Er ist ein Ausgestoßener, ein Aussätziger – in einem Maße, wie ich es noch nie gesehen habe. Euer Ehren, Dennis Levines Name wird immer als Synonym für diese Art von Verbrechen stehen.«

Als der Richter Levine fragte, ob er etwas zu sagen habe, erhob sich dieser und wandte sich dem Richter zu. Er trug einen grauen Nadelstreifenanzug, ein blütenweißes Hemd, eine rotgestreifte Krawatte und eine goldgerandete Brille. Sein schwammiges Gesicht war ohne Ausdruck, mit tonloser Stimme brachte er in rund neunzig Sekunden das folgende Geständnis vor: »Letzten Juni, als ich mich vor Ihnen, Euer Ehren, schuldig bekannte, wurde ich automatisch zu einem Leben voll Entwürdigung und Verachtung verurteilt. Ich habe meine Frau, meine Kinder, meinen Vater, meine Brüder, meine Familie, meine Freunde und meine Kollegen enttäuscht. Ich habe das System, an das ich glaube, mißbraucht, und ich werde mir dies nie verzeihen. Es tut mir aufrichtig leid, und ich schäme mich, nicht nur wegen meines kriminellen Verhaltens, sondern auch für den Schmerz und die Entwürdigung und Demütigung, die ich meiner Familie zugefügt habe, besonders weil es in erster Linie ihre Zuneigung war, die mich in dieser sehr schwierigen Periode aufrecht gehalten hat. Während der letzten zehn Monate, Euer Ehren, bin ich mit mir sehr streng ins Gericht gegangen. Ich kann Ihnen versichern, daß mir dies eine Lehre war. Ich schwöre vor diesem Gericht, daß ich niemals wieder das Gesetz brechen werde, und ich bitte Euch, mir die Möglichkeit zu geben, den Scherbenhaufen, der nun mein Leben ist, zu ordnen, meiner Familie zu helfen, dies hier durchzustehen, und zu versuchen, wieder ein brauchbares Mitglied der Gesellschaft zu werden. Danke!«

Es gibt kein bestimmtes Maß, mit dem die Kooperation eines Angeklagten in einem Strafprozeß zu bewerten ist. Ein Richtlinienentwurf für Bundesgerichte aus dem Jahre 1986 besagt, daß ein Richter die Mitarbeit eines Angeklagten durch Herabsetzung der Strafe um maximal 40 Prozent anerkennen kann. Dieser Satz wurde als zu restriktiv befunden und in einer späteren Version gestrichen. Somit war es allein der Entscheidung des zuständigen Richters überlassen, den Wert der Zusammenarbeit zu bemessen.

»Ich bin zu dem Schluß gekommen, daß das Verbrechen, für sich gesehen, eine Strafe von fünf bis zehn Jahren Gefängnis verlangt«, sagte Goettel, als Levine wieder neben seinen Anwälten stand. »Dem haben wir gegenüberzustellen, daß der Angeklagte seine Schuld eingesteht, daß er mit den Untersuchungsbehörden zusammengearbeitet hat, und daß die Zusammenarbeit in diesem Fall in der Tat außerordentlich fruchtbar war. Mit Hilfe seiner Informationen ist es gelungen, einen ganzen Betrügerring an Wall Street auffliegen zu lassen.

Nun gibt es Leute, die sagen, daß Personen sich nur deshalb zu dieser Art von Zusammenarbeit bereitfinden und als Kronzeugen auftreten, weil sie ihre eigene Haut retten wollen und darum keinerlei Anerkennung dafür bekommen sollten«, setzte Goettel hinzu. »Ich glaube auch daß sie sich so verhalten, um ihre eigene Haut zu retten. Aber wenn man ein derartiges Verhalten heute nicht honoriert, wird man eine solche Unterstüzung in der Zukunft nicht mehr bekommen. «

Der US-Staatsanwaltschaft war als Ergebnis der Geständnisvereinbarung mit Levine vom vergangenen Mai untersagt, eine Empfehlung für das Urteil abzugeben. Als Folge, so Goettel, habe er nur einen sechsseitigen Brief des Stellvertretenden US-Staatsanwaltes Charles Carberry als Richtschnur, der die bloßen Fakten von Levines Verbrechen skizziert und eine kurze Zusammenfassung von dessen Kooperation mit den Untersuchungsbehörden enthält.

Der Richter gab sich damit zufrieden, das Dilemma erklärt zu haben, und blickte noch ein letztes Mal in den übervollen Gerichtssaal, ehe er das Urteil verkündete: zwei Jahre Gefängnis und eine Strafe von 362 000 Dollar, wobei der Richter ohnehin daran zweifelte, daß Levine sie jemals zahlen könne.

Einen Augenblick lang herrschte tiefe Stille, so als wartete jeder auf eine sichtbare oder hörbare Gefühlsregung des Mannes im grauen Nadelstreifenanzug. Aber es gab keine. Levine ging schnell auf die eine Seite des Gerichtssaals, schaute etwas verwirrt auf die Menge der Reporter, die sich erhoben hatten und den Haupteingang versperrten, und verließ den Raum, gefolgt von seiner Frau und den Anwälten, durch die Tür, die dem Richter vorbehalten ist.

Hinten, fast am Ende des Gerichtssaals, saß Elsa Wilkis. Sie hatte von der Beteiligung ihres Mannes an Levines Ring erst im Juni 1986 erfahren. Nachdem sie monatelang gekämpft hatte, um ihrem Ehemann Leid und Schmerz ertragen zu helfen, wollte sie nun selbst sehen, ob es eine gerechte Strafe für den Menschen gab, den sie für alles verantwortlich machte. Als sie sah, wie Levine durch die Hintertür aus dem Gerichtssaal entschlüpfte, hatte sie das starke Gefühl, daß er ein Grinsen unterdrückte. Einer von Dennis Levines Lieblingssprüchen kam ihr in den Sinn; sie konnte fast hören, wie er sagte: »Ich bin kein Banker, sondern ein Genie.«

Epilog

Am Tag danach

Eine Frage scheint über dem Fall des Dennis Levine zu stehen: Ist er eine gerissene, habgierige Ausnahme oder verkörpert er den Abstieg und Verfall der Wirtschaftsmoral?

In den ersten Tagen nach seiner Verhaftung wurde Dennis Levine von der Wall Street einfach als Abschaum betrachtet. Er war ein gerissener Gauner, der das Vertrauen seiner Arbeitgeber und Kunden mißbraucht hatte, um sich zu bereichern. Bald jedoch rutschte er eine Stufe höher, indem er zum Symbol des Materialismus und Zynismus des neuen Typus von Professionals an Wall Street avancierte, jener jungen Männer und Frauen, für die – kaum daß sie ein Wirtschafts- oder Jurastudium absolviert hatten – »mehr nicht genug war«. Das Groteske bestand darin, daß aus Yuppies Yippies wurden – Young Indicted Professionals –, junge Professionals, die unter Anklage standen. Der Eindruck ungezähmter Habsucht verstärkte sich, als Ende Mai 1986 fünf Männer, die der Altersklasse der 20- bis 30jährigen angehörten und zu denen ein Unternehmensanwalt und drei Wall Street Professionals zählten, angeklagt wurden, vertrauliche Informationen über Übernahmeangebote ausgetauscht zu haben, um Aktien zu handeln und ihre eigene Karriere zu fördern.

Die Reaktion der Öffentlichkeit enthielt aber auch schmutzigere, weitaus schockierende Untertöne: Levine und viele andere, die in diesen Fall verwickelt waren, sind Juden. Ethnische Witze und verächtliche Bemerkungen über Juden hörte man oft an Wall Street. Nun erregte das erneute Aufkeimen des Antisemitismus die Betroffenheit von Juden und Nichtjuden, und man befürchtete einen Rückfall in die antisemitische Haltung des Finanzestablishments des letzten Jahrhunderts. Noch stärker als der Versuch, jede Schuld an dem Skandal den jungen Professionals der Branche zuzuschreiben, stellte der Antisemitismus ein geschmackloses und irreführendes Ausweichen auf einen Nebenschauplatz dar. Diese Haltung entsprang der Weigerung von Wall Street, das wirkliche Problem zu erkennen.

Als letztlich das wahre Ausmaß des Skandals ans Licht kam, hatte Wall Street keine Wahl mehr – man mußte sich der harten Wirklichkeit stellen. Das Problem konnte weder auf eine Handvoll Einzelpersonen abgeschoben, noch auf die Unmoral einer Altersklasse beschränkt werden. Die Glaubwürdigkeit des Berufsstandes selbst stand auf dem Spiel, und langsam wich die Vorstellung, Levine & Co seien unmoralische Auswüchse einer Generation, einer weit tieferen Betroffenheit über den schwindelerregenden Verfall von Aufrichtigkeit und Moral in der amerikanischen Finanzwelt. Der Schwerpunkt lag dabei auf dem Investmentbanking: aufgrund der zentralen Rolle dieses Bereichs in der Geschäftswelt und der Beteiligung von Anwälten und Arbitragehändlern ist aber die Krise von weit größerer Bedeutung.

Die Wall Street wurde nicht von gerissenen »Künstlern des schnellen Geldes« überrannt – die Mehrheit der dort Beschäftigten ist vertrauenswürdig und ehrlich –; das Ausmaß des Insider-Skandals hat institutionelles Versagen deutlich gemacht, das die Glaubwürdigkeit eines wesentlichen Sektors der amerikanischen Wirtschaft bedroht.

Ein Opfer war die traditionelle Vorstellung, daß sich Wall Street selbst regulieren kann – daß das Wort eines Wall Street Professional gilt. Auch wenn die Revisionsabteilung von Merrill Lynch letztlich den Skandal auslöste, indem sie angemessen auf den anonymen Brief reagierte, so war doch deutlich zu sehen, daß das, was das *Fortune Magazine* die »Malaise des Gewinns um jeden Preis« nannte, die Möglichkeit und Motivation der Branche, sich selbst zu kontrollieren, untergraben hatte. An der Wall Street wurden Stimmen laut, die eine stärkere Kontrolle durch die SEC forderten. Harvey Pitt wurde von einem Senatsausschuß gebeten, eine Untersuchung darüber durchzuführen, ob neue Gesetze zum Schutze der Öffentlichkeit notwendig seien.

Forderungen nach stärkerer Regulierung und neuen Gesetzen sind schön und gut, aber sie treffen nicht den Kern der Sache. Das extralange Kabel, das Levines Telefonanschluß bei Lehman Brothers hatte, war ein Symbol dafür, daß es Levines Aufgabe war, die Gerüchteküche der Investmentbanker, Anwälte, Spekulanten und Arbitrageure anzuzapfen. Während seiner ganzen Karriere erhielt Levine Anerkennung für seine Fähigkeit, Informationen zu beschaffen. Niemand, der ihn kannte, konnte ernsthaft glauben, daß die Informationen das Ergebnis seiner brillanten Analysen der Aktienkurse oder der Bilanzdaten waren. Der Schutz vor der zügellosen Habsucht eines Dennis Levine ist nur zum Teil die Aufgabe von Gesetzen und Regulierung. Die größte Last bleibt bei der Finanzwelt selbst: sie trifft auch die Hauptschuld am Niedergang an Glaubwürdigkeit. Levine existierte nicht nur, sondern er hatte auch Erfolg, weil zu viele seiner Kollegen sich Scheuklappen in einem Geschäftsumfeld aufsetzten, in dem die Höhe der Provisionseinnahmen an die Stelle von langfristigen Überlegungen wie das Wohl der Kunden trat.

Zur Bewertung der Bedeutung des Skandals bemerkte Felix Rohatyn von Lazard Frères in *The New York Review of Books* vom 12. März 1987 warnend: ». . . ein Krebsgeschwür hat sich in unserem Wirtschaftszweig ausgebreitet . . . es ist die Habsucht.« Er fuhr fort, das grundlegendere Problem eines Verfalls der Moral und der Integrität herauszuheben: »Zu viel Geld kommt mit zu vielen jungen Menschen in Berührung, die wenig oder keine Beziehung zur Institution und kein Gefühl für Tradition haben, und die unter dem enormen Druck stehen, im Scheinwerferlicht einer Hollywoodähnlichen Öffentlichkeit Erfolg zu haben. Im günstigsten Fall führt das zu spekulativen Exzessen, im schlimmsten Fall aber zur Illegalität. Insider Trading ist nur ein Ergebnis.«

Kein System, das bisher erfunden wurde, kann sicherstellen, daß sich jeder moralisch verhält. Aber die Verantwortung der Weisen von Wall Street ist es, wenigstens ein Umfeld zu gewährleisten, das moralisches und ehrliches Handeln belohnt und skrupelloses Verhalten nicht toleriert, auch dann nicht, wenn es nicht illegal ist.

Die Säuberungsaktion gegen Levine, Boesky und ihresgleichen kann eine tiefgreifende Wirkung auf die Art und Weise haben, wie Geschäfte in Zukunft an Wall Street ablaufen. In der Geschichte der Vereinigten Staaten gab es immer wieder Perioden, die durch finanzielle Exzesse geprägt waren. Die Raubritter des 19. Jahrhunderts erhielten ihren Namen nicht deshalb, weil sie sich wie Pfadfinder verhielten, und der Große Börsenkrach von 1929 war das Ergebnis von Spekulationsorgien, die von Wall Street genährt wurden. Stets schloß sich diesen Zeiten eine Folge von Reformen an – und vielleicht steht jetzt eine weitere ins Haus.

Die Antwort auf die Frage »Was ist Dennis Levine?« ist folgende: Er ist tatsächlich gerissen und habgierig, aber er ist keine Anomalie. Er ist Wall Streets schlimmster Alptraum, der wahr geworden ist, und er ist wahr geworden, weil Wall Street darin versagte, einer ganzen Generation von Angestellten ein Gefühl für Moral, Verhaltensregeln und Tradition zu vermitteln. Dieses institutionelle Versagen fiel mit einer Zeit zusammen, als die rasende Geschwindigkeit der Unternehmenszusammenschlüsse und Aufkäufe mehr Sorgfalt und Vorsicht verlangt hätte – und nicht weniger. Zu viele junge Absolventen von Business- und Law Schools wurden als bloßes Futter im Krieg um enorme Gewinne angesehen, die erzielt werden mußten, um die immensen Fixkosten und die übermäßig angestiegenen Bonuszahlungen abzudecken, die die Senior Partner einiger der höchstangesehenen Unternehmen an Wall Street bezogen.

Das wirkungsvollste Moralsystem und die höchsten Verhaltensnormen hätten Levine nicht aufhalten können. Er stürzte sich mit einer kriminellen Veranlagung in seine Karriere. Aber eine starke Verpflichtung gegenüber einem Kodex moralischer Verhaltensregeln hätte ihn auf diesem Weg gestoppt. So aber wurde er mit Beförderungen und riesigen Gehaltserhöhungen und letztlich sogar mit Starruhm belohnt. Jene, die er in dieses Netz von Illegalität und Übermaß verstrickt hatte, wären möglicherweise davon verschont geblieben, wenn jemand unbeirrt auf moralischem Verhalten beharrt hätte. Statt dessen starrten alle Augen auf die Trennlinie zur Illegalität, und im halsbrecherischen Wettbewerb des Investment-Geschäfts der achtziger Jahre – geschüttelt vom Verfall der Verhaltensnormen und verdorben durch das Fehlen eines institutionalisierten Gewissens – war es nur allzu leicht, diese Trennlinie zu überschreiten.

Anmerkungen des Autors

Dies ist eine wahre Geschichte. Jeder Name, alle Daten, jede Episode und jede Unterhaltung sind echt.

Hauptquelle des Tatsachenmaterials waren mehrere hundert Stunden von Gesprächen mit Personen, die Wissen aus erster Hand zu diesem Gegenstand haben. Vielfach wurden mehr als nur ein Betroffener zu einem Ereignis befragt. Diese Interviews wurden mit mehreren tausend Seiten von Dokumenten untermauert, die von behördlichen Akten bis zu handschriftlichen Aufzeichnungen einiger der Betroffenen reichten.

Unter dem Bundesgesetz zur Freiheit von Informationen (Federal Freedom of Information Act) konnten mehrere tausend Seiten von Dokumenten eingesehen werden, die aus den Unterlagen der SEC stammten und den Fall Nr. HO-1743, die Untersuchung der Bank Leu International Ltd., die letztlich Dennis Levine betraf. Unter diesen Dokumenten waren vollständige Auflistungen des gesamten Wertpapierhandels von Dennis Levine, Bruno Pletscher und Bernhard Meier über die Bank Leu, Memoranden und Notizen der Mitarbeiter der Bank über Treffen mit Levine und interne Berichte der Bank Leu sowie entsprechende Korrespondenz. Außerdem enthielten die Unterlagen der SEC Levines persönlichen Terminkalender, Telefonnummernverzeichnisse und Reiseberichte sowie interne Unterlagen von Drexel Burnham Lambert, die Merrill Lynch-Aktienhandelsaufzeichnungen von Brian Campbell, Carlos Zubillaga und Max Hofer, Campbells eidesstattliche Erklärung gegenüber der SEC, Notizen der SEC-Anwälte über Gespräche mit anderen Personen, die in die Untersuchungen einbezogen waren, und Hunderte anderer Dokumente.

Die vollständigen Unterlagen bezüglich der Zivil- und Strafverfahren gegen Levine, Robert Wilkis, Ilan Reich, Ira Sokolow, David Brown, Randall Cecola, Ivan Boesky und Martin Siegel, zusammen mit den Unterlagen in der Zivilsache Bernhard Meier, waren ebenfalls verfügbar. Die Gerichtsaufzeichnungen enthielten Abschriften von Pletschers Aussage in London. In diesem Buch ist auch von dem folgenden, sehr umfangreichen zusätzlichen Material Gebrauch gemacht worden – dem Bericht des vom Gericht bestellten Konkursverwalters, der Levines Ausgaben im Zeitraum vom 1. Januar 1980 bis 12. Mai 1986 rekonstruierte, dem Gerichtsmaterial von anderen SEC-Fällen und dem Archivmaterial der SEC. Zusätzlich wurde Hintergrundmaterial aus mehreren hundert Zeitschriften und Zeitungen sowie Büchern verarbeitet. Keine Mühe wurde gescheut, um Material aus diesen Quellen zu überprüfen. Besonders informativ waren die Arbeiten von James Stewart und Daniel Hertzberg, beide Reporter beim *Wall Street Journal.*

Hinweise auf das Wetter wurden den Berichten des Nationalen Wetterdienstes und entsprechenden Ausgaben bahamanischer Zeitungen entnommen. Beschreibungen des äußeren Rahmens der Handlung beruhen fast alle auf eigenen Beobachtungen des Autors.

Das Buch ist in einem erzählerischen Stil geschrieben, der versucht, den Leser so nahe wie möglich an die Hauptereignisse heranzuführen. Demzufolge war es notwendig, Gespräche so zu rekonstruieren, daß sie – ohne den erzählerischen Fluß zu unterbrechen – den Quellen entsprachen. Jede Unterhaltung wurde so genau wie nur möglich aus verschiedenen Quellen nachgestaltet, und jede gibt das Wesentliche dessen wieder, was tatsächlich gesagt wurde. Oft allerdings folgen die Unterhaltungen nicht dem genauen Wortlaut. Statt dessen wurden Techniken angewandt, die der Autor während seiner vierzehnjährigen Tätigkeit als Reporter entwickelte, um die Gespräche so präzise wie möglich zu rekonstruieren. Neben den Erinnerungen der Betroffenen dienten als Grundlage der Gestaltung der Gespräche zeitgleiche Aufzeichnungen von Unterhaltungen der Betroffenen, Memoranden, die im Anschluß an Gespräche niedergeschrieben wurden, das Wissen von anderen Personen, die in Gespräche einbezogen waren, und die große Menge von Zeugenaussagen, die in den Gerichtsprotokollen enthalten sind. In nahezu allen Fällen folgt die Wiedergabe von Dialogen den deutlichsten Erinnerungen mindestens eines der Teilnehmer. Einige Unterhaltungen jedoch wurden auf der Grundlage von Informationen von Personen rekonstruiert, die bei den Unterhaltungen nicht anwesend waren, aber im nachhinein über die Gesprächsinhalte verläßlich informiert wurden.

Im folgenden wird auf einige Informationsquellen detaillierter eingegangen.

1. Kapitel

Die Beschreibung des Orts der Handlung beruht auf einem Besuch von Nassau. Die Beschreibung von Levines Auftreten und den Ereignissen in der Bank wurde nach Gesprächen mit Bruno Pletscher und Aktennotizen gestaltet, die Jean-Pierre Fraysse nach jeder Gesprächsrunde für die Unterlagen der Bank verfaßte. Die Kenntnisse über Levines früheres Schweizer Bankkonto entstammen dem Bericht des vom Gericht bestellten Konkursverwalters und den Informationen, die Levine an Robert Wilkis weitergegeben hat. Das Tatsachenmaterial, das in diesem Buch bezüglich Levines Wertpapiertransaktionen verwendet wurde, bezieht sich auf Dokumente der SEC und Originalmaterial über die Transaktionen, die jetzt in den Unterlagen der SEC sind, sowie auf die Geschäftsanalysen, die von der Bank unter dem Etikett »Profits Moby Dick« vorbereitet wurden.

2. Kapitel

Mehrere Personen, die Dennis Levine aus seiner Kindheit und Jugend kannten, wurden befragt, einschließlich zweier Professoren des Bernard Baruch College, Jack Francis und Leonard Lakin. Weitere Einzelheiten über seine Jahre bei Smith Barney stammen aus Gesprächen mit Personen, die mit ihm in dieser Zeit bekannt waren, und aus Levines Personalakten bei Smith Barney, die nun Teil der Gerichtsunterlagen sind.

Ein Teil des Hintergrundmaterials über Levine wurde Zeitungs- und Zeitschriftenartikeln entnommen. Dazu zählen insbesondere eine Artikelserie in der *Chicago Tribune* vom 15., 16. und 17. Juni 1986 und ein ausgezeichneter Beitrag in der *Washington Post* vom 22. Mai 1986.

3. Kapitel

Die Geschichte des Investmentbanking in Amerika ist mit vielen Einzelheiten in zwei hervorragenden Werken abgehandelt: *Competition in the Investment Banking Industry* von Samuel L. Hayes III,

A. Michael Spence und David Van Praag Marks, erschienen bei der Harvard University Press, Cambridge, Mass. 1983, und *Investment Banking and Diligence* von Joseph Auerbach und Samuel L. Hayes III, erschienen bei der Harvard Business School Press, Cambridge, Mass. 1986. Ferner schrieb Hayes, der Jacob-Schiff-Professor für Investmentbanking an der Harvard Business School ist, zwei sehr beachtete Beiträge über Veränderungen im Investmentbanking für die *Harvard Business Review*; diese Artikel beinhalten solide Sachinformationen. Hayes wurde außerdem, wie andere, die sich im Investmentbanking-Geschäft auskannten, ausführlich befragt.

4.–9. Kapitel

Diese Kapitel basieren weitgehend auf Gesprächen mit Teilnehmern der verschiedenen geschäftlichen Transaktionen sowie auf Gerichtsakten und Dokumenten der SEC. Die Geschichte von Ilan Reichs Beziehung zu Levine wurde erstmals in einem Artikel mit dem Titel »Tod einer Karriere« berichtet, der 1986 in der Dezemberausgabe der Zeitschrift *The American Lawyer* erschien. Er war von Steven Brill, dem Herausgeber der Zeitschrift, verfaßt. Der Autor des vorliegenden Buches verbrachte viele Stunden in Gesprächen mit Reich, in denen er mit diesem die Fakten durchging.

Die Geschichte über Lehman Brothers und über die Kräfte, die letztlich zu deren Kauf durch Shearson/American Express führten, sind sehr spannend in dem Buch *Greed and Glory on Wall Street: The Fall of the House of Lehman* von Ken Auletta, erschienen bei Random House, New York 1986, dargestellt.

Viele der Treffen zwischen Levine und Mitarbeitern der Bank Leu sind in Einzelheiten in Pletschers Aussage vor der SEC beschrieben. Pletscher führte darüber weitere Einzelheiten in einem Gespräch mit dem Autor aus, das in seinem Heim außerhalb von Zürich stattfand, sowie in Telefongesprächen, die sich daran anschlossen.

Ein Teil des Materials stammt auch von den vielen Gerichtsverfahren gegen Levine und andere Betroffene, die der Offenlegung des Falls durch die SEC folgten. Ein Beispiel dafür ist einiges Material über die Litton-Itek-Transaktion, die in Kapitel 7 beschrieben wird.

Ein gutes Beispiel für die Vorgehensweise in diesem Buch ist der

Crown Zellerbach-Fall, der in Kapitel 9 behandelt ist. Das entscheidende Essen in Sir James Goldsmiths Stadthaus, bei dem Levine »blaß« wurde, ist in Einzelheiten in der eidesstattlichen Erklärung von Roland Franklin beschrieben. Die Information wurde dann durch ein Gespräch mit zwei Teilnehmern des Essens weiter ausgearbeitet. Ein internes Dokument von Drexel enthält eine Analyse des Übernahmeangebots an Crown Zellerbach; und eine Hintergrundgeschichte zu Goldsmith war in einem Artikel des *Wall Street Journal* vom 21. November 1986 enthalten.

10. Kapitel

Das Material über Ivan Boesky stammt aus vielen persönlichen Gesprächen, Unterlagen der SEC im Zusammenhang mit dem Verfahren gegen ihn und zahlreichen längeren Artikeln in Zeitungen und Zeitschriften, zu denen zwei hervorragende Portraits Boeskys zählen – ein Beitrag in *Fortune Magazine* vom 6. August 1984, verfaßt von Gwen Kinkhead, und ein Artikel im *Atlantic Monthly* von Connie Bruck, der im Dezember 1984 erschien.

Boeskys Geschäftsbeziehungen mit Levine sind in Verbindung mit dem Verfahren der SEC gegen Boesky beschrieben; die Beziehungen des Arbitragehändlers mit Martin Siegel sind in den Unterlagen des Verfahrens der SEC gegen Siegel ausgeführt. Außerdem stützt sich die Beschreibung der Verbindung zwischen Siegel und Boesky sehr stark auf einen Artikel im *Wall Street Journal* vom 17. Februar 1987. Ein Staatsanwalt und ein Anwalt bestätigten die Einzelheiten des Beitrags in getrennten Gesprächen mit dem Autor.

11. Kapitel

Anwälte von Merrill Lynch & Company, die früher für dieses Unternehmen tätig waren oder heute dafür tätig sind, beschrieben die Ereignisse im Anschluß an den anonymen Brief, der sich auf Carlos Zubillaga und Max Hofer bezog. Brian Campbells vereidigte Aussage vor der SEC lieferte zusätzlich Informationsmaterial.

Die Geschichte der beiden vorausgegangenen Fälle, in die Schweizer Banken verwickelt waren, wurde entsprechenden Gesprächen, Gerichtsakten und Zeitungsartikeln entnommen.

12.–16. Kapitel

Viele der entscheidenden Ereignisse, die in diesen Kapiteln dargestellt sind, wurden zuerst in Pletschers schriftlicher Aussage erwähnt; einige davon wurden in diesem Dokument mit großer Genauigkeit beschrieben. Allerdings kam durch Gespräche mit mindestens einem der Betroffenen oder die Erinnerungen mindestens einer Person, die eine verläßliche Informationsquelle darstellte, Fleisch an das Gerippe dieser Aussage.

Die Reise- und Bewirtungsabrechnungen aus Levines Zeit bei Drexel Burnham lieferten Einzelheiten über Ereignisse wie seinen Urlaub im Juni 1985 in Frankreich und den Kauf von Champagner zur Feier der Pantry Pride-Revlon-Transaktion. Eine schriftliche Aufzeichnung des Roundtable-Gesprächs bei der SEC befindet sich im Archiv dieser Behörde.

17.–20. Kapitel

Auf Anweisung ihrer Anwälte machten Pletscher und Richard Coulson, nachdem sich die Strategie der Bank gegenüber der SEC gewandelt hatte, detaillierte Aufzeichnungen über ihre Treffen mit Levine. Kopien dieser Aufzeichnungen sind in den Unterlagen der SEC enthalten und wurden dazu benutzt, viele der Unterhaltungen, die Ende 1985 und 1986 stattfanden, zu rekonstruieren. In einigen Fällen wurden die Aufzeichnungen dazu benützt, Pletschers Gedächtnis aufzufrischen.

Einzelheiten über die Rekapitalisierung der FMC sind in den Prozeßakten des Bundesgerichts von Chicago enthalten.

Obwohl Levine bei etlichen Gelegenheiten anklingen ließ, er habe eine oder mehrere Quellen in der SEC, erklärten Anwälte der Behörde, es gäbe keinen Beweis, daß Levine von irgendeinem SEC-Angestellten Informationen erhalten habe. Wahrscheinlich verließ er sich auf die Wall Street-Gerüchteküche.

Levines »genialer Plan«, wieder Aktienaufträge zu plazieren, der zuerst in Pletschers Aussage erwähnt wurde, ist in Gesprächen mit Pletscher und anderen dargelegt. Eine genauere Erklärung, wie dieser Plan funktioniert hätte, ist nicht möglich, einmal weil Levine darüber schwieg, und zum zweiten, weil Zweifel bestehen, ob Levine überhaupt eine genaue Vorstellung davon hatte.

Die Vereinbarung zwischen der SEC und der Bank Leu International vom 19. März 1986 ist zusammen mit einer hinzugefügten Beschreibung des Kunden in den Unterlagen der SEC zu finden. Die Briefe zwischen der SEC und den US-Zollbehörden befinden sich ebenfalls in den SEC-Unterlagen.

Eine Kopie des Briefes von Levines Anwälten in Nassau an die Bank, der sich auf die Möglichkeit einer Klage bezieht, ist in den Unterlagen der SEC enthalten.

Die Ereignisse, die zu Pletschers eidesstattlicher Aussage in London führten, wurden zuerst von Pletscher in einem Gespräch beschrieben und später von Harvey Pitt und Michael Rauch in getrennten Unterhaltungen bestätigt.

21. Kapitel

Levines Verhandlungen mit Boesky über ein Beschäftigungsverhältnis wurden zum ersten Mal in einem Gespräch mit Reich erwähnt und dann von Wilkis bestätigt. Von dritter Seite wurde ebenfalls angegeben, daß diese Gespräche stattgefunden haben und daß es sich dabei auch darum gedreht habe, welchen Abschlußbonus Levine bekommen sollte.

Paul Adderly, Generalstaatsanwalt der Bahamas, wurde über das Treffen am 7. Mai und den darauffolgenden Brief an die Bank Leu befragt.

In Levines Terminkalender war notiert, daß er die Aufführung von *Top Gun* am 9. Mai besuchen würde, und ein Mitarbeiter von Paramount bestätigte, daß sein Name auf der Einladungsliste stand. In Levines Terminkalender stand auch, daß er vorhatte, den Mount-Sinai-Wohltätigkeitsball am 12. Mai zu besuchen.

22. Kapitel

Wilkis beschrieb die Reaktion der Behörde auf seine Informationen über die Beziehung zwischen Boesky und Levine. Wilkis' Anwalt, Gary Naftalis, hatte den Eindruck, daß die Behörden nichts darüber gewußt haben. Aber die Vertreter der Justizbehörden und der SEC weigerten sich, diese Sache zu diskutieren.

Transkriptionen der Urteilsverkündungen, die mehrere Angeklagte betrafen, wurden herangezogen, um Zitate zu untermauern, die vom Autor und anderen Reportern bei den Urteilsverkündungen niedergeschrieben wurden.

Adderly bestätigte im Dezember 1986, daß seine Behörde eine Untersuchung in Strafsachen bezüglich der Aktivitäten der Bank Leu durchführte.

Danksagung

Dies ist eine wahre Geschichte über reale Begebenheiten. Sie wäre nicht möglich gewesen ohne die selbstlose Hilfe vieler Persönlichkeiten. Auch wenn ich an dieser Stelle unmöglich alle nennen kann, denen ich Dank schulde, bin ich für die wertvollen Hinweise äußerst dankbar, die ich von Harvey Pitt und Michael Rauch erhalten habe, zwei Anwälten, die den richtigen Weg eingeschlagen haben. Ich möchte Bruno Pletscher danken, der die Wahrheit sagte, als dies nötig war, sowie Robert Wilkis und Ilan Reich, den beiden anständigen Männern, die in eine Tragödie verwickelt wurden.

Ferner danke ich den vielen Angestellten der US-Securities and Exchange Commission, die Fragen beantworteten, soweit sie konnten, und mir mit ausgesuchter Höflichkeit begegneten, wenn sie es nicht konnten. Dazu gehören John Sturc, Leo Wang, Chiles Larson und John Heine. Professor Samuel Hayes III von der Harvard Business School eröffnete mir die Welt des Investmentbanking. Betty Santangelo, Jurist bei Merrill Lynch & Company, gab wertvolle Hinweise. Von Richard Drew aus der Revisionsabteilung des Maklerhauses, und von Robert Romano, einem früheren Anwalt bei Merrill Lynch, erhielt ich wichtige Informationen. Ira Lee Sorkin, ehemaliger Regionalkommissar der SEC in New York, hat mir Einblick in die Funktionsweise dieser Behörde und in das System verschafft; dabei halfen auch zahlreiche andere Anwälte, Regierungsbeamte und Wall Street Banker.

Schließlich möchte ich Marian Wood von Henry Holt and Company danken, deren Enthusiasmus, Intelligenz und sicherer Instinkt einen wahrhaft guten Lektor ausmachen. Dank auch meiner Frau Catherine Collins. Ihre Geduld und Hilfe haben dieses Buch ermöglicht.

Glossar

Arbitragehändler, Arbitrageur
Hier: Wertpapierhändler, die mit Aktien von Übernahmekandidaten spekulieren.

Corporate Finance
Der Bereich Unternehmensfinanzierung bei Banken; dazu gehört vor allem das Konsortialgeschäft, also Finanzierung über den Kapitalmarkt oder durch Bankkredite, sowie Beratung bei Fusionen und Übernahmen (Mergers and Acquisitions).

Emissionskonsortium
Zusammenschluß von Banken bei Effektenemissionen. Zu unterscheiden sind Übernahmekonsortien (underwriters), die die gesamte Emission übernahmen und plazieren (oder in den eigenen Bestand nehmen), und Plazierungskonsortien, welche die Effekten auf Kommisionsbasis übernehmen und zu plazieren versuchen.

Feindliche Übernahmen, hostile takeovers
Aufkauf von Aktien zur Erreichung der kontrollierenden Mehrheit zur Übernahme der Geschäftsführung gegen den Willen des amtierenden Managements und des Verwaltungsrates.

Glass Steagall Act von 1933
Mit diesem Gesetz wurde in den USA das Trennbanksystem eingeführt, das heißt die Bankaktivitäten Depositengeschäft und Kreditvergabe (Geschäftsbanken) durften nicht mehr von demselben Institut wie das Wertpapiergeschäft (Investmentbanken) durchgeführt werden.

Insider Trading Sanctions Act (1984)
Gesetz gegen Insider-Geschäfte. Die amerikanische Wertpapier- und Börsenaufsichtsbehörde erhielt damit das Recht, nicht nur den bei Insider-Geschäften erzielten Kursgewinn sondern zusätzlich das Dreifache dieses Betrages zu verlangen.

Junk Bonds
Festverzinsliche Wertpapiere, die vom Markt schlechter eingestuft werden als sogenannte »Investment Grade«-Papiere (junk = Ausschußware, Ramsch). Der Mangel an Sicherheit drückt sich in einer vergleichsweise höheren Rendite aus; der Emittent muß demnach dem Investor eine höhere Risikoprämie zahlen als bei einer normalen Schuldverschreibung. Eine Kategorie von Junk Bonds sind die »Gefallenen Engel«. Dabei handelt es sich um festverzinsliche Wertpapiere, die ursprünglich zu den »Investment Grade«-Papieren gehörten, aber später wegen finanzieller Schwierigkeiten des emittierenden Unternehmens herabgestuft wurden.

Leveraged buy out
In der Regel Aufkauf von Aktien durch eine Investorengruppe, häufig unter Beteiligung des Managements. Die Finanzierung erfolgt überwiegend durch Aufnahme von Fremdkapital. Im allgemeinen wird die Gesellschaft in ein nicht-börsennotiertes Unternehmen umgewandelt.

»May-Day«
1. Mai 1975. An diesem Tag verfügte die amerikanische Wertpapier- und Börsenaufsichtsbehörde, daß die Provisionen im Wertpapiergeschäft nicht länger nach festen Sätzen abzurechnen sind sondern frei ausgehandelt werden können. Damit fiel der Provisionsertrag bei Wertpapierumsätzen praktisch über Nacht um 40 Prozent.

Mergers and Acquisitions, M & A, Fusionen und Übernahmen
Geschäftsbereich, den amerikanische Investmentbanken in den siebziger und zu Beginn der achtziger Jahre stark ausgebaut haben. Hauptaktivitäten sind Beratung und Vermittlung beim Kauf und Verkauf von Unternehmen und Beteiligungen, einschließlich Unterstützung bei der Finanzierung. Auch die Entwicklung von Strategien zur Abwehr feindlicher Übernahmeversuche und die Beratung von Übernahmekandidaten wird von M & A-Spezialisten durchgeführt.

»Pac-Man« und »Poison-Pill«-Abwehrstrategien
Maßnahmen zur Abwehr eines feindlichen Übernahmeversuches. Bei der Pac-Man-Abwehr versucht das Zielunternehmen, seinerseits

den unerwünschten Aufkäufer mit einem Gegenangebot zu »verschlingen«. Bei der »Poison-Pill«-Strategie wird der unerwünschte
Übernahmeversuch dadurch abgewehrt, daß bei Erreichen eines
bestimmten Beteiligungsprozentsatzes Maßnahmen zur Kapitalver-
wässerung (z. B. Sonderdividende an die übrigen Aktionäre, also
Aktivierung stiller Reserven) getroffen werden.

Piggybacking
Im Jargon der amerikanischen Banken- und Börsenwelt bedeutet
dies, die Wertpapieraufträge eines Kunden zu kopieren, von dem man
annimmt, daß er eine »goldene Nase« bei der Wahl seiner Aktien hat.

Securities Act von 1933
Amerikanisches Gesetz zur Regulierung von Ausgabe und Verkauf
von Wertpapieren.

Securities and Exchange Commission (SEC)
Amerikanische Wertpapier- und Börsenaufsichtsbehörde mit Hauptsitz in Washington D. C.

Shelf-Registration-Verordnung
Um in den USA Wertpapiere emittieren zu können, muß die
Genehmigung der SEC eingeholt werden. Mit der o. g. Verordnung
erstreckt sich die Genehmigung bzw. Registrierung der Emission bei
der SEC auf eine ganze Serie von Wertpapieren, die ein Unternehmen
im Verlauf eines Zeitraumes von zwei Jahren auszugeben plant.

M. J. H.

Namenregister